CHET

LES OUVRAGES DU MÊME AUTEUR
SONT CITÉS PAGE 623.

Alain Gerber

Chet

roman

Fayard

NOTE DE L'ÉDITEUR

Ce roman ne prétend pas rassembler les témoignages véridiques de l'entourage de Chet Baker.

Les propos prêtés à Chesney Henry Baker Senior, Tante Agnes, Dick (Richard X, dit « 148 », Jimmy Rowles, Sherry Donahue, Charlaine, Richard Bock, Charlie Parker, Jeffie, Richard Twardzik, William Grauer, Halema Baker, Jacques Pelzer, Tadd Dameron, Phil Urso, Carol Baker, Dizzy Gillespie, Paul Desmond, Stan Getz sont de pures spéculations, comme la *Fiche d'admission* sur laquelle s'ouvre le roman. En revanche, quelques éléments, en nombre limité, des « témoignages » de Chet, Vera Baker, William (Claxton) et Gerry Mulligan diffèrent à peine de propos qu'ils ont publiquement tenus ou de textes qu'ils ont écrits.

Certains personnages sont entièrement issus de l'imagination de l'auteur : ainsi Sonny « Slipper » James, Oscar D. Greenspan, Lt. Daniel Bernard Levin, Police Sgt. Casper O'Grady, Ettore Boltroni, Arrigo Prezzolini, Jean-Philippe Coudrille, Timothy Donald Walker et Steve Parmighetti.

L'auteur tient à assumer l'entière paternité de la plupart des propos attribués à chacun. Il entend ainsi reconstituer au plus près, par le biais de la fiction, ce que furent, selon lui, l'œuvre et la vie de Chet Baker.

Pour Marie Joséphine, avec détermination.

J'aimerais aussi dédier ce livre à la mémoire
de Michel Graillier et Jacques Pelzer.

Fiche d'admission 669-0567

9 août 1966. 3.32 a.m. (Dr Raglin.) Homme de 36 ans. Présenté au service par des particuliers, à la suite d'une agression sur la voie publique. État confus transitoire. Volumineux hématome du pavillon de l'oreille gauche. Hématome sous-orbital bilatéral. Plaie du front, au-dessus de l'œil gauche, ayant nécessité la pose de sept points de suture. Contusion de la partie gauche de la lèvre supérieure avec lésion probable de l'orbiculaire des lèvres. Nombreux hématomes sur les jambes. Hématome à l'aine et douleur à la palpation des testicules. Nombreuses traces d'injections intraveineuses, en particulier aux bras et aux jambes.

Sonny « *Slipper* » James

Quand il est comme ça, l'Homme, plus raide qu'un torticolis, avec des trucs qui circulent dans son front et tressautent sous la peau, quand t'as l'impression qu'il a une cocotte-minute dans le ventre, qu'il tient sa langue en laisse et que son cou tire sur sa tête pour empêcher son crâne d'aller se coller au plafond, c'est qu'il est vraiment fumasse.

Je peux pas lui donner tort. « T'es mon bras droit, Slipper », qu'il me dit toujours. Pourtant, j'ai que seize ans (en tout cas c'est ce qu'on m'a raconté). Mais ça fait plusieurs années que je bosse avec lui et, depuis que l'Endormi s'est couché pour de bon en novembre, les yeux grands ouverts (il en avait même un troisième, un beau petit couleur indigo, entre les sourcils), c'est moi qui dirige les Encaisseurs. L'Homme achète la poudre et la revend, avec l'aide de son cousin Sal, qui fait les garnis, les hôtels chiasseux, les boutiques et les ateliers d'une bande de travailleuses à l'horizontale. Les potes et moi, on récupère les impayés. On empêche aussi que des petits marchands à la sauvette ou des amateurs, des saisonniers empiètent sur notre territoire et viennent nous casser le marché. Jusqu'à cette nuit, l'Homme a pas eu à se plaindre de nous, mais, là, je reconnais, on a merdé.

Ce trompettiste à la con, il faut dire, à la façon dont ça s'était passé la veille – la bonne volonté, les promesses, l'air sérieux, le regard droit et tout –, on était sûrs et certains qu'il avait déjà préparé son enveloppe. En plus de ça, l'Homme et lui, d'après ce qu'on m'a causé, c'est pas d'hier qu'ils se connaissent. Le singe a plusieurs de ses disques. J'ai entendu un bout du dernier. Dis donc ! c'est de la grosse daube à gerber, avec des connards de Mex sous des chapeaux comme des soucoupes volantes. La honte, eh ! Mais je veux pas juger, chacun son goût. Bref, on s'imaginait que c'était dans la poche. Et puis, on était cinq, non ? et pas des rigolos.

On se pointe à Sausalito. On arrive en vue du Trident, la boîte où il joue (avec tout de même un quart d'heure d'avance, pour le cas…), le voilà qui en sort par l'entrée de service et, sans un regard pour nous, sans même faire mine de nous avoir retapissés, plonge dans un taxi en maraude et profite de ce qu'on avait laissé la caisse dans la rue d'à côté pour nous filer entre les doigts, l'enfoiré !

À la façon dont ses mains agrippent les bras du fauteuil, l'Homme, on pourrait croire qu'il a le cul sur un siège éjectable, dans un putain de chasseur en torche au-dessus de Hanoï. Il a son regard qui voit rien. Ça, moi, j'aime pas trop. Pour causer, c'est à peine s'il ouvre la bouche. Si tu grattes un peu, tu t'aperçois que cette voix est plus blanche, plus dure, plus froide, froide et brûlante, qu'un pain de glace. Et plus dangereuse que le pic qui est planté dedans. On dirait du fer couvert de givre, quand il a gelé toute la nuit. J'ai vécu en Oregon, je connais bien : tu y touches, tu restes collé après, comme à une ligne à haute tension.

« C'est pas tant la braise, Slipper, qu'il me fait en fixant le mur, c'est le respect… »

Des mauvais payeurs, dans notre business, il y a guère que ça. On les rappelle à l'ordre, on les bouscule si besoin est, mais, comme on leur dit toujours, « rien de personnel, mec ». C'est seulement les affaires. Ils le savent tous. Y a des règles, faut bien. Ils essaient plus ou moins de se défiler, des fois qu'on laisserait courir ou que l'Homme s'embrouillerait dans ses calculs en leur faveur. Les camés se font toujours des illusions, c'est dans leur nature. Au fond d'eux, pourtant, ils savent qu'ils n'y couperont pas. Et le jour où on leur présente la note, ils trouvent rien à redire. On leur défonce un peu la gueule pour le principe, ils se collent un steak cru par-dessus et tout le monde est content. Les vicieux qui se rebiffent ou qui cherchent à nous enfiler, par contre, tout ce qu'ils y gagnent, c'est que ça *devient* une affaire personnelle. L'Homme se sent offensé, ça lui bouillonne par-dedans, il s'accroche à son fauteuil pour ne pas décoller genre fusée, et alors là, mieux vaut se trouver loin.

Ce gars qu'on a raté d'un cheveu, cette blanchaille, ce trompettiste qui joue comme on tire la chasse des chiottes, à peine gros comme un cure-dent, il se prend pour qui donc ? Déjà que je les aime pas beaucoup, ces mecs. J'aime pas leur couleur. J'aime pas leurs cheveux filasse. J'aime pas leurs lèvres minces. J'aime pas les fringues qu'ils ont. Surtout celui-là, genre cow-boy un peu pédé. J'aime pas comment ils causent, avec des mots qu'ils ont appris à l'école. Bande de tarés ! J'aime pas leur façon de gagner du fric avec de la musique de merde et j'aime pas leur façon de le claquer comme s'ils étaient sûrs qu'ils allaient en palper autant le lendemain. Et en plus, celui-là veut nous baiser ? On dit comme ça que les stups l'ont

15

sauté, ce printemps, pour avoir falsifié des ordonnances. Il cherchait en somme à s'empaumer de la dope légitime. Y a pire, je sais, mais, tout de même, on m'ôtera pas de l'idée que c'est du vice. Des trucs de guignol. Qu'il braque plutôt les pharmacies, s'il veut faire proprement les choses, comme un homme.

« Vous y retournez pas plus tard que cette nuit, poursuit l'Homme. Vous raclez tout ce qu'il a sur lui, pour commencer, et vous me le soignez en attendant qu'il lâche le reste, avec les intérêts. On lui offre un arrêt maladie. Il a laissé passer la voiture-balai, **tant** pis pour sa tronche. Quant à vous, les bras cassés, je ne vous donnerai pas de troisième chance. Pigé ? »

Je le crois pas ! Il est planté au bord du trottoir, son étui à la main. Et à l'instant où on se pointe, un taxi tourne le coin de la rue et met le cap sur lui. Ce connard s'apprêtait à nous refaire le coup ! Il se retourne en entendant la cavalcade, mais on lui dégringole déjà sur le dos. On l'étale bien par terre. On le tartine sur le bitume. Pendant que le taxi manque de verser en virant de bord sur les chapeaux de roues, je commence à le fouiller. La première chose que je trouve, dans la poche intérieure du blouson de jean, c'est la liasse de biffetons. Alors là, je vois rouge. Le salaud avait même pas l'excuse d'être fauché ! Le fric, il l'avait. Tout le paquet, même, autant que je puisse en juger. À une minute près, l'Homme en voyait pas la couleur, de sa braise, et, nous autres, à cause de cet avorton, on était bons pour la réforme.

Ça, il va le regretter. Fini, les amuse-gueule : on va tout de suite passer au plat de résistance. Il va apprendre que, pour moi, la musique, c'est Otis et Sex Machine, et à quel point j'apprécie pas les faces de craie qui turlutent du coin de la bouche des vieilles conneries chourrées à nos grands-pères et qui s'en ramassent un max avec ces résidus, y a qu'à voir le matelas qu'il trimballe. Alors, je lui satonne la gueule bien comme il faut, qu'il la ferme une bonne fois. Je lui fais bouffer de la semelle tandis que les autres, faites-leur confiance, s'occupent de ses cannes et de ses bijoux de famille.

Où il trouve la force de se relever, de se dresser sur les genoux, je sais pas. Avec son gabarit poids coq, c'est un coriace, ce mec-là ! Il suce des enclumes au petit-déjeuner, ou quoi ? Je lui en balance une dans la tempe. Il voit venir. C'est l'oreille qui trinque. Chou-fleur et gelée de groseille pour tout le monde ! Il vacille en arrière, mais il reste droit quand même, dis donc ! D'où qu'il sort, putain, c'est pas vrai ! Il comprend donc pas ce qui lui arrive ? Il comprend donc pas ce qu'on lui demande ? Et pourquoi il supplie pas, lui, qu'on le dorlote, qu'on l'oublie un peu ? C'est ce qu'ils font d'habitude. L'enfoiré, il nous regarde de travers ! Il finira par me foutre en rogne pour de bon, vous allez voir !

Je m'apprête à lui effacer ses grands airs, mais, quand je balance mon pied, je manque me prendre une pelle : le salopard a roulé dans le caniveau. Et c'est même pas pour aller dormir ! Il saute sur ses jambes, sa boîte à musique sous le bras. Il cavale en direction d'une bagnole qui avait ralenti pour assister au spectacle, accroche une poignée, ouvre la portière et pique une tête sur les cuisses des occupants.

En tout, j'en compte quatre ou cinq, du même acabit que nous, à première vue. Sauf qu'ils sont blancs, les cons. À cause de la race, je me dis qu'ils vont le prendre avec eux et qu'on aura plus qu'à plier les gaules. Mais, apparemment, ils ont pas apprécié son entrée façon nuit des morts vivants. Ou alors ils ont repéré qu'il avait plus un rond dans les fouilles et qu'y avait pas lieu de s'embarrasser de lui. En tout cas, on voit la caisse qui chavire, qui vadrouille un moment entre les deux trottoirs, toute secouée de l'intérieur, avec des yiiiiii de gomme sur l'asphalte. Au carrefour, la porte se rouvre, et ils te le glaviotent tête la première entre deux embardées. Ils se cassent comme si on les avait jamais vus. L'autre empaffé, dis donc, il a pas lâché sa trompette.

On se regarde, les potes et moi : il est de nouveau pour nous. On s'approche, bien cool. On a tout notre temps, qu'on se dit. C'est là qu'on se goure. Une autre bagnole s'arrête aux feux, sur la droite. Deux types en descendent. Des Frères, mais ça ne veut rien dire. Ça pourrait être des banalisés. Ils ont bien l'allure. Larges, pas pressés, pas collés ensemble. Ils se dirigent vers le petit tas de viande. On prend l'air de rien. Lala lère, on se connaît pas, monsieur l'agent. On recule tout doucement, chacun de son côté. On fait ceux qui se souviennent soudain qu'ils ont un rendez-vous urgent. On tourne les talons. C'est le moment difficile. À découvert sous les lampions. En passant le coin du bloc, prêt à m'envoler, je jette un coup d'œil par-dessus mon épaule. On les intéresse pas, en fait. Ils l'ont ramassé. Ils vont le foutre dans leur poubelle à roulettes. Et merde !... Bon. Pas la peine de se prendre la tête : on a quand même le fric et ce fils de pute, avec un peu de pot, c'est pas demain la veille qu'il rebavera dans une embouchure.

Chet

J'avais déjà vingt ans quand Jimmy Rowles, le pianiste, m'a appris que jouer de n'importe quel instrument, même de la trompette, c'est jouer du silence. Du silence, pas seulement *avec* le silence. Depuis toujours, je jouais d'oreille : en plus de ce que j'entendais dans ma tête, je me suis mis à écouter ce que je n'entendais pas. Les choses qui parlent sans un mot. Celles qui se taisent, mais qu'on entend respirer tout près dans le noir. Au fil des années, j'ai pris l'habitude de retenir mon souffle et d'avancer sur la pointe des pieds dans l'espoir de les surprendre. J'ai pris cette habitude comme j'en ai pris d'autres. Bonnes ou mauvaises – qui, d'ailleurs, sait faire la différence à coup sûr ? –, toutes mes habitudes se ressemblent. Elles reviennent à avoir le don de ne pas trouver ce qu'on cherche. Pourtant, j'essaie de tout mon cœur. Parfois, au milieu d'un chorus, j'oublie de finir ma phrase, de peur que le son de mon instrument ne me fasse rater une de ces choses du silence qu'avec un peu de chance je réussirais enfin à *saisir*. Je veux dire à comprendre et, si possible, à retenir.

Dans la musique, je suis accro à une substance sur laquelle je n'arrive pas à mettre le doigt. Elle n'a ni poids, ni volume, ni forme et elle est pourtant plus dense que tout ce que je connais de matériel sur terre. « Pour l'homme, me disait Dick Twardzik à Paris, le matin de sa mort, pour l'homme j'ai des doutes. Mais la musique, elle, possède une âme, c'est sûr. » Une âme ! Il en parlait à son aise : lui, il avait du génie. Ces choses que je traque en vain venaient à Dick de leur propre mouvement. Elles recherchaient sa compagnie. Leur ombre se glissait sous ses doigts dès que ceux-ci approchaient des touches. Leur silence bourdonnait en permanence autour de sa tête, même pendant son sommeil. Il n'y a qu'à écouter les disques. Les derniers temps, elles ne le laissaient plus en paix. Une autre sorte d'overdose, peut-être bien. Celle dont on rêve tous. Celle dont Bird lui-même a rêvé.

On joue de la trompette avec des mystères, des peurs, des illusions. À part ça, on en joue beaucoup avec les dents. Dans la mesure où, quand on pratique l'instrument, il n'y a pas de travail des dents comme il y a un travail des lèvres, de la langue, des muscles du cou ou du diaphragme, certains d'entre nous n'ont pas conscience du rôle qu'elles remplissent. Moi, c'est une chose que j'ai apprise très tôt. Grâce à un garçon dont je n'ai jamais trop su le nom et dont, aujourd'hui, je ne revois même plus le visage.

Il y avait environ six mois que mon père, d'une boutique de prêteur sur gages, m'avait rapporté cette trompette pour mon treizième anniversaire. Un midi, j'ai participé à une bataille rangée où, au lieu de se jeter les uns sur les autres, on se lançait des pierres dans la cour de l'école. L'Oklahoma en a vu de dures, du temps des guerres indiennes puis des courses à la propriété du Cherokee Strip. Il en reste des traces. En particulier sur le caractère des gens. Là-bas, quoi qu'on fasse, on ne fait pas semblant. Si on s'envoie des cailloux, on ne choisit pas des gravillons. J'en ai reçu un en plein visage. Il m'a fracassé une incisive. Une du haut, du côté gauche. Il a fallu arracher le peu qui en restait – des esquilles, les racines – et, une fois que la douleur s'est calmée et que j'ai pu reprendre mes exercices, je me suis aperçu, moi qui voulais faire la pige à Harry James, que je n'étais plus capable ni de jouer en force ni d'atteindre les notes situées au-delà d'une certaine hauteur. C'était comme si le trou que j'avais dans la mâchoire avait perforé mon instrument. Pour en sortir quelque chose, désormais, j'étais obligé de serrer les dents, et pas seulement au figuré. Presque d'emblée, pour moi, la musique est devenue une chose qui fuit, qui s'essouffle, qui risque de se volatiliser d'un instant à l'autre. Une chose de prix que, pour trois fois rien, on peut perdre, sans avoir jamais la certitude qu'on la récupérera. Et qu'il vaut d'ailleurs peut-être mieux laisser échapper en certains cas – mais c'est une autre histoire. Le genre d'histoire qui ne regarde personne d'autre qu'elle et vous.

On a prétendu que les jeunes gars qui me sont tombés dessus à la sortie du Trident m'avaient brisé toutes les dents de devant. En réalité, dans cette affaire encore, je n'ai perdu qu'une incisive. Mais ce fut quand même le coup de grâce pour ma bouche. Mes dents ne m'avaient jamais beaucoup aidé. J'avais collectionné les caries, et la dope, j'en conviens, n'avait pas arrangé les choses. Slipper a fignolé le travail. Après son intervention, je souffrais le martyre dès que j'appliquais l'embouchure contre mes lèvres. J'aurais sans doute gagné du temps s'il m'avait fait sauter toute la denture comme on l'a raconté.

Entre décembre 1965 et juin 1966, grâce à Dick Bock, le producteur des disques du Gerry Mulligan

Quartet et de mon premier orchestre, j'avais enregistré pour World Pacific plusieurs albums avec le Mariachi Brass (ces gars n'étaient pas plus mexicains que moi) ou les Carmel Strings. De la soupe, pour rester poli, mais, pour Dick, c'était l'occasion de m'allonger quelques billets sans avoir l'air de me faire la charité. Il a toujours été aux petits soins avec moi. Et puis, ç'aurait pu marcher. Cette musique puait assez pour attirer les blaireaux. *A Taste of Tequila* ne s'est pas trop mal vendu, d'ailleurs. Mais il y a puanteur et puanteur : la nôtre n'allait pas dans le sens du vent. Les choses se sont vite gâtées. Dick, pourtant, n'a pas voulu en démordre. Il connaissait mes besoins d'argent. Lui-même n'aurait pas craché sur un tube, et moins encore Liberty, la boîte qui venait de racheter sa compagnie. Ils ont pris leurs désirs pour des réalités.

World Pacific a prévu d'autres séances, lesquelles se sont succédé, si je me souviens bien, au moins jusqu'à la fin de l'année suivante. La première de la série a eu lieu le mois où j'ai eu ces problèmes avec les nervis de mon dealer. Dick n'avait pas renoncé à me faire descendre au fond de la mine avec les Mariachis et les Carmel Strings, mais il s'était souvenu des disques qu'on avait réalisés ensemble dans les années 1954-1956 avec Bud Shank, un saxophoniste et flûtiste de la côte ouest. Tous n'étaient pas à jeter, je crois. Je fréquentais Bud depuis l'âge d'or du Phare (la fameuse « Lighthouse » d'Hermosa Beach). Il idolâtrait Bird et ça s'entendait, mais, comme la plupart de ces gars-là, il ne voulait pas trop s'écarter de Lester Young : entre Sonny Criss et lui, par exemple, il y avait plus d'une ou deux stations de métro. À ses débuts, Bud aurait aimé être Art Pepper (ce que je peux comprendre) au moins autant qu'Art aurait

aimé être Zoot Sims (ça, je le comprends très bien).
Nous faisions bon ménage, en tout cas. Côte à côte, nous
avions travaillé en petite et en grande formation, et
même avec des violons, à deux reprises. Il figurait dans
un des albums qui m'ont fait connaître comme chanteur.
Là, Dick nous avait payé une harpiste ; c'était le grand
genre !

Cette fois-ci, cependant, on ne nous demandait pas de
nous surpasser. Au contraire. Un ponte de chez Liberty
avait choisi le répertoire parmi les chansons à la mode
(airs des Beatles, de Simon & Garfunkel, des Mamas &
Papas, bossas-novas, musiques de films, y compris de
films français : Claude Lelouch, Jacques Demy, etc.).
Notre rôle était d'exposer la mélodie de manière que
chacun pût d'emblée l'identifier sans problème, puis de
broder dessus en prenant le moins de libertés possible (si
on s'était trop écarté de la partition, il aurait fallu refaire
la prise). Vous n'avez pas vraiment besoin de vos incisives
pour un truc pareil. Vous pouvez laisser votre tête sur
l'oreiller et vos sentiments au vestiaire. En fait, il vous
suffit d'une main valide. La même peut servir à tripoter
les pistons et à palper le cachet.

On a joué *What The World Needs Now, Norwegian
Wood, Husbands And Wives*. Ils ont intitulé l'album *California Dreamin'* (la scie des Beach Boys qui lui servait
d'ouverture). J'ai raflé les billets. (Je n'aime pas les
chèques et je me méfie des royalties encore plus : j'exige
que tout se règle sur place, pour solde de tout compte.)
J'ai serré la main à Bud, salué du bras toute la compagnie
et je suis parti. Sans me retourner. Si jamais quelqu'un
écoutait ce qu'on venait d'enregistrer, ce ne serait pas
Chesney Henry Baker Junior ! Cela dit, qu'on ne compte
pas sur lui non plus pour en avoir honte. Y a-t-il de la

honte à tenter de survivre dans un monde qui n'en a rien à battre ? Melissa était née en juillet. Avec cet argent, j'ai pu mettre Carol, les enfants et le bébé à l'abri chez ma mère. Celle-ci vivait maintenant à San José, pas trop loin de Frisco.

Il y avait Miles et ses garçons terribles, Art Blakey et les Jazz Messengers, le quintette de Horace Silver, les frères Adderley, les trios d'Erroll Garner, d'Oscar Peterson, d'Ahmad Jamal, de Jimmy Smith, de Bill Evans, de Martial Solal et de Paul Bley. Il y avait le Modern Jazz Quartet et Wes Montgomery.

Il y avait Count Basie, Ellington et les Ellingtoniens, Woody Herman et Stan Kenton. Mel Lewis, Thad Jones et leurs amis s'entassaient le lundi sur l'estrade du Village Vanguard. Gil Evans se faisait discret, mais il n'était jamais bien loin.

John Coltrane, Sonny Rollins, Dexter Gordon, Stan Getz, Johnny Griffin, Ben Webster sillonnaient la planète. Zoot Sims et Al Cohn, Jacky McLean, Pepper Adams, Lee Konitz, Paul Desmond avaient leurs inconditionnels.

Lionel Hampton était à la foire et au moulin. Il menait la parade et contemplait le soleil de minuit.

On célébrait partout Ella Fitzgerald et Sarah Vaughan, partout et tout le temps. Dans leurs coins, Helen Merrill et Jeanne Lee ne se laissaient pas décourager. Personne n'était tout à fait sur le sable.

Coleman Hawkins, Eubie Blake, Kid Ory et, pour peu de temps encore, Henry « Red » Allen allaient parmi nous. Pee Wee Russell enregistrait avec étonnement des airs de Monk, de John Lewis, de Coltrane, d'Ornette Coleman.

Thelonious Sphere Monk dansait autour de son piano. Il portait maint et maint chapeau.

Ray Charles et George Shearing restaient comme aveugles à leur cécité. Celle de Lennie Tristano lui conférait une aura d'extralucide. Celle de Roland Kirk ressemblait à l'Épopée, arpentant les tréteaux. Elle ressemblait au cauchemar du Cyclope, quelquefois. Il avait, disait-on, trois aspirateurs autour du cou. Un sifflet à roulette. Et une corne de chasse enfoncée dans le nez, ça je l'ai vu.

Les colères de Charles Mingus étaient monumentales. Elles étaient fructueuses, vaines, hilarantes, sinistres, épouvantables et pleines d'effroi. Max Roach réclamait la justice d'une certaine façon, le dos toujours bien droit.

Entre Jo Jones, Philly Joe Jones, Elvin Jones, les débutants avaient tendance à s'égarer. Roy Haynes était encore le secret d'un petit nombre. Et Jimmy Giuffre.

Il y avait Cecil Taylor, Steve Lacy, Ornette Coleman et Don Cherry, les frères Ayler, Archie Shepp et Roswell Rudd. Le souvenir d'Eric Dolphy, d'Ernie Henry et de Booker Little. Tout le monde en parlait. Leur musique parlait plus fort que tout le monde.

Pour la musique, ce furent des années flamboyantes.

Et pour les musiciens, bien souvent, des années crépusculaires.

Les amateurs et les critiques n'en voulaient rien savoir. Ils se cachaient derrière leur petit doigt. Les créateurs, eux, progressaient à découvert. Les créateurs prenaient conscience de vivre une époque où, plus on se mêlait de créer, plus on risquait sa peau. L'idée les pénétrait, petit à petit, que la défiance, la défection du public étaient la conséquence non d'un essoufflement, mais d'un renouveau du jazz, et que c'était sa vitalité même qui les mettait, eux, en danger de mort.

Le trompettiste Chet Baker n'avait pas eu que de fins esthètes pour admirateurs. Ses plus belles œuvres, on les appréciait volontiers pour de mauvaises raisons plutôt que pour de bonnes

Et il le savait.

Il l'avait toujours su.

Il n'avait jamais été dupe de rien.

Il en savait presque trop sur son compte.

Il ne s'en laissait pas assez conter.

Il rêvait de pouvoir faire un jour des choses, alors qu'il les avait déjà accomplies, mais à son propre insu.

Quand il vit nombre de ses fidèles lui tourner le dos pour tendre les bras à des chanteurs de rock'n'roll, des batteurs d'estrade, des semi-bluesmen de sortie d'école, il n'en fut pas interloqué.

Ni chagriné.

Il n'en prit pas ombrage non plus.

Il enregistra sans états d'âme des disques imbéciles, pour parer au plus pressé.

Il les enregistrait, pourrait-on dire, sans âme du tout et ce n'était même pas vraiment son corps qui se tenait dans ses vêtements.

Où qu'il fût, son corps était en train de courir après la dope.

Chet avait de plus en plus mal aux dents.

Il retourna vivre chez sa mère.

Vera Baker

Quand il revient, je l'entends. Je devine qu'il arrive. Toutes les mères sont pareilles, je suppose. En tout cas les mères des enfants uniques. (Qui sont des mères uniques elles aussi, en quelque sorte. On oublie toujours de le dire : ça va pourtant de soi.) L'étonnant serait qu'elles n'éprouvent pas ce genre d'impression quand leur petit est de retour à la maison. Sauf que moi, en plus d'être avertie par ce sixième sens, mon garçon, je l'*entends*.

Je ne l'entends pas marcher vers moi, bien sûr, comme si j'étais à la cuisine et qu'il venait du séjour ou descendait de sa chambre, par exemple. Néanmoins, j'entends quelque chose. Quelque chose de spécial, mais quelque chose *pour de bon*. Qui ne fait pas de bruit, à proprement parler, mais qui a un certain son. Aussi reconnaissable que la sonorité de sa trompette (d'ailleurs les deux se ressemblent : ils paraissent fragiles, comme ça, mais, en réalité, ils sont indestructibles). Disons que, tout à coup, je perçois un changement dans l'atmosphère. Une vibration du silence. J'entends l'air se déplacer d'une certaine façon. Ce phénomène, je pourrais le comparer aussi à l'écho de l'écho d'un écho..., et ainsi de suite jusqu'à ce que cet écho n'ait plus aucun poids, plus aucune épaisseur, plus aucune couleur – plus aucune substance, par le fait. Un brassement imperceptible, que je reçois toujours comme un coup de poing au creux de l'estomac.

Et puis alors, tout de suite après, à l'endroit où le choc s'est produit, une sorte d'œuf très délicat, très doux, presque fluide, éclate en moi au ralenti, sans provoquer la plus petite souffrance – au contraire ! Son contenu filtre dans mes veines, tandis que mon cœur cogne aux barreaux de sa cage d'une manière si… voluptueuse. Une liqueur, une huile douce, et tiède, et lente se répand à l'intérieur de mon corps. Glissant sous la peau, glissant contre les os et entre les organes, imprégnant les moindres replis de la chair, déposant son brouillard de velours, elle me parcourt tout entière. Elle s'évase et s'allonge dans toutes les directions. Elle m'habite comme un rêve au moment où, ayant posé votre tête sur l'oreiller, vous croyez veiller encore, alors que vous êtes déjà endormi. Un de ces rêves où l'on n'a pas besoin d'entrer : c'est lui qui a pénétré en vous sans rien dire.

Les autres mères sentent que leur fils va venir. Moi, je le sais. Aussi sûrement que si je voyais sa voiture tourner le coin de notre rue. Je le sais parce qu'il peut partir à l'autre bout du monde, traîner des années entières dans des pays de sauvages, et même dans leurs prisons, c'est arrivé, nous ne nous quittons jamais. Oh ! les années passent, j'en ai bien conscience. Je les vois dans le miroir de la salle de bains. Je les vois sur son père. Je les regarde arpenter nos visages, défilant tels les nuages à la surface d'un lac, sauf qu'elles font des ronds dans l'eau, qui ne s'en iront plus. Même lui, mon Chet, avec cet air d'enfance qu'il a gardé, qu'il gardera peut-être encore longtemps, il ne rajeunit pas, à quoi bon prétendre le contraire ? Cependant, ce qui est entre nous n'a pas bougé. Nous gardons éternellement le même âge. De lui à moi, il y a toujours la même distance. Assez pour qu'on se perde de vue, pas assez pour qu'on se sépare. Assez pour qu'on meure chacun de son côté, pas assez pour qu'on vive l'un sans l'autre.

Ils disent que j'ai gâté cet enfant. C'est peut-être vrai. C'est peut-être que j'ai voulu qu'il en profite. Si je lui ai donné des illusions sur ce qui l'attendait, sur ce qui l'aurait attendu de toute manière, même s'il avait suivi une autre voie, je le regrette. Mais s'il a gardé grâce à moi ses illusions plus longtemps que les autres, ne fût-ce qu'un an ou deux, j'en remercie le Seigneur.

Il me reproche de le traiter comme un gamin de dix ans. Je le lis dans ses yeux. Je sais qu'il le supporte de moins en moins. Je sais ce qui nous attend. Il va trouver un bon prétexte pour repartir. Au besoin, il partira se cacher de son enfance et de moi au fond d'une cellule ou d'une chambre misérable, parmi des peuplades. Il lancera son auto à toute allure sur la grand-route, dans les profondeurs d'une nuit étrangère. Et cette fois, combien de temps devrai-je attendre son retour ? Reviendra-t-il seulement ?... Mais que puis-je faire d'autre ? Je ne suis sur terre que pour empêcher son cœur de vieillir. Je n'en tire pas vanité. C'est une chance qu'il a. Une petite chance de rien, qui va qui vient, qui durera ce qu'elle durera. Mais c'est une chance et, que je sache, nous n'en avons jamais eu à revendre, dans la famille. Et lui guère plus que son père, au bout du compte. Des dons, ça oui, des talents, des succès. Il n'en a pas manqué jusqu'ici. Il devrait même y faire plus attention ; on dirait parfois que ce n'est pas ça qu'il voulait, que ce n'est pas ça qu'il cherche... Quoi qu'il en soit, ces choses n'ont pas grand-chose à voir avec la chance. Et pendant qu'il court après on ne sait quoi, c'est une chance que je sois encore de ce monde pour retenir de toutes mes forces les aiguilles de la pendule. Je n'ai pas le droit de la lui gâcher sous prétexte qu'il resterait chez nous un ou deux jours de plus et que la liqueur, pendant ce temps, continuerait de s'épancher en moi. Ce n'est pas de *ma* chance qu'il s'agit. Puisque je dois faire, si peu que ce soit, son bonheur malgré lui, la moindre des choses est que je le fasse contre moi-même. Je serre les dents, je lui souris par-dessus, en sorte qu'il ne s'aperçoive de rien, et je tiens bon. Je lui dis : « Chet, regarde-toi : tu es fichu comme l'as de pique ! Si tu t'habillais de manière décente, pour une fois ? » Je lui dis : « Chet, tu ne manges rien ? Il faut prendre des forces, mon grand ! Pense à ceux qui ont faim. » Je lui dis : « Coiffe-toi donc ! », « Brosse tes chaussures ! », « Parle-nous un peu ! », « Tu as pensé à l'anniversaire de Dad, cette année ? », « Et ta femme, qu'est-ce qu'elle devient ? Tu nous la caches ? Tu as honte de nous, ou bien c'est elle ? Nous l'aimons bien, tu sais ! », « Chet, pourquoi roules-tu comme si tu cherchais à écraser quelqu'un ? Tu finiras par te faire arrêter ! », « Mets donc un pull, pour l'amour du Ciel ! Les nuits sont fraîches. Je t'ai lavé le jaune hier, il n'avait plus figure humaine. » Il me répond toujours oui. Il fait ce que je lui demande, puis il s'en retourne grandir, c'est ce qu'il croit, mais ce qui se passe en fait, c'est tout simplement que les aiguilles se remettent à tourner.

Des illusions, Dad et moi, nous n'avons pas eu le temps de nous en faire beaucoup. D'abord, ça n'est pas le genre des fermiers du Cherokee Strip. Les vaches, les cochons, le maïs et les pastèques, les arbres fruitiers, le temps qu'il fait, ce sont des affaires qui n'inclinent pas à rêver debout, quand on vit avec elles et grâce à elles. Même les jeunes filles en âge de se marier n'y arrivent pas tout à fait. En tout cas, jamais très souvent, jamais très longtemps. Une fois à l'occasion, quelques années durant, entre le moment où elles cessent de danser entre elles dans les bals de grange du samedi soir et celui où elles dansent toute la soirée avec le même garçon, que ça se voit et qu'il faut en tirer les conséquences ou commencer à se faire regarder de travers, y compris par ses propres parents. Elles songent toutes au bonheur, bien sûr. Mais à un bonheur en quelque sorte réaliste, même si, dans la réalité, bien peu en connaîtront ne serait-ce que l'ombre. Elles peuvent se croire les plus belles filles du monde (ça, c'est une illusion dont rien ni personne ne peut vous priver, quand vous avez quinze ans) : pour autant, sauf les folles qui se voient suivre des étrangers cousus d'or, des vedettes en villégiature, des sultans en goguette, elles gardent la tête froide. Bien obligées. Elles savent de source sûre que le prince charmant ne leur mettra pas au pied la pantoufle de vair, mais, dans le meilleur des cas, leur soufflera au creux de l'oreille, au gré d'un tour de valse : « Faisons pas les cons, Lizzy, marions-nous. »

Tout le bonheur qu'elles attendent, c'est que la gaieté, l'énervement et l'émotion des samedis soir se prolongent au moins jusqu'à ce qu'elles aient elles-mêmes des filles en âge de se faire inviter au bal par un gars sérieux. Quand on espère en vain, me direz-vous, autant espérer des choses sensationnelles, des choses vraiment inaccessibles. Je vous répondrai, moi : quand on espère en vain, autant ne pas retomber de trop haut. Je ne veux pas me citer en exemple, mais regardez mon cas. Si j'avais rêvé que mon Chet devienne le plus célèbre musicien du monde, je me serais morfondue toute mon existence. Ce qui est arrivé, c'est qu'il l'a presque été, à un certain moment, et que j'ai reçu la nouvelle comme un héritage qui vous tombe de nulle part, une bénédiction inattendue, quelque chose comme une grâce miraculeuse. Et ce qu'il m'en reste aujourd'hui, c'est plus, cent fois plus que toutes les illusions qu'ont pu se faire toutes les filles de ma classe mises ensemble, le jour de leurs quinze ans.

C'est dans un de ces bals de grange qu'on s'est rencontrés, Chesney Henry Baker Senior et moi. Il me dépassait d'une tête. Il était de ces hommes minces dont personne n'irait dire qu'ils sont maigres et ses gestes avaient une élégance si naturelle qu'il ne s'en rendait pas compte lui-même. On s'est fréquentés quelques semaines après ça, dans d'autres granges, de celles dont on n'avait pas retiré le foin. On a dansé sur le dos un petit temps. C'est interdit, mais c'est la coutume. Il vaut mieux ne pas se faire prendre et pourtant on ne peut pas y couper. On le cherche, même. On se fait pincer, et voilà. Ces formalités accomplies, on est passés devant le pasteur. Chet est né le 23 décembre 1929. Dans les temps pour qu'il n'y ait pas d'histoire, je dirais. De toute façon, il n'y en aurait pas eu. Les gens avaient d'autres soucis en tête que les cabrioles des voisins. Le 24 octobre, ç'avait été le Jeudi noir à Wall Street. Le début de la Grande Dépression. La fin brutale d'illusions qui, la veille, valaient encore des billions de dollars. Si les riches sautaient par les fenêtres, les pauvres n'avaient plus qu'à rentrer sous terre.

Le samedi soir où l'on s'est connus, quand j'ai poussé la porte de la grange où l'on avait laissé les guirlandes du 4 Juillet, Dad était perché sur le grand tombereau qui servait d'estrade aux musiciens. Il ne faisait pas partie de cet orchestre-là, mais il avait apporté son banjo à tout hasard et les gars, qui le connaissaient tous, l'avaient invité à en jouer une ou deux avec lui. Sa spécialité, c'étaient les rapides. Avec lui, elles étaient toujours un peu plus rapides et, surtout, plus entraînantes qu'avec n'importe qui d'autre. Ce n'est pas que Chesney Baker vous donnait envie de danser, c'est qu'il vous obligeait à le faire. Même si vous étiez parmi les filles alignées contre le mur en attendant des cavaliers, même si vous vous teniez seule à un poteau, en secouant une de vos chaussures pour en faire tomber un caillou, vos hanches et vos épaules, vos seins se mettaient à danser malgré vous. Et lui n'en perdait pas une miette. Quand il a sauté du tombereau, les oreilles en feu sous les applaudissements, il a fait celui qui n'entendait rien, ne voyait qu'une seule chose.

Il s'est dirigé droit sur moi.

Chet

J'ai toujours connu des hauts et des bas, dans tous les domaines. C'est une chose que j'accepte. Ce qui ne signifie pas que je me laisse ballotter par les événements, que je sois fataliste ni rien de ce genre. Avoir un destin est une chose, le choisir en est une autre. Même un destin de merde, il vous reste la liberté de le subir ou de le prendre à votre compte. Je me dis parfois que la dope n'est qu'une façon de me fabriquer mes propres montagnes russes. En 1956-57, je suis devenu accro. Depuis un certain temps déjà, la poudre me fascinait. Pour autant, me décider à y toucher ne fut pas une petite affaire, alors même que je fumais de l'herbe à tire-larigot. J'aurais du mal à dire aujourd'hui si, durant toutes ces années, je résistais à la tentation ou si au contraire je l'entretenais, me créant à mon insu une sorte de manque par anticipation… Puis j'ai cédé. Une capitulation sans condition, à laquelle, l'instant d'avant, je ne m'attendais pas moi-même. Ce n'est pas que j'aie plongé dans la came, c'est que le barrage que j'avais mis entre elle et moi a volé en éclats et que j'ai été tout de suite submergé. Il n'y a pas eu de période d'essai. L'accoutumance m'est venue en un tournemain. Je ne suis pas forcément quelqu'un de précoce, mais, quand je m'applique à quelque chose, je ne perds pas de temps. Seul compte le but : les étapes ne sont faites que pour être brûlées.

Dans ce maelström, je retrouvais le sillage de Charlie Parker et les traces de Dick Twardzik. Lesquels pourtant, ni l'un ni l'autre, n'avaient essayé de me convertir, si peu que ce fût. Interrogez Red Rodney, Sonny Rollins, d'autres encore : tout le monde vous dira que Bird était un apôtre en matière d'hygiène, le champion des V.R.P. de la vie saine. Il aurait donné son bras droit pour empêcher un type de l'imiter. Ou alors il aurait gardé ce bras de manière à lui flanquer son poing dans la figure si le gars tentait de passer outre. Du moins, c'est ce qu'il aurait aimé faire s'il n'avait pas été conscient de donner le pire des exemples. Le pire d'après lui, mais, pour tous les jazzmen de la terre, ça ne pouvait être que le meilleur – et c'était ça, son boulet. Ce problème-là, il ne pouvait pas le résoudre, sauf à s'arranger pour que la dope flanque son génie en l'air. J'ai idée que c'est ce qu'il avait entrepris de faire, après la mort de Pree, sa petite fille, en 54.

Avec Dick, même à mots couverts, pas une seule fois nous n'avons abordé la question de ses « habitudes », comme les journalistes les appellent (« habitudes » ou, quand ça commence vraiment à mal tourner, « problèmes personnels »). Tant qu'il se présentait à l'heure sur scène ou au studio et qu'il remplissait son contrat, si défoncé fût-il, je faisais semblant de ne rien voir et lui, de son côté, faisait semblant de croire que je ne voyais rien. C'est pourquoi ses parents m'ont accusé de sa mort et c'est pourquoi, à l'époque, je n'ai rien trouvé à leur répondre. Maintenant, bien sûr, j'ai l'air de leur donner raison.

J'avais vu Dick partir à vingt-quatre ans, pour s'être imaginé qu'on pouvait s'envoyer en l'air si haut qu'on ne redescendrait plus jamais sur terre, et voilà que, du jour au lendemain, c'était moi qui pratiquais la chute ascensionnelle. Le plus souvent, le plus longtemps possible, je planais. Cependant, sans vouloir faire de l'esprit, ma réputation, elle, battait de l'aile. Pour des raisons qui d'ailleurs n'avaient rien à voir avec tout ça.

En 52, j'étais arrivé vingt et unième au référendum de *Down Beat*, dans la catégorie des « nouvelles stars ». Ça ne m'avait fait, entre nous, ni chaud ni froid. Je peux annoncer tranquillement qu'à aucun moment de ma vie la célébrité n'aura été ce que j'attendais de la musique. Le succès, en quelque spécialité que ce soit, il n'y a pas besoin d'être Einstein pour découvrir qu'il dépend pour l'essentiel des gens qui n'y connaissent rien (même les autres, du reste, les soi-disant spécialistes, n'ont pas forcément les idées claires ni un goût très sûr). Je n'ai aucun mépris pour ces gens qui jugent les musiciens. Simplement, je ne leur accorde pas le moindre crédit. Ni lorsqu'ils m'acclament, ni lorsqu'ils me conspuent. Je ne joue ni pour eux, ni contre eux. Ils existent, c'est sûr. Moi aussi, peut-être bien. Mais que nous le voulions ou non les uns et les autres, nous ne vivons pas sur la même planète.

Et puis le succès est soumis à toutes sortes de caprices et de tribulations. Un jour vous êtes au pinacle, le lendemain dans les tréfonds. Un bon exemple ? Regardez de ce côté-ci. Il faut être un échappé de l'asile ou le dernier des imbéciles pour courir après les honneurs. Cela revient à demander la charité à plus pauvre que soi. Quant à l'argent, puisqu'on en parle, il n'a qu'un avantage à mes yeux. Disons deux. Il vous permet d'acheter des voitures italiennes qui vont vite et surtout, si vous êtes un junkie, il vous fait gagner du temps et vous évite bien du tracas. Pour le reste, je n'ai jamais ressenti le besoin d'avoir un compte en banque, des fringues de luxe, des meubles ni même une maison à moi. Peu importe la couleur du papier peint, quand on dort dans une pièce. En général, je dors bien n'importe où et, le plus souvent, je serais en peine, si on me réveillait, de dire où je me trouve. Les nuits où je dors mal, je ne dormirais pas mieux dans une villa de Beverly Hills qui m'appartiendrait, avec des robinets en or massif dans la salle de bains, des tableaux de maîtres sur tous les murs et une piscine olympique dans le jardin. Je suis né dans la dèche, je mourrai dans la dèche : autant vivre dans la dèche entre-temps. Comme ça, le problème est réglé d'avance. Je suis toujours pour les solutions les plus simples. Maintenant, je n'ai pas dit qu'elles étaient les plus faciles. Ni en musique, ni ailleurs.

Bref, en 52, j'étais vingt et unième dans *Down Beat*. L'année suivante, je passais premier. Et en 54, les lecteurs de *Metronome* me bombardaient meilleur trompettiste de l'année devant Dizzy Gillespie, Miles Davis arrivant loin derrière, à la neuvième place. « L'ex-trompettiste de l'armée (pourquoi pas l'ex-nourrisson de Vera Baker ? l'ex-petit-fils d'un cultivateur de pastèques ?) tient le haut de l'affiche ! » Chez les chanteurs, je décrochais en outre la quatrième place, ex-æquo avec King Cole ! Je ne parvenais pas à y croire. Je ne veux pas dire que je n'en revenais pas : j'entends que personne, pas même Bird, n'aurait pu me convaincre que je méritais ce qui me tombait dessus. Après quoi j'avais passé sept mois en Europe, comme agenouillé sur le tombeau de Dick et, en même temps, sidéré par l'indifférence dont je me découvrais capable à l'égard de Dick. À l'égard de tout et de tous. À l'égard de moi, au fond, encore plus que du reste du monde. Néanmoins, je ne renonçais pas à faire des progrès. C'est-à-dire, en fait, des économies. À souffler de moins en moins de notes, allant jusqu'à regretter d'en avoir émis qui n'étaient pas vraiment de trop, mais que j'aurais *pu* ne pas jouer. C'est ce qui m'a toujours un peu gêné chez Dizzy : il reste éloquent lorsqu'il n'a rien à dire. Et du coup son éloquence peut paraître suspecte. Je ne crois pas qu'il bavarde, toutefois. Je l'admire trop pour ça. Diz est merveilleux. J'ai le sentiment, quand je l'écoute, qu'il en savait plus sur la trompette à sa naissance que j'en saurai en rendant mon dernier soupir. Mais il me semble qu'il ne ressent pas l'obligation de se taire, plutôt que de prononcer une parole qui ne serait pas indispensable. Qui ne serait pas une question, non de vie ou de mort, mais de vivre pour vivre ou de vivre pour ne pas mourir.

À mon retour aux États-Unis, je *savais* que je jouais mieux que je ne l'avais jamais fait jusque-là, sauf peut-être en une ou deux circonstances, quand j'avais été servi par la chance (cela peut arriver aux pires d'entre nous, il n'y avait pas lieu de pavoiser). De toute évidence, cependant, je partageais cette certitude avec fort peu de gens. Il est vrai que la plupart, dans notre milieu, avaient alors d'autres préoccupations que le niveau de maîtrise atteint par Chet Baker, lequel, de surcroît, leur avait fait faux bond au moment où ils lui déroulaient le tapis rouge. D'intention surtout – de foi plutôt que de rituel –, la musique avait beaucoup changé pendant mon absence : elle s'était insurgée contre ses propres charmes. Indépendamment du prix (au demeurant élevé) que je pouvais accorder à cette évolution, un tel bouleversement n'était pas pour me déplaire. Justement parce que j'ignorais encore si j'allais pouvoir lui faire face, moi qui – sans doute par indifférence, une fois de plus – n'avais jamais refusé de séduire personne. En soi, il y avait là un défi où, dans une période de déprime, je trouvais une source d'excitation. Les occasions d'éprouver une réelle envie de *jouer*, de miser quelque chose de soi-même, sont trop précieuses pour qu'on les laisse filer sans réagir. Je n'ai pas hésité une seconde à prendre le train en marche.

D'autant que j'y avais mes aises. D'une certaine manière, jouer plus dur, avec plus d'acidité et de mordant, c'était pour moi, même si personne d'autre ne s'en rendait compte, comme de revenir à la maison. Je renouais avec un passé, à demi oublié mais pas si lointain, où je me risquais sur les mêmes podiums que des garçons tels que Wardell Gray ou Sonny Criss. Depuis que je le connais, Sonny est si acharné à marcher sur le fil du rasoir que ses plaies ne se refermeront plus. Quand il tranche dans le vif, c'est toujours de sa propre chair qu'il s'agit.

Le public n'en demande pas tant. Le mien, celui qui, en masse, m'avait élu lors des consultations de *Metronome* et de *Down Beat*, celui qui, avant cela, avait usé jusqu'à la corde plusieurs exemplaires du *My Funny Valentine* gravé par le Gerry Mulligan Quartet, ce public-là, craignant la vue du sang et les éclaboussures, réclamait précisément le contraire, malheureux et scandalisé de la mauvaise volonté que mettaient désormais les artistes à le satisfaire. À ses yeux, volant au secours d'une mode lancée contre lui, j'étais un traître. Pour les musiciens du nouveau courant, je resterais quoi qu'il arrive un suppôt de ce jazz qu'ils souhaitaient, eux, trahir de toutes leurs forces. Autant dire que je n'étais le bienvenu dans aucun des deux camps. On imagine sans peine que les affaires s'en ressentaient. Mes orchestres, après la dissolution du quintette que j'avais formé au printemps 56 avec Phil Urso et Bobby Timmons, je ne parvenais plus à les garder, faute d'engagements. J'ai dû errer de ville en ville, comme Miles quelques années plus tôt. J'ai dû me faire voleur – voleur d'occasion, voleur du dimanche, mais tout de même – pour me payer ma dope. Les stups m'ont pincé en Californie (verdict : huit semaines à l'hôpital fédéral de Lexington). Ils m'ont pincé encore à Philadelphie, à Chicago, à New York. Je pense qu'ils se donnaient le mot. Un musicien, ce n'est pas bien difficile à repérer. J'ai à peine eu le temps d'épouser Halema et de me demander si j'avais eu raison de le faire : je me suis retrouvé au pénitencier de Rikers Island. La leçon a porté ses fruits. Privé de poudre pendant six mois, j'ai décidé que je ne pouvais plus m'en passer.

J'ai oublié le jour, l'heure, l'endroit. En tout cas, il faisait nuit. Je roulais seul sous la pluie dans une voiture qui n'était pas la mienne. J'allais vite, mais je n'allais nulle part. Je traînais, en ce temps-là. En prison, je m'étais mis à la cigarette. Depuis peu, je fréquentais les bars. J'y buvais du café, breuvage auquel je n'avais pas voulu toucher jusque-là. Je repartais au hasard. Je faisais des rencontres dont je préfère ne pas me souvenir. Tout plutôt qu'aller retrouver Halema, qui ne m'avait pourtant rien fait. J'avais mal aux gencives, je me souviens. À un moment donné, j'ai allumé la radio, branchée en permanence sur une station qui diffusait du jazz. On a annoncé un disque que Sonny Rollins, de passage à Los Angeles, avait enregistré avec Shelly Manne et Ray Brown au mois de mars. Mon pied s'est détaché de l'accélérateur. Sonny a joué le thème : il a fallu que je m'arrête jusqu'à la fin du morceau. *I'm an Old Cowhand*. La chanson de Johnny Mercer. La toute première chanson que j'aie entendue, la toute première musique que j'aie aimée, là-bas dans la ferme de Yale, en Oklahoma. *I'm an Old Cowhand from The Rio Grande...* C'était mon père qui chantait les paroles et plaquait les accords de guitare. Cet air servait d'indicatif au groupe avec lequel, tous les matins à six heures, il animait pour une petite station locale une émission de musique country en direct. Je me réveillais aux accents de *I'm an Old Cowhand*. Je reconnaissais la voix et le son de la guitare. J'entendais le pas de ma mère, le bruit de la bouilloire et les craquements de la maison qui s'étirait. Je voyais les ombres de la chambre se dissoudre dans une lumière tantôt bleue, tantôt rose, tantôt couleur de miel et je croyais pour de bon que Dad réveillait aussi le soleil.

Chesney Henry Baker Senior

Oklahoma : *okla humma*, « peuple rouge », en langue chocktaw. En 1893, mon père s'était aligné avec les autres dans une de ces ruées phénoménales sur les parcelles de terre indienne que le gouvernement de l'époque attribuait aux pionniers. L'Amérique avait ses colons, encore fallait-il leur trouver une colonie. Chacun des inscrits repérait à l'avance celle des sections de cent soixante acres qui lui convenait le mieux (le plus près possible de la rivière, de la ville, de la route du chemin de fer et du couvert des arbres) et, le départ donné, seul ou en famille, il tâchait d'y parvenir à pied, à cheval ou en voiture avant tous les autres, car, on se demande bien pourquoi, les meilleurs lots étaient les plus convoités.

Pa, qui connaissait le coin pour s'y être déjà installé avant l'organisation des courses à la propriété, se trouvait alors dans la force de l'âge (il n'avait pas trente ans). Ce n'était pas un athlète, mais il ne s'était pas trop mal débrouillé. Soucieux de ne pas mettre tous ses œufs dans le même panier, il cultivait à peu près tout ce qui pouvait se cultiver, dans la terre ou sur les branches : pommes de terre, maïs, haricots, petits pois, tomates, potirons, pastèques, pommes rouges et pommes vertes, prunes, cerises, groseilles. Le champ où il travaillait le plus souvent, parce que c'était le plus vaste et que la terre y était grasse, il l'avait dessiné de manière que le centre soit occupé par un plaqueminier qu'on avait fait pousser là avant son arrivée.

Ce plaqueminier était un arbre superbe, en particulier lorsqu'il se détachait en silhouette sur le couchant ou qu'il émergeait des brouillards de l'aube, donnant l'impression d'avancer sur nous. Pa l'aimait pour sa forme, pour les formes qu'il prenait selon les angles et selon les distances, ainsi que pour les figures que son ombre traçait sur le sol, à mesure que le soleil tournait. Il le regardait en labourant, comme d'autres, les yeux à demi clos, fixent leur esprit sur un rêve inaccessible. Lui, se refusait ce genre d'illusion, pensant qu'à viser trop haut on ne faisait que gâcher du plomb, en particulier de ce plomb qu'il faut avoir dans la cervelle si l'on veut mener sa barque à bon port. Son unique ambition, c'était de nous assurer ce que les gens appellent « une vie décente » (comme s'il y avait quelque chose de malséant dans le fait de ne pas manger à sa faim, et d'obscène dans celui d'avoir des trous dans ses chaussures). Je ne sais pas si Chet appréciait comme son grand-père la ligne et le galbe de cette plante qui sortait de l'ordinaire, à des lieues à la ronde, mais pour sûr il en appréciait les kakis ! Plus encore que le cœur sirupeux des pastèques, qu'il atteignait en brandissant le fruit à deux mains au-dessus de sa tête et en le fracassant sur le sol. Je le revois, accroupi dans le champ, laissant le jus couler sur son menton, rouler sur sa chemise et emplir son nombril, tandis qu'une volée d'oiseaux faisaient le manège autour de sa tête.

Moi, je dois l'avouer, j'étais de ces hommes qui contemplent les mirages. Qui contemplent les ombres, si jolies, que produisent non les arbres, mais les chimères.

Avant de m'intéresser aux saisons, aux semences, aux choses, aux douceurs, je me passionnais pour la musique. J'aurais volontiers passé ma vie à en écouter, si quelqu'un avait eu l'esprit de me le proposer. Mais je préférais encore en faire, même si la musique que je faisais n'était de loin pas aussi enivrante, pas aussi troublante, que celle des disques. Pour obtenir ces galettes de cire, je me serais inscrit dans n'importe quelle course, sur le Cherokee Strip ou à l'autre bout de la terre, et je suis sûr que j'aurais gagné, tellement j'en avais le désir. Mais la vie est bizarre : vous deveniez propriétaire de ces objets rien qu'en abandonnant quelques cents sur le comptoir du drugstore de Yale. Il n'y avait besoin ni de galoper à en perdre le souffle, ni de tricher ou de piétiner d'autres gens comme beaucoup l'avaient fait en 93, ni même de se saigner aux quatre veines. Pour autant, la musique restait le plus inaccessible de tous les rêves. Vous aviez beau labourer les sillons d'un 78 tours jusqu'à ce qu'ils deviennent blancs et que l'aiguille passe au travers, le cœur de ce fruit-là demeurait plus fermé qu'un noyau de cerise, plus secret qu'un noyau d'avocat. Pa avait lutté pour quelque chose qui n'était pas grand-chose, mais qu'il avait su conquérir et garder. Moi, si ce n'est apprendre à placer mes doigts sur un manche, je n'avais produit aucun effort ; je désirais quelque chose qui était tout (plus que tout même, du fait que ce n'était rien que l'on pût prendre dans ses mains ou troquer avec ses voisins contre d'autres affaires), mais que mon bras, si loin que je l'allonge, quel que soit le mal que je me donne, n'atteindrait jamais. Il m'était permis de toucher cette chose-là du bout des ongles, mais pas de refermer la main sur elle.

On prétend toujours qu'il n'y a que deux sortes de musique : la bonne et la mauvaise. C'est un peu plus compliqué que ça, à mon avis, car on peut jouer très bien la mauvaise ou très mal la bonne et, dans ce cas, aucune des deux n'est plus tout à fait l'une ou l'autre – or, c'est ce qui se passe dans la plupart des cas. Moi, je dirais qu'il y a des musiques sans mystère, si complexes soient-elles à écrire, si difficiles soient-elles à interpréter, et puis des musiques que vous pouvez analyser, démonter jusqu'au dernier comma, jusqu'au plus petit fragment de soupir, et vous ne savez toujours rien de ce qui les rend belles. Vous ne savez toujours pas pourquoi elles vous font tourner la tête ou vous brisent le cœur, et souvent les deux choses à la fois, au point que c'est leur mélancolie qui vous transporte et leur entrain qui vous tire des larmes et vous fait songer à mourir. Elles vous tuent et elles vous donnent la vie. Chaque fois que vous les écoutez, c'est un adieu au monde et une nouvelle naissance. Celle de Bix Beiderbecke accomplit pour moi ce genre de miracle, et plus encore celle de Mr T, Jack Teagarden. Pa aurait voulu être ce que, finalement, il a toujours été, même s'il a dû se bagarrer pour ça jusqu'à son dernier souffle. Moi, j'aurais voulu être Jack Teagarden, qui, lui aussi, d'après ce que j'ai compris, l'était sans le savoir.

En dehors des renaissances que je viens d'évoquer – et qui sont bien plus importantes que de naître, d'après moi, puisqu'on naît sans s'en rendre compte –, j'imagine que les fils ont une bonne raison de venir au monde. Ils déchargent les pères du remords d'avoir manqué quelque chose d'important dans leur propre existence. Ils les déchargent du souci d'avoir poursuivi cette chose en vain, comme dans mon cas, ou de s'être interdit de courir après, comme dans le cas de mon père. Mon père se chargeait des labours, des semailles, des moissons, des cueillettes, de huiler la porte de la grange si elle grinçait et de masser le bas de son dos quand les reins lui faisaient mal. Mes plates-bandes à moi, c'étaient la guitare et le banjo, des sons qui s'envolent, des sons que vous entendez seulement dans votre tête ; c'étaient les songes plus ou moins creux, les espérances plus ou moins désespérées. On se partageait la tâche. On ne risquait pas de se marcher sur les pieds. Par la suite, pendant que j'étais occupé à interroger la musique, mon propre fils s'est employé à répondre aux questions que la musique se pose sur elle-même. Chacun de nous a eu quelqu'un de sa propre chair, un autre soi en quelque sorte, pour réussir à sa place ce qu'il avait raté (éventuellement pour rater à sa place ce que lui-même avait réussi, donnant ainsi plus de prix à cette réussite, si modeste fût-elle). Maintenant, que Chet soit passé à côté de bien des satisfactions que j'ai eues, en dépit de toutes mes impuissances et de tous mes échecs, ce n'est pas une situation dont j'aie lieu de me féliciter le moins du monde, même si des gens de Los Angeles ou de New York écrivent que, sans cela, la musique ne se serait pas donnée à lui comme elle l'a fait (je veux dire aussi spontanément, aussi candidement qu'elle se refusait à moi).

Bien avant de parler, notre fils unique chantait. Il chantait *I'm an Old Cowhand from Rio Grande*. Il ne le chantait pas avec sa bouche, bien sûr, mais ce n'est pas de là que vient la musique, de toute façon, même si vous vous servez de vos lèvres, de votre langue et du reste pour la faire sortir. Il le chantait avec ses yeux.

Enregistrer les pétillements de la lumière dans ses yeux, voir comment les grains de lumière jaillissaient de ses prunelles, puis retombaient, explosant parfois avant de s'éteindre en petites gerbes multicolores, tels les bouquets des feux d'artifice, c'était exactement comme de suivre la succession des notes et des silences sur une portée. Vous pouviez lire la partition de cette mélodie dans son regard. C'est Vera qui a attiré mon attention sur le phénomène. Elle observait le petit alors que mon orchestre jouait *I'm an Old Cowhand* à la radio. Quand elle m'a dit ça, j'ai voulu en avoir le cœur net. J'ai pris mon banjo, je me suis installé près du berceau, j'ai commencé à chanter – et, bonté divine ! il n'y avait pas à tortiller, ma femme avait raison. Je n'arrivais pas à y croire, mais elle n'exagérait pas. Même pas un tout petit peu. Cet enfant ne nous aurait peut-être pas reconnus, elle et moi, si nous avions été séparés de lui trois ou quatre mois. En revanche, dans les mêmes conditions, il aurait reconnu *I'm an Old Cowhand* à la première mesure, ça ne faisait pas un pli. Je ne pense pas me tromper en avançant qu'il connaissait déjà cette chanson plus intimement que je ne la connaissais moi-même, ou n'importe lequel de mes gars. Plus intimement peut-être que ne la connaissait Johnny Mercer, qui était pourtant censé l'avoir composée, paroles et musique.

Quand il s'est mis à chanter pour de bon, ça n'a étonné personne. Et lui moins que quiconque. Ça lui semblait tout naturel. Et, contrairement à moi par exemple, il chantait d'ailleurs de la manière la plus naturelle qui fût. Il chantait comme parlent les gens qui ne s'écoutent pas parler. « Comme on respire », c'est la formule habituelle, et pour sûr qu'il ne s'écoutait pas respirer. Il n'a toujours pas appris à le faire. Il ne s'écoute pas du tout, en vérité. C'est pourquoi il ressent si peu la fatigue ou le froid. C'est pourquoi, passé le temps des pastèques, des glaces et des framboises sauvages, il n'a jamais été gourmand d'aucun plat ni éprouvé le besoin de savourer aucun alcool. Il n'écoute que la musique. Que la faim, la soif, les besoins et les envies de la musique.

En observant mon garçon, j'ai réalisé qu'une musique a non seulement une couleur, mais une odeur, une saveur, une chaleur, toute une histoire qui lui est propre et qu'elle ne raconte pas à n'importe qui. Ou vous êtes dans la confidence, ou vous n'y êtes pas. Quand j'ai compris ça, j'ai raccroché ma guitare, mon banjo, et je n'ai plus jamais osé les regarder. Je m'étais fait des illusions à leur sujet ; c'était une chose que l'on ne pourrait pas m'enlever, mais dont je ne pouvais plus être dupe. Chet avait dix ans. Moi, je n'avais plus aucune raison de compter les années.

Tante Agnes

Ils ont réveillé la poussière soulevée par les chariots d'autrefois, il faut croire qu'elle ne dormait que d'un œil. Les gens d'ici, les Okies comme ils disent, se sont remis en route, empilant sur leurs épaules, sur l'échine de bêtes usées jusqu'à la corde ou sur de vieilles guimbardes détournées de la casse in extremis tout ce qu'ils pouvaient emporter des maigres biens rescapés des saisies et des expulsions, de l'inexorable désastre vers quoi avaient penché leurs vies, entraînées par la chute des riches et des puissants du haut des buildings de Manhattan. Une faim dévorante les torturait. Ils se sont remis à marcher en bandes dépenaillées, farouches, semblables aux armées défaites. À rouler en convois que surveillaient cette fois, non des guetteurs emplumés, mais des hommes armés de jumelles. À rouler en convois détournés des villes et des vergers par des hommes en armes, des shérifs, des agents du FBI, des milices de citoyens, des gardes nationaux, des vigiles avec leurs dogues, des mercenaires venus du Nord. On les a vus aussi prendre d'assaut en rase campagne des trains qui les menaient tout droit dans la gueule du loup, sur des voies de garage où les attendaient, formant une double haie en leur honneur, les matraques et les crosses des agents de police, les casse-tête des serre-freins, les manches de pelle et les merlins des chauffeurs, les manches de pioche, les parpaings, les barres à mine des ouvriers du ballast, les bras raccourcis des mécaniciens, les trams et les autocars qui assurent le service de la morgue, de l'hôpital et du pénitencier.

Ils étaient repartis vers l'Ouest, comme s'ils ne faisaient que poursuivre l'énorme tâche que leurs parents ou leurs grands-parents avaient entreprise au siècle précédent. Comme s'ils ne faisaient que reprendre à leur compte l'énorme lassitude, l'énorme courage, l'énorme peur et l'énorme crédulité de ces gens. Du moins j'espérais que chacun de ces Okies pouvait croire à ce dont ils essayaient de se persuader les uns les autres : le paradis californien, le mirage de la côte aux oranges, de l'éternel printemps et de l'éternelle embauche, tout cela scintillant de l'autre côté de l'horizon, derrière les coups de trique, la gueule écumante des molosses, les injures et les humiliations. Tout au fond de moi, cependant, l'idée me restait qu'un tel aveuglement était peu probable. Que le silence des cimetières était depuis belle lurette retombé sur leurs rêves. Qu'ils ne vivaient plus de folles espérances, de rumeurs illusoires, mais en s'accrochant à cette unique certitude, plus sûre que la foi en un Ciel : lorsque vous avez atteint le rivage de la Californie, vous ne pouvez pas aller plus loin. Pour le meilleur et pour le pire, vous avez atteint le terme de cette errance. La conquête de l'Ouest est achevée, que vous le vouliez ou non. Inutile de vous raconter qu'ailleurs l'herbe est plus verte parce que, désormais, devant vous, à perte de vue, sur des milliers de miles, de l'herbe il n'y en a plus du tout. Tout ce que ce monde avait à vous offrir se trouve à portée de votre main ou dans votre dos, parmi les dépouilles de vos bivouacs. C'est avec cela, cela et rien d'autre, qu'il vous faudra ou bien construire votre vie ou bien la laisser crouler sur votre tête. À moins bien sûr que vous n'entriez dans la mer pour vous y fondre. Si vous ouvrez grand la bouche, c'est une formalité qui ne prend guère que quelques secondes...

Tant que l'on peut aller vers l'Ouest, suivant l'exemple du soleil, on peut se dire que demain sera un autre jour, qu'on se lèvera dans une lumière radieuse, parmi les fleurs qui s'ouvrent et lâchent toutes ensemble dans l'air leur haleine parfumée. On peut oublier la faim et la soif, les douleurs en tout genre, l'indignité. On peut oublier que pas une âme sur cette terre ne va vous rendre service, du moment que, vous-même, vous ne servez plus à rien. Ce n'est pas que l'existence des chômeurs pendant la Crise fût pénible, précaire ou je ne sais quoi de ce genre : c'est qu'elle était superflue. On avait beau refaire les comptes, dans un sens ou dans l'autre : ces gens étaient de trop. Chacune des bouches qu'ils devaient nourrir, lorsqu'ils avaient eu la légèreté de fonder des familles, apparaissait soudain comme un luxe exorbitant, une présomption scandaleuse de leur part. Or, maintenant, en Oklahoma, même des patrons devenaient chômeurs.

Mon Jim avait eu de la chance, si l'on peut dire. Il avait eu la chance de se faire brûler les poumons au gaz moutarde dans les Flandres, pendant la guerre. À son retour d'outre-mer, il lui fallait un travail au grand air, s'il voulait respirer. Du travail, l'Amérique n'en manquait pas à l'époque. Plutôt que de vous voir tourner en rond ou vagabonder par les rues, elle pouvait même vous en fournir un qui n'était pas absolument indispensable. La municipalité d'Oklahoma City avait proposé à mon Jim de rejoindre la brigade attachée à l'entretien des parcs, des squares et des jardins publics. Tailler, tondre, toiletter, écimer, élaguer, éborgner, ébourgeonner, échardonner, écheniller écussonner, marcotter, greffer, baguer, gazonner, ratisser, sarcler et serfouir, arroser, ce genre de choses. Tout lui allait, comme toujours. Je n'ai jamais entendu mon Jim se plaindre de quoi que ce fût, et encore moins accuser quiconque de ce qui pouvait lui arriver de désagréable. Il ne pleurait pas sur lui-même. Non par stoïcisme ou par orgueil, mais parce que ça n'était pas dans sa nature. Grâce à quoi les personnes qui l'avaient pris sous leur protection, à l'hôtel de ville, n'éprouvaient pas le sentiment d'avoir eu pitié de lui. Elles se félicitaient de ne pas avoir tourné le dos à un enfant du pays qui s'était conduit en héros, mais n'en était revenu qu'à moitié vivant. Après le krach, elles auraient eu les meilleures raisons du monde de renoncer à leurs bonnes dispositions, mais, « récession » ou pas, on n'allait quand même pas laisser en friche les parcs et jardins d'une capitale d'État. On se contenta de licencier deux ou trois employés municipaux, parmi ceux qui n'avaient pas d'enfants. C'était en plein notre cas, mais mon Jim ne fut pas du nombre. Lui, je crois qu'ils l'auraient gardé s'il avait été cloué sur un fauteuil roulant.

Nous avions conscience d'être des privilégiés ; parfois même, nous en avions honte. Mon frère Chesney, lui, qui venait d'avoir un petit garçon, s'il n'y avait eu qu'un chômeur sur cent, vous pouvez être sûr que ça serait tombé sur lui. Déjà, les musiciens célèbres, les vedettes de New York, avaient du mal à joindre les deux bouts. Chesney, avec tout son talent, n'était jamais qu'un obscur musicien de bal de campagne et, pour des types comme ça, en Oklahoma où la Dépression frappait encore plus fort que dans le reste de l'Amérique, il n'y avait aucun avenir. Il n'y en aurait aucun avant longtemps. Dans d'autres coins du pays, ils organisaient ces fameux marathons de la danse, où l'on faisait miroiter des primes aux gagnants. Ici, on ne dansait plus que devant le buffet.

La mort dans l'âme, mon frère s'est mis à la recherche, non plus d'un engagement sur une prestigieuse estrade de Memphis, Saint Louis, Los Angeles, Chicago, Washington, Philadelphie, Boston, Atlantic City ou même au Canada, mais du premier boulot qu'on voudrait bien lui donner, dans n'importe quel domaine à la portée d'un homme plutôt jeune et costaud. Autrement dit du boulot de manœuvre, et c'est ce qu'il finit par dénicher. On lui a remis un marteau qui pesait plus de quinze livres. On lui a désigné des vieux cadavres de chaudières abandonnés dans un coin. On lui a expliqué que, plutôt que de les laisser rouiller, on lui permettait de cogner dessus et de les réduire en miettes. Mais, bien sûr, comme cette opération n'était pas absolument indispensable et ne réclamait aucune compétence particulière, il ne devait pas s'attendre à une rétribution princière. On lui proposa vingt cents de l'heure. Il détestait marchander ; il ne l'avait jamais fait de sa vie ; il préférait encore se faire rouler par les promoteurs, les organisateurs, les comités des fêtes, le propriétaire de la station de radio. Cette fois-là, alors qu'il était aux abois, alors qu'on pouvait prendre à sa place le premier type venu, il serra les dents, songeant au bébé et à Vera, et se rebiffa, réclamant cinq cents de plus. L'entrepreneur se laissa faire, on se demande pourquoi.

Quand, sur les choses de midi, il avait gagné son premier dollar, mon frère ne sentait plus ni ses doigts, ni ses bras, ni ses épaules, ni sa nuque. Il continuait de frapper sur la ferraille tel un somnambule. Parfois, il aurait suffi de la pousser pour qu'elle tombât en poussière, mais il continuait de l'assommer à coups de merlin. Il rentrait chez lui dans un brouillard. Il ne voyait rien ni personne. Il ne voyait même plus son reflet dans la glace, quand il avait le réflexe de se débarbouiller.

Alors, ayant compris que la situation ne pouvait qu'empirer, nous avons eu une petite conversation, Jim et moi. Elle n'a pas duré longtemps. Depuis le jour où on s'est rencontrés, pas une seule fois je ne l'ai entendu me dire non. Ce que je lui suggérais, au surplus, il s'apprêtait justement à me le proposer. Ça ne s'est pas fait en un tournemain, mais, pour finir, j'ai convaincu Chesney de venir habiter chez nous en ville avec les siens. Lui-même n'était plus qu'un spectre quand il rentrait de son cimetière à chaudières. Vera était toujours par les quatre chemins, en quête d'un emploi elle aussi. Il fallait bien que quelqu'un s'occupe du petit. Le faire manger, le faire marcher, lui apprendre à parler, toutes ces choses. Sa tante, qui, grâce à la situation de son Jim, n'avait pas besoin de courir après un salaire, n'était-elle pas la mieux placée pour ça ?

Vera s'est fait engager dans une fabrique d'ice-creams au moment précis où, épuisée d'avoir frappé en vain à tant de portes, elle s'apprêtait à baisser les bras. Elle avait même le droit d'emporter un bidon de marchandise en quittant l'usine. Chaque soir, elle optait pour un parfum différent et Chet, comme il se doit, les aimait tous mieux l'un que l'autre. Puis Chesney, grâce au président Roosevelt et à sa Works Progress Administration, la W.P.A., avait pu échanger son marteau contre un chronomètre et son abrutissement contre une saine envie de se détendre après l'ouvrage. L'été, Chet, qui fréquentait à présent l'école Culbertson et se montrait plutôt bon élève, retournait vivre à Yale pendant deux mois avec ses cousins et cousines, les enfants de ses oncles et tantes maternels (Vera avait trois frères et quatre sœurs). Ce qu'il a pu être heureux dans cette ferme ! Tellement heureux qu'on ne pouvait même pas lui reprocher de préférer cette existence à celle qu'il menait avec nous dans notre quartier d'Oklahoma City. On se disait qu'une félicité aussi complète, à moins d'un miracle, il n'en connaîtrait jamais plus de pareille et que ce n'était pas le moment de la lui gâcher avec des manifestations de susceptibilité qui, de toute façon, me ressemblaient peu et, à mon Jim, pas du tout.

Le garçon ne se lassait pas de nous raconter ce qu'il avait fait là-bas, les promenades, les baignades, les parties de cachette, la chasse aux écureuils. Il décrivait sans fin ce qu'il avait vu, comme s'il redécouvrait ces choses chaque année : les bêtes, domestiques ou sauvages, la grange sang-de-bœuf sur la colline, le grenier à foin où les odeurs mûrissaient dans une pénombre étouffante jusqu'à ce que même celle du métal eût quelque chose de sucré. Ce qu'il avait senti, ce qu'il avait goûté à la ferme (par exemple la poussière dorée de la grange, les mûres et les framboises qui poussaient le long du chemin de terre rejoignant la grand-route), on se disait, mon Jim et moi, à entendre la façon dont il en parlait, qu'il s'en souviendrait jusque dans la tombe. C'était, pensions-nous, une grande chance pour lui : une richesse dont il ne prendrait peut-être jamais la mesure, mais qui ne lui aurait rien coûté et que rien ni personne ne pourrait lui enlever.

En 40, Chet a suivi ses parents à Glendale, en Californie. Pour finir, ils avaient emboîté le pas aux Okies de la Crise. La maison semblait bien vide, tout à coup. Et, j'avais beau me dire que les gens changent, qu'on n'y peut rien, que moi aussi je n'étais plus la même, forcément, je ne pouvais pas me cacher que, depuis que nous étions de nouveau seuls, mon Jim regardait plus souvent dans le vide et me parlait moins qu'avant. Des heures entières, le soir et le dimanche, il branchait la radio et la regardait. Je ne jurerais pas qu'il l'écoutait.

Vera

Un objet donné, disons un certain bracelet en or, n'a pas la même valeur si c'est un cadeau de quelqu'un comme vous et moi ou bien le présent du joaillier Van Ohlen, au coin de Carnaby. Il n'a la même valeur ni pour qui le donne, ni pour qui le reçoit. C'est idiot, mais c'est ainsi. Ce qui signifie que Dad ne pouvait pas chanter pour moi comme un garçon chante pour une fille, du fait qu'il tirait sa subsistance de la musique. Déjà du temps de nos fiançailles, et avant même que je le rencontre, il chantait pour tout le monde et, en principe, gagnait son pain avec ça (des années après, il ne chantait plus du tout, mais c'est une autre histoire). J'aimais bien l'entendre quand nous étions seuls, là n'est pas la question, et j'étais certaine qu'il ne pensait à nulle autre que moi en chantant, mais ce n'était quand même pas comme si le chant avait été pour lui quelque chose de tout à fait gratuit.

Quand Chet s'est mis à chanter, par contre, même si je ne me tenais pas devant lui, c'était pour moi qu'il chantait, pour moi seule. Il travaillait sa voix dans la chorale de la paroisse, mais, à dix onze ans, les premières chansons qu'il ait apprises (tout seul, en écoutant le poste), c'étaient des chansons que les hommes chantent aux femmes ou se chantent à eux-mêmes quand ils rêvent aux femmes. Des chansons où l'on dit combien elles sont magnifiques, combien elles sont désirables, frêles et précieuses, combien on aimerait mourir pour elles. Des chansons où l'amour est une chose qui ne ressemble pas aux choses d'ici-bas – à aucune des choses qui s'achètent et se vendent, fussent-elles en or massif.

Il ne s'est jamais intéressé aux chansons d'enfants, aux chansons de cow-boys (à part une que son père interprétait à la radio quand nous vivions encore à Yale), aux chansons d'ivrognes ou de soldats, qui racontent des cochonneries. Il ne retenait que les paroles romantiques, les histoires douces et malheureuses, et il me les répétait. Il les répétait devant des gens que ça faisait rire, parce qu'il n'avait pas du tout l'âge de parler des femmes sur un ton nostalgique, mais, à moi, elles m'allaient droit au cœur. Je recevais de lui ce que Dad n'avait pas pu m'offrir, quelle que fût son envie de me gâter. Ces gens qui trouvaient ça drôle, j'aurais pu leur griffer les yeux. Ils ne voyaient que le côté mesquin des choses. Ils croyaient que le monde était à leur image, incapables de seulement *supposer* qu'un enfant pût, grâce à un sixième sens, en savoir plus long qu'eux sur les femmes. Je ne parle pas de la façon dont elles sont faites ou dont on s'en sert, ni de ce qu'elles attendent ou sont censées attendre des hommes, mais de leur façon de ressentir les choses et des rêves qu'elles gardent pour elles, quoi qu'il arrive.

C'était moi qui en avais eu l'idée. C'était moi qui m'obstinais à traîner Chet chaque dimanche dans ces affreux concours d'amateurs. Et c'était moi qu'on poignardait chaque fois qu'on lui attribuait le deuxième prix. Toujours le deuxième. Jamais moins, pour autant que je me souvienne. En tout cas jamais plus, ça je suis formelle là-dessus. Ils sentaient bien qu'il était le meilleur. Ils le savaient, même les plus bouchés, les plus épais d'entre eux, les plus grosses brutes de la bande. Ils pouvaient avoir une peau de rhinocéros, un cœur de pierre et moins comprendre leur propre femme que les Martiens, ce qui était le cas de la majorité, au fond d'eux ils se rendaient bien compte que mon garçon était, je ne dis pas d'une autre classe, mais d'une autre espèce que leurs petits singes savants. Leurs fillettes enrubannées, qui louchaient sur vous derrière des accordéons, la tête de travers, la bave aux dents dans les passages difficiles. Leurs avortons à claquettes, qui n'avaient même pas besoin de tapis pour se prendre les pieds dedans. Ceux qui grignotaient des harmonicas en remuant le nez. Ceux qui se faisaient mordre par leur clarinette. Ceux qui dégringolaient de leurs échasses. Leurs magiciens d'école maternelle, un vieux claque enfoncé jusqu'aux sourcils, qui donnaient la nausée et qu'ils trouvaient touchants. Leurs dresseurs de truies récalcitrantes, leurs imitateurs du vent et du coucou, leurs équilibristes penchés, leurs jongleurs à la manque et leurs statues de la Liberté en peau de lapin. Leurs joueurs de banjo aux yeux roses, aux yeux vides, cravachant la musique dans l'espoir qu'elle sèmerait les fautes qu'elle accumulait en cours de route, sous un tonnerre d'applaudissements... Quel sinistre défilé, Seigneur Jésus ! Quelle cour des miracles ! Quelle galerie Barnum ! Quelle tragédie du dimanche ! Et planté là au milieu, mon Chet... Perdu dans ce ramassis *comme s'il n'y avait personne autour de lui*. Comme s'il y avait sur sa peau, ses cheveux, ses vêtements, une espèce de lumière qui venait du dedans et qui le mettait à part des autres. À mesure que le temps passait, l'écart se creusait. Il n'était pas du genre à faire le vide autour de lui, pourtant. Aucun des monstres ne le fuyait, pas plus d'ailleurs qu'il s'en trouvait un seul pour s'étonner de cette étrange beauté qui émanait de lui. Mais, dans la salle, les adultes ne pouvaient pas l'ignorer : c'était ce qui leur faisait grincer des dents, avant même qu'il soit monté sur la scène. Ils voyaient bien qu'il était spécial, et quand il se mettait à chanter la magie et les regrets de l'amour, les reflets et les ombres dans le regard des femmes, c'était pire. Ils ne supportaient pas la vérité. Ils ne voulaient pas qu'il soit dit. Ça les soulageait de récompenser quelqu'un d'autre. Ça les consolait de leurs échecs, que leurs propres enfants leur fourraient sous le nez. Ils riaient de lui parce qu'autrement ils auraient dû avoir honte de ce qu'ils étaient. Ce que j'éprouvais, je ne l'ai pas montré. Ni mon orgueil, ni mon dépit. Je ne leur ai pas fait ce plaisir. Ils n'ont jamais vu que mon sourire, semblable à un masque de carton plaqué sur mon visage. Mais je jure devant Dieu que je les ai tous détestés. Qu'il m'aurait été doux de les voir tomber et mourir à mes pieds. Chacun d'entre eux. Les candidats. Les membres du jury. Les membres de l'assistance. Chet ne s'est douté de rien : au bout d'un certain temps, je ne le présentais dans ces compétitions que pour entendre le verdict. Entendre ces gens lui attribuer la deuxième place, et le lot de consolation quand il y en avait un. Assister au spectacle de ces gens se vautrant dans leur impuissance, se roulant dans leurs déjections. Moins ils admettaient sa supériorité, plus elle les hantait.

Je ne me disais pas non plus – pas une seule seconde, je le jure aussi – qu'il était un enfant prodige. Qu'il serait demain le nouveau Bing Crosby, le nouveau Rudy Vallee. Je ne songeais pas à le comparer à cet Italien, ce Sinatra qui chantait avec l'orchestre de Tommy Dorsey et qu'un journaliste avait surnommé « le Sultan des Pâmoisons », du fait que les écolières en socquettes blanches tombaient dans les pommes dès qu'il ouvrait la bouche. Je ne pensais pas qu'il ferait des disques un jour et, quand les premiers sont sortis, je ne pensais pas qu'il enregistrerait des chansons (ces mêmes chansons, pour la plupart, qu'il avait apprises chez nous – je veux dire chez Jim et Agnes – et qu'il avait chantées sur les podiums, le dimanche, dans les concours d'amateurs ou dans les crochets de kermesse : *Old Devil Moon, That Old Black Magic, That Old Feeling, But Not For Me…*). Je constatais seulement qu'il savait à onze ans des choses que tous les autres, et leurs parents, et la descendance qu'ils se fabriqueraient eux-mêmes jusqu'au Jugement dernier, ignoreraient. En ce début des années quarante, non, je n'attendais rien de mon enfant. Il m'avait offert, m'offrait et m'offrirait, j'en étais certaine, plus de choses que je n'aurais eu l'audace d'en rêver, même dans l'inconscience de mes vingt ans. Chet a fait de moi une femme comblée. Avec son père, c'était autre chose. Aucun des deux ne s'en doutait, mais ils ne pouvaient pas se rapprocher l'un de l'autre au-delà d'un certain point. Et ce qu'ils n'ont jamais deviné, je crois, c'est que ce qui les en empêchait, c'était qu'ils se ressemblaient trop. Sauf sur un point – mais là encore, ça n'était clair ni pour le père ni pour le fils.

Dad aurait voulu que Chet soit le musicien-né qu'il se reprochait, hélas, de ne pas être lui-même. Du coup, dans le souci de les favoriser coûte que coûte, il se mettait en travers de ses dispositions naturelles. Il ne voyait pas que le garçon était venu au monde pour être le musicien qu'il serait, non celui que son père n'avait pu être. De son côté, Chet, puisqu'on ne lui laissait pas la bride sur le cou, n'imaginait pas l'étendue de ses dons. Si précoce fût-il, il perdit beaucoup de temps à conquérir des avantages qu'il possédait déjà. Comment aurait-il pu se convaincre qu'il détenait un secret refusé à son père, si ce dernier s'évertuait sans cesse à le corriger et à lui montrer la voie ? Les dons, ça ne s'invente pas. Du coup, n'importe qui peut s'imaginer qu'il en a, mais personne, pas même Chet, n'a de raison de croire qu'il en bénéficie si on ne lui ouvre pas les yeux. Ce n'était pas ce qu'il souhaitait, c'était même tout le contraire, mais on doit bien constater que Chesney Senior, à un certain moment, a tout fait pour que Chesney Junior passe à côté de son talent. Quand il chantait pour moi, Chet n'obéissait qu'à sa nature. Quand il jouait pour son père, au début, il essayait de réaliser un rêve de son père auquel son père avait renoncé.

Après Glendale, ce fut North Redondo Beach. Nous suivions les embauches à la trace. En Californie, Dad ne jouait plus de ses instruments, même à la maison, mais il jouait les disques de Jack Teagarden, le plus grand tromboniste du monde d'après lui. Avec sa paie et la mienne, nous nous en sortions à peine. Un beau soir pourtant, sans m'avoir consultée, il offrit à Chet un trombone d'occasion. Il n'avait même pas réfléchi au fait que l'embouchure serait trop grande pour ses lèvres, que ses bras seraient trop courts pour pousser la coulisse aussi loin qu'il était nécessaire. Deux semaines durant, le garçon s'échina en vain sur cet ustensile. Il ne disait rien. Il essayait encore. Son père ne disait rien non plus. Mais il n'osait plus passer ses disques. Tous deux évitaient de se regarder. Je les regardais, moi, et je voyais qu'ils n'avaient jamais été aussi malheureux ni l'un ni l'autre. Dad n'a rien dit non plus lorsqu'il a quitté la maison, un autre soir, le trombone sous son bras, profitant de ce que j'avais envoyé Chet aux commissions. C'était le jour de ses treize ans.

Le garçon est rentré et il n'a pas cherché son trombone, il n'a pas demandé après son père, comme s'il savait ce qui s'était passé. Dad est rentré sur ses talons (peut-être avait-il guetté son retour au coin de la rue) et, cette fois, il avait une trompette à la main. Il la lui a tendue. Il a dit : « Chet, elle est à toi. » Chet a hésité un instant. Il s'est tourné vers moi. Je lui ai souri. Il m'a souri. Il l'a prise. Dad s'est précipité pour mettre un disque de Bix Beiderbecke. Chet a fait semblant de jouer pendant que Bix jouait pour de bon. Je regardais Dad. Dad ne l'a pas quitté des yeux. Il retenait son souffle. À la fin, il a cligné de l'œil et il a murmuré (il avait une boule dans la gorge) : « Voilà, mon garçon, tu y es presque. »

Chet a pris cette trompette et il ne l'a plus lâchée, pour ainsi dire. À la radio, il ne manquait pas une des émissions où l'on pouvait entendre Harry James. Il lui suffisait d'écouter un solo avec attention pour le retenir par cœur, de la première à la dernière note. Puis il essayait de le reproduire, sans l'aide de personne, même de son père, et en règle générale, au bout d'une ou deux semaines, il y parvenait assez bien. Il ne participait plus aux concours d'amateurs. L'école avait cessé de l'intéresser. Les filles, il n'y songeait pas encore, je crois. Il préférait pêcher les abalones avec Brad Coulter, le long des falaises de Palos Verdes, quand il ne s'entraînait pas sur sa trompette. Ce Brad avait le sens de la mécanique, comme mon enfant avait le sens de la mélodie. Ils allaient démantibuler de vieilles voitures dans une casse voisine. Avec les morceaux, ils réussirent à fabriquer un bolide. Une sorte de grosse voiture à pédales, mais équipée d'un vrai moteur. Par chance, ils n'ont réussi à la mettre en route qu'une fois ou deux. Mais c'était déjà trop tard : Chet avait pris goût à la vitesse. Mon garçon n'a jamais résisté aux choses capables de le tuer.

Dick (Richard X, dit « 148 »)

148, c'est mon Q.I., d'après leurs tests. Je ne me suis pas méfié, en remplissant la paperasse. « Pour un peu, a soupiré le sergent Rosenblum, tu faisais péter la machine, mon gars... » Avant, je me débrouillais comme je pouvais. Pas trop mal, d'ailleurs, je dois le reconnaître. D'autant que je n'en ai pas l'air comme ça, mais il vaut mieux y regarder à deux fois avant de se mettre en travers de ma route. Maintenant, c'est officiel : brevet, licence, patente, tout le saint-frusquin, j'ai mes papiers d'intelligence. Supérieure, qu'ils prétendent. Et encore, ils ne savent pas tout ! Le meilleur, dans l'intelligence, le plus utile, c'est ce qui ne se mesure pas, du fait que ce n'est pas ce qui permet de repérer au premier coup d'œil ce qu'il y a de commun entre deux ronds avec un carré au milieu et une maison entre deux arbres. Ça tient davantage du pifomètre et ça concernerait plutôt des choses palpables, comme des billets verts, par exemple, que des dessins à la gomme. Et c'est ce qu'il vaut mieux que l'armée ignore. Pas seulement l'armée : les uniformes en général.

Je me comprends. Ce n'est pas leur cas. À l'état-major, ils me trouvent si futé qu'ils voudraient me voir suivre le peloton des officiers. Carrément. Je donne le change à ce point-là ? Combien ils ont fait, eux, aux tests ? Ils n'ont même pas deviné que si je m'étais engagé, c'était pour couper à la conscription. Ne me regardez pas comme ça ! Il n'y a pas besoin d'être fin stratège pour réussir une opération comme celle-là. Il suffit de savoir compter sur ses doigts. Tu devances l'appel : tu te farcis dix-huit mois, dans l'arme de ton choix. Tu attends qu'ils viennent te taper sur l'épaule : tu es bon pour deux ans pleins et l'affectation qui te tombe dessus, neuf fois sur dix, c'est le genre « T'es curateur ? T'iras me curer les chiottes ».

Après les mois de classe réglementaires à Fort Lewis, dans l'État de Washington, un endroit où je ne serais pas allé traîner mes guêtres si quelqu'un m'avait demandé mon avis, j'ai opté pour un service en Europe. J'avais ma petite idée. La guerre venait juste de finir là-bas. D'après les journaux, les gens manquaient de tout. Par conséquent, ils manquaient d'un gars comme moi.

Fort Lewis sous la pluie, c'était la logique militaire dans toute sa splendeur. Puisqu'on était en plein hiver (un sale hiver, en plus) et que ça se situait sur la côte est, quasiment les pieds dans un océan connu pour charrier plus de glaçons que de courants chauds, on y avait envoyé à grands frais et au risque d'en perdre quelques-uns en route, vu que ce n'était pas la porte à côté, les conscrits originaires des États où on avait l'habitude de se dorer la couenne au soleil, comme le Mississippi ou la Californie (je venais moi-même de Pasadena, juste à côté de Los Angeles). Je suppose que, pendant ce temps-là, ils conduisaient les types de New York en Oregon et ceux de Chicago à Baton Rouge. S'ils y avaient pensé, ils auraient mis les hommes-grenouilles dans les avions, les camions sur les épaules des fantassins et auraient fait tirer les tanks par des vélos. Ils n'étaient pas contents tant qu'ils n'avaient pas tout fait pour que tout foire tout le temps. Après quoi, découvrant le bordel qu'ils avaient semé, ils nous tombaient dessus en nous accusant, nous, d'avoir les doigts palmés...

Au moins, mon séjour à Fort Lewis m'aura permis de rencontrer le gosse. Je l'ai tout de suite repéré. Ce n'était pas bien difficile, il faut dire. À côté de certains gars du bataillon, Chet avait presque l'air d'être leur fils. Le capitaine Clarke, alors là, c'était carrément son aïeul. Je m'étais cru bien dégourdi de pousser la porte du bureau de recrutement à dix-neuf ans : ce gars-là avait frappé beaucoup plus fort que moi ! C'est la première question que je lui ai posée. Il m'a avoué qu'il n'avait même pas attendu l'âge légal, qu'il avait triché sur le sien et que personne n'y était allé voir de plus près. Après ce qui venait de se passer du côté d'Okinawa et de Bastogne, ça devait les étonner, les militaires, qu'il y ait encore des amateurs pour porter le flingot. Avec ça que les Ruskofs commençaient à montrer les dents, ils n'allaient pas chipoter. Dès son arrivée à Fort Lewis, cependant, le commandant du camp l'avait fait monter à son bureau. Il avait son dossier étalé devant lui. Il lui a dit que s'il ne trouvait pas à son goût la bouffe, les marches de nuit, les coups de pied au cul, la corvée de pluches et le nettoyage de la cour à la brosse à dents, il avait le droit de renoncer dans la seconde à tous ces privilèges. Le gosse, on s'en doute, n'en appréciait aucun plus que ça, mais, comme moi, il avait rejoint l'armée avec une idée bien précise. Dans son cas, il s'agissait de se trouver une bonne raison de fuir le collège, qui commençait à le barber sérieusement, et une bonne occasion de se perfectionner à la trompette en jouant dans un véritable orchestre avec des types qui étaient professionnels de la chose dans le civil.

Dehors, me confia-t-il, aucune formation régulière n'aurait voulu de lui. Il n'avait pas assez de technique, pas assez d'expérience pour ça, et lire la musique était une gymnastique qui le dépassait. (Tout ce qui l'emmerdait, il avait tendance à faire comme si ça n'existait pas, j'ai remarqué. Il n'essayait pas de résoudre les problèmes : il les ignorait ou il en cherchait d'autres pour lesquels il avait déjà la solution.) Bref, dans une audition chez Benny Goodman ou Tommy Dorsey, il n'avait pour l'instant aucune chance, sauf si l'on avait besoin de quelqu'un pour jouer les solos de Harry James, ce qui restait peu probable tant que James lui-même était disponible. Quant à se mêler à un groupe d'amateurs, il y avait déjà goûté comme membre de la fanfare scolaire. D'après lui, le niveau qu'on finit toujours par atteindre en ce genre de compagnie, c'est celui de l'élément le plus faible. Tandis que s'il réussissait à se faire embringuer dans la nouba du régiment (il avait du biscuit : il avait assimilé d'oreille la plupart des marches du père de Sousa), il trouverait forcément quelqu'un qui le ferait progresser. Son rêve, c'était de tomber sur un trompettiste noir, style Cootie Williams ou Buck Clayton, parce que ces mecs connaissaient des trucs vicieux que, disait-il, même les profs de trompette ignoraient.

Chet estimait que, question intelligence, les tests n'avaient pas été si généreux que ça avec ma pomme. Il était persuadé que la quadrature du cercle, pour moi, c'était de la bricole. Mais je crois qu'il aimait encore mieux ma façon de mettre les galonnés dans ma poche sans avoir l'air d'y toucher, d'écarter les casse-couilles, de fermer les grandes gueules et, surtout, de donner la leçon aux gros bras. C'est-à-dire en les envoyant au tapis sans fioriture. Le premier qui s'y est frotté était l'armoire à glace du cantonnement. J'ai brisé la glace, comme qui dirait, après quoi l'armoire n'était plus que du petit-bois. Le gosse lui-même, épais comme un cure-dent, avec son visage d'ange, il ne craignait pas la bagarre. Ces péque-nots de l'Oklahoma ! Pas plus froid aux yeux qu'à tout le reste… En perme, au mois de décembre, il ôtait sa capote dès qu'on avait tourné le coin de la rue, comme s'il étouf-fait dessous. Ce n'était pourtant pas la graisse qui le protégeait. Il avait beau avoir des tripes, cependant, il ne pouvait pas être à la hauteur dans n'importe quelle situa-tion. Admettons qu'il se retrouve en face d'un type qui, question de s'avoiner, en savait autant que lui. Dans ce cas de figure, le problème du gabarit redevenait crucial. Ce qui retenait les mastars, c'était qu'ils m'apercevaient par-dessus son épaule et qu'ils m'avaient vu à l'œuvre avec de plus balèzes qu'eux. Alors, ils préféraient lever le pied. Il y en avait même qui grognaient des excuses.

« Ça va comme tu veux, Kid ? », je lui lançais.

Il me répondait par un clin d'œil.

Des amitiés se nouent pour moins que ça. On dit qu'elles sont éternelles. Bon. Elles durent tant qu'on ne s'est pas perdus de vue, c'est déjà ça.

Dans notre unité, le hasard a voulu qu'on soit les seuls à ne pas avoir attendu que l'Oncle Sam nous fasse signe. En conséquence, tous les autres sans exception ont été expédiés au Japon, se faire regarder de travers comme s'ils avaient une bombe atomique en réserve au fond de leur barda, ou bien en Corée, pour y effacer les traces laissées par les Japs. Ça ne branlait pas encore dans le manche, là-bas, mais ça n'était pas le paradis pour autant, sinon celui des chaudes-pisses. Chet et moi, on nous a conduits dans un port, je ne sais même plus lequel, et enfournés avec dix-huit cents autres pieds plats dans un transport de troupes, le *General*, qui avait le mal de mer avant de commencer. Mer démontée, mer d'huile, il ne faisait pas la différence : il vous soulevait ce que vous aviez dans l'estomac (il n'y avait au reste pas lieu de le regretter), et il le répandait sur vos godasses. Ce cirque n'a duré qu'une dizaine de jours, mais j'ai connu des années plus courtes. On pataugeait dans les éclaboussures, à travers l'épaisse fumée de cigarette destinée à masquer l'odeur, mais qui n'y parvenait guère. Entre les flaques, ça jouait sa solde aux dés, ça se foutait des peignées pas croyables, pour ne pas perdre la main, et ça se bourrait la gueule. Le hic, c'est que, du raide, il n'y en avait pas une goutte sur ce putain de rafiot. Alors les gars mélangeaient le jus de fruits de la cantine avec leur après-rasage. Pour aller à la gerbe et repeindre les murs, on ne fait pas plus efficace. Après ça, vous aviez besoin de vous remettre l'estomac en place. Le seul médicament qui avait cours, manque de bol, c'était justement le cocktail qui vous avait rendu malade. Quand on a débarqué à Bremerhaven, ou plutôt quand on nous a déversés sur le quai, balancés du haut de la passerelle comme des sacs de viande avariée, plusieurs types ne voyaient plus clair. Je veux dire que cette saloperie les avait rendus aveugles, littéralement. Comparé à elle, le gin de baignoire de la Prohibition pouvait aller se rhabiller !

Une fois de plus, on nous a séparés du reste de la bande, le Kid et moi. On nous a douchés, désinfectés, sapés comme des soldats de plomb et fourrés dans le premier train pour Berlin. Ce qu'on a traversé, il paraît que c'était l'Allemagne. Ça ressemblait plutôt à l'idée que je me faisais des ruines de Pompéi, à part la neige, la neige qui mettait en valeur les chicots d'arbres, les

morceaux de murs calcinés. Des troufions russes n'arrê-
taient pas de grimper dans le convoi et de nous réclamer
nos fafiots, comme s'ils pouvaient lire ce qui était écrit
dessus. Fidèle à ses principes, l'armée nous avait déniché
des jobs pour lesquels nous n'avions aucune qualification.
Ça évitait au moins de les abandonner à des types qui
auraient risqué de les exercer avec une certaine compétence, empêchant ainsi le merdier ambiant de croître et
embellir.

Le Kid devait faire la dactylo dans un bureau du
gouvernement militaire. Mézigue, j'étais bombardé
régisseur d'un théâtre à soldats, un ancien cinéma capable de recevoir deux fois plus de monde que l'entrepont
du *General*. Je ne servais à rien. J'aurais plutôt dérangé si,
autour de moi, chacun ne s'était pas foutu du tiers
comme du quart. En conséquence de quoi, je disposais
des pleins pouvoirs, ainsi que d'un bureau de ministre
dans les sous-sols de l'établissement. L'immense pièce
était éclairée par des spots de couleur, nantie d'un bar
bien garni (ça devait être le foyer, du temps d'Adolf),
équipée d'un projecteur de 16mm et d'une collection
complète de films cochons qu'un major des commandos
m'avait chaudement recommandée. Pour conduire les
petites affaires auxquelles j'avais songé à Fort Lewis,
c'était le Q.G. rêvé. J'y entreposai, au vu et au su de tous
(mais en prenant soin d'arroser tout le monde), les
tablettes de chocolat, les boîtes de savonnettes, les
paquets de café et les cartouches de cigarettes, les chemises d'uniforme, les paires de bas nylon et les appareils
photo. Chet m'y rejoignait souvent. À peine arrivé au
gouvernement militaire, il était allé frapper à la porte du
298ᵉ Army Band, et ils l'avaient accepté. « Il faut croire
qu'ils manquaient sérieusement de trompettistes... »

– s'il ne me l'a pas servie cent fois, cette vanne ! En tout cas, il avait du temps libre : le samedi, le dimanche et un après-midi sur deux dans la semaine. Il ne regrettait qu'une chose : dans cette fanfare, même par une nuit sans lune, personne ne pouvait passer pour Cootie Williams : tout le monde était couleur farine.

Oscar D. Greenspan

Il est descendu seul à la salle de répétition, à l'heure de la journée où l'on est sûr que personne ne viendra y travailler son instrument. Je n'ai pas pu m'empêcher de le suivre, mais je suis resté dans le couloir, adossé au mur. Il ne pouvait pas me voir. Moi, bien sûr, je pouvais très bien l'entendre. Ouverts à fond, les radiateurs n'empêchaient pas un vent polaire de se glisser sous les portes et dans les moindres fissures de la brique, les plus microscopiques trous d'épingle des boiseries. Le froid filtrait à travers les vitres embuées, décorées de fougères de givre et mangées par le verglas dans leur partie inférieure. Pour réchauffer son embouchure et se mettre en lèvres, il a joué un fragment de mélodie que j'ai mis un moment à reconnaître. C'était le début du chorus de Harry James sur *You Made Me Love You*.

Miles le connaissait par cœur, lui aussi. Il me l'avait enseigné à l'École, la Juilliard School, tout en me disant, avec ce sourire angélique qui, d'un coup, le faisait rajeunir de quatre ou cinq ans : « Tu vois, Oscar, le genre de merdes dont vous êtes capables, vous autres cons de Blancs ? » Harry James, lorsqu'il était la vedette de l'orchestre de Benny Goodman, avait été le premier trompettiste sur lequel Miles avait voulu prendre modèle. Mon camarade habitait encore avec ses parents du côté de Saint Louis. James le fascinait. À la même époque, mon père, lorsqu'il lui arrivait d'entendre ce trompettiste à la radio, déclarait avec hauteur, avant d'ordonner au maître d'hôtel ou à la gouvernante de changer de station, que nous étions là « en présence d'un parangon du mauvais goût », le comble de ce qu'il appelait aussi « le style gondolier ». C'est en songeant à mon père que je m'étais intéressé à James, moi qui, il faut bien le dire, n'avais jamais ressenti aucune inclination pour la musique de variété et, encore inconscient de l'empreinte que mon milieu et mon éducation avaient laissée sur moi, croyais de bonne foi que le jazz n'en était pas l'illustration la moins grossière.

L'Honorable Charles Spencer Greenspan plaçait, dans les arts et plus particulièrement en musique, le seuil de la vulgarité à un niveau si bas que, pour ne pas le franchir, ne fût-ce que par inadvertance, il fallait être une créature à la limite de la désincarnation. Dans l'idée très singulière qu'il avait de la Beauté, tout ce qui faisait intervenir la salive (il disait « la bave »), et par conséquent la gorge, la langue, les lèvres, interdisait de prétendre à quelque expression esthétique que ce fût. Si on lui avait ouvert le crâne à cet instant, je suppose qu'on aurait trouvé une image de fellation coincée dans une circonvolution de son cerveau. Les vocalistes, pour commencer, étaient chassés du paradis sans ménagement et renvoyés dans leurs gondoles chez les poissardes qui les avaient mis au monde. Il jugeait « dégoûtants » jusqu'aux flûtistes, pourtant gracieux comme des figures de bas-reliefs égyptiens, jusqu'aux hautboïstes, pourtant si gourmés lorsqu'ils suçotaient leur anche double. Même sur disque, il trouvait à leur industrie un je-ne-sais-quoi de visqueux. La sueur, on le devine, lui était à peine moins suspecte que l'écume. De ce fait, il réprouvait les instruments dont la pratique exigeait un contact direct, condamnant au purgatoire les pianos et les clavecins, avec les guitares et les mandolines qui, de toute façon, n'étaient d'après lui que des jouets d'enfant, à peine supérieurs au mirliton, à la guimbarde et au kazoo. Ces derniers lui étaient si odieux qu'il évitait même d'en prononcer le nom.

Les percussions nécessitant des ustensiles intermédiaires tels que baguettes ou mailloches auraient pu trouver grâce à ses yeux, s'il n'avait vu en elles une incursion de la barbarie au cœur du raffinement, le résultat d'un complot ourdi contre l'élévation des âmes par la soldatesque européenne et les primitifs d'Afrique. Pour finir, il ne tolérait guère que les violons, les altos, les violoncelles et les contrebasses. On les manipulait, certes, mais de la main gauche seulement, la droite étant protégée par l'archet (quelle tête aurait-il faite si j'avais eu la présence d'esprit de lui demander ce qui protégeait les doigts de l'archet ?). Au concert, comme si c'était son propre épiderme que l'on ménageait, il montrait de l'estime aux instrumentistes qui étalaient un carré de soie sur la mentonnière de leur outil avant d'y poser la mâchoire. Il m'exaspérait.

Appuyé par mon oncle maternel le sénateur, au prestige et à l'autorité duquel, bien entendu, mon père était sensible (c'est peu dire : il aurait lacé ses chaussures avec joie !), j'ai choisi la trompette *à cause de la clé d'eau*. Et aussi, je crois, parce que c'était, la batterie mise à part, l'option la plus scandaleuse de la part d'un fils de famille élevé dans la dévotion exclusive de la musique de chambre la plus intimiste. Si l'Honorable n'avait pas cédé devant le Membre du Congrès, je me serais quand même débrouillé pour apprendre la trompette. En dépit du fait que je n'avais rien, moi, d'un admirateur de Harry James ou de Bobby Hackett et n'éprouvais même aucun attrait particulier pour les quelques œuvres classiques de ma connaissance (le *Concerto en ré majeur* de Leopold Mozart, par exemple) qui mettaient cet instrument en valeur.

Je me trouvais dans ce couloir. Au premier couac, Chet s'était arrêté et avait repris le chorus de *You Made Me Love You*. Je pouvais l'entendre et je pouvais l'imaginer. Je ne m'en étais pas privé ces derniers temps. Devinait-il ce genre de choses ? C'était une question qui me tarabustait. Ce qu'il ne savait certainement pas, c'était à quel point il me rappelait Miles. On avait publié les premiers disques dans lesquels celui-ci jouait, au côté de Charlie Parker, mais j'étais convaincu, sans en avoir parlé avec lui, que Chet en ignorait jusqu'à l'existence. Il y avait cependant quelque chose de commun dans leurs façons d'interpréter les phrases de James. La sonorité, peut-être. Une sonorité qui n'avait rien à voir avec celle de l'enregistrement original, que j'avais fini par acheter. (Le premier de mes disques de jazz et le seul qui ne fût pas d'avant-garde.)

Au physique, ils ne se ressemblaient pas du tout (et je ne parle pas seulement de la couleur de leur peau). Leurs traits, cependant, me faisaient éprouver une qualité d'émotion très comparable. Leur beauté avait quelque chose d'irréel, comme un leurre auquel tout le monde se serait laissé prendre, sauf eux. Quelque chose de… bouleversant ? – qu'ils ne voulaient pas voir. Les observant l'un et l'autre, j'en étais arrivé à me demander : pourquoi tiennent-ils tant à oublier ce qu'il y a en eux de fragile, si ce n'est parce que leur *nature* même les effraie ? Auquel cas, ils ne pouvaient pas être totalement inconscients de ce qu'ils étaient au fond d'eux-mêmes.

C'était un début. J'en étais passé par là, il n'y avait pas si longtemps. Ma vraie nature ne m'était apparue que fort tard. Et je ne l'avais acceptée qu'en entrant à l'université. D'un jour à l'autre, pour ainsi dire. Et avec trop de soulagement, sans doute, pour ne pas me montrer imprudent. Je devais encore me bercer de l'illusion qu'en l'exhibant sans fard, j'inviterais les autres à l'accepter aussi.

Le doyen, qui m'appréciait et que j'avais beaucoup déçu (je ne le regrettais pas, compte tenu de l'expérience sexuelle que j'avais vécue), m'avait donné le choix entre quitter le campus de ma propre initiative ou être mis à la porte, après convocation de ma famille. J'étais assez tenté par le scandale. Mais je comprenais que, lorsqu'il aurait éclaté, je porterais la marque de mes « préférences » et, du coup, n'aurais plus les coudées franches. Or, bien que l'incident m'eût appris l'avantage d'évoluer masqué, je n'avais plus envie d'éprouver clandestinement mes émotions les plus profondes, mes désirs les plus impérieux. C'est alors que j'abandonnai le droit pour la musique.

À la trompette, dans mon souci de mortifier l'Honorable Charles Spencer, j'avais atteint au fil des années un bon niveau technique. Si bon, en vérité, que m'inscrire à la Juilliard ne posa aucun problème. En tout cas moins qu'à mon père, ce qui me semblait l'essentiel. Jamais je n'avais rêvé à une carrière artistique, pas même dans l'anonymat d'une formation symphonique. Je pourrais toujours enseigner et faire dans le cadre de cette activité, sans avoir l'air d'attenter aux bonnes mœurs, des rencontres intéressantes. Et si je devais finir dans la fosse du Met ou d'un quelconque endroit de ce genre, je savais au moins que mes pareils y étaient moins minoritaires qu'ailleurs. Les artistes, l'Américain de base les méprise tellement qu'il ne s'attend pas à les voir, comme il dit, « se respecter eux-mêmes ».

J'aurais pu faire un critique de jazz acceptable. À l'École, Miles m'avait fait découvrir, comprendre et – ce que j'estimais au départ une entreprise désespérée – aimer en un temps record Dizzy Gillespie (son héros en matière de trompette), ainsi que Charlie Parker, Thelonious Monk, Bud Powell. Je sais de source sûre que je ne serai jamais un jazzman. Improviser, il n'en est pas question. Je n'ai aucune imagination mélodique ; la fantaisie rythmique m'est étrangère. Tenir ma partie dans la section de cuivres d'un big band, les yeux rivés sur la partition, rien que cela me paraît au-dessus de mes forces. J'aurais tendance à me dire que le simple fait de phraser avec swing n'est pas dans ma nature. Et plus je deviens exigeant avec autrui de ce point de vue, mieux je mesure ma propre incapacité. Chet, selon toute apparence, ne connaissait du jazz que ce qui était parvenu aux oreilles de n'importe quel garçon de son âge et de sa condition, habitué à écouter les émissions de radio retransmises des grands dancings.

Tandis qu'il continuait de s'entraîner, je me suis retiré sur la pointe des pieds. Je me suis rendu tout droit au P.X.. Par chance, ils venaient de recevoir des V-discs de Stan Kenton. Et ce même soir, la radio des forces armées diffusait une pièce d'un dénommé Tadd Dameron – *Our Delight*, si je me souviens bien – que Dizzy avait gravée en compagnie de son grand orchestre quelques mois plus tôt. Chet estima qu'il y avait trop de notes, trop d'effets inutiles, trop de phrases qui ne chantaient pas, mais je voyais bien qu'il était captivé. Il m'a demandé de lui repasser les enregistrements de Kenton. Nous sommes restés là jusqu'à la fermeture du mess. Il regardait dans le vide, les sourcils froncés. Il en a omis de me dire bonsoir.

Quand j'ai fait la connaissance de Miles en octobre 1944, il ne touchait ni au tabac ni à l'alcool. Il s'était choisi Dizzy pour idéal, sachant pertinemment que cet idéal était inaccessible, même au prix d'un travail acharné, pour quelqu'un dont les aptitudes n'étaient pas phénoménales. Durant quelques années encore, avec cet orgueil et ce goût du panache qui le caractérisent, il s'obstinerait à pousser son rocher de Sisyphe. Toutefois, et c'est ce dont témoignent déjà ses enregistrements de novembre 1945 avec Charlie Parker (*Now's The Time, Billie's Bounce*), il éviterait avec soin de s'engager dans ce combat perdu d'avance lorsqu'il se retrouverait dans un studio, où la cire aurait gardé une empreinte de sa défaite, au grand dommage de son narcissisme.

Miles fréquentait alors un certain Freddie. (Je crois même qu'ils habitèrent ensemble un certain temps, mais, à ce moment-là, je ne me faisais plus aucune illusion sur les penchants de mon camarade.) J'ai oublié le patronyme de ce garçon, trompettiste lui aussi. Beaucoup plus âgé que nous, il était en activité dans le jazz depuis une bonne douzaine d'années. La plupart des amateurs ou bien l'ignoraient, ou bien faisaient peu de cas de lui. Les musiciens, en revanche, l'entouraient d'un respect qui, chez les praticiens de l'instrument, frisait l'adulation. Il est vrai que sa maîtrise était exceptionnelle et que la richesse de sa sonorité aurait fait pâlir d'envie les plus brillants interprètes du concerto de Leopold Mozart. Chez lui, la qualité de l'exécution et la qualité des idées se trouvaient en parfaite adéquation. Je n'aurais jamais pu jouer de jazz, mais cet homme, sans aucun doute, aurait réussi chez les « longues chevelures », comme les jazzmen appellent les musiciens classiques. Du moins y serait-il parvenu s'il avait eu la peau claire.

Grâce à ses conseils avisés, Miles s'était forgé un style sur lequel il pût se reposer dans les situations qui exigeaient de lui plus qu'il n'était – ou ne se croyait – capable d'offrir. Ce style ne visait plus à égaler les performances instrumentales de Dizzy : il se concentrait sur la substance des phrases, sur une forme de lyrisme décantée, quintessenciée, excluant tout expressionnisme. Miles l'adopta faute de mieux, avec même, je suppose, le sentiment douloureux de donner le change en attendant d'avoir progressé dans le contrôle de la trompette. Jusqu'à ce qu'il comprît que ce minimalisme – toute cette retenue, toute cette pudeur, toute cette résignation, tout ce dépouillement, cet amer *renoncement* au spectaculaire et au surhumain – était non seulement un atout dans la compétition où, bon gré mal gré, il s'était engagé, mais un avantage acquis d'ores et déjà, un privilège auquel Gillespie en personne ne pouvait prétendre. Sans être sûr du résultat, Miles avait espéré faire de pauvreté vertu : tout à coup, il découvrait le formidable pouvoir de la vertu de pauvreté.

Il m'avait fait un jour une confidence dont les termes, sur le moment, m'avaient paru énigmatiques : « Ce que je voudrais, Oscar, ce serait la capacité de passer de l'autre côté de la barrière. » Finalement, il l'avait obtenue. Il n'avait pas rejoint Dizzy, il n'était pas resté à la traîne non plus : il s'était bel et bien rendu *ailleurs*.

Ailleurs, j'avais le sentiment que Chet s'y trouvait, lui, avant même de commencer. L'admiration sans bornes qu'il vouait à Dizzy et qu'avaient entretenue, après *Our*

Delight, d'autres émissions de Radio G.I., ainsi que les informations que je pouvais lui passer, me souvenant des comptes rendus que Miles me faisait des jam-sessions auxquelles il avait participé à Harlem au côté de son grand homme, cette admiration, je mettrais ma main au feu qu'elle ne fit naître en lui aucun désir d'émulation, en aucun domaine. D'abord, Chet – à tort selon moi, mais il ne voulut jamais en démordre – continuait de prétendre que le message gillespien était à la fois parasité et dilué par sa faconde. Le soliste de *Groovin' High, All The Things You Are, Dizzy Atmosphere, Salt Peanuts, Shaw 'Nuff, Hot House* demeurait sans conteste le plus grand de tous à ses yeux, et pourtant, quelquefois, il n'était pas loin de lui reprocher de trop parler pour ne pas dire assez de choses. Dans ces moments-là, j'essayais de modérer son esprit critique en lui faisant réécouter la version d'*I Can't Get Started* enregistrée en janvier 45 avec Don Byas, que j'avais achetée pour lui. Il la jugeait sensationnelle, la coda surtout. Je voyais sa pomme d'Adam s'agiter lorsqu'il l'écoutait avec cette intensité, ce pouvoir de concentration que je n'ai rencontrés chez personne d'autre. Néanmoins, il campait sur ses positions.

Chet, je l'ai dit, était un bagarreur-né, mais, lorsqu'il s'agissait de musique, la compétition n'était pas dans son caractère. Et s'il ne savait pas du tout ce qu'il voulait pour lui-même, en tant qu'artiste, l'idée ne lui traversait pas l'esprit, je pense, d'emprunter le désir de quelqu'un d'autre. Pas même de façon provisoire, pour se faciliter la tâche. Ce que Miles parviendrait à conquérir, Chet ne pouvait tout bonnement pas y échapper. Le premier était fils de bourgeois, le second de prolétaire. C'est peut-être une explication. Chet était habitué à ne compter que sur ses propres forces et à ne pas demander la lune. Jamais je n'ai fait la moindre allusion à Miles devant lui. De toute manière, on évite de parler d'une personne dont on a été amoureux devant quelqu'un que l'on cherche à séduire.

Je pouvais contempler Chet à loisir, en toute impunité. Je veux dire sans qu'il s'en inquiète ou s'en offusque. En vérité : sans qu'il s'en avise. Phénoménale était d'ailleurs son indifférence aux événements auxquels il était mêlé, mais qui, auraient dit les philosophes de l'Antiquité, « ne dépendaient pas de lui ». Il en ressentait les effets comme chacun, mais tout cela coulait sur lui. Les désagréments de l'existence, et d'abord de la vie militaire qui n'en n'est pas avare, n'affectaient au pire que son enveloppe charnelle.

Je l'observais quand, par un froid de loup, un camion ouvert à tout vent, à la suspension défaillante et aux banquettes inhospitalières, venait prendre la fanfare en grand uniforme vers cinq heures du matin (autant dire en pleine nuit) pour la conduire à l'aéroport de Tempel-hof, où, plantée dans un demi-pied de neige à côté de la garde d'honneur coiffée de casques chromés, elle devait attendre deux ou trois heures le moment d'interpréter un morceau, toujours le même, à un général en inspection, un député ou un sénateur qui, une fois débarqué (quand l'atterrissage n'était pas annulé au dernier moment en raison du brouillard), était bien trop frigorifié pour savourer cet accueil plus de quelques secondes. Aux trompettistes, aux trombones, aux flûtistes et aux joueurs de piccolo, nul n'était besoin de réclamer le silence dans les rangs : tout le temps qu'ils poireautaient, ils étaient obligés de garder l'embouchure de leurs instruments entre la langue et le palais s'ils voulaient avoir une petite chance que le gel, capable de gripper, voire de paralyser les pistons, n'y soude pas leurs lèvres lorsque le moment serait venu de souffler. Je surveillais mon camarade, je me rinçais l'œil à ma manière sournoise et convenable, et j'avais le sentiment que la température sibérienne, l'inconfort, la fatigue et leur cortège de petites douleurs, dont il portait les stigmates, comme tous les autres, ne lui inspiraient aucune révolte, pas même un vague ressentiment contre qui que ce fût, Dieu dans le Ciel, l'état-major dans son bunker, les types de la météo ou le brave commandant Hawk, en charge du détachement, qui battait la semelle devant nous. Plus d'une fois, je me suis fait la réflexion que, pour Chet, la réalité était une condition si inéluctable qu'il n'y avait pas à s'en préoccuper le moins du monde. Du coup, par un étrange retournement, il en venait à la considérer comme une notion abstraite qui, tant qu'on ne s'y arrêtait pas, ne modifiait en rien ni votre quotidien, ni votre conscience.

Comme Miles, il ne fumait pas, ne buvait que de l'eau. Vous n'auriez pas pu lui faire avaler une simple tasse de jus de chaussettes. Il m'avait raconté, avec un humour où je sentais poindre de la réprobation, les soirées que son père, s'étant remis à la guitare après des années d'abstinence, organisait au domicile familial avec d'autres musiciens du dimanche, peu avant le départ de Chet pour Fort Lewis, et où circulaient une bouteille d'eau-de-vie et des cigarettes de marijuana. Il n'appréciait pas l'ordinaire de la caserne, mais, à ma connaissance, jamais il n'exprima la moindre préférence gastronomique. Comme si son corps s'autorisait quelques besoins, réduits d'ailleurs au strict minimum, mais, au-delà, ne voyait dans les convoitises qu'un luxe inutile, pour ne pas dire un fardeau. Il jouait au ping-pong, aux cartes, se rendait au bowling, sans ennui et sans passion. Cette tempérance déroutait chez un être qui, d'ailleurs, étranger à tout puritanisme, ne semblait pas souffrir d'un excès de sens moral et dont le meilleur ami, un nommé Dick, passait pour le génie du marché noir à Berlin, côté forces d'occupation. Pour autant, je ne me mettais pas martel en tête à son sujet. J'avoue que, si étrange fût-elle, cette attitude faisait bien mon affaire. Fidèle à moi-même, je me lançais de la fumée aux yeux.

Je pouvais tranquillement rêver que Chet était indifférent à l'amour, en même temps qu'à toutes les autres bonnes choses de la vie, la musique exceptée. Je me berçais dans l'idée qu'à la façon d'une divinité antique, d'une parfaite idole de marbre, il était fait pour inspirer l'amour, mais n'avait cure de l'amour que lui vouaient les mortels. Quant à le rechercher, cette hypothèse m'apparaissait un peu plus ridicule chaque jour. Pas plus que moi, au reste, je ne le voyais se précipiter avec les autres vers le quartier des lupanars ou sur les malheureuses qui travaillaient en indépendantes, aux abords du cantonnement. Courir la prétentaine avec des filles honnêtes, selon toute apparence, ne le travaillait pas davantage. Lorsqu'il sortait, en règle générale, c'était pour aller retrouver ce Dick dans le théâtre où ce dernier occupait les fonctions de régisseur, et il était clair que je n'avais aucunement lieu d'être jaloux de ce personnage. Bref, j'en étais arrivé à la conclusion qu'il y avait quelque chance que Chet se laissât aimer, précisément en raison de son désintérêt pour les choses de l'amour.

Chet n'était pas le genre d'homme à parler plus qu'il n'était nécessaire (et j'aurais tendance à penser, avec le recul, qu'il ne se parlait guère non plus à lui-même). À la caserne, toutefois, j'étais son confident. C'est à ce titre qu'un jour très ordinaire, tout à trac, dans la salle de répétition où, comme souvent, il n'y avait que nous, je fus informé d'un rêve qu'il avait fait la semaine précédente. Le printemps avait fini par se montrer et Chet profitait des beaux jours pour canoter en solitaire sur le lac Wansee, situé à la périphérie de la ville, du côté de la zone russe. Il avait rêvé qu'il rencontrait là-bas une jeune femme blonde, dont il me traça un portrait d'une précision étonnante, au point que, moi aussi, pendant qu'il l'évoquait, j'avais l'image de cette fille devant les yeux. Elle était blonde, elle avait exactement vingt-deux ans (pourquoi cet âge en particulier ? il semblait y tenir beaucoup) ; bien entendu, elle était belle. Elle marchait au bord de l'eau en relevant le bas de sa robe pour la préserver des éclaboussures. Il l'avait abordée.

« Tout d'abord, me dit-il, ce n'était qu'un rêve. Mais à présent, je songe à elle toute la journée, comme si je lui avais parlé pour de bon. Je suis sûr qu'elle existe, Oscar. Elle est là quelque part. Quand je l'aurai retrouvée, pas la peine de faire les cons : on se mariera. Tu ne crois pas ? »

Chet

Berlin, le 31 août 1947

Chère Ma, Cher Dad,

J'espère que cette lettre vous trouvera en aussi grande forme que celui qui vous l'envoie. Depuis la dernière fois, pour ce qui est du climat, les choses se sont beaucoup améliorées. Nous avons eu un printemps des plus agréables et l'été, en ce moment, est tout simplement fantastique. Je suis sur l'eau ou dans l'eau presque tous les jours : c'est devenu l'essentiel de mon travail ! Je sais que je n'écris pas assez souvent, et je le regrette, mais vous me connaissez. En tout cas, je pense bien à vous. Vous vous souvenez de la photo en couleur de vous deux que j'ai emportée en partant pour la caserne ? Elle ne m'a pas quitté. Le tableau que vous devriez recevoir en même temps que ce mot (les gars du service postal me l'ont assuré) a été réalisé par un peintre allemand à partir de ce cliché. Il me semble assez réussi. J'espère qu'il vous plaira. J'ai mis la dédicace derrière, sur le cadre, pour ne pas abîmer la peinture elle-même, mais bien entendu, si vous le souhaitez, je la recopierai sur la toile à mon retour. Ce n'est plus qu'une affaire de quelques mois, à présent.

J'ignore combien ce genre de travail aurait coûté à Los Angeles ou à New York. Ici, l'artiste a fait de son mieux pour une bouchée de pain ou, plutôt, pour une bouffée de cigarette. Les cartouches de Lucky qu'on nous distribue régulièrement, et auxquelles je ne touche toujours pas, font de moi un nabab. Pour les Allemands qui en manquent, comme de presque tout, les cigarettes valent de l'or. Avec elles, on peut se payer le restaurant, régler ses courses en taxi, acheter d'occasion quantité de choses comme neuves qui, à l'origine, devaient coûter une fortune : des bijoux, des briquets de luxe, du matériel d'optique. En janvier, contre une cartouche (ce n'est pas moi qui ai fixé le prix), je me suis payé un magnifique appareil photo. Mais le fait que j'étais prêt à échanger la totalité de ma ration de tabac a fini par se savoir. Des tas de types sont venus me supplier de leur acheter leur propre appareil, et chacun en réclamait moins que le précédent. Difficile de refuser sans passer pour un sadique. Bref, je possède maintenant une petite quinzaine d'appareils. Je pourrai toujours les revendre aux copains : je ne risque pas d'y perdre. Et vous ne savez pas le plus beau ? Toujours avec mes cigarettes, je suis devenu propriétaire d'un canot à moteur. Minuscule, plus de première jeunesse, mais tout de même !

Dad, aurais-tu entendu par hasard à la radio un trompettiste du nom de Dizzy Gillespie ? Il dirige un big band comme on n'en avait encore jamais entendu et, quand il se lance dans un solo, ce qu'il fait avec son instrument est tout bonnement fantastique. Je ne sais pas si son style te plairait (c'est encore plus moderne que celui de ce gars dont j'ai perdu le nom, que tu n'aimais pas, et qui a joué un moment chez Gene Krupa, puis chez Artie Shaw : très vite, très fort, très aigu, tu te rappelles ?), mais tu admirerais sans doute la technique, l'humour et le culot du bonhomme. Un copain de la fanfare m'a initié. La première fois que j'ai entendu ça, j'ai cru que j'allais tomber à la renverse ! À présent, je nage là-dedans comme un poisson dans l'eau, et du coup, rien que pour rester dans la course, je fais de grands progrès à la trompette. Quand je ne suis pas sur le lac, vous êtes sûrs de me trouver dans la salle de répétition. Oscar m'aide beaucoup. C'est le copain en question, un trompettiste classique qui sort de la Juilliard School. C'est le neveu d'un sénateur des États-Unis, mais pas du tout le genre de type à se faire pistonner. Si c'était le cas, il dirigerait l'orchestre, car, en musique, aucun de nous ne possède le dixième de ses connaissances. Pendant les morceaux, les autres cuivres se retiennent afin de mieux entendre sa partie. Le détaché, les liaisons, les inflexions, les nuances, la sonorité, le contrôle, tout : c'est un régal. Je ne crois pas que lui-même s'en rende compte. Ni de son talent, ni du respect qu'on a pour lui. C'est un mec un peu bizarre, qui a toujours l'air de réfléchir. Il te regarde, et tu as l'impression que ses yeux sont tournés vers l'intérieur. Mais c'est le gars le plus discret de la compagnie et quelqu'un à qui on peut faire confiance. Je l'apprécie beaucoup. Comme il me laisse lui demander du soir au matin des tas de tuyaux sur le bebop et la technique, j'imagine que c'est réciproque.

Je crois bien, chers parents, que de ma vie je n'ai écrit une aussi longue lettre à qui que ce soit ! Avant de prendre congé, pourtant, j'ai encore quelque chose à vous raconter. Ma, tu ne le croiras jamais, mais j'ai bien failli te ramener une belle-fille ! Je crois d'ailleurs qu'elle t'aurait assez plu. Le plus drôle, c'est la façon dont ça s'est passé. Figurez-vous qu'une nuit j'ai rêvé d'elle. J'ai rêvé d'elle des semaines avant de la rencontrer. Et le jour où ça s'est fait, tout était exactement comme dans mon rêve : son visage, sa silhouette, son âge (22 ans), la couleur de ses cheveux, sa façon de marcher, ses attitudes. Même le décor et les circonstances ! Comment n'aurais-je pas pensé que Cisella (c'est son nom) était faite pour moi ? Tout de suite, nous nous sommes entendus à merveille, malgré l'obstacle de la langue. Si ça n'a pas marché, c'est que j'ai fini par comprendre qu'elle se plaisait bien en ma compagnie, mais n'était pas vraiment amoureuse de moi et ne le deviendrait jamais. Peut-être même ne pouvait-elle tomber amoureuse d'aucun garçon, ou alors par inadvertance. Leurs parents les avaient chargées, sa sœur et elle, de se rendre à Berlin afin d'y épouser coûte que coûte un officier étranger. Moi, sans galons, je n'étais qu'un pis-aller. Une sorte de poire pour la soif, si jamais l'affaire tournait mal. Ce n'était pas une méchante fille, loin de là : elle avait une mission, ses parents comptaient sur elle pour échapper à leur misère et elle ne les aurait trahis pour rien au monde. D'ailleurs, aux dernières nouvelles, elle devrait épouser bientôt un capitaine russe. Elle m'a tout dit. Elle a été honnête avec moi. Je ne peux pas lui en vouloir. En fait, je lui tire mon chapeau. Il faut du cran pour se sacrifier ainsi. Je ne suis pas près de l'oublier.

Voilà. J'ai bien hâte de voir cette maison que vous avez achetée à Hermosa Beach. Qui aurait dit, il y a encore quelques années, que les choses allaient s'arranger de cette manière ? Vous l'avez mérité cent fois. Mon adresse n'a pas changé. Dites-moi ce que vous avez pensé du tableau.

Votre fils aimant,

Chet

Vera Baker

Il n'avait pas prévenu de son arrivée. En me levant ce matin-là, je n'attendais pas mon garçon, mais, alors qu'il devait s'engager sur l'embranchement qui mène de l'autoroute 101 (celle qui longe le Pacifique) à la colline où nous avons notre maison, j'ai entendu son pas. Vous aurez beau me prouver par a + b qu'il a pris le bus, ou qu'il est venu de Los Angeles en taxi, je le jure : je l'ai entendu. Il vous le dira lui-même. Pour quelle autre raison me serais-je tenue sur le seuil, toute pomponnée, lorsqu'il s'est arrêté sur le trottoir de la 16ᵉ rue, le nez en l'air à la recherche du numéro 1011 ?

En octobre, à Berlin, il avait attrapé l'appendicite et, après deux mois d'hôpital (il faut croire que ce n'était pas si bénin qu'il a voulu nous le faire croire), ils l'avaient renvoyé au pays. Mais son temps n'était pas achevé. Il a dû passer par la base – le camp Kilner, ou Kilmer, je ne sais plus –, avant sa démobilisation définitive.

Avait-il changé ? Sans aucun doute, mais je ne dirais pas qu'il avait vieilli, à proprement parler. Il était devenu un homme et, en même temps, par bien des côtés, il était redevenu le gamin qui chantait des chagrins d'amour, imaginaires peut-être, à des imbéciles en tout cas bien réels. Dans les magazines, il est toujours question de « femmes-enfants ». Et les « hommes-enfants », alors, ça n'est rien ? Est-ce que ça n'est pas encore plus émouvant pour une femme qu'une femme-enfant pour un homme ? En tout cas, ça devrait...

Je le sens, mon Chet, comme s'il était encore dans mon ventre. Et même quand il apparaît là devant moi − je songe à ce matin d'hiver à Hermosa Beach − et qu'il y a entre nous la distance de l'allée qui mène de la boîte à lettres au paillasson, je continue de l'avoir en moi et de correspondre avec lui grâce à ce qu'il a laissé à cet endroit. La vie le tire en avant, je ne le lui reproche pas. Moi-même, depuis Yale, j'ai vu, comme ils disent, bien du pays. Quelque chose pourtant le ramène toujours en arrière. De sorte qu'il prend de l'âge sans vieillir. Contrairement à son père, qui vieillit, mais à qui (remarquez que je ne m'en plains pas) nulle expérience ne profite. Dad ne tire jamais aucune leçon de ce qui lui arrive. En tout cas jamais aucune leçon qu'il ne soit pas susceptible d'oublier ou de remettre en question du jour au lendemain. Chet, depuis le collège, peu de situations le prennent au dépourvu. J'ai parfois l'impression qu'il n'a pas besoin de faire l'expérience d'une chose pour en connaître les tenants et les aboutissants. En revanche, s'il tient à expérimenter ceci ou cela, aucune leçon, aucun sermon ne le dissuaderont non seulement d'essayer, mais encore d'aller au bout de l'aventure. Il n'a pas peur. Il n'avait pas peur de chanter en culottes courtes « Le soleil luit là-haut, mais pas pour moi » à des gens qui, dans leur pathétique besoin de se croire des privilégiés, tenaient par-dessus tout à croire que le soleil brille pour tout le monde.

À Hermosa Beach, il a profité un peu du climat. Il est retourné à la pêche aux abalones, une fois ou deux. Le reste du temps, il n'allait pas courir les filles. Elles l'attendraient, de toute façon, les bonnes et les mauvaises ; il n'aurait que l'embarras du choix. Il travaillait sa trompette. Il écoutait du jazz à la radio, manipulant le bouton jusqu'à ce qu'il tombe sur son Dizzy Gillespie ou sur un autre de ses fameux « beboppers », et faisait jouer des disques que son père, je le voyais bien, se forçait à ne pas trouver inaudibles, tout en mettant un point d'honneur, en tant qu'ancien professionnel, à élever des objections. À force de les entendre revenir à tout bout de champ dans leurs chamailleries, j'ai retenu les noms des musiciens que mon garçon appréciait le plus : un certain Freddie Webster (Dad l'aimait bien, celui-là), un dénommé Navarro, qu'il supportait tout juste, et deux autres dont la notoriété lui apparaissait comme un affront personnel : Miles Davis et McKinley Dorham.

« À la troisième mesure, s'emportait mon époux, ils n'ont encore aucune idée de ce que sera la quatrième !

– Non, répliquait doucement Chet. Mais ni toi ni moi non plus, et c'est ce qui fait leur force. »

James George Hunter, dit Jimmy Rowles

Je devais avoir trente ou trente et un ans. Ça ne faisait pas de moi le doyen des pianistes de la côte ouest, mais, avec dix années de métier derrière moi (je compte celles où je jouais dans des formations universitaires ou militaires), je n'avais plus rien d'un poussin du jour. Dix ans à ramer, comme presque tout le monde. Dix ans de pures délices si vous me demandez un avis personnel. Tout était allé si vite, en fait, j'avais rencontré tant de gens formidables et j'avais vidé tant de verres en leur compagnie que je n'avais pas eu le loisir d'enregistrer un premier disque sous mon nom. Un ou deux producteurs m'avaient bien pressenti (surtout des jeunes qui débutaient dans le métier et n'avaient pas de quoi se payer un Tatum ou un Garner), mais j'avais toujours quelque chose de plus urgent à faire. Rattraper mes nuits blanches, par exemple, ou me perfectionner au golf...

À l'époque où je me suis lié avec Chet, je n'étais pas encore l'accompagnateur attitré de Peggy Lee comme je le deviendrais par la suite et le resterais cinq années durant. Cependant, Peggy m'avait engagé pour l'assister au *Ciro's* de Sunset Boulevard, à L.A., où elle faisait fureur. Peggy était comme Billie Holiday : elle voulait toujours que je lui pousse la chansonnette. Pour quel bénéfice ? Mystère. Je n'ai presque pas de voix et le peu dont je dispose, je le maîtrise si mal qu'on aurait dû depuis longtemps me verbaliser pour défaut de justesse. Je peux apprendre aux autres à se débrouiller avec leurs cordes vocales (je l'ai fait pour Marilyn Monroe), mais je ne me suis d'aucun secours à moi-même. Elles insistaient malgré tout. Peggy annonçait au public que j'allais chanter un morceau, et il fallait bien que je m'exécute. Cette fille m'a tanné jusqu'à ce que je commette un disque où l'on m'entendait donner de la voix dans tous les morceaux. Comme de juste, il s'est très mal vendu. Dieu merci ! Le crime ne paie pas. Je donnerais gros pour faire disparaître les quelques preuves compromettantes qui doivent encore traîner par-ci par-là dans des greniers et des arrière-boutiques.

Lady Day, je l'avais rencontrée en 42, toujours à L.A., au Trouville Club de Billy Berg, alors que j'appartenais à l'orchestre des frères Young, Lee (le batteur) et Lester. J'ai pris dans cette boîte une précieuse leçon d'intégrité : si l'on a une certaine chose à faire avec son instrument, et qu'on n'y parvienne pas, ce n'est pas d'accomplir quelque chose de plus difficile à la place qui résoudra le problème si peu que ce soit. Jamais l'accumulation de traits compliqués ne masquera l'absence de l'élément tout bête qui aurait dû se trouver là. S'il manque une seule note indispensable à l'équilibre du tout, un déluge de notes superflues ne réussira qu'à en souligner l'absence. Un musicien qui ne bénéficie pas de dispositions exceptionnelles n'a qu'une alternative : ou il devient capable, en travaillant et en se concentrant beaucoup, de prononcer trois mots qui ont un sens, ou il se range définitivement parmi les beaux parleurs qui en alignent trente ou trois cents ou trois mille dans l'unique espoir de camoufler qu'ils n'ont rien à dire.

Quand on a un peu l'habitude, tout devient plutôt simple dans l'improvisation. Il n'y a guère que la simplicité elle-même qui demeure un casse-tête. Et il n'y a qu'elle au fond qui en vaille la peine. La simplicité, ce n'est plus ce que tu as, c'est ce que tu es. Je l'ai répété à Chet je ne sais combien de fois : tout le reste, il se trouvera toujours quelqu'un pour le faire mieux que toi. En vérité, il n'avait guère besoin de mes conseils. Ni le bluff ni l'épate n'étaient son genre. Quant aux complications inutiles ou frauduleuses, outre le fait qu'il n'avait pas assez de connaissances théoriques et ne maîtrisait pas assez son instrument pour s'y risquer, il semblait n'avoir que répugnance pour elles. Il avait appris la musique en écoutant des chansons à la radio et les chanteurs populaires, s'ils veulent avoir du succès, doivent coller le plus possible à la mélodie originale. Compte tenu du public auquel ils s'adressent, leur marge d'interprétation est très faible et c'est pourquoi, *en apparence*, il y a tout juste de quoi glisser une feuille de papier à cigarette entre la façon dont Frank Sinatra retrace une ligne mélodique et cette ligne telle que le compositeur l'a dessinée lui-même. Toutefois, ce décalage infinitésimal laisse plus de place qu'il n'en faut à un artiste digne de ce nom pour s'exprimer à cent pour cent. Chet s'en satisfaisait. Il ne lui venait pas à l'idée d'occuper le terrain avec des leurres ou des ornements. Lorsqu'il chantait, il ne s'y prenait pas très différemment de moi, mais il avait cette faculté non seulement de faire avouer à un air ses secrets les plus intimes, mais encore d'y glisser son propre mystère.

Chet

De retour à la maison, j'ai profité des facilités que le gouvernement accordait alors aux G.I.'s pour se réinsérer dans la vie universitaire lorsqu'ils avaient dû lever le pied en catastrophe, direction l'Europe ou le Pacifique sud, ou pour y goûter si, comme moi, ils n'en avaient pas eu l'occasion jusque-là. Pas très loin de Hermosa Beach, à Lawndale, se trouvait un campus, El Camino Junior College, où je me suis inscrit. À la légère d'ailleurs. Peut-être serais-je allé chercher fortune plus loin si j'avais pris le temps d'inspecter les lieux au préalable. El Camino n'avait rien d'une de ces universités chic, à l'anglaise, comme il y a sur la côte est du côté de Boston. Les salles de cours avaient le défaut d'évoquer de manière irrésistible les baraquements de l'armée, qui ne sont pas mon style d'architecture préféré.

De surcroît, peu téméraire, j'avais cru jouer sur le velours en choisissant la musique comme matière principale et l'anglais comme matière secondaire. Après tout, l'Oncle Sam en personne m'avait attribué un brevet de musicien, j'avais donné l'aubade à des célébrités qui ne s'en étaient pas plaintes, et la langue de Shakespeare, que je pratiquais depuis l'enfance, ne devait pas avoir que des mystères pour moi. Dans ce domaine, en fait, je ne me suis pas trop mal débrouillé, grâce en particulier à oncle Jim et tante Agnes. Chez eux, toutes les phrases étaient censées avoir un début et une fin, avec, autant que possible, un verbe au milieu, correctement conjugué ; « zut ! » était considéré comme un gros mot, qu'on ne prononce qu'en dernière extrémité. Malgré mon passage sous l'uniforme, il m'en était resté quelque chose. Peut-être, aussi, la fréquentation d'Oscar Greenspan m'avait-elle empêché de céder à la tentation d'un vocabulaire grossier et d'une syntaxe débraillée.

En musique, cependant, je ne m'en tirai pas à si bon compte. Miss Adamson ne semblait pas considérer que les partitions pouvaient se lire avec l'oreille. La première fois que je fus confronté à une dictée musicale, je prétextai un vague malaise pour déserter la classe. Bobard qu'elle goba sans sourciller : les soldats, chacun sait bien que cela ramène toutes sortes de maladies des contrées lointaines et qu'ils ne peuvent pas, devant des demoiselles, les nommer toutes par leur nom.

À El Camino, je n'étais pas le seul échappé des casernes. Il y avait même là deux ou trois authentiques vétérans de Guadalcanal et d'Iwo-Jima. Autant dire des miraculés. Et l'on ne pouvait pas s'empêcher d'apercevoir une sorte d'aura autour d'eux. Celui que j'ai le mieux connu, pourtant, faisait tout ce qui était en son pouvoir (et Dieu sait que ce gars-là était plein de ressource !) pour ramener sur terre ceux qui prétendaient lui tresser des couronnes ou, pis, le plaindre. Ancien matelot, Andy Lambert avait laissé une jambe dans la bagarre. On lui en avait fabriqué une en bois. « Si je me retrouve à la rue, plaisantait-il, je pourrai toujours me chauffer avec ! » Il faisait tout ce qu'il voulait de cet appendice. Andy était un virtuose de la prothèse. Et il s'appuyait hardiment dessus pour jouer de la contrebasse avec un trio de jazz chaque soir, des heures durant, dans un bar de nuit à l'enseigne de *La Haute Mer*. Il ne se débrouillait pas mal du tout. Comme d'ailleurs les deux autres membres du groupe : Gene Sargeant, le guitariste, et Kane, le pianiste, lequel n'était pas un type sympathique (avec moi, tout du moins), mais connaissait son affaire lorsqu'il s'installait devant un clavier. Le trio accueillait tous les souffleurs de passage en quête d'une rythmique qui ne leur mettrait pas de bâton dans les roues. Je n'étais pas le plus aguerri de la bande, loin s'en faut, mais Andy (il s'était chargé de m'inventer tout un chapelet d'excuses pour que Miss Adamson ne se formalise pas de mes absences répétées aux séances de dictée), Andy, bravant l'hostilité de Kane avec le soutien de Gene, m'imposait un peu plus longtemps sur l'estrade que d'autres qui, à mon estime, m'étaient très supérieurs. J'ignore de quelle façon ils s'y prirent, mais, pour mieux justifier ma présence là-haut, lui et Gene finirent par m'obtenir une carte de la section locale du syndicat.

Bénéficiant d'une assez bonne cote dans le milieu, le trio de *La Haute Mer* recevait parfois, le temps d'un morceau, des célébrités ou des gloires secrètes (je veux dire ignorées de la plupart des critiques), fleurons du jazz de Los Angeles, qu'on n'appelait pas encore le jazz *west coast*. Et si elles ne venaient pas à lui, Andy, martelant le bitume de son pilon, sa contrebasse sur le dos comme si elle n'était ni plus lourde ni plus encombrante qu'un sac de plume, allait les traquer dans leurs repaires. Jusqu'à l'aube, il me faisait faire la tournée des grands ducs, m'obligeant à affronter des hommes dont je ne connaissais pas toujours le nom, mais qui, dès qu'ils avaient joué trois mesures, m'apparaissaient comme des géants.

C'est de cette façon que je suis tombé sur Jimmy Rowles. Dans ce qu'il faisait, il était de très loin le meilleur, parce qu'il était le seul ! Le seul dans sa catégorie. Mais il n'en profitait pas pour s'endormir sur ses lauriers. Jimmy, à l'époque déjà, pensait que la musique ne doit pas se contenter de marcher sur ses propres traces. Encore moins sur les traces d'une musique qu'un autre a mise dans le circuit. Je partageais cette idée, mais à bon compte, dans la mesure où je n'étais pas certain d'avoir jamais le cran ni les moyens de la mettre en pratique. Pour autant, il m'a tout de suite accordé son amitié et je crois bien que j'en ai abusé. À sa place, j'aurais mal supporté que, chaque jour à midi (le milieu de la nuit, en ce temps-là, pour un jazzman en activité), un débutant me tire du lit pour que je lui donne gratis des concerts privés et des leçons particulières. J'en éprouvais de la gêne, mais ne pouvais renoncer à de tels privilèges. Pas une seule fois, au reste, il ne me laissa supposer que je le dérangeais. Je le regardais avaler son petit-déjeuner (ou ce qui lui en tenait lieu, n'insistons pas), puis il s'installait au piano. Il n'avait pas besoin d'attirer mon attention sur tel ou tel aspect de son style : chaque note, chaque phrase me frappait comme l'un des dix commandements de l'improvisateur. Il me souriait :

« Chet, tu es l'un des happy few, tu le sais ?

– Que veux-tu dire par là ?

– Tu es capable d'écouter la musique.

– Ça ne me paraît pas un exploit.

– Ça n'en est pas un, rassure-toi. Néanmoins fort peu de gens y parviennent. Un musicien sur deux, en mettant les choses au mieux. Un critique sur dix. Et un sur cent des gens dont un musicien dépend pour boucler ses fins de mois.

« – C'est encourageant ! Que faut-il faire, Jimmy ?

– Vendre des aspirateurs au porte-à-porte. C'est plus sûr. Mais on prétend que ce n'est pas aussi rigolo. Connais-tu celle-là, mon garçon ? »

Et il me jouait une mélodie qui ne me disait rien. Au début, je croyais qu'il les inventait. C'étaient en réalité de vieilles chansons. Elles étaient mortes pour tout le monde, mais, pour Jimmy, elles étaient… comment dire ?… le souvenir de choses qui n'avaient pas eu le temps de vivre.

Je suis redevable à Andy Lambert de m'avoir initié à la marijuana. Le tabac ne me disait toujours rien, mais l'herbe fut une révélation. Pendant huit ans, elle l'est restée. La révélation du musicien que j'étais, en tout cas dans ma tête, et surtout du musicien que je pouvais devenir si je ne me laissais pas distraire par la musique des autres : ni la musique, si attirante fût-elle, qui se jouait autour de moi, ni surtout celle qu'attendaient de moi ces gens qui, d'après Jimmy, tenaient mon avenir entre leurs mains. Horace Silver, lorsqu'il était avec Stan Getz, a intitulé *Potter's Luck* (« La Chance de Potter ») un de ses morceaux, pensant, je suppose, à Tommy Potter, contrebassiste si solide que si vous n'aviez pas de chance en improvisant à ses côtés, vous n'en auriez sans doute jamais avec personne. Un peu plus tard, quelqu'un s'est pointé avec un thème baptisé *Pot Luck,* que Stan a enregistré aussi. Cette expression peut signifier plusieurs choses. *To take potluck* : s'en remettre au sort (ce qui est le lot du soliste qui ne triche pas : en plus de tout, il doit « avoir du pot »). Mais comme *pot* est aussi le nom qu'on donne au cannabis, la chance dont il s'agit peut être celle que la fumette met à votre portée. Avec moi, elle ne s'en est pas privée. Durant toutes ces années, j'ai joué à la fortune du *pot*, et, le pot de la partie, j'ai pu le ramasser grâce à elle. Dieu bénisse Andy Lambert de m'avoir entraîné sur la mauvaise pente ! Sans lui, obligé de ne compter que sur mes propres forces et ne mesurant que trop bien mes faiblesses, je n'aurais pas grimpé bien haut. Andy m'a appris que nous cachons un double qui nous est très supérieur, mais qui dort et qui a le sommeil lourd. Le problème pour qui veut aller au bout de lui-même est de découvrir ce qui est susceptible de le réveiller.

Je ne sais pas si j'y ai fait vraiment meilleure figure, mais, à cette époque, on m'a vu plus souvent dans les jams du *Showtime* et des autres boîtes de L.A. et des environs qu'aux cours de musique d'El Camino. Par Jimmy Rowles, notamment, je suis entré en contact avec des types dont le nom m'était familier parce qu'ils se produisaient ou s'étaient produits soit avec Stan Kenton, soit avec Woody Herman. Certains, comme Shelly Manne, avaient fait la navette entre les deux formations. Ils passaient pour des as et la plupart, en effet, n'étaient pas des demi-pointures. D'autant que, contrairement à moi, ils excellaient dans tous les compartiments du jeu : les idées, les moyens techniques, la mise en place, le swing, l'expression collective – et la lecture à vue pour couronner le tout.

À l'*Esther's* de Manhattan Beach, j'allais écouter Matt Dennis, le compositeur d'*Angel Eyes*. Parfois, il m'invitait à souffler quelques chorus avec lui, mais ce n'était pas pour cela que je me rendais là-bas. Je lui réclamais une de ses chansons, toujours la même, *Everything Happens to Me.* De celle-là, on pourra dire que je ne me suis jamais lassé. Ce qui m'épate, pour ma part, c'est qu'elle ne se soit jamais lassée de moi.

Il y avait eu Miles, déjà, Miles et son nonette, avec Gerry Mulligan et les chasseurs de brouillard du Claude Thornhill Orchestra : Lee Konitz, Gil Evans, John Carisi. Il y avait eu les Incorruptibles de Lennie Tristano, le guru ombrageux : Warne Marsh, Ted Brown, Billy Bauer, Konitz une fois de plus. Il y avait eu les Kentoniens en rupture de ban, lassés des voyages, fatigués de se demander chaque soir si le kentonisme était la meilleure ou la pire des choses et de se réveiller chaque matin sans connaître la réponse. Il y avait eu les Brothers de Woody Herman : Herbie Stewart, Stan Getz, Zoot Sims, Serge Chaloff, puis Al Cohn, Jimmy Giuffre, Gene Ammons, Buddy Wise, Bob Graf, Phil Urso – et les Brothers qui jouaient chacun pour soi, dont chacun s'en allait tout seul, mais qui se croisaient parfois et se reconnaissaient, sachant qu'ils étaient tous les fils de Lester Young. Pas tous des fils du même Lester Young, toutefois, car le Président avait été nombreux à jouer du même saxophone, entre 1936 et la fin des années 50, mais tous des fils aimants. Des fils amants de leur père, plus ou moins prodigues, plus ou moins prodigieux, étalant leur inceste avec beaucoup de lyrisme et d'arrogance. Et cherchant le soleil dans la brume. « Quiconque ne joue pas comme Prez vit dans le péché ! », s'écriait Brew Moore, avant de tomber d'un escabeau et de rendre l'âme. Allen Eager, pour qui Lester avait marqué un faible, aurait été d'accord. James Moody n'aurait pas prétendu le contraire. Ni Teddy Edwards.

Don Lanphere était de la famille, lui aussi. Dexter Gordon a bien failli en être. Il fut l'agent du lestérisme sur la côte ouest. Agent double ou triple, peut-être sans le savoir, manipulé par des forces qui le traversaient. Gardien de la flamme, en tout cas. De cette flamme sans feu. De cette braise couvant sous la cendre. Lui, Dexter, et ce frère d'âme qui n'était ni tout à fait son double ni tout à fait son contraire, ni tout à fait son complément : Wardell Gray. Wardell allait réconcilier sur son nom toutes les factions du jazz, tous les capitaines, tous les nostalgiques et tous les prophètes, les dévots du Président et ceux de l'Oiseau, et ceux des vieux triomphes et ceux des liturgies incertaines. Wardell, né comme Chet Baker en Oklahoma, dont Lester admirait le *Little Pony* (enregistré en 1951 avec Count Basie), et qui avait à ses heures cette bizarre façon… comment dire ? de mourir et de renaître d'un même souffle, d'avoir le trépas fertile et la fécondité mortifère. L'allégresse, poignante. Le désespoir, érotique.

On s'est mis, sous le soleil californien, à agoniser énormément, mais non sans désinvolture. On agonisait pour un oui, pour un non. On agonisait entre le tequila sunrise et le banana split, boulevard du crépuscule, boulevard des cœurs brisés – et c'était quand même le petit chemin qui sent la noisette. Mais quand on s'y risquait, le cœur léger, il se révélait pavé d'embûches, et le promeneur nez au vent s'apercevait tout à coup que plus aucune route ne serait jamais sûre. Qu'aucune ne menait à Rome. Qu'à un bout de la vie, on apercevait déjà l'autre. La mort seule, disait le promeneur sans élever la voix, avec un petit sourire au coin des lèvres, la mort seule, on n'en voit pas le bout, cette mort qu'il faut bien vivre de son vivant...

Sous le soleil californien, Shorty Rogers, Jimmy Giuffre, Shelly Manne and his men, Art Pepper, Marty Paich, Bill Holman, Lennie Niehaus, la bande à Howard Rumsey, Jack Sheldon (encore un favori de Lester Young), Bob Gordon et Jack Montrose, Bob Cooper, Bill Perkins et Richie Kamuca, parmi beaucoup d'autres, ont inventé – on ne sait pas trop pourquoi, du fait qu'ils ne voulaient pas trop savoir ce qu'ils étaient en train de faire – ils ont inventé une façon douce de parler de la mort. Une mort qui, d'après leur musique, était un engourdissement puis un vide : une mort imbécile, qui ne déboucherait sur rien du tout. Ils ne parlaient pas pour ne rien dire : ils parlaient pour dire le néant, le néant et rien d'autre. Frivoles, ils ne pouvaient pas l'être, mais comment n'auraient-ils pas évoqué la frivolité d'une existence posée dans le vide tel un pétale de rose sur l'océan ? Ils inventèrent aussi une façon doucement meurtrière de dire la volupté. Combien elle paraît facile. Comment elle est impossible. Ils ne s'empêtraient pas dans leurs contradictions (ce n'étaient pas des philosophes, et puis il faisait trop beau là-bas) : ils y trouvaient un équilibre qu'on leur envia, ou dont on leur reprocha le confort.

Ils jouaient à mourir dans leur musique, pour s'entraîner, je suppose. Pour se faire croire que, le moment venu, mourir serait un jeu, une sorte de chanson (mais ils n'en croyaient pas un mot ; malgré eux, ça s'entendait). Ces enfantillages n'auraient pas dû tirer à conséquence. Quelques-uns, cependant – les meilleurs, je pense –, mourraient quand même pour de bon. Ils mourraient là, sans plus attendre, au beau milieu d'un chorus que leurs lèvres et leurs doigts achèveraient sans eux. Leurs lèvres et leurs doigts achevaient allègrement tout ce qui bougeait encore.

Ces garçons-là mouraient même s'ils se relevaient à la fin de leurs solos, dents blanches, haleine fraîche, soucieux de ne pas manquer le rendez-vous qu'ils avaient dans un studio de Hollywood où, comme chaque jour de cette vie éphémère au point d'en paraître illusoire, ils joueraient de leur instrument pour le cinéma ou la télévision, richement rétribués, en déployant un talent souvent exceptionnel au service d'une musique souvent exécrable. Ainsi ajouteraient-ils, pour la sécurité de l'emploi, pour l'acquisition d'un cabriolet rouge et d'un nouveau réfrigérateur, à l'absurdité de leur condition. Ce qui leur donnerait matière à jouer entre amis – et pour si peu d'argent cette fois que ça ne payait même pas le taxi -, à jouer de façon plus insouciante et cruelle que n'importe qui d'autre sur cette terre, en ce temps-là. De façon plus impitoyable, plus cynique, plus compatissante, plus pathétique et plus douce, plus légère, que s'ils avaient vécu de vrais drames, au lieu de porter des chemises hawaïennes.

Chesney Henry Baker Jr., qui n'était vraiment chez lui qu'à l'intérieur de lui-même, ne resterait pas complètement étranger à ces bizarreries. La chose ne s'est guère ébruitée, mais la première formation à laquelle il appartint, après le 298e Army Band (on ne compte pas celles dont il fut l'hôte d'un soir, d'un set, d'un morceau), ce fut le grand orchestre de Roy Porter, batteur qui avait enregistré à deux reprises avec Charlie Parker, lorsque celui-ci avait séjourné sur la côte pacifique entre la fin de l'année 1945 et la fin du printemps 1947. Formée l'année suivante, cette unité n'a laissé derrière elle que des traces sporadiques, rescapées d'un incendie et de longue date dissimulées au public pour les plus révélatrices d'entre elles. Néanmoins, elle revendique à bon droit, ayant eu plusieurs longueurs d'avance, le titre de premier big band west coast par ordre chronologique. On y parlait couramment l'idiome du bebop orthodoxe. On y côtoyait des musiciens encore obscurs, mais qui, tôt ou tard, contribueraient presque tous à l'explosion du jazz sur la côte occidentale des États-Unis d'Amérique : soit à cette explosion (on dirait aujourd'hui médiatique) qui assura la propagation du style west coast jusqu'en 1958 ; soit à celle qui, de l'intérieur comme de l'extérieur, devait le faire voler en éclats. En égarant ses pétales dans la nuit printanière de Californie, le bouquet du feu d'artifice y lança la semence d'autres floraisons, fort diverses. On allait cueillir des fleurs de serre et des fleurs carnivores. Des fleurs sauvages et des fleurs de rhétorique. Sans parler des épines et des ronces. Toute cette végétation était en germe dans les parterres à demi clandestins de Roy Porter. Jimmy Knepper, qu'on retrouverait, devenu cracheur de feu, auprès de Charles Mingus, y fit ses premières armes, comme Bob Gordon, le plus west coast des barytons. Pareillement Eric Dolphy, qui deviendrait Eric Dolphy, comme Chet Baker deviendrait Chet Baker. Chet et rien que cela, quel que fût le prix à payer.

Au *Lighthouse* de Hermosa Beach, le contrebassiste Howard Rumsey organisait des jam-sessions ouvertes au public. Les tracts disaient : « Lighthouse Café – 30 Pier Avenue, Hermosa Beach – à 45 minutes de Hollywood.

Howard Rumsey y présente du *progressive jazz* hors pair, avec un programme spécial le dimanche après-midi. » Chet ne croyait pas qu'on meurt tout le temps ; il n'y a jamais cru. Mais peut-être s'imaginait-il encore qu'on ne meurt jamais. Il écrit dans son livre de souvenirs, *Comme si j'avais des ailes* : « Hermosa Beach, au cours de cet été 1950, était un endroit extrêmement vivant, avec des centaines de jolies filles étendues de tous les côtés et des types qui déambulaient de long en large sur le Strand en roulant des mécaniques et en parlant un argot branché. Ils s'y prenaient, pour draguer, un peu comme font les paons. Mais ce qu'il y avait de mieux, c'étaient les dimanches au *Lighthouse*, avec les gens chic qui venaient en maillot de bain s'asseoir au bar ou à une table, boire de la bière et écouter la musique. Le seul problème était un gros crétin de flic en civil qui venait se planter là pour voir s'il pouvait emmerder quelqu'un. Il s'appelait Charlie quelque chose. Il était ce que la plupart des gens considéreraient comme un connard absolu… »

Sherry Donahue

Près de dix ans ont passé. Je ne sais pas de quand date
la photo en noir et blanc prise par ce Lawrence H. Shustak. Si elle est récente, alors il est resté le même que dans
mon souvenir. Toujours aussi beau. Vulnérable en apparence mais, par en dessous, obstiné, inflexible, indomp-
table, plus impossible à pénétrer qu'une bille d'acier bleu
et parfois aussi taciturne que les statues des parcs. Mon
adorable Chet ! Pourquoi le temps aurait-il eu plus de
prise sur lui que n'importe quoi d'autre dans l'existence,
la musique exceptée ? Et le sexe. Mais s'il était fou du
sexe, comme quelqu'un qui en aurait été longtemps privé
(c'était peut-être le cas ; peut-être était-il trop beau et
trop impénétrable pour que la plupart des jeunes filles ne
s'écartent pas de lui), seule la musique, j'en suis certaine,
était à ses yeux ce que Donahue appelle, croyant
m'amadouer quand je me refuse à lui, et ramener la
conversation sur un terrain scientifique, « un besoin
élémentaire ».

Moi, au moins, j'ai changé. Pour deux. Je ne parierais
pas qu'il me reconnaîtrait sur une photo prise, non pas
aujourd'hui, mais deux ou trois ans seulement après
notre rupture. Notre rupture... La mienne ! Lui, je ne

pense pas qu'il ait été rompu le moins du monde. L'acier bleu… Et ses chers parents pour colmater les brèches, si par hasard un semblant de fissure, l'amorce d'une craquelure infime apparaissait à la surface du métal.

Ses autres disques, j'en ai entendu des bouts à la radio. À une époque, il n'y avait guère moyen d'y échapper. On aurait dit qu'il n'y avait qu'un seul trompettiste sur terre. Et sa *Funny Valentine* vous poursuivait partout. J'en ai repéré quelques-uns au drugstore, et à l'étalage du magasin de musique, évidemment. Je détournais la tête. Je ne voulais pas les voir. Surtout pas celui, l'un des plus récents, où il vous regarde droit dans les yeux (mais a peut-être la tête ailleurs, ce serait tout lui), avec une blonde qui rêve sur son épaule, les paupières closes. Aurais-je ressemblé à ça, si nous étions restés ensemble ? Chet, lui, se souciait beaucoup de mes hanches, et ses parents plus encore…

Cet autre microsillon, *Chet Baker with Fifty Italian Strings*, un disque Jazzland, si j'ai osé le sortir du bac, c'est qu'il n'y avait aucun visage sur la pochette. Rien qu'un bout de trompette et une main de femme avec de faux ongles (quelle horreur !) sur la main d'homme qui tient l'instrument et qui ne peut pas être la sienne parce qu'elle est plus velue que la patte d'un singe.

Lorsque, machinalement, j'ai retourné le disque, il était trop tard : j'avais le cliché de Lawrence H. Shustak sous le nez. Par chance, Chet avait les yeux fermés, comme la blonde sur l'autre pochette. Il n'a pas pu voir ma réaction. Et puis, ma foi, tout ça c'était de l'histoire ancienne (comme dit Donahue pour se persuader que l'histoire à venir sera plus intéressante), alors j'ai observé ce visage, à peine moins anguleux peut-être qu'à l'époque où j'y posais les lèvres avec le sentiment que rien de mauvais ne pourrait jamais m'arriver, que ma vie commençait et qu'elle commencerait toute la vie.

J'aurais pu remettre le 30 cm dans le bac et m'en aller, mais le mal était fait. J'ai posé le regard sur la liste des morceaux et tout de suite, comme si mon œil avait été téléguidé, je suis tombé sur la chanson de Matt. Ou la mienne, je ne sais pas comment il faut dire. *Angel Eyes.* « Si tu n'as pas des yeux d'ange, me disait Matt, ne les pose ni sur moi ni sur personne. Si tu as des yeux d'ange, alors, même si vous êtes des centaines, des milliers, c'est pour toi seule que cet air m'est tombé du ciel. » Sans lui, sans ses chansons, rien de tout cela ne serait advenu, je suppose. Mais je ne peux pas lui en vouloir. Qui le pourrait ? Dans sa vie comme dans sa musique, Matt faisait toujours tout son possible pour que les choses s'arrangent. Pour que même la mélancolie vous soit douce, comme la mélancolie, la mélancolie incurable de ses plus jolies chansons. Pour que les histoires, même si elles tournent mal, continuent au moins de tourner, de faire la sarabande quelque part au fond de vous, où ça procure tant de bien. Pour que vous ne songiez pas à retenir à pleines mains le dernier morceau de jeunesse accroché à votre visage.

« Viens près de moi, Sherry », m'encourageait-il. Il me faisait un clin d'œil. « Tu sais comme j'aime la compagnie des gens heureux. »

Voulait-il dire qu'il ne l'était pas ? S'il n'y avait pas trop de monde, il me chantait *Angel Eyes* en me regardant dans les yeux, avec un petit sourire ironique au coin des lèvres (ou c'était mon imagination ?) : « Alors levez le coude, les amis/Commandez tout ce qui vous passe par la tête/Amusez-vous, gens heureux/Les verres et les rires sont sur mon compte…. »

Une autre chanson que j'adorais racontait que l'amour transforme l'hiver en printemps. J'ignorais alors qu'il transforme aussi le printemps en hiver. Lui, il le savait certainement. J'aurais dû le remarquer dans ses yeux, l'entendre dans sa voix. Mais Matt veillait à ce que vous ne fassiez pas trop attention à ces choses-là. Ces choses-là étaient dans ses chansons. Elles étaient bien où elles étaient. Vous saviez où les trouver si jamais vous en aviez besoin. « Qu'il pleuve ou qu'il neige », un endroit où aller. Un abri qui vous attend, dès que l'amour commence.

Je me sentais bien, près de Matt. Tout était simple. Tout était clair et facile. Il aurait pu être mon père. Peut-être fallait-il y voir la raison pour laquelle il en savait si long sur les femmes. En tout cas sur moi. Mais je me faisais sans doute des illusions là-dessus, comme sur le reste.

Et à propos d'illusions, Chet fut la plus belle de toutes, il faut en convenir. Il entrait *Chez Esther*. Peu de temps avant la fermeture, le plus souvent. Chaque soir, il demandait à Matt *Everything Happens To Me*, et ce n'était pas un simple souhait mais une vraie prière. *Everything Happens To Me* était une de mes préférées, à moi aussi. Toutes celles qu'il chantait pour vous, Matt réussissait, rien qu'en vous regardant, à vous faire croire qu'elles étaient ses préférées, l'une après l'autre, chacune plutôt que toutes les autres. Et cependant, son sourire vous faisait comprendre qu'au fond rien de cela n'avait la moindre importance.

Chet n'était pas comme ça. Pour lui, dans la musique, même l'insouciance, même la légèreté revêtaient une importance extrême. La sueur perlait à ses tempes. Il se concentrait sur des bêtises comme si c'était une question de vie ou de mort. (Mais quand ce fut une question de vie ou de mort, il estima que ça ne valait pas la peine de faire tant d'histoires. Passons. « Faisons passer », comme ils disaient tous – je me comprends.)

Il trimballait partout sa trompette. En général, dès qu'il avait repéré l'étui, Matt lui proposait de jouer quelque chose. Rien que tous les deux, trompette et piano. Chet ne disait pas non. Cependant, il n'a jamais voulu prendre de chorus sur *Everything Happens To Me*. Je lui ai posé la question à plusieurs reprises, mais j'ignore toujours pourquoi. Quand Matt commençait à chanter : « Je prévois d'aller jouer au golf : vous pouvez parier sur votre tête qu'il pleuvra… », Chet était comme transfiguré. Il se ramassait sur son tabouret. Se crispait, se durcissait. Je le voyais se pétrifier, ressembler aux statues de bronze des jardins publics. Les coudes sur les genoux, le menton dans les mains, le regard fixe, il écoutait comme s'il espérait surprendre dans cette chanson, ou dans la façon dont Matt s'y prenait pour l'interpréter, je ne sais quel secret qui aurait bouleversé son existence. Il attendait le Messie. On aurait dit un gamin devant un arbre de Noël. J'espère que ce n'est pas pour cela que je suis tombée amoureuse de Chet Baker, mais je crains que si. Je crains que l'enfance n'ait été la clé de tout. Sa mère Vera disait que les filles sont folles. Elles le sont, c'est sûr, quand elles s'imaginent voir dans leur premier amant leur premier-né.

J'ai demandé à Matt la permission de tomber amoureuse de Chet. Sauf que je ne l'ai pas fait pour de bon. J'ai soutenu son regard, j'ai affronté son sourire. J'ai cru qu'il comprendrait, puisqu'il comprenait tout. Peut-être a-t-il cru me comprendre, de son côté. Peut-être s'était-il fait une règle de ne jamais dire non à personne, pas davantage avec ses yeux qu'avec ses chansons, tout simplement. Serait-il possible que je me sois abusée à ce point ? Oh ! Matt, Matt… Je comptais sur toi, pourtant. Dans cette affaire, tu n'avais rien à perdre et rien à gagner. Chet n'avait pas grand-chose à gagner, sans doute, mais moi j'avais beaucoup de choses à perdre. Et tu m'aimais bien, je crois, tu aimais le bonheur des gens. Pourquoi ne m'as-tu rien dit ? Un signe m'aurait suffi, si tu estimais que les paroles importantes devaient à jamais flotter dans les chansons et ne franchir les lèvres sous aucun prétexte. Ou alors j'aurai été comme le personnage d'*Everything Happens To Me* : rien ne me réussit, avec moi tout foire tout le temps : « Je n'ai connu l'amour qu'une seule fois / Et il a fallu que ce soit avec toi »…

L'amour donc, Matt, puisque tu semblais ne pas t'y opposer. L'amour, pour ça, Chet en était prodigue. Pourvu que ça ne dépasse pas, comme dit Donahue, « le niveau de la ceinture » – au-dessous duquel, Donahue, il ne s'est jamais beaucoup risqué (je parle de prendre des risques). Au-dessus, chez lui, il n'y a rien dont je puisse faire mon profit. Chez Chet, au-dessus, il y avait Chet. Et la musique. Dans quel ordre ? Je me le demande encore. Il ne s'intéressait pas à lui-même, je crois. Pas assez, c'était bien le drame. Il s'y intéressait beaucoup moins qu'il n'aurait fallu pour qu'il s'intéresse aux autres. Mais il était aux petits soins avec le musicien qui était en lui. Ou plutôt avec le musicien dont il pourrait accoucher un jour s'il ne relâchait pas son attention – *ses* attentions. S'il se maniait avec précaution, faisait ses exercices, apprenait à contrôler son souffle. Cela me paraît clair aujourd'hui : de nous deux, c'était lui la femme enceinte. Avant même que je n'attende le bébé. Et puis moi, d'ailleurs, je n'attendais personne. Ou plutôt si : j'attendais Chet Baker. Mais il restait dehors. Il restait en dehors de moi, même lorsqu'il s'attardait à l'intérieur. Il traînait avec sa musique. Il s'égarait dans les profondeurs d'*Everything Happens To Me* et, à moi, rien du tout n'arrivait.

Était-ce lui qui avait choisi les morceaux de *Chet Baker with Fifty Italian Strings* ? Ç'aurait pu être moi, si on m'avait demandé de raconter notre histoire. Il y avait *My Funny Valentine, Angel Eyes, Rue des Songes, Quand je tombe amoureux,* mais aussi *Je devrais faire attention, Au revoir* et puis *Forgetful.* Distrait, négligent, étourdi. Oublieux.

Chesney Senior

Nous n'avons jamais abordé le sujet entre nous, mais j'imagine que, pour sa mère, il s'agissait de le retenir à la maison le plus longtemps possible. Vera pensait sans doute rattraper les heures de présence dont elle avait été privée lorsqu'il était en Allemagne. Moi, je pouvais me permettre de me montrer plus désintéressé. À la maison, j'avais compris qu'il n'y était déjà plus qu'en pointillé. Il arrivait encore d'y croiser son enveloppe charnelle, en général collée à une embouchure de trompette, le regard mort, ne voyant rien ni personne, ou alors assise au bord du canapé, le front sur les genoux, en méditation devant le pick-up. Le reste de sa personne, en revanche, s'était déjà inscrit aux abonnés absents.

Il découchait. C'était de son âge et plutôt rassurant chez un gars qui, revenu de l'armée, n'avait pas eu de petite amie régulière durant des mois, apparemment satisfait de rêvasser à une fille dont, pourtant, il n'avait pas voulu, à juste titre, et qu'il avait eu la bonne idée de laisser à l'autre bout du monde, chez les cocos. Il découchait, tant mieux, mais il découchait, si je puis dire, de plus en plus tôt.

Nous rentrions du travail, Vera et moi. En principe, il mangeait avec nous. Le dîner était vite expédié (vieille habitude du temps où c'était une bonne excuse pour ne pas mettre grand-chose dans les assiettes et surtout ne pas s'avouer que, de toute façon, on n'aurait rien eu d'autre à servir). Chet ne s'attardait pas une minute de plus. La table n'était pas encore desservie qu'il filait déjà, son étui à la main. J'ai peur que sa mère se soit rassurée par un mauvais calcul, du genre : s'il reste moins souvent, il restera plus longtemps. Moi qui avais de l'ambition pour lui, et pas seulement de l'admiration, moi qui ne croyais pas qu'il suffise d'avoir les *capacités* pour réussir, ni même d'être le meilleur pour l'emporter, j'avais hâte qu'il se décide à faire sa vie, à affronter ce monde où l'on ne peut rien obtenir sans l'arracher, et rien arracher sans qu'on vous le dispute plus âprement encore.

Vera souhaitait le protéger, je la comprends. Mon vœu personnel, c'était au contraire qu'il se mette en danger. Qu'il soit obligé non pas de gagner (on peut gagner le gros lot sans lever le petit doigt ; on peut gagner l'estime de sa mère en décrochant systématiquement le deuxième prix dans les concours d'amateurs), mais de vaincre. C'est-à-dire de se battre avec quelqu'un, avec toute la société, avec son propre sens de la mesure et son propre sens des responsabilités s'il le faut. De se battre et de prendre des coups. Dans toute cette affaire, en réalité, je ne songeais qu'à moi. Je ne songeais qu'à empêcher mon fils de connaître les mêmes déboires que moi dans la musique. À empêcher la musique de trouver une bonne excuse pour ne lui servir que des miettes.

Je lui ai dit :

« Chet ! Chet, écoute-moi. Ne va pas croire que je veuille vivre à ta place, ce n'est pas du tout ça que je veux. Surtout, je ne voudrais pas que tu vives à *ma* place. Toi, d'abord, tu possèdes un vrai talent. Peut-être même en as-tu davantage, d'ores et déjà, que tu n'espères en acquérir. Davantage que ces types que tu écoutes en fermant les yeux, la tête baissée comme à la prière, ces types qui enchaînent les doubles sauts périlleux arrière alors qu'on aimerait se promener tranquillement avec eux et rien d'autre... Oui, je sais bien que ce n'est pas ton genre à toi. Mais justement, tu mérites mieux que la vie que tu t'apprêtes à te fabriquer. Moi, j'avais un talent minuscule. Ça m'a valu quelques passe-droits, comme celui d'éblouir ta mère sans me donner beaucoup plus de mal que de gratter mon banjo, un sourire accroché aux oreilles, comme un imbécile heureux.

» Toi, le talent qui est le tien, il t'impose des devoirs. Ce ne sont pas forcément ceux qu'on énumère dans les livres de morale, je sais bien, mais ce n'est pas une raison suffisante pour les négliger. Alors je te le dis en face, Chet, une bonne fois : cette Sherry est une gentille fille, jolie et tout ce que tu veux, peut-être même était-elle faite pour toi, je n'en sais rien – mais vous avez commis cette erreur et, maintenant, la situation n'a plus rien à voir avec ce qu'elle était auparavant. Tu ne peux pas te charger d'une famille, mon garçon, pas encore ! Avec quel argent, d'ailleurs ? Même si on t'aidait... Non, laisse ! Je sais ce que tu vas me répondre. Tu vas me dire que tu vas te chercher un boulot. Je connais la chanson, fils. J'en ai chanté tous les couplets et j'en aurai le refrain dans ma tête jusqu'à la fin de mes jours. Si tu prends cette route-là, tu crois sans doute que tu rejoindras un jour celle que tu n'as pas prise. Bien sûr que tu le crois ! J'y ai cru moi-même plus que personne... Là est le piège. Il n'y a aucune chance de retrouver l'autre route, et celle-là seulement est faite pour toi. Même Sherry peut le comprendre, puisqu'elle t'a entendu jouer. Tu verras qu'elle comprendra. Elle comprendra, allez ! Ta mère lui parlera. Vous êtes jeunes : vous avez largement le temps d'en faire d'autres, des enfants. Ensemble, si ça se trouve, ou chacun de votre côté – rien n'est jamais définitif, tu sais… Bon. Ta mère s'est renseignée. On l'a mise en relation avec un médecin qui serait d'accord. Je le connais un peu : il n'y aura pas de problèmes. Pour les frais, ne t'inquiète pas… »

Tout s'est très bien passé. La suite des événements nous a donné raison, à Vera et à moi. Peu après l'intervention, quelques semaines tout au plus, Chet s'est séparé de cette fille. Sans nous, il n'aurait peut-être pas osé, s'imaginant je ne sais quoi, oubliant qu'il faut être deux pour faire ce genre de bêtise. On lui a dit et répété que ça valait beaucoup mieux. Il a fini par l'admettre. Et elle aussi, je pense, même si – regardons les choses en face – elle avait plus à y perdre que lui. Après quoi notre tour est venu. Il est allé vivre dans une cage à lapin avec trois jeunes de son âge qui, pour être franc, ne me disaient rien qui vaille.

Jimmy McKean, celui-là pouvait encore passer. Il était batteur et les trompettistes ont toujours eu besoin de s'acoquiner avec des batteurs, ne me demandez pas pourquoi. Et puis c'était l'un des plus grands tombeurs de la côte et Chet, tout d'un coup, était devenu l'un des plus grands tombeurs de la côte. Va pour Jimmy McKean. Mais les deux autres… ! Don Sparky et cette espèce de Mexicain qui se faisait appeler Manuel… Les gens racontaient qu'ils n'avaient pas la cervelle bien accrochée. Je crois que ce diagnostic était très en dessous de la vérité. Et encore, je ne savais pas tout ! C'est bien plus tard que Chet nous avouerait la vérité : quand il regarderait ces folies de jeunesse comme les stigmates d'une innocence perdue, dont il regretterait encore moins de s'être défait que de la pauvre petite Sherry.

La vérité était la suivante : la principale activité du tandem consistait à consommer de la marijuana. J'y ai goûté, je ne cracherai pas dessus, mais ça ne paraît quand même pas fantastique à ce point. Pourtant, c'était cela qui avait attiré notre garçon vers eux. Il ne nous avait lâchés, par le fait, que pour être libre de fumer toute la sainte journée si ça lui chantait.

La nuit il se rendait dans les boîtes de jazz, le cœur battant. Au petit matin – de mon temps, j'aurais donné cher pour que ça m'arrive –, tout le monde se retrouvait dans un appartement, souvent celui d'un inconnu, en train de faire une jam. Une jam dans une atmosphère de hammam, à cause des joints qui circulaient, loin du regard des agents des stups et de leurs indics. Son père n'avait pas su nager, mais Chet, lui, évoluait là-dedans comme un poisson dans l'eau. « Tu te perds dans le brouillard, me dit-il un jour en évoquant cette période, et alors tu trouves ton chemin. » Il parlait de la musique. Ce n'est pas une chose à crier sur les toits, mais je crois qu'il avait raison. La musique était tout pour lui.

Après avoir quitté Sherry, puis la maison, il quitta El Camino. Ce qu'essayait de lui enseigner cette dame – Midge Adamson, si je me souviens bien –, c'était ce qu'il s'évertuait, de son côté, à ne pas apprendre. Ça ne pouvait pas coller entre eux. Il pensait qu'elle ne comprenait rien à la musique ; qu'elle était capable de démonter et de remonter le fusil, mais qu'elle n'aurait jamais eu le cran de tirer sur personne. Le jour où elle l'a convoqué dans son bureau pour lui dire entre quat'z'yeux qu'il ne devait pas compter sur la musique pour assurer sa subsistance, il l'a remerciée bien poliment et n'a plus jamais remis les pieds à son cours. Un moment, il a continué de suivre les classes d'anglais, puis il s'est fait la réflexion qu'il n'avait aucune intention d'écrire des bouquins ou d'enseigner à d'autres les subtilités de la grammaire, alors autant en tirer les conséquences. Ça lui laissait un peu plus de loisirs pour se rouler dans l'herbe. Un peu plus de liberté d'esprit pour explorer le labyrinthe de la musique. C'est alors qu'il a fait la connaissance de deux gars qui lui donneraient la réplique dans plusieurs de ses premiers disques : Russ Freeman, le pianiste, et Bob Neel, le batteur.

Il avait fait une croix sur le bébé, il avait largué Sherry, mais un cordon de Marines ne l'aurait pas tenu à l'écart de Charlaine. Je connais ce genre de fille. Il n'avait pas besoin de me la présenter. À un certain moment de leur jeunesse, tous les hommes ont rêvé d'une femme qui aimerait l'amour plus que tout au monde. Plus qu'elle ne les aimerait eux-mêmes (à ce moment-là, ils s'en foutent). Avec Charlaine, ce rêve devenait une réalité quotidienne. Ces filles n'ont pas besoin d'être des beautés fatales, mais Charlaine était vraiment superbe. Elle disposait en outre de la Buick toute neuve de son père. Ils purent faire l'amour au grand soleil, au rythme des vagues de l'océan, le long des falaises de Palos Verdes. Chet n'en avait jamais assez. Elle, il faut croire que ça ne lui suffisait pas encore. Elle voyait un autre garçon, afin qu'il n'y ait aucun temps mort dans son emploi du temps. À mon avis, il a eu tort de s'en formaliser. Ou alors, il fallait la fuir comme la peste. Mais il n'en était pas plus capable que de renoncer à la marchandise que Don et Manuel entassaient sur la table de la cuisine, dans leur appartement. Je ne sais pas ce qui lui a pris. Lui non plus. Un après-midi, en se réveillant, sans rien dire à personne, il a enfilé son blouson, il a pris le train et il est allé à Frisco, rempiler pour trois ans.

Il jouait dans le 6ᵉ Army Band, cantonné au fameux Presidio, une caserne au pied du Golden Gate, parmi les pins parasols. Il fréquentait toutes les jams dont il entendait parler. Pour finir, ils se sont rabibochés, Charlaine et lui, et, à l'occasion d'une de ses permissions, ils se sont mariés. À Las Vegas. Sans nous. Bien trop pressés de s'envoyer en l'air, aussitôt la cérémonie expédiée, dans une chambre qu'ils avaient louée pour trois jours, du côté de Lombard Street. Ils n'en sortirent que pour sauter dans la Buick et, une fois dans le désert, ils remirent ça en vitesse à deux ou trois reprises, sur le bas-côté.

Lt. Daniel Bernard Levin
(Service psychiatrique de l'infanterie des États-Unis d'Amérique)

D'un revers du poignet, Kellermann a lancé le dossier sur ma table. Notre capitaine pratiquait l'escrime et, bien que plus tout jeune, ainsi qu'en témoignait sa brosse gris fer, était parvenu en quart de finale au dernier tournoi interarmes de tennis de table d'El Paso. Ses yeux n'avaient pas quitté les miens tandis qu'il accomplissait son geste, et pourtant le document se retrouva placé devant moi non seulement dans le bon sens, mais à l'équerre, parallèle aux quatre bords de la table. Je retins le sourire qui me venait aux lèvres. Peut-être Kellermann, en dépit du cynisme qu'il affectait, somatisait-il des tendances obsessionnelles ? J'imaginais une communication au prochain séminaire de médecine militaire : *Instrumentalisation de l'articulation du poignet dans l'expression des névroses chez les responsables des services de santé.*

Mon chef ne riait jamais. Quand il était de bonne humeur, comme ce matin-là, son regard devenait plus intense et ses yeux pétillaient.

« En voilà un qui devrait vous plaire, Dan ! », me dit-il.

À la fac, le capitaine avait été le condisciple du professeur Harry Cummings-Ford, sous l'autorité duquel j'avais accompli mon internat. « Cums », sans avoir l'air d'y toucher, avait purgé ma tête de la bouillie d'idées toutes faites accumulée sur les bancs des hémicycles et l'avait remplacée par quelques connaissances censées n'être que pragmatiques, mais qui avaient radicalement transformé la conception pour le moins romanesque que je m'étais forgée des pathologies mentales. Informé de ma première affectation, il m'avait écrit, de sa propre initiative, un mot de recommandation pour Kellermann. Si bien que celui-ci m'avait invité dans ses quartiers le soir de mon arrivée et savait que je me proposais de réunir des observations en vue d'un article, peut-être même une monographie, sur les simulateurs.

« Je vous résume la situation, reprend le capitaine tandis que j'ouvre le dossier. Ce gars-là triche sur son âge pour devancer l'appel. Découvert, il se traîne aux pieds de son chef de corps pour rester dans l'armée, alors qu'on l'a envoyé à Berlin en plein hiver. Il n'essaie même pas de profiter d'une crise d'appendicite assez grave pour couper à ses ultimes semaines de service. Quelques années après, il se réengage, comme s'il ne pouvait plus se passer de nous, et maintenant, il voudrait nous faire croire qu'il est trop délicat pour la vie militaire et ne supporte même plus de franchir le seuil des latrines. Moyennant quoi, il va faire ses besoins dans les buissons qui entourent le Presidio, abandonnant ses fumées tel un sanglier en forêt, de façon que nous puissions suivre à la trace la progression de son mal. Il nous prend vraiment pour des cons, mais c'est ce qui devrait vous intéresser, non ?

– Je cherche justement une dénomination générique pour cette catégorie-là, Dave : les simulateurs au second degré. Ceux qui se contentent en somme de simuler la simulation, et qui la simulent mal. Qui la simulent de telle façon que seul un demeuré, en effet, pourrait s'y laisser prendre. Pourtant, la plupart de ces sujets présentent un niveau d'intellection tout à fait normal, voire supérieur à la moyenne.

– Vous voulez dire qu'ils ne désirent pas vraiment la réforme ? Ou qu'en s'arrangeant pour se faire démasquer, ils recherchent la punition ?

– Ou qu'en nous obligeant à nous poser cette question, mon capitaine, ils nous amènent insidieusement à conclure qu'ils sont bel et bien déséquilibrés et que l'armée à tout intérêt à se passer de leur collaboration. Qu'en dites-vous ?

– Hum ! Remarquez que celui-là est trompettiste dans une des fanfares. Si l'on met de côté ses déjections peu réglementaires, tout le préjudice qu'il puisse porter à l'armée, c'est de commettre quelques fausses notes. Quoi qu'il en soit, vous en saurez bientôt un peu plus. Je l'ai fait convoquer à votre consultation. Il doit déjà attendre derrière la porte. Tenez-moi au courant. »

Je l'ai reconnu dès qu'il est entré. Lui, bien sûr, même s'il m'avait aperçu la veille dans l'assistance du *Bop City*, n'aurait sans doute pas fait le rapprochement. Pour commencer, dans mon cabinet, j'étais en uniforme et portais une blouse blanche, alors que je m'étais mis en civil pour me rendre dans ce club de jazz où, pour sa part, il s'était produit sous le costume que lui avait fourni l'intendance. Il avait porté la trompette à ses lèvres et s'était absorbé dans son jeu.

Je n'éprouve aucun intérêt pour les musiques syncopées en général. Pour celle-là en particulier, qui se pique de « composition spontanée » sous prétexte que, sur quelques harmonies conventionnelles, l'exécutant joue à peu près tout ce qui lui passe par la tête, sans même être un virtuose de l'instrument, je n'ai pas la moindre estime. Des copains de fac me disaient que je n'y entendais rien (certains d'entre eux étaient des jazzmen semi-professionnels). J'étais convaincu que je ne saisissais que trop bien la supercherie. Ne pas avoir les plus hautes exigences envers une musique, comme envers n'importe quelle expression artistique, revient à se rabaisser soi-même, comme artiste ou comme amateur. J'en étais arrivé à cette conclusion que le jazz n'est pas seulement une musique « populaire » (c'est-à-dire, ne jouons pas sur les mots, une musique au rabais), mais un ersatz de musique. Une similimusique. En d'autres termes : une *simulation* de la musique. Je ne m'étais rendu au *Bop City* que pour observer, isoler, définir, cataloguer certains symptômes d'une déviance à laquelle je consacrais, de facto, l'essentiel de mon activité professionnelle et, par choix, la plus grande partie de mes loisirs.

En majorité, les musiciens de jazz me semblaient même appartenir à cette catégorie des simulateurs au second degré que je m'attachais à mieux cerner. Ils se faisaient prendre la main dans le sac avec une facilité si déconcertante qu'il eût été pour le moins téméraire de ne pas considérer que, subconsciemment ou inconsciemment peut-être, ils le faisaient exprès. J'étais allé vérifier ma théorie dans de nombreux établissements déjà et, chaque fois, j'en étais sorti un peu plus certain de sa justesse. Parfois, j'avais cru assister à un spectacle de commedia dell'arte, les attitudes étant encore plus excessives que les effets sonores. Et puis, alors que la cause me semblait entendue, j'avais été confronté au *Bop City* à ce

134

soldat immergé dans son improvisation, à ce joueur de trompette dont je ne pouvais m'empêcher de penser qu'il n'était pas tant en quête de beauté que d'une vérité qui aurait été cachée en lui, comme l'un de ces souvenirs enfouis de la petite enfance que la psychanalyse s'attache à faire remonter au grand jour. Ma gorge s'était nouée, mon estomac s'était noué. J'avais eu peur. Je n'avais pas d'excuse à fournir, pas à simuler quoi que ce fût pour quitter la salle, mais j'avais quand même consulté ostensiblement ma montre avant de détaler, comme si j'avais oublié un rendez-vous important.

Revenons à ma consultation. Il me faisait face, de l'autre côté du bureau. C'en était presque touchant : les gros sabots avec lesquels il imaginait avancer sur la pointe des pieds, la façon méthodique dont il mettait en œuvre une stratégie absurde, caricaturale, que sa lisibilité vouait en outre à l'échec, eût-elle été des plus subtiles. Pour résumer la situation, ignorant superbement le fait qu'il venait de se marier et que la mention de cette union figurait sur sa fiche, Chesney Henry Baker Jr. avait imaginé être déchargé des nouvelles obligations qu'il avait, un peu à la légère, contractées envers l'armée des États-Unis, en se faisant passer pour un efféminé de la pire espèce. Il se donnait un mal de chien pour que j'interprète en ce sens ses commentaires aux planches du Rorschach, sans se douter une seconde qu'il démêlait ainsi pour moi l'écheveau des fantasmes que lui inspiraient les femmes. Quant au questionnaire de personnalité en usage dans les centres d'incorporation et les unités psychiatriques, le détournement qu'il espérait en faire aurait désarmé l'ironie du capitaine Kellermann ! Si on lui avait laissé le choix, Chet aurait été fleuriste plutôt qu'équarrisseur. Il aurait manié l'aiguille plutôt que le caterpillar, élevé des libellules de préférence à des requins mangeurs d'hommes, et le reste à l'avenant. J'aurais pu fournir à sa place les six cent cinquante réponses, en pilotage automatique.

Tant de naïveté chez un individu qui possédait sans aucun doute une expérience de la vie autrement plus étendue et plus édifiante que la mienne m'intriguait. Elle m'intriguait d'autant plus que, chaque fois que, prétextant son rôle dans la fanfare, je l'entraînais sur le terrain de la musique, la répugnance qu'il marquait à verbaliser ses idées sur la question ne l'empêchait pas de tenir des propos dont j'avais le sentiment qu'ils répondaient, ne fût-ce que par allusion, ne fût-ce qu'à demi-mot, à des questions que je me posais depuis longtemps, touchant à des créateurs et à des créations qui m'étaient chers, mais dont lui-même, cependant, ignorait à peu près tout.

Il prétendait cependant ne pas pouvoir déchiffrer les partitions des sonneries les plus rudimentaires. Il affirmait n'avoir aucune connaissance de la théorie musicale et, a fortiori, aucune théorie sur la musique. Était-il donc possible qu'un garçon de la campagne, un fils d'Okies, eût *de chic* l'intuition la plus pénétrante qui fût non seulement de systèmes à ce point complexes, mais encore de la façon de les contourner ? Maintenant que nous nous connaissions, il n'était plus question que j'aille l'écouter. Ce qu'il avait joué au *Bop City*, néanmoins, me restait dans l'oreille. Pas la lettre, bien sûr, mais l'esprit de son intervention. La manière dont plus il avançait dans sa quête, plus il devenait évident – et d'une évidence lumineuse ! – qu'il allait découvrir à la fin la chose même qui en avait engendré le début et qu'entre-temps, jamais il ne s'écarterait de cette ligne flottante et pourtant tendue à se rompre, comme si ç'avait été à la fois le chemin des écoliers et un fil de funambule lancé au-dessus du vide, entre ce point de départ et ce point d'arrivée destinés à se confondre. Et personne, surtout pas moi, ne parviendrait à comprendre *comment* il ferait cette découverte, alors que tout le monde savait bien *pourquoi* : parce que la perfection, hélas pour tous ceux qui ne l'atteindront jamais, ne peut pas être seulement une idée abstraite. La perfection est une vertu et l'homme qui se tenait devant moi en avait été doué, comme à son corps défendant. J'aurais préféré ne jamais le savoir, mais un des membres du 6ᵉ Army Band – un vague musicien d'orphéon – avait reçu cette grâce du Ciel. Et du coup, le simulateur, c'était moi – moi qui faisais semblant de pouvoir dire, sur la foi d'une science précaire et fluctuante, quel homme trichait avec le destin et quel autre ne trichait pas.

Quelle erreur ai-je commise ? J'allais convaincre Kellermann de le déclarer « inapte à la vie militaire ». Quelqu'un, dans un bureau, a dû parcourir mon rapport en diagonale et, du coup, le comprendre de travers. On l'a envoyé à Fort Huachuca, en Arizona, une sorte de camp disciplinaire qui n'osait pas dire son nom, mais sur lequel, à ce qu'on m'a dit, l'armée dirigeait les consommateurs de drogues douces, les tire-au-flanc, les petits malins qui essayaient de se faire passer pour bizarres et, allez savoir pourquoi, les musiciens qui avaient échoué à l'épreuve de déchiffrage à vue. Chesney Henry Baker Jr. avait trouvé le moyen d'appartenir aux quatre groupes à la fois ! Même pour lui, c'était trop. Deux mois plus tard, au détour d'une conversation, Kellermann m'apprenait qu'il avait déserté.

Chet

Cher Russ,

J'étais si bien à L.A. avec Charlaine et vous tous ! Mais je ne pouvais pas vivre avec cette épée de Damoclès en permanence au-dessus de ma tête, tu comprends. Imagine en plus que je me sois fait un petit nom, on ne sait jamais, et qu'il ait commencé à traîner dans les journaux, sur les affiches, sur les programmes des clubs : ils n'auraient pas mis longtemps à me repérer.

Je dois dire qu'ils ont été plutôt corrects, compte tenu de ma situation et du tour que je leur avais joué. Il est possible aussi que je bénéficie d'un traitement de faveur, grâce à ce lieutenant Levin dont je t'ai parlé. En fait, c'est lui que je suis allé trouver d'abord, avant les M.P. La vie de taulard en battle-dress, cela n'a rien de bien folichon, tu peux t'en douter. La routine consiste à balayer la cour, à marcher au pas cadencé et à faire des pompes jusqu'à ne plus sentir ses bras. La fatigue, remarque, je m'en fous. Au moins on se sent exister. C'est surtout l'ennui qui me pèse. Et il pèse lourd, tu peux me croire.

Le soir, quand ils nous bouclent, les gars ont inventé un moyen de se défoncer : ils reniflent à tour de rôle une serviette éponge que quelqu'un, juste avant la fermeture des grilles, va plonger dans le réservoir d'essence d'un camion. Pas question que j'essaie jamais ce truc-là : je vois trop bien l'effet que ça a sur eux ! Ils deviennent comme paralysés. Mais pas raides pour autant : mous de partout, au contraire. On pourrait en faire ce qu'on veut. De vrais légumes bouillis, et ils se racontent qu'ils planent !

J'espère que, pour toi et pour Bob, tout marche comme sur des roulettes. S'il te plaît, raconte-moi ce qui se passe : si une des pointures de New York est descendue en ville, ce genre de potins. J'ai plus que jamais besoin de me sentir dans le coup.

Quelqu'un de sûr se charge de poster cette bafouille à l'extérieur. Pour plus de sûreté, cependant, je ne la signe pas. Mais le cœur y est.

Cher Bob,

Quand j'étais dans la fanfare, j'ai connu un flûtiste qui, pour se faire virer de l'armée, faisait exprès de jouer comme une vache et racontait au chef qu'il y avait au fond de son instrument un méchant gnome qui fabriquait des fausses notes à la chaîne. Il collait son œil au trou de l'embouchure et gueulait comme un damné : « Je le vois, chef ! Je le vois, ce salaud ! Regardez ! » Ils ont fini par se débarrasser de lui, non parce qu'ils le croyaient dingue, mais parce qu'ils pensaient qu'il n'y avait rien de bon à attendre d'un type qui n'était même pas capable de jouer les fous d'une manière plausible.

Depuis que j'ai eu ce malaise au bloc (sans doute à cause des vapeurs d'essence, Russ a dû te raconter) et que je suis pensionnaire du service neuropsychiatrique, je te

140

garantis que je fréquente des dingues qui, eux, hélas, sont tout ce qu'il y a de plus authentiques. À commencer par celui qui partage ma cellule. Le jour, pas de problème. Il semblerait même plus normal que moi, pour tout te dire. La nuit, en revanche, il perd les pédales et devient carrément furieux. Il ne s'en est jamais pris à moi, remarque. Ce sont surtout les infirmiers qui trinquent. D'un seul coup, il se met à ruer dans les brancards et à lancer dans le vide des uppercuts à soulever un bœuf de ses sabots. Tout ça les yeux fermés. Et il pousse des hurlements qui réveillent tout le cabanon. Ils rappliquent à trois ou quatre avec la camisole. Le gars ne desserre toujours pas les paupières, mais il les boxe avec une habileté démoniaque. Il n'en envoie jamais moins d'un ou d'eux au tapis avant qu'ils ne parviennent à le maîtriser. Le lendemain matin, il est sûr d'avoir droit à sa ration d'électrochocs.

Si jamais le capitaine Kellermann se fourre dans le crâne que je dois y passer moi aussi, je ne sais pas ce que je vais faire. C'est pourquoi je me tiens à carreau quand il vient chaque midi me poser des questions qui ont l'air anodines, mais dont je sais bien qu'elles servent à mon « évaluation ». D'ailleurs, il consigne toutes les réponses dans son carnet. Quoi que je dise, il a l'air de se foutre de moi, comme s'il voyait clair dans mon jeu. J'essaie de rester dans la ligne de ce que je lui ai déclaré la veille et de ce que j'ai répondu au questionnaire quand je me suis fourré entre leurs pattes, tu te souviens. Le lieut' m'a confié que, sur la foi de ce document, ils n'insisteraient sans doute pas pour me garder. S'il ne tenait qu'à lui, je serais déjà dehors. En tout cas, c'est ce qu'il me répète tout le temps.

Ne me demande pas si ma trompette me manque. Ni si vous me manquez. J'en fais des cauchemars ! J'espère que tu es moins empêché de la plume que Russ, qui me laisse un peu tomber, le salaud. Lui, ce serait plutôt le genre grandes capitales sur petite carte postale. À sa place, remarque, je ne ferais sans doute pas beaucoup mieux (ici, ce n'est pas pareil, j'ai tout mon temps). Mais ça ne m'empêche pas te compter sur toi, mon pote. Si je ne sais pas ce qui se passe à L.A., question musique, c'est sûr que je finirai par réclamer de moi-même une bonne décharge dans le cigare ! Le *Lighthouse*, par exemple, où ça en est ? Et que devient Jack Sheldon, le trompettiste qu'on a entendu ensemble à Santa Barbara ? Il m'intéresse, ce gars-là, et j'ai l'impression que c'est réciproque.

À très bientôt donc. Ton ami,

Chet

Cher Dick,

Ce que vous m'avez dit la dernière fois au *Showtime* était très chic de votre part. Et je suis sûr, en plus, que vous le pensez vraiment. Russ m'a parlé de vous. Je sais que vous êtes dans le coup. Votre opinion compte énormément pour moi. J'en ai eu chaud au cœur. En fait, c'est l'opinion la plus agréable que j'aie entendue sur mon compte depuis « personnalité incompatible avec les exigences de la vie militaire ». Puisque vous avez bien voulu vous intéresser à moi, je prends la liberté de vous écrire pour vous informer de ma situation.

Vous me disiez qu'il fallait passer à la vitesse supérieure, en termes de carrière. Ne pas me limiter aux jams, mais trouver un engagement stable dans une formation régulière qui ait pignon sur rue, parce que c'est le seul moyen de se faire remarquer des producteurs et des gens comme ça. Eh bien, je vous ai écouté ! En plus de cela, j'ai eu de la chance. Figurez-vous que je viens d'entrer chez Vido Musso. S'agissant des ténors qui ont travaillé avec Kenton, je suis sûr que vous me comprendrez si je vous confie que j'aurais préféré faire affaire avec Stan Getz (là, je rêve – pardonnez-moi) ou alors avec Bob Cooper. Au moins, j'ai le pied à l'étrier. Merci de m'avoir, comme on dit, poussé aux fesses. J'en avais le plus urgent besoin et vous en resterai toujours des plus reconnaissants.

Votre déjà dévoué,

Chet Baker

Mon vieux Manuel,

Même toi, je ne sais pas si tu tiendrais le choc ! Quand Getz m'a proposé de laisser tomber Vido pour le suivre, n'importe quel trompettiste à ma place aurait profité de l'aubaine, sauf peut-être Dizzy qui, en principe, ne devrait avoir besoin de la protection de personne pour s'en sortir (surtout maintenant qu'il a renoncé à son big band). Mais je ne pouvais pas prévoir que ce serait aussi mouvementé. La musique, ça va encore : harmonique- ment, Stan n'est pas à la traîne, mais il ne te demande pas non plus la lune. Là où ça se corse, c'est en coulisse et lorsqu'on se rend en bagnole d'un engagement à un autre. Pour ces gars-là, l'herbe n'est qu'une variété de sucre d'orge destinée aux adultes. Eux, ils carburent à l'héroïne. Stan en est fier comme s'il avait inventé le truc lui-même ! Il ne cesse de répéter : « Chez Woody, dans la section, à part un type planté là comme un poteau du télégraphe, tout le monde donnait de la bande. Moi, j'aime les types penchés. Ce sont les autres qui me flanquent le tournis ! » Résultat : pour qu'il ne me vire pas trop vite, j'ai essayé une ou deux fois de me mettre au diapason. Aucun rapport entre l'herbe et le cheval, au cas où tu ne le saurais pas. Pour donner de la bande, je n'étais pas le dernier, mais à chaque tentative j'ai été malade comme un chien. Les gars prétendent que ça fait cet effet-là quand on n'a pas l'habitude, surtout si la came est de première. Tu vois, j'aurais cru le contraire.

À part ça, j'ai revu Dick Bock (tu te souviens de lui ?). Je ne sais pas ce qu'il me trouve, mais s'il ne tenait qu'à lui, c'est moi qui prendrais la direction de l'orchestre ! Je pourrais laisser courir. Ce qui me donne à réfléchir, c'est qu'il apprécie autant que moi certains musiciens qui ne sont pas des célébrités et qu'il n'aime donc pas pour faire comme tout le monde. Je pense en particulier à Jimmy Rowles. J'en viens à me demander parfois ce que je penserais de mon jeu si je m'écoutais avec les oreilles de Dick. Avec les miennes, le moins qu'on puisse dire est que, la plupart du temps, ça ne me paraît pas très fameux. Quand j'entends Kenny Dorham, Red Rodney ou Miles Davis avec Bird, je mesure le chemin qu'il me reste à parcourir. Et c'est une longue route, tu peux me faire confiance ! Stan, lui, on dirait qu'il n'a peur de personne. C'est peut-être l'héro qui le met dans cet état. La question, cependant, c'est de savoir si c'est l'héro qui lui donne d'aussi bonnes idées, à ce con ! Dans la vie, ce n'est jamais qu'un foutu morveux monté en graine, qui pleurniche pour un rien, et une vraie planche pourrie par-dessus le marché. Mais dès qu'il souffle, il te mange la soupe sur la tête et tu jurerais qu'il ne se trouve pas un seul homme plus humain que lui sous le soleil. La musique, vieux, c'est un truc vraiment bizarre et là-devant, tu as beau progresser, tu te sens de plus en plus petit. Tu as bien fait de ne pas mettre le doigt dans cet engrenage. Continue, s'il te plaît !

Bien à toi,

Chet

Richard « Dick» Bock

Bird à *L.A.* STOP. *Auditionne trompettistes* Tiffany
Club. STOP. *Aujourd'hui 15 h.* STOP. *Lui ai parlé.* Stop.
Amène-toi sans faute. STOP. *Dick.* STOP.

Charles « Charlie » Parker Jr., dit « Bird »

Depuis que la State Liquor Authority de New York m'a retiré pour un an et trois mois ma carte de cabaret, j'ai repris mon bâton de pèlerin. C'est la vie de Bohémien, sans belle ni bonne étoile, catapulté à tort et à travers d'un bord à l'autre de l'Amérique, telle une bille d'acier sur la piste clignotante du billard électrique. Le joueur peut gagner des parties gratuites : la bille, elle, finit toujours au fond du trou. Dire qu'il y a des gens persuadés que je suis le joueur, le joueur incarné, doué d'une chance incroyable et qui ne peut que faire sauter la banque à tout coup ! Ils croient même m'avoir vu, de leurs yeux vu, quitter le casino les poches pleines, salué par des croupiers au garde-à-vous.

L'exil est une chose, on le trouve n'importe où. L'exil nomade en est une autre. Vous gardez un pied dans vos traces de la veille, tandis que l'autre marche déjà sur celles du lendemain. Votre peau devient comme votre costume. Elle prend de mauvais plis, qui ne partiront plus. On s'en fout, d'ailleurs. Il y a pire, toujours pire, et le pire de tout, ce sont les plis que prend la musique. Les circonstances importent peu. Que vous avanciez en terrain miné, plutôt qu'en terrain conquis, n'y changera pas grand-chose, en tout cas pas longtemps : la musique se fabrique des ornières. Avec les meilleures excuses du monde. J'en sais quelque chose. Violentez la musique tant que vous voudrez, vous ne la persuaderez pas de se faire violence. Elle prendra le pli de la violence, le pli de la douleur et de la torture, et voilà tout. Elle prendrait aussi bien le pli de se scier le cou (mais je vous jure que votre tête tomberait avant que la sienne commence seulement de branler) !

Un bon musicien ne prend pas de plis : ce sont les plis qui le prennent, inexorablement. Ils le drapent aux yeux de la foule, mais en secret, ils le ligotent avec, ils l'étranglent, ils le pendent ! Que faire contre une telle malédiction ? Faire le vagabond, peut-être, avant d'y être contraint par la State Liquor Authority. Faire le vagabond dans sa vie, dans sa tête, dans son intimité, dans sa glace. Et sur son instrument, il va de soi, si l'on se sent le courage d'imaginer, de se raconter qu'il étend sa sphère d'influence très au-delà de sa tessiture et des capacités matérielles prévues et garanties par le fabricant, avec une infinité de notes en dehors des trous, des touches, des clés, de l'interstice modulable qui sépare l'anche et le bec, et le bec de tout le saint-frusquin. Cela demande d'être fou, il n'y a pas moyen d'y couper. Dizzy fait très bien le fou, mais c'est pour s'empêcher de le devenir. Au fond, il ne rêve que d'une chose : que l'oreille des gens prenne le pli de sa musique, laquelle s'accommode fort bien de la cambrure qu'elle s'est donnée à l'époque où nous étions toujours fourrés ensemble. Il ira loin, mais il n'ira que là où il devait aller. D'ailleurs il est arrivé depuis longtemps.

Miles, c'est une autre paire de manches. Quand il s'emportait contre moi – ça devait être ma faute, je ne le nie pas –, il me jetait au visage que j'avais beau prendre l'accent british et être le plus grand jazzman de tous les temps avec Louis Armstrong, je finirais clodo. Que voulait-il dire ? Que me disait-il qu'il n'avait pas eu la moindre intention de me dire et n'avait pas la moindre conscience d'avoir dit ? Qu'il faut prendre le pli avec élégance, ou qu'il faut avoir l'élégance de ne jamais prendre aucun pli, tant qu'on a le culot de croire qu'on y parviendra ? Avec Miles, on ne sait jamais. Lui-même ne sait pas. C'est ce que je ne supporte pas chez lui, quoique, en y réfléchissant deux secondes, ce soit ce que j'aime le plus. Avec Miles, un certain nombre de choses restent possibles. Miles lui-même reste une possibilité pour Miles. Une hypothèse, un songe, une tentation. Même si ses aptitudes sont limitées à ses propres yeux (plus encore qu'aux yeux des autres, c'est son drame et c'est sa force, bien évidemment). Même s'il a déjà démontré, comme à plaisir, ce dont il *n'était pas* et ne serait jamais capable. Miles rêve de costumes Charlie Shaw, sur mesure et bien repassés. Et il rêve d'une musique qui, elle non plus, ne ferait pas un pli. Une telle musique, hélas, n'existe pas à l'état naturel. Il faut y avoir porté le fer. Et comme la musique est insaisissable, vous n'avez d'autre choix que de tourner le fer contre vous. Moi, je m'y efforce. Mais j'ai le hara-kiri plutôt épisodique. Je crains de n'être qu'un dilettante en la matière, compte tenu de mes dispositions. Je me le reproche assez. Miles, lui, se délecte de toute cette boucherie. D'entre nous, je crois que c'est le seul qui ait une vocation de martyr. Mais je ne vous conseille pas d'aborder la question avec lui.

En revenant sur la côte ouest, je reviens sur les lieux de mon crime. Je veux dire du premier attentat que j'aie commis contre moi-même pour voir ce que ma musique avait dans le ventre, sous les plis d'une peau que je sentais alors durcir à une telle allure qu'elle formerait bientôt une cuirasse impénétrable, si je ne tentais pas quelque chose en catastrophe. Pour ce qui est de la catastrophe, en 46, je fus servi. Sur ma lancée, j'ai failli mettre le feu à mon hôtel, paraît-il. Mais moi, ai-je seulement failli me brûler les doigts ? J'aimerais m'en convaincre. Rien cependant ne m'y encourage. Ce que j'ai enregistré en la circonstance, *Lover Man* et *The Gypsy*, notamment, je le déteste plus encore que n'importe lequel de ceux de mes disques où le sillon n'est jamais qu'un long pli enroulé sur lui-même. On était en juillet 46, il y avait Howard McGhee et Roy Porter dans l'orchestre. L'aventure s'est soldée par un séjour de six mois à Camarillo, un établissement de relaxation, pas trop loin de la plage. Roy, Howard, Sonny Criss et Teddy Edwards me rendaient visite le plus souvent possible, avec leurs instruments. Sonny me disait, en désignant l'océan : « Toi, Bird, on dirait que tu peux voir de l'autre côté de l'horizon. Chaque fois que tu joues, tu nous racontes ce qu'il y a sur l'autre rive. On ne peut assister au spectacle qu'en fermant les yeux : c'est ce qui ne va pas, avec nous. » J'ai toujours éprouvé une grande affection pour Sonny. Il est si enthousiaste et si malheureux, si crédule et si désespéré… Je lui souriais. Que pouvais-je faire d'autre ? À cause de moi, il avait déjà perdu ses illusions : je n'allais pas, en plus, lui ôter les miennes.

Me revoici donc à L.A. J'ai en poche un contrat en bonne et due forme avec la direction du *Tiffany Club*, dans la 8ᵉ rue. Ça va me permettre au moins de planter ma tente un petit moment. Il ne me reste qu'à trouver des partenaires. Bien sûr, j'avais quelques noms en tête en arrivant. On m'en a soufflé d'autres. Qui m'a parlé le premier de Chet Baker ? J'ai déjà oublié ses traits, mais ses paroles restent gravées dans ma tête : « Il n'est pas meilleur que Miles à ses débuts, tu verras. Et il est pire que Dizzy dans ses plus mauvais jours, sans aucun doute. Seulement voilà, il ne ressemble à aucun des deux. Ni à Fats. Ni à Howard. Ni à Red, ni à Kenny, ni à personne. Sinon peut-être à Tony Fruscella, à cette nuance près que, Tony Fruscella, ce garçon ne sait pas comment il joue, pour la bonne raison qu'il ne sait pas qu'il existe. Pour tout te dire, il ne sait pas plus que Tony qui il est lui-même ! Et ça ne paraît pas l'inquiéter plus que ça. On dirait que ce Chet Baker attend tranquillement de tomber sur Chet Baker en tournant le coin de la rue… »

J'ai répondu : « Amène-le cet après-midi. Il est pour moi. Mais ne dis rien aux autres, s'il te plaît. Je ne veux pas qu'ils pensent que je ne laisse pas sa chance à chacun. Le problème, tu comprends, c'est que je dois d'abord songer à moi. Rien de personnel contre aucun d'entre eux (et je suis bien persuadé qu'il y a des pointures dans la bande) : autodéfense, baby ! Si j'arrive à jouer quelque chose, c'est ma peau que je jouerai. »

On croit me flatter en me répétant du matin au soir : « Eh, Bird, regarde-moi ça : tout le monde joue du Charlie Parker, aujourd'hui, même les batteurs ! » J'ai envie de répliquer : « Ouais, vieux, et tu oublies quelqu'un : Charlie Parker lui-même. » Mais ça ne nous mènerait nulle part. Ou alors, moi, ça me mènerait beaucoup trop loin. Gardons les pieds sur terre. Que la musique n'empêche pas de faire des affaires, d'accord, mais que les affaires ne mettent pas non plus leur nez dans la musique. Je me comprends. Pour faire de la musique aujourd'hui, la dernière chose dont j'aie besoin est un Charlie Parker de la trompette. Je préférerais un trompettiste de parade foraine à un type qui aurait pris *mon* pli et qui me le promènerait sous le nez à longueur de morceaux.

Quand je me pointe au *Tiffany* pour l'audition, tous les trompettistes de la ville m'attendent et l'on dirait que les trompettistes forment la moitié de la population locale. À croire qu'ils se sont reproduits entre eux depuis que j'ai regagné la Grosse Pomme en avril 47… Je me mets à jouer le blues avec le premier candidat. À la deuxième mesure, sa musique était déjà plus plissée que le cul d'un éléphant centenaire. Un jeune Blanc fait alors son entrée, assez joli garçon et assez en retard pour ne pas passer inaperçu. Quelqu'un me glisse au creux de l'oreille : « Le voilà, tiens : c'est Chet Baker. » Et soudain, avant même que la fête ait vraiment commencé, je suis las de ces prévenances, de ces simagrées. J'arrête l'orchestre. Je me penche sur le micro et je demande : « Mr Chet Baker nous aurait-il fait le plaisir d'être des nôtres ? » On jurerait qu'une tuile vient de lui dégringoler sur la tête. Néanmoins, il somnambule jusqu'à l'estrade, pendant que les chuchotements vont bon train. Il est si pâle à présent qu'on s'attend à distinguer des choses à travers ses joues, comme à travers les flancs d'une porcelaine. Je fais celui qui ne s'aperçoit de rien.

« Un heureux concours de circonstances voudrait-il que Mr Baker connaisse le thème et les accords de *The Song Is You*, charmante chanson de Mr Jerome David Kern ? »

Il me fait signe que oui.

« N'en faites pas mentir le titre, Mr Baker. » Je pose ma main sur le micro. « N'écoute pas ce que je dis. Tout va bien se passer. »

Nouveau hochement de tête. J'annonce :

« *The Song Is Chet*, mesdames et messieurs ! »

Ils se marrent comme des baleines. Ils me croient drôle. Ils ne devinent pas que j'ai aussi peur que lui. Peut-être davantage. Non, ils ne soupçonnent rien. Je les observe entre mes cils, tout en portant le bec à mes lèvres. Ce qu'ils peuvent être frivoles, parfois. Ce qu'ils peuvent être tête en l'air. Leur ombre les attend dehors, fumant la dernière cigarette du paquet, et ils font comme s'ils avaient toute la vie devant eux pour rentrer à la maison.

Chet a joué *The Song Is You* avec moi. Puis *Cheryl*, un de mes thèmes, que j'avais enregistré pour Savoy à mon retour de Californie, avec Bud Powell au piano et Miles qui, ce jour-là, n'en menait pas large, comme s'il craignait de ne plus exister entre Bud et moi. Sachant que ce genre de peur qui le forçait à se démarquer de nous toujours davantage lui était salutaire, mais jusqu'à un certain point seulement, j'avais tout fait pour le mettre en confiance. *Cheryl*, par exemple, était le prénom de son premier enfant : la petite fille qu'il avait eue avec une certaine Irene, avant de quitter East Saint Louis pour New York, et qu'il avait reconnue, contre l'avis de son père.

Miles était fou de Bud. Il aurait voulu que je le prenne dans l'orchestre à n'importe quel prix. Mais ce n'était pas une question d'argent. Ni le fait que Bud me regardât quelquefois d'un drôle d'air, comme s'il me disait : « J'ai vu clair dans ton jeu, mec. À moi, tu ne la feras pas. » Non : c'était que je ne voulais pas que la musique devînt une compétition entre nous. Pourquoi croyait-il donc que j'avais fait appel à lui, Miles, plutôt qu'à Fats Navarro ? Je souhaitais que les voix principales du groupe n'entrent pas en rivalité, tout comme je souhaitais qu'elles ne se liguent pas pour en mettre plein la vue aux critiques ou aux musiciens moins adroits. En dépit des apparences, je ne cherche pas de repoussoir. Bien au contraire ! J'essaie plutôt, en faisant jouer des types qui tâtonnent encore tels que Miles ou Kenny Dorham, de détourner l'attention du public de ce qu'on appelle ma « virtuosité », puisqu'il est trop tard à présent pour que, moi, je m'en défasse. Un jour, il y a déjà longtemps, le déclic s'est produit. À la fois dans ma tête et dans mes doigts. Depuis lors, il est exceptionnel, même sur les ballades, que les notes me viennent isolément. Elles se pressent par giclées sous mon front, au fond de ma gorge, dans les articulations de mes mains. Je veux dire que chaque lettre, désormais, est un mot tout entier, que chaque mot est une phrase, que chaque phrase est une intrigue, un roman. La moindre de mes notes est devenue plurielle. La plus solitaire est une note nombreuse. Non seulement je la joue, ce qui pourrait n'être qu'un tic, mais je la pense sous cette forme. Comme on pense dans une langue plutôt que dans une autre. Chaque note de la gamme se présente à moi comme une nébuleuse, comme une galaxie.

Chaque note est devenue pour moi, au minimum, une comète avec sa queue, le plus souvent toute une constellation. (J'ai attribué ce titre à un autre de mes morceaux, en 48 ; aujourd'hui, je ne crois plus qu'il me soit venu par hasard.) Peut-on conquérir quelque terre que ce soit, sans s'exiler d'une autre ipso facto ? Je ne sous-estime pas ce que j'ai gagné au change, mais personne ne me fera oublier ce que j'y ai perdu, ou du moins ce à quoi je n'ai pas eu accès. Pour bercer ma nostalgie, j'aimerais au moins que les gens se rendent compte qu'il existe des moyens plus sobres que ceux dont je dispose (ou plutôt qui disposent de moi, c'est bien le hic). Et même, oui, qu'il existe des moyens plus *pauvres*, des moyens plus limités, plus humbles et plus incertains, mais par conséquent plus héroïques, non pas de parvenir au même résultat que moi, bien sûr, mais de satisfaire à un idéal tout aussi exigeant, s'il ne l'est pas davantage.

Parfois, j'avais le sentiment que Miles saisissait le message mieux que quiconque ; qu'il s'appliquait dans son coin, tel un mystique retiré des mirages du monde, à acquérir la vertu de pauvreté. À d'autres moments, comme lors de cette séance où nous avons gravé *Cheryl*, il me donnait l'impression de ne pas avoir compris le premier mot de l'histoire. Dans ces cas-là, il s'approchait de moi, l'air buté, l'air mauvais. Il semblait se contenir pour ne pas me flanquer son poing dans la figure. Il me lançait : « Bird, enfoiré de fils de pute, qu'as-tu besoin d'un gars dans mon genre, sinon pour te foutre de lui et le piétiner devant tout le monde ? Je te donne mon préavis de quinze jours. Cette fois, vieux, c'est dit : je descends de ton foutu manège. Tu t'essuieras les semelles sur quelqu'un d'autre. » En général, je laissais passer l'orage. Une fois, j'ai répliqué par une vieille blague : « Moi aussi, je t'aime, Miles. » Il m'a regardé droit dans les yeux et il m'a dit : « Tu ne t'aimes pas assez pour ça, Bird ! Et moi, pour que je m'aime encore, il faudrait que je te tue… »

Retour au Tiffany Club de L.A.. *Cheryl* n'avait pas pris Chet au dépourvu. À l'expression de son visage, je compris qu'il se félicitait de pouvoir me donner satisfaction sur ce point. Pour moi, ça ne faisait aucune différence. Je savais qu'à peu de chose près, il jouerait ma composition comme il avait joué celle de Jerome Kern, et j'avais décidé de l'engager quoi qu'il advînt.

On ne m'avait pas menti. Je l'écoutais et je pouvais me dire, aussi bien que n'importe lequel de ses confrères qui l'épiaient de la salle et dont plusieurs, je suppose, avaient d'excellentes raisons d'estimer qu'il ne leur arrivait pas à la cheville, question trompette : *ce n'est pas ça*. Ni l'art, ni la manière. Il s'en fallait de beaucoup. D'un côté, ça n'était pas *encore* ça ; de l'autre, si l'on se servait des critères que Diz, et même Roy Eldridge, avaient imposés, ça n'était pas ça *du tout*. Moi, je ne voyais qu'une chose : sauf erreur de ma part, *ça*, ça ne le deviendrait jamais. Ce petit Blanc était tout bonnement allergique à un tel avenir, comme Lester l'avait été avant lui, comme la musique de Lester m'avait appris à l'être, quand je ne pouvais pas me détacher de son *Lady Be Good* et de son *Shœ Shine Boy*, là-haut dans les Ozarks, à Lake Taney-como, il y a une éternité de cela.

Chet pourrait accomplir tous les progrès du monde. Il pourrait faire de lui-même, encore que j'en doutais, le plus grand contorsionniste de l'instrument : jamais il n'entrerait dans le moule. Et c'est bien pourquoi je prévoyais plutôt qu'il ne prendrait pas longtemps la peine de s'imposer tous les exercices d'assouplissement. Tôt ou tard, mais plutôt demain que dans dix ans d'après moi, il découvrirait qu'un instrument se maîtrise tout seul, dès qu'on sait avec précision ce qu'on veut obtenir de lui. Ce qu'un musicien sait, son instrument ne l'ignore pas non plus. Ce que celui-ci ne veut pas savoir, celui-là n'a pas à s'en préoccuper. Demandez plutôt à Monk. Ou même à Kenny Clarke.

J'ai abrégé le suspense. Dès la fin de *Cheryl*, et tant pis pour les susceptibilités froissées, les incompréhensions de bonne foi (celle que j'aurais moi-même ressentie si, par exemple, Dizzy, en 1945, avait préféré à moi un altiste comme, disons, Sonny Stitt), j'ai annoncé que la candidature de Mr Baker avait été retenue et que, de ce fait, la séance était close. Tous veillèrent à se retirer dignement. J'étais malheureux pour les deux ou trois qui, c'était inévitable, du fait qu'ils me jugeaient infaillible, se reprocheraient d'avoir commis sur le jazz un terrible contresens et peut-être – j'espérais que non – iraient tout droit mettre leur trompette au clou.

Si j'appelais un Chet Baker à ma droite, alors eux-mêmes se voyaient rejetés dans les ténèbres extérieures. Ils consentaient tant de sacrifices pour devenir un peu meilleurs chaque jour : comment leur aurais-je expliqué que ce n'était pas à leur *mérite* que je m'intéressais ? En tant qu'individu, je les comprenais à cent pour cent, je compatissais de tout mon cœur. En tant que chef d'orchestre, leurs prouesses m'étaient indifférentes et plus encore ce qu'il leur en avait coûté pour être en mesure de les réaliser. Je désirais tout bonnement rencontrer quelqu'un que mes prouesses à moi – et les prouesses de celui qui, demain, me ferait toucher le sol des deux épaules – laisseraient de marbre. Quelqu'un qui pouvait les apprécier au passage, mais comme une chose qui ne le concernait pas. Quelqu'un qui, dans un endroit dont il était le seul à connaître l'adresse et qui n'était peut-être pas le plus joli endroit de la terre, aurait toujours d'autres chats à fouetter. Quelqu'un, enfin, qui ne se détruirait pas en essayant à toute force, quand je ne lui demandais rien, de me faire une promesse qu'il ne pourrait pas tenir.

Quand je tente de les dissuader de se shooter, de se schnoufer d'une façon ou d'une autre ou même de planer un peu, la plupart des gars me ricanent au nez : « C'est ça, Bird ! Faites ce que je dis, ne faites pas ce que je fais ! » Et si j'ai le malheur d'insister : « Tu veux devenir comme moi ? », j'ai aussitôt droit à : « Penses-tu ! Je tiens absolument à rester la panne à qui ma mère a donné naissance ! » Il n'y a que moi qui ne veuille pas être comme moi. Il n'y a que moi qui réalise pleinement qu'être comme moi, c'est essayer de n'être ni comme moi, ni comme personne, ni comme soi-même au cas où l'on parviendrait à quelque chose de vraiment original, comme ce fut peut-être mon cas jadis. J'exagère : je connais deux ou trois garçons qui m'aiment autant qu'ils peuvent et s'efforcent malgré tout d'aimer en eux-mêmes quelque chose qui ne serait pas moi ou un reflet ou une caricature de moi. Lee Konitz est ainsi. « J'ai trop de respect pour toi pour te faire les poches », m'a-t-il sorti un jour. Chez les ténors, ils sont rares. Ailleurs, parmi ceux que j'ai croisés sur ma route, il y a Miles, Tony Fruscella et maintenant Mr Baker. Miles a renoncé à galoper derrière moi, derrière Dizzy. Tony et Chet ne se sont même jamais posé la question. Je suppose que Tony regardait plutôt du côté de Lester et rien que de ce côté-là. Chet, comme m'a dit ce gars dont je ne me souviens plus, espérait seulement « tomber sur Chet en tournant le coin de la rue ».

Ce qui ne veut pas dire que je ne puisse pas avoir une certaine influence sur lui. Et dans mon cas, hélas, elle est toujours mauvaise. Il me voit engloutir des litres de cognac, sniffer la poudre à la cuiller. À première vue, ça ne lui dit rien. Il est l'opposé de Red Rodney. Mais je me méfie quand même. Les tentations, ça s'attrape. Il y a quelques joyeux salopards qui rôdent, spécialisés dans la propagation du virus. J'essaie de garder assez de lucidité pour les tenir à l'écart de lui. Qu'ils regardent plutôt par ici ! Ce vieux Bird les accueillera toujours à bras ouverts.

Du coup, nous étions devenus inséparables, mon nouveau partenaire et moi. J'en avais fait mon guide sur la côte, mon chauffeur, mon rabatteur pour ce qui était des filles. Nous nous retrouvions dans un petit restaurant mexicain qu'il avait repéré. Je m'enfilais des ventrées de tacos à la sauce verte. J'aurais jonglé avec les assiettes si ç'avait pu le distraire de ce qu'il y avait de plus moche dans la vie de musicien et que, malgré moi, j'avais désigné comme une chose désirable à toute une génération.

On nous a virés d'un club, le *Say When*, où nous avions échoué au retour d'une tournée avec Dave Brubeck et Ella Fitzgerald qui nous avait menés à Seattle, et même de l'autre côté de la frontière, à Vancouver. On nous a virés à cause de moi. Pour une fois, je n'étais pas dans mon tort, mais quelle différence cela faisait-il ? À l'hôtel, comme en 46, j'ai foutu le feu à mon lit en m'endormant avec une cigarette au bec. Chet était aux anges : « Bird, putain, avec toi, on n'a pas le temps de s'ennuyer une seconde ! » Pourquoi est-ce que, moi, je m'ennuyais tellement, alors ? Pourquoi ma musique et ma vie m'ennuyaient-elles à ce point ? Et même les tacos *salsa verde*, pour finir. Même les filles toutes dorées, sur la plage. On a fait une dernière balade le long des falaises, en silence, et je suis retourné à New York.

Charlaine

Il ne faut pas se fier aux documents sonores des *Trade Winds* et d'Altadena. Ils n'étaient pas destinés au public. Chet n'avait encore jamais franchi le seuil d'un studio, en ce temps-là. S'il avait pu prévoir qu'on ferait un jour de vrais disques avec ces bandes de magnétophone qui n'auraient jamais dû sortir d'un petit cercle de fondus, peut-être se serait-il surveillé. De toute façon, les fondus en question ne s'intéressaient qu'à Charlie (à la rigueur à Al Haig, pour ceux qui étaient vraiment dans le coup), et puis ces enregistrements ont été effectués beaucoup trop tôt, en juin-juillet. Il aurait fallu que ça se fasse juste avant que Charlie ne reprenne la route. À son contact, le jeu de Chet avait beaucoup changé. Ce n'est pas moi qui le dis, je ne suis pas une experte. C'était Russ, c'était Bob, c'était Shelly, c'était Jymie Merritt, un contrebassiste noir avec lequel Chet aimait fumer lorsqu'il travaillait pour Stan Getz. En fait, tout le monde avait le même avis sur la question. Un autre trompettiste, je ne sais plus si c'était Jack Sheldon ou l'un des frères Candoli, lui avait même envoyé une vanne à ce propos : « Hé, mec ! Si ça continue comme ça, Bird va finir par comprendre pourquoi il t'a engagé ! »

Charlie lui-même ne disait rien. Je ne l'ai jamais beaucoup entendu parler de musique, de toute manière. Chet prétendait néanmoins qu'il ne parlait que de cela. Passons. Pour autant que je me souvienne, Charlie n'a jamais fait devant moi, en bien ou en mal, la moindre remarque à Chet sur son jeu. Et puis un jour, nous étions en train de nous taper des banana split à je ne sais plus quelle terrasse et le hasard avait voulu qu'on se soit installés juste à côté d'un téléphone public. Bird avait consulté sa montre et demandé des pièces à Chet. Jusque-là, rien d'extraordinaire : il passait son temps à taper les uns et les autres. (La première fois, les gens se sentaient honorés : ça lui évitait d'avoir à les rembourser. D'ailleurs, à de rares exceptions près, ils préféraient de loin passer leur prêt par profits et pertes et raconter partout que Bird avait une dette envers eux.) Il s'était levé. Il s'était rendu dans la cabine, dont il avait laissé la porte grande ouverte, de manière que nous profitions de sa conversation. Il avait glissé une ou deux pièces dans la fente.

« Allô, Diz ? C'est toi, foutu marchand de cacahuètes ? »

Tout en parlant dans le combiné, Charlie ne nous quittait pas du regard, et son œil pétillait.

« Pourquoi je t'honore d'un appel longue distance, enfoiré de babouin ? J'ai une bonne et une mauvaise nouvelle. La bonne est pour la musique, la mauvaise est pour toi. Mon cher, j'ai trouvé ici un trompettiste tellement fantastique que, s'il vient à New York, tu auras intérêt à marcher à reculons si tu ne veux pas qu'il te botte le cul ! Retiens bien son nom : Chet Baker. »

Et vlan ! il avait raccroché. Il s'amusait comme un petit fou. Il en avait les larmes aux yeux. Chet ne savait plus où se mettre. Bird a sorti de sa poche de nouvelles pièces, mais il se gondolait de si bon cœur que sa main cherchait la fente comme la clé d'un ivrogne cherche la serrure. Pour finir, il y est arrivé quand même. Et voici ce qu'on a entendu :

« Allô ! Je suis bien en communication avec Lord Miles Dewey Davis, troisième du nom ?

– ...

– Vous m'en voyez charmé. Ici le Très Honorable Charles Christopher Parker, Esquire, en villégiature à Hollywood.

– ...

– Hé, modérez vos transports ! Sachez que mon accent, Sir, vaut bien celui d'un nègre du Missouri. Et, pendant que vous y êtes, apprenez autre chose encore, qui justifie cet entretien de gentlemen par la voie des airs : il y a ici sur la côte un jeune trompettiste connu sous le nom de Mr Chesney Baker qui s'apprête à faire de tous ses confrères de New York, et de vous en particulier, de la chair à pâtée.

– ...

– Certainement, Sir. J'étais sûr que la nouvelle serait de nature à vous agréer et, surtout, à vous remonter le moral !

– ...

– Ne hurlez pas ainsi, par tous les saints du Ciel, et ne soyez pas d'une telle grossièreté ! Une dame se trouve parmi nous, jeune homme. Ah ! un petit détail encore : ce Baker est blanc, my lord. Il est blanc comme vos chemises hors de prix ne le restent jamais longtemps, à frotter sur votre peau de nègre.

– ...

– C'est cela, Mr Davis, c'est cela même. En tout cas je vous promets d'essayer, au cas où je ne trouverais pas d'amours moins incestueuses à quoi me livrer. De votre côté, ne vous laissez pas abattre non plus ! Et faites de beaux rêves. Avez-vous bien noté ? Chet Baker, B.A.K.E.R., natif d'Oklahoma. »

Et re-vlan !

Nous formions un trio assez particulier, Chet, Bird et moi. S'envoyer en l'air était une obsession pour chacun d'entre nous. Heureusement pour moi, en dehors de la musique, mon cher époux ne pensait pas à grand-chose d'autre. Même la fumette ne venait qu'en deuxième position (et Dieu sait pourtant qu'elle occupait une part importante de son existence !). Je ne sais pas si Charlie aimait baiser autant que nous, mais il adorait séduire. Et comme il y parvenait assez facilement, en dépit de sa silhouette de bouddha, pourquoi n'en aurait-il pas profité ? Je ne tenais pas la chandelle, mais je pouvais lire certaines choses dans ses yeux.

Certaines seulement. Les autres restaient un mystère. Je n'ai jamais très bien su, par exemple, s'il aurait aimé *me* séduire. Je regrette parfois qu'il n'ait pas tenté sa chance, ou que je ne l'aie pas encouragé à le faire. Je le regrette d'autant plus qu'il m'arrivait à l'époque d'éprouver l'étrange impression que Chet, jaloux comme il était (à cause de cela, nous avions bien failli ne pas nous marier), n'aurait pas détesté que Charlie me séduise. Et même, pour tout dire, qu'on s'envoie en l'air tous les deux. Ou tous les trois ?

Bon. J'ai peut-être rêvé. Ou bien pris mes désirs pour des réalités. Avec ces choses-là, on ne sait jamais trop où on en est. De l'eau a coulé sous les ponts et, aujourd'hui, je ne parviens plus à faire la différence entre ce qui s'est passé, ce que j'imaginais alors, et ce que j'ai imaginé par la suite qu'il s'était passé. Mais je me souviens très bien que les yeux de Chet brillaient de plaisir, voire d'excitation, chaque fois que Charlie faisait devant moi des allusions sexuelles – forcément à mon intention quand j'étais la seule femme à la ronde, ce qui se produisait lors de nos virées en voiture. Une chose est sûre : chaque fois que Bird m'adressait un de ces sous-entendus salaces, Chet se montrait encore plus impatient que d'habitude de me faire l'amour. Et je ne pouvais m'empêcher de penser : comme s'il le faisait pour deux.

En revanche, Chet surveillait de près Gerry Mulligan. Comme si Gerry n'avait pas assez à faire avec les filles qu'il fréquentait. Encore un qui n'avait pas le feu aux fesses, tiens ! Lorsqu'il s'est amené à L.A. – en auto-stop de New York ! –, il était avec une certaine Gail. Elle jouait des maracas. Le dernier instrument dont son genre de musique avait besoin, même moi je pouvais m'en rendre compte, mais il avait trouvé le moyen de l'imposer dans une séance qu'il avait faite à New York et, de son côté, elle s'était débrouillée pour qu'on entende distinctement ses bruits de grillon sur le disque, ce qui ne devait pas être prévu au programme. Le plus comique de l'histoire est que, forte de sa performance, elle prétendait désormais donner son avis sur tout et n'importe quoi et, par-dessus le marché, l'imposer à Gerry afin, expliquait-elle en toute candeur, qu'il s'améliore !

Lui, naturellement, ça le rendait fou – et je suis très en dessous de la vérité. Je n'ai jamais rencontré un type aussi susceptible ni aussi buté que ce fichu Irlandais. Et voilà cette greluche qui comptait le mener par le bout du nez ! Elle l'assommait de ses conseils. Elle multipliait les critiques à son égard et s'enferrait quand il l'envoyait aux pelotes. Alors il devenait plus rouge que ses cheveux et c'était entre eux des engueulades épiques. On voyait qu'il se tenait à quatre pour ne pas lui démolir le portrait, du moins en public. Gerry avait ses propres idées sur la musique et, comme il avait failli plus d'une fois se retrouver à l'Armée du Salut pour les avoir défendues bec et ongles, contre Gene Krupa ou d'autres, il ne supportait pas qu'on les remette en question si peu que ce fût. Elle, Mozart n'était plus son cousin depuis qu'elle avait vu son nom sur une pochette de microsillon. Les convictions de Gerry, elle n'avait aucun complexe à les considérer comme de la petite bière, des caprices, des enfantillages. Le jour où il l'a larguée, elle est venue nous demander pourquoi. Elle était encore plus perplexe que vexée. Elle pensait que Gerry n'avait plus son bon sens, qu'il sciait la branche sur laquelle il était assis et que, sans elle, il courait droit à sa perte. Elle soupçonnait quelqu'un − Chet et moi, peut-être ? − de l'avoir débinée dans son dos.

Là-dessus, Gerry épousa une fille qui, selon moi, n'avait pas inventé la poudre, mais qui, au moins, était gentille. « Adorable », disait Chet, et tant qu'il ne joignait pas le geste à la parole, j'étais tout à fait d'accord avec lui. Je savais de quoi je parlais : pendant quelque temps, nous avons vécu tous les quatre dans une maison que Gerry avait louée à Hollywood, quand le quartette avait le vent en poupe, et dont nous partagions le loyer. Jeffie ne devait pas avoir beaucoup plus de seize ou dix-sept ans. Elle en paraissait quinze et elle n'était pas mal du tout. Elle travaillait comme serveuse au *Haig*, la boîte de John Bennett, sur Wilshire Boulevard, dont Dick Bock était l'agent de publicité en attendant de monter sa compagnie de disques, Pacific Records, et où Chet et Gerry rencontraient, contre toute attente, un succès si phénoménal que ce n'était plus un succès : ça ressemblait plutôt à un raz-de-marée qui aurait déferlé sur la ville.

La peste bubonique n'avait pas fait de tels dégâts ! N'importe quelle fille du coin se serait damnée sans hésitation pour qu'on la voie au bras de célébrités de cette envergure. Surtout si ce n'était pas en tout bien tout honneur ! Mon homme était en mains et, sachant trop bien l'impression qu'il produisait sur les minettes, je ne laissais ignorer ce détail à aucune d'elles. Restait donc le grand rouquin. Il n'avait que la peau sur les os, mais c'était bien assez pour faire tenir son auréole. Je ne pense pas que Jeffie ait pris l'initiative de le draguer. Elle devait se contenter de le regarder avec des yeux de merlan frit, en passant les consommations. Il a craqué, c'était couru. Déjà qu'il se fendillait de partout et semblait avoir chopé un coup de soleil en plein visage si le premier boudin venu faisait mine de se retourner sur lui… Entre deux lettres acides à des critiques qui avaient écrit du bien de sa musique, mais pas exactement le genre de bien qu'il aurait souhaité lire, il lui avait demandé sa main avec, j'imagine, toute la solennité irlandaise, toute la pourpre que la situation exigeait. Et ça, c'était le genre de choses auquel une Jeffie, sans vouloir la rabaisser, était incapable de faire face. Boris Karloff encore maquillé en Frankenstein lui aurait joué la même scène, je ne sais pas si elle aurait eu le cœur de dire non.

Lorsque Gerry est sorti de taule (je crois que c'était à la fin de l'hiver 54), nous sommes tombés sur lui par hasard dans Hollywood Boulevard. Et c'était une autre fille qui se pavanait à ses côtés. Il y avait de quoi être fière, en effet ! Un tas pareil, ça n'aurait jamais dû trouver personne pour le ramasser, même avec des pincettes. Arlene Brown, elle s'appelait. Ce que Gerry pouvait bien lui trouver dépassait l'entendement. Ses fesses touchaient le trottoir et ses hanches rayaient les murs. Par-dessus le marché, elle avait une gueule de fouine, sous laquelle se cachait un caractère de cochon qui dissimulait lui-même un cœur de pierre. Cette garce devait avoir appris des trucs que, même moi, avec tout mon entraînement, je ne connaissais pas. Ça vous faisait froid dans le dos. Il m'arrive de me dire que si Chet a rompu avec Gerry, ce fut uniquement pour ne plus la voir. Mais alors, comment expliquer qu'il ait rompu avec moi quelque temps après ?

On ne se faisait plus autant d'effet, il faut bien l'avouer. Peut-être avait-on abusé l'un de l'autre, en fin de compte. Quand on a pris conscience de ce qui se passait, chacun de notre côté, il était trop tard pour enclencher la marche arrière. Tout en continuant nos galipettes, on avait pris nos distances. Insensiblement. Puis, un beau matin, encore emmêlés dans les draps, on a ouvert un œil et on s'est aperçu qu'on ne vivait plus sur la même planète. Est-ce que ça devait arriver ? Est-ce que c'est dommage ? On se sera quand même bien amusés, autant qu'on aura pu. De ce côté-là, il n'y a rien à regretter. Personne ne me fera dire le contraire. Tant qu'à faire, cependant, j'aurais quand même dû m'envoyer Charlie. Je parie que c'était un bon coup.

Sergent Casper O'Grady

Les nègres, passe encore. Qu'ils s'étripent entre eux, qu'ils se bourrent de cochonneries à en crever, ça fera autant de travail en moins quand le moment sera venu d'en finir une bonne fois avec eux et de les renvoyer se balancer aux branches des arbres, d'une façon ou d'une autre. Les bamboulas, je dis toujours, on peut pas leur en vouloir : tout ce qu'on leur demande, c'est de nous débarrasser le plancher en vitesse. Mais les gens de ma propre race, là, non, je dis halte au feu ! C'est *ma* couleur qu'ils ont sur la peau et, *ma* couleur, je veux pas que n'importe quel fils de pute la traîne dans la boue. Je veux même pas qu'il y laisse la plus petite trace, la moindre chiure de mouche. Or, pas de chance pour tout ce ramassis de branleurs, ma couleur, c'est la plus salissante. L'ombre d'une saloperie, déjà, y fait des marques. Et eux, ces porcs, c'est à poignées qu'ils balancent l'ordure sur tout ce qui est propre, sur tout ce qui est pur. Sous prétexte qu'ils salopent leur propre corps, ils se croient autorisés à saloper tout le reste, et en premier lieu les choses qui doivent rester impeccables : l'Amérique, la Bible, la Loi.

En créant le monde, Dieu a voulu que les choses soient d'une certaine façon. Ceux qui ne jugent pas la création à leur goût, il y a toute la place en enfer pour chier dans les rideaux et faire du petit-bois avec les parquets de chêne. Il y a encore plus de place en enfer pour les salopards qu'en Afrique pour les moricauds. Beaucoup d'appelés, et encore davantage d'élus, car il y a les volontaires, ceux qui rêvent de se retrouver là-bas. Patience, mes fumiers ! Et si le temps vous paraît long dans la salle d'attente du diable, comptez sur O'Grady pour vous filer un avant-goût de ce qu'on vous y prépare ! L'enfer, moi, je vous le fais visiter pour par cher, si vous y tenez tant que ça.

Ils ont le fric, ils ont la célébrité : ils croient que ça excuse tout, et même que ça les autorise ou plutôt, oui, c'est ça, que ça les oblige à tout bousiller dans ce pays. Et surtout ici, en Californie. Dans mon pays natal, le Mississippi, au moins ils se tiennent à carreau. Ils font ça en douce, comme les pédés à la mezzanine des cinémas, les jeudis après-midi. Ils savent qu'il y a des types comme moi, nombreux, de plus en plus nombreux, qui respectent tout ce qu'eux foulent au pied, mais qui n'ont pas le moindre respect pour le fait de s'en être foutu plein les poches, et encore moins de s'en être foutu plein les poches en faisant le rigolo sur un écran de cinéma ou en tapant sur un tambour. À Hollywood, on ne voit que ça. C'est leur Mecque, à tous ces tarés. Les acteurs, les cinéastes, les producteurs, les écrivains, les peintres, les sculpteurs, les musiciens (et les pires : les musiciens de jazz, qui ne sont même pas de vrais musiciens, mais si vous croyez que ça les empêche d'être admirés par un tas de connards et de ramasser parfois en un seul soir ce qu'un capitaine de police ne gagne même pas en un mois !) – tous ces glandeurs, tous ces parasites, tous ces pique-assiettes, acoquinés avec une bande d'avocaillons juifs, de journalistes pourris et de politicards descendus du Nord et de l'Est, attirés par l'odeur et le nuage de mouches. Du haut des collines au rivage de l'océan, tout ce coin pue cent fois pire que la merde ! Pas seulement Hollywood, qui figure le trou des chiottes, mais L. A., la cuvette, et les comtés qui forment les murs de la cabane, éclaboussés jusqu'au toit : Riverside, Orange, Ventura, San Bernardino, avec toutes les petites Sodome et Gomorrhe que j'appelle, moi, les trous du cul de l'Amérique. Beverly Hills, pour commencer, mais aussi Glendale, Pasadena, Inglewood, Torrance, Burbank, Santa Monica, Santa Anna, Long Beach, Anaheim, Culver City. Si vous voulez mon avis, c'était pas sur Hiroshima qu'il fallait balancer la bombe en premier.

D'après les lois de l'État de Californie, il faut attendre que ces types aient fait une connerie pour les coincer. On se demande bien pourquoi, vu que, pris ou pas pris, des conneries, ils ne savent faire que ça. Encore que, moi, je n'appellerais pas ça des conneries. Ils ne méritent pas tant d'égards. D'abord parce que, toutes leurs saletés, ils les commettent exprès et en toute connaissance de cause, comme j'expliquais tout à l'heure. Ensuite parce que ce sont des trucs répugnants et qu'ils n'en ont même pas honte, et qu'on les applaudit pour ça, qu'on les récompense pour ça, qu'on les photographie pour ça et qu'on tartine les murs de leurs sales gueules pour ça et que des tas de paumés les imitent à cause de ça, et qu'ils foutent la gangrène à nos gosses, tous nos gosses, l'un après l'autre.

À vouloir préserver l'Amérique telle que le Seigneur l'a voulue, tu te crèves la paillasse pour tout juste le prix des grolles que tu crames à poursuivre le Mal à longueur de journée, à longueur de nuit. Mais eux, un baiser devant tout le monde, un pet foireux dans une trompette ou quelque chose, et ils te palpent des mille et des cents. Ils en récupèrent tellement qu'ils ne savent plus quoi en foutre. À part le consacrer à de nouvelles turpitudes, bien sûr. Toujours plus chic, toujours plus dégueulasse ! Mais c'est là qu'ils trouvent O'Grady sur leur chemin. Et s'ils comptent que je vais les lâcher, ils auraient meilleur temps de croire que ce vieux Joe McCarthy – le bon Joseph, celui qui devrait diriger non pas la moitié du monde comme l'autre, le Commandeur des cocos, mais le monde de la cave au grenier, du soleil à la lune –, ils auraient meilleur temps de croire que ce vieux Joe va un jour se croiser les bras et laisser les rouges foutre le bordel chez nous !

Ce n'est pas parce que mon con de beau-fils en écoute, du jazz, quand je ne suis pas à la maison, et qu'il va jouer de la batterie le dimanche matin chez un encore plus con que lui, prétendant qu'il se rend à l'église où, je suis bien tranquille, personne n'a jamais vu sa gueule en biais, non, ce n'est pas une raison suffisante pour qu'ils s'imaginent, ces enculés, qu'ils vont avoir la vie belle avec moi. Plus ils se croient au-dessus de ça, plus profond je leur plante mes crocs dans l'arrière-train. Ce qui me rend vraiment malade, ce sont les grands airs qu'ils prennent. Qu'ils essaient même de prendre avec *nous*, mais là, encore une fois, ils se sont franchement trompés d'adresse !

Mon père à moi, lorsqu'il défaisait sa ceinture pour me corriger, disait toujours, en utilisant une expression qu'il avait lue dans une bande dessinée : « Casper, tu crois peut-être, avec des yeux en trous de bite, que parce qu'on porte le même nom, je vais te faire des cadeaux ? Tu ne m'as pas bien regardé, enculé de ta mère ! *Je suis ton pire cauchemar*, lopette, et tu ferais mieux de numéroter tes abattis ! Je suis ton père et, justement pour ça, je vais te faire chier ta merde par les yeux ! » Aujourd'hui, j'ai pris la relève. *Je suis* votre pire cauchemar, les mecs, faites passer la nouvelle ! Je suis votre pire cauchemar sur cette terre, mais pas comme au Ciel, car le Ciel, mes salauds, vous n'en verrez jamais la couleur, O'Grady y veillera personnellement. Et souvenez-vous d'une chose, ou bien relisez l'Ancien Testament : les menaces en l'air, c'est pas le genre de la maison.

Il y avait ces deux raclures de bidet qu'on avait déjà repérées, Brad et moi : le grand rouquin tout droit débarqué de l'Est − ça se reniflait à pleines narines, comme lui-même devait renifler la coke dès qu'on le quittait des yeux − et l'autre connard à gueule de tapette, le régional de la bande, dont la langue restait coincée entre les fesses des nègres, depuis que l'autre poussah de mes deux, l'Oiseau comme ils l'appelaient − l'Oiseau de mauvais augure, oui ! −, était venu ici nous caguer sur la tête. Ils traînaient à droite, à gauche. Avec Brad, on essayait de ne pas trop les perdre de vue, sûrs et certains qu'ils finiraient par commettre une imprudence. Et puis, le temps qu'on se retourne, ils avaient trouvé ce job sur Wilshire Boulevard et si Notre Seigneur Jésus avait distribué des hot-dogs gratuits à l'entrée du club, ça n'aurait pas provoqué une pareille bousculade ! Les journaux ne parlaient plus que de ça. Les stations de radio, la même chose. La salle n'était pas grande (il n'y avait même pas la place pour un piano et une batterie complète), mais elle faisait le plein quatre ou cinq fois par nuit. Vous imaginez ? Ces deux fumiers étaient gentiment en train de retourner au caniveau d'où ils n'auraient jamais dû sortir et, hop ! à la faveur d'une embardée, voilà qu'ils se retrouvaient en haut d'un piédestal, quasiment, assis sur un sac d'écus. Attendez un peu ! Nous alors, nous qui continuions de trimer dans les égouts, il aurait fallu qu'on avale ça ?

J'ai dit à Brad : « À partir de maintenant, on s'épingle à leurs fesses. Tant pis pour les autres. C'est dommage, mais ils ne perdent rien pour attendre. »

Brad a ricané.

« Ouais, Casp, il m'a fait. Ils se croient arrivés, ces marioles, et, en un certain sens, ils ont raison. Leur problème, c'est qu'ils ne savent pas où… Toi et moi, on va leur ouvrir les yeux, ma vieille ! »

On a d'abord coincé le play-boy. C'était du gâteau. Entre les pauses, on avait remarqué qu'il se rendait dans sa voiture, au parking, avec deux ou trois personnes de l'assistance, des musiciens comme lui, qu'on avait à l'œil. Ça n'était sûrement pas pour enfiler des perles. Ni même pour se taper des gonzesses. Ils n'auraient pas fait ça en groupe. Encore que… Une nuit, on leur a laissé le temps de s'installer et on a foncé sur eux avec notre bagnole. En voyant les phares, notre gars est sorti en vitesse et il est allé planquer quelque chose dans le coffre. Il nous prenait vraiment pour des bleus. C'était de l'herbe, bien entendu. On l'aurait compris même si l'habitacle de la décapotable n'avait pas été plongé dans un épais brouillard à l'odeur caractéristique. Il n'a pas fallu une minute à Brad pour dénicher le paquet sous la roue de secours. L'autre petit merdeux a juré qu'il lui appartenait. On n'en demandait pas davantage. C'était lui qu'on voulait et il nous tombait dans les bras. On l'a embarqué. On a confisqué sa bagnole et, une fois payée la caution, on l'a relâché. Ce con-là avait un casier vierge. C'était pas croyable ! Pour cette fois, il s'en est tiré à bon compte : trois ans de probation. Ça nous laissait largement de quoi le pincer une bonne douzaine de fois. En attendant, on s'est occupés de l'autre, la grande perche. À voir comment ses mains tremblaient pendant qu'il jouait, on n'avait pas le moindre doute : celui-là ne se contentait pas de fumer. On a décidé d'aller lui faire relever ses manches de chemise et de compter les marques d'aiguilles qu'il y avait dessous.

Entre nous, ça n'était pas trop légal, cette affaire, et le capitaine des stups, O'Conner, jugulaire jugulaire comme il était, n'aurait peut-être pas été d'accord. Mais, nous, on était des flics du comté. Ses trucs de chochotte, on s'en battait, et on pensait que, ce qui n'était pas légal du tout, c'était de laisser vadrouiller à leur guise ces putains de camés, au risque de tout gangrener. Encore un peu et ils paradaient dans Sunset Boulevard, le sachet de poudre en sautoir et des seringues plantées partout comme des épines de porc-épic ! Si on arrivait à lui faire assez peur, le rouquin lâcherait le morceau, nous mènerait à son attirail, à ses munitions, et alors on aurait bien assez de preuves pour procéder à une arrestation dans les formes et le mettre au vert pour un petit bout de temps, puisque ces messieurs du Capitole pensaient que la chaise n'était pas assez confortable pour des gars comme lui. Le gouvernement de ce pays n'a pas de couilles : il installe des chaises dans les pénitenciers, mais il hésite à s'en servir. Il a peut-être peur que ça les abîme ? Ou que la note d'électricité soit trop salée à la fin du mois ?

Jeffie

Je le disais toujours à Gerry : à force de se shooter comme ça, il s'attirerait des ennuis. En plus, ça le rendait tellement nerveux qu'il devenait encore plus irritable que d'habitude, mais ça, je n'osais pas lui en parler. Bref. Un jour nous étions seules à la maison, Charlaine et moi. Je me trouvais dans la pièce de devant. J'ai entendu du bruit dehors et j'ai jeté un coup d'œil par la fenêtre ouverte. Une voiture marronnasse s'était collée à mon cabriolet. Un gros type en descendait. Il se rendit à l'avant de son auto pour voir ce qui s'était passé. Son copain était resté sur le siège du passager et regardait droit devant lui en mâchonnant un rogaton de cigare. M'apercevant à l'intérieur de la pièce, le gros me lança :

« Pardon, m'ame, elle serait à vous, par hasard, la Hillman blanche ? Je crois que nos pare-chocs sont emmêlés ? Vous voudriez pas prendre votre clé de contact et m'aider à me dégager ? »

Sur le moment, je ne me suis pas demandé comment il pouvait savoir que j'étais mariée (la plupart des gens me donnaient moins que mon âge). En fait, je ne me suis pas du tout méfiée. Au moment d'ouvrir la porte d'entrée, quand j'ai vu Charlaine se lever comme un ressort, s'emparer du paquet d'herbe que Chet cachait sous un des coussins du sofa, galoper en direction de la salle de bains et s'y enfermer à double tour, j'ai vraiment cru qu'elle était devenue folle.

Mais je n'étais pas au bout de mes surprises. Je croyais que le gros et son copain étaient toujours dans la rue. J'avais à peine ouvert la porte que je les découvrais sur le seuil, prêts à s'engouffrer dans la maison. Durant une fraction de seconde, je les regardai les yeux ronds et ça parut les faire hésiter. Là-dessus, on entendit Charlie tirer la chasse des toilettes. Ils se ruèrent vers la salle de bains en m'envoyant valdinguer avec le battant de la porte, dont je tenais encore la poignée. Celui qui ne m'avait pas parlé hurlait des paroles incompréhensibles. L'autre brandissait un revolver qu'il était allé pêcher sous son veston. Ils se mirent à tambouriner contre la porte de la salle de bains, menaçant Charlaine de toutes sortes d'ennuis si elle n'ouvrait pas immédiatement. Elle sortit de là comme une reine, la tête haute, regardant à travers les intrus dont, même moi, j'avais fini par comprendre que c'étaient des flics. Le gros plongea littéralement dans la cuvette, passa la main à l'intérieur comme pour curer l'émail et, d'un air triomphant, ramena sur sa paume quelques brins de haschich qu'il nous promena sous le nez. Assez de camelote, dit son collègue, pour nous coller sur le dos une accusation en bonne et due forme, à Charlaine et à moi, et à Chet qu'ils savaient être, affirmèrent-ils, le propriétaire et le principal consommateur de l'herbe. Ils l'avaient déjà pris en flagrant délit : les contredire n'aurait servi à rien. Ils nous ont emmenées et embarquées dans leur voiture. Tous ensemble, on est allés à la recherche de Gerry et de Chet.

Ces flics connaissaient manifestement les habitudes de nos bonshommes. Ils n'ont pas été longs à les ramasser.

C'était Chet qu'ils avaient accusé, mais c'est sur Gerry qu'ils s'excitèrent. En fait, ils se désintéressèrent complètement de nous trois pour se concentrer sur lui. À un moment donné, même, ils nous abandonnèrent dans leur auto et l'entraînèrent dans une impasse entre deux maisons. On ne pouvait pas entendre ce qu'ils se disaient. On ne pouvait pas voir ce qui se passait. J'avais peur qu'ils ne lui fassent du mal. Le gros, surtout, celui que son copain appelait « Casp », avait l'air d'une brute épaisse. Il nous considérait avec une grimace de dégoût, même Charlaine et moi qui n'étions pourtant pas trop désagréables à regarder, je crois. En revanche, il laissait goutter sur son pantalon le poignet de chemise qu'il avait trempé dans la cuvette. Je ne l'avais même pas vu faire semblant de se laver la main.

Au bout d'un quart d'heure qui me parut une éternité, Gerry revint à la voiture avec eux. Apparemment, ils ne l'avaient pas touché, mais il ne semblait pas dans son état normal. Pas tout à fait dans son assiette et l'air un peu absent, un peu gêné, je ne sais pas… On a roulé en silence jusqu'à notre maison. Et là, de nouveau, il n'y en a eu que pour lui. Une fois de plus, ils l'ont fait descendre de voiture. Au lieu de se diriger vers le perron, Gerry a pris sur la droite, du côté de l'allée qui conduit à la cour de derrière. Les deux flics le suivaient.

« Bon Dieu ! a soufflé Chet. Il les mène droit à son arsenal, ce con ! Qu'est-ce qu'ils ont bien pu lui raconter pour qu'il perde les pédales à ce point-là ? »

Moi, en tout cas, je ne l'ai jamais su. Ce qui est certain, c'est qu'il leur a fourni de lui-même les preuves sans lesquelles, m'a expliqué Chet, ils auraient été bien obligés de le laisser tranquille. Résultat : comme notre arrestation avait été opérée dans des conditions pas très catholiques, d'après le juge, Charlaine, lui et moi, qui plaidions non coupables, on nous a relâchés. Gerry, lui, ne retira aucun bénéfice d'avoir coopéré avec ces deux salauds. Ils le chargèrent à bloc et il s'en prit pour six mois. Six mois dans une ferme pénitentiaire. J'ai l'impression qu'il nous en a voulu. À moi, c'est certain, mais pourquoi ? Pendant ce séjour, quelque chose s'est cassé entre nous. J'ai compris que ce ne serait pas la peine d'aller l'attendre à la sortie. Mais c'est peut-être ce que je souhaitais comprendre. On peut aimer les gens et avoir quand même envie qu'ils s'éloignent au bout d'un certain temps, du fait qu'auprès d'eux, comment dire ça ?… vous avez le sentiment qu'une menace plane sur vous en permanence. Alors, forcément, dès qu'ils s'écartent, vous éprouvez du soulagement. Avec Gerry, au début, je pensais pour de bon avoir rencontré l'amour de ma vie. Quasiment au premier essai, je n'en étais pas peu fière : peu de filles autour de moi auraient pu dire la même chose. Et puis, à mesure que les jours ont passé, j'ai pris conscience que, sauf au lit, je n'arrivais plus à me détendre quand il était avec moi. À la fin, quand je lui rendais encore visite le dimanche, je sentais mes épaules se crisper dès le moment où j'apercevais au loin les bâtiments de la ferme. J'aurais bien aimé que Charlaine m'accompagne, mais elle préférait rester faire l'amour avec Chet, et Chet, lui, a toujours trouvé une bonne excuse pour ne pas se rendre là-bas.

« D'ailleurs, grommelait-il, il ne m'a pas fait signe. C'est donc qu'il n'a pas envie de me voir pour l'instant. »

Un jour, j'ai pris mon courage à deux mains et j'ai posé la question à Gerry :

« Dis donc, pourquoi n'as-tu pas fait signe à Chet ?

– S'il avait envie de venir, m'a-t-il répondu d'un ton rogue, il serait déjà venu. »

Gerald Joseph « Gerry » Mulligan, dit « Jeru »

J'étais encore l'hôte du shérif quand la nouvelle tomba : grâce au succès remporté par mon quartette sans piano au *Haig* et grâce aux disques que Dick Bock, notamment, nous avait fait enregistrer à tour de bras pour la compagnie indépendante qu'il venait de lancer, Pacific Jazz, j'arrivais en tête de ma catégorie au référendum des lecteurs de *Down Beat*, devant les plus grands barytons de l'histoire du jazz. Serge Chaloff. Harry Carney ! Dans la même consultation, Chet, pour sa part, ne décrochait une première place que parmi les espoirs, et non chez les valeurs confirmées comme moi (qui étais en piste, il est vrai, depuis une bonne demi-douzaine d'années, qui avais collaboré avec Krupa, avec Miles, et dont Bird avait inscrit une des compositions, *Roker*, à son répertoire). Lui, en revanche, avait été élu *par un jury de critiques*. Comme s'il y avait eu besoin de ça pour que ça se gâte entre nous !

J'ai toujours su que nous nous séparerions, surtout quand on a commencé à devenir aussi célèbres à Hollywood que Gary Cooper et Marlon Brando. Ce genre de truc ne peut pas se partager équitablement. Et puis, dès le début, nous avions nos caractères. Bien tranchés, c'est le moins qu'on puisse dire. Avec le recul, je me demande même comment nous avons fait pour tenir aussi longtemps ensemble.

Dans tous les orchestres de jazz que j'ai fréquentés ou dont j'ai entendu parler, il y a des dissensions, des brouilles, voire des haines qui s'installent. Au sein des big bands, comme celui de Duke notamment, des clans se forment, et quand on dit qu'ils sont à couteaux tirés, quelquefois il faut entendre l'expression à la lettre. Eh bien, même dans ce contexte, nous entretenions, Chet et moi, une relation plutôt atypique. Sur scène comme dans la vie, des couples mal assortis, ce n'est pas ce qui manque. Notre couple à nous n'était pas mal assorti : il était impossible ! Impossible absolument, mais voilà, il fonctionnait comme presque aucun autre depuis Diz et Bird…

Peut-être n'aurait-on jamais dû habiter la même maison, avec nos femmes qui plus est. Quand j'ai débarqué à Los Angeles, à ses yeux j'étais un héros. Il y avait eu les disques du nonette de Miles et je crois qu'un jour Bird ne lui avait pas dit trop de mal de moi. En ce qui me concerne, j'ai tout de suite été informé par Bock qu'ils avaient joué ensemble, que Bird le considérait comme capable de donner du fil à retordre aux trompettistes qui tenaient le haut du pavé à New York. Puis je l'ai convoqué à une audition et, franchement, tout de suite il m'a soufflé. J'entends dire aujourd'hui, y compris par Miles lui-même, qu'il aurait tout piqué à Miles. C'est un tissu de conneries ! Qu'il ait été influencé par Miles, ça, oui, je vous le garantis, mais des années plus tard seulement, après avoir quitté la Californie et être revenu d'Europe. Après quoi, du reste, il prendrait encore ses distances avec lui, se contentant d'être, sans trop le dire autour de lui, son fan n° 1. Quelqu'un m'a dit qu'à la fin de sa vie, il se déplaçait et même prenait ses repas avec, en permanence, un baladeur sur les oreilles où il se passait les cassettes des derniers enregistrements de Miles, des trucs comme *You're Under Arrest* et *Tutu*, qui avaient à peu près autant de rapport avec son propre univers musical qu'un microprocesseur avec une libellule.

Quand j'ai fait sa connaissance, Chet avait un style qui n'appartenait qu'à lui. Un style si unique, si lourd à porter (puisqu'il reposait sur ses seules épaules), qu'à moins d'être un titan dans sa tête – et je ne crois pas que ce fût le cas, surtout avec toute l'herbe qu'il s'envoyait pour tenir le choc –, à moins d'être un type comme Lester, Bird, Miles ou Monk, on est tenté de tout faire pour s'en débarrasser. Au minimum : pour l'alléger. Par exemple en l'édulcorant avec des éléments qui n'ont pas la même densité… – comment dire ? – la même densité vitale. Des éléments qu'on emprunte à la manière, donc à la vie d'un tiers. Des choses qui, séparées de leurs créateurs et étrangères à notre intimité propre, valent pour ce qu'elles sont en elles-mêmes et non pour ce qu'elles sont *en nous*, pour ce qu'elles sont *de* nous.

En 52, ça ne faisait aucun doute à mes yeux, Chet portait sa croix. Il portait le poids énorme de cette musique qu'il était allé chercher très loin sans bouger de sa place et qui n'était peut-être pas la plus belle de toutes, mais était sans discussion possible la seule de son espèce, ce qui d'ailleurs rendait vaines toutes les comparaisons. Unique, elle n'aurait même pas été susceptible de ne pas l'être, tel un rêve remonté du plus souterrain, du plus secret de vous-même et qu'aucun autre, même pas votre frère jumeau si vous en aviez un, ne pourrait rêver en votre nom. Un rêve, en effet, c'est bien le mot, hélas. Un rêve pour moi. Un rêve pour la plupart d'entre nous. Sauf que, dans son cas, il s'agissait d'une réalité palpable, sortie de son instrument et posée bien en évidence là devant nous… J'espère pour le salut de mon âme (j'hésiterais tout de même à parier là-dessus) que ce n'est pas ce jour-là qu'à mon insu j'ai commencé à le détester. Jaloux, j'avais assez d'orgueil, je pense, pour ne pas l'être. Mais, envieux, à cause de cet orgueil même, il fallait bien que je le sois.

Au début de l'été, je me souviens, on a enregistré ensemble pour la première fois. Sans batteur, avec Jimmy Rowles au piano (Chet et lui avaient déjà fait un bout de route ensemble). Ce n'était qu'un brouillon, cette histoire-là. On ne se trouvait pas dans un studio, au reste, mais au domicile de l'ingénieur du son, Phil Turetsky. Je ne mettrais pas ma main au feu que Dick ait publié ce qu'on a fait, et je suis sûr à cent pour cent qu'en ce qui me concerne, je préférerais qu'il s'en soit abstenu. Néanmoins, sur la foi de ces tâtonnements, il semblait clair déjà, à certains signes, que nous étions susceptibles non pas seulement de nous écouter, mais de nous entendre. Non pas seulement de nous entendre, mais de nous deviner. Du coup, pour nous comprendre entre nous, il suffisait à chacun d'être attentif à soi-même.

Dans la vie – et ça empirait jour après jour – nous n'étions vraiment pas faits l'un pour l'autre. Surtout moi, d'ailleurs. Je ne pouvais plus le voir en peinture. Je ne lui passais rien. Lui, avec son précieux fardeau à surveiller, avec le *pot* qu'il fumait à tire-larigot et les séances de jambes en l'air à répétition que réclamait Charlaine, il était tellement absorbé dans son truc qu'il lui arrivait de laisser glisser. Il m'aurait supporté comme il supportait le péril atomique, le sénateur McCarthy, Bill Haley et la faim dans le monde : au fond, tout cela ne le concernait pas.

On m'a raconté par la suite que, sur scène, il arrivait qu'on se tourne le dos. Je ne sais pas si on s'en rendait compte. De toute façon, si on s'était regardés dans les yeux, on ne se serait pas vus. Chacun écoutait ce que l'autre *allait* proposer, et ce qu'il allait lui répondre. Je n'écoutais pas Chet, Chet n'écoutait pas Gerry Mulligan : nous écoutions tous les deux notre musique. Qui, elle, formait alors un couple indissociable.

Ça ne manque pas de sel, quand on y songe. On a vanté les « arrangements » du quartette. « La complexité de leur élaboration, ai-je même lu quelque part, si aboutie qu'elle se matérialise en un tracé d'épure. » Seigneur Dieu ! D'arrangements, il n'y en avait pas l'ombre. L'anarchie n'était pas notre point fort. Par tempérament, nous ne souhaitions pas désorienter l'auditeur, et encore moins le décourager. Mais nous marchions au pifomètre. J'ai beau écrire de la musique, et le faire avec le plus grand soin, je suis un fou de jam : dans la musique, j'aime surtout l'imprévu. J'aime quand ça dérape. Lester dérapait tout le temps, et c'est comme ça qu'il visitait des endroits où personne ne s'était rendu avant lui. Quant à Chet, ce type est avec Getz l'un des plus grands intuitifs que j'aie rencontrés. Je me souviens d'une soirée, au *Haig* où, pendant une heure et demie, nous avons enchaîné morceau sur morceau sans nous consulter une seule fois à propos des thèmes que nous allions interpréter. Et après la pause, nous avons remis ça. J'étais au comble de l'excitation. Comme d'habitude, rien n'avait été prémédité, mais tout le monde dans la salle, même les musiciens, était intimement convaincu que notre affaire avait été combinée au millimètre. Nous avons imaginé sur le tas des unissons, des canons, des pas de deux si ingénieux en apparence que même moi, avec mon expérience d'arrangeur, j'en avais les cheveux qui se dressaient sur la tête.

Le couronnement de Chet au référendum de *Down Beat*, ça ne pouvait pas ne pas me faire plaisir. Par la force des choses, c'était ma victoire, tout autant que la sienne. Une de plus à mon palmarès. Mais c'était aussi, je le sentais bien, la fin de notre aventure. Si l'on continuait sur cette lancée, j'aurais beau entamer nos dialogues ou me prévaloir de mon statut de leader pour me réserver le mot de la fin, je ne serais quand même bientôt plus que *son* interlocuteur, et les critiques ne perdraient pas de temps pour faire passer le message alentour. C'était un luxe que je ne pouvais pas me permettre. Et non seulement il était souvent le soliste le plus inspiré de nous deux, mais il jouait de l'instrument que l'oreille humaine capte en premier. Ça ne me laissait aucune chance.

Pendant que j'étais sous les verrous, Stan Getz, qui adorait le quartette, avait pris une ou deux fois ma place au *Haig*. J'avais espéré qu'il débaucherait mon trompettiste (cela se pratique beaucoup dans notre milieu, entre amis qui s'estiment) et qu'ainsi l'affaire serait réglée. Mais je pense que Stan, lui aussi, sans forcément se l'avouer (on le connaît !), se méfiait de l'ombre que Chet pourrait lui faire. Quoi qu'il en soit, ils ne se sont pas mis ensemble. Stan m'a laissé avec mon problème sur les bras. Pour la peine, quand il est allé en taule à son tour (pour avoir tenté de cambrioler une banque avec un pistolet à bouchons, ou quelque chose comme ça), je lui ai piqué Bob Brookmeyer, lequel a succédé à Chet dans mon groupe.

L'extraordinaire, la sidérante fraîcheur de Chet était un défi qu'il fallait relever chaque soir, dans chaque morceau, dans chacun des échanges que nous avions tendance à multiplier, surtout en public, au fil de ces onze mois qui resteront, je ne cherche pas à le nier, parmi les plus féconds de mon existence. Mon partenaire ne pouvait pas m'obliger à me dépasser, mais il me contraignait à vouloir le faire. Ce qui me donnait une conscience plus vive de mes insuffisances, gain de lucidité qui m'a permis en effet de me surpasser quelquefois, me semble-t-il, tout en m'empêchant d'en retirer l'intime satisfaction qui aurait dû aller de pair avec une telle réussite. Avec Chet, je jouais de jolies choses, mais je n'arrivais pas à en être content. Pis encore, je ne me sentais plus libre de les accomplir. Et je ne me sentais pas libéré de les *avoir* accomplies. Quoi qu'il m'en coûte, je devais m'affranchir de cette emprise.

C'est la façon dont je raconte l'histoire aujourd'hui. À l'époque, les choses étaient beaucoup moins claires dans mon esprit. Alors même que je rêvais de voir Chet embarqué par Stan, j'envisageais vaguement de reformer mon quartette, avec les mêmes musiciens, dès ma sortie de la ferme. Écartelé entre deux tentations, j'ai commencé, une fois dehors, par ne prendre aucune initiative, en dehors de ma rupture définitive avec Jeffie (elle était déjà plus qu'à moitié consommée). Je me suis mis avec Arlene, en attendant de lui donner un fils, puis de divorcer, et j'ai passé l'essentiel de mon temps à sortir avec elle, comme si je n'avais rien de plus urgent à faire. Un beau jour, c'était inévitable, nous sommes tombés nez à nez avec Chet et Charlaine sur Hollywood Boulevard.

Nous ne nous étions ni écrit, ni téléphoné, ni rien depuis que j'avais quitté le tribunal entre deux gardes armés jusqu'aux dents. Et là encore, à part des nouvelles de sa santé, je ne lui ai rien demandé, n'ai même fait devant lui aucune allusion au travail et à l'avenir. C'est lui qui m'a déclaré tout à trac qu'en raison de « notre vieille amitié », il était disposé à reprendre du service à mes côtés, et c'est alors que j'ai compris à quel point cette perspective me répugnait. Il a continué en m'expliquant que, pendant les onze mois de notre association, il ne m'avait jamais réclamé la moindre augmentation, ce qui était la pure vérité, mais que les temps avaient changé, que nous étions devenus tous deux si célèbres que le pianiste Horace Silver avait fulminé contre « la musique de tapettes blanches » qui, en s'appropriant le marché californien, interdisait aux grands solistes noirs installés là-bas (Hampton, Hawes, Sonny Criss, Teddy Edwards, Harold Land, etc.) de se faire entendre. Nos disques, de surcroît, avaient obtenu de bonnes, voire d'excellentes critiques de la part d'une majorité de journalistes, et ils se vendaient plutôt bien, d'après ce que Dick Bock lui avait confié. Conclusion : il exigeait désormais non plus cent vingt-cinq, mais trois cents dollars par semaine.

J'étais si soulagé qu'il m'offre une bonne raison de l'envoyer paître que je lui ai éclaté de rire en pleine figure. J'admets que c'était blessant. Il a cru que je le méprisais, alors que c'était tout le contraire. Au moins, mon attitude aura ruiné par avance toute tentative de conciliation. Cela dit, il nous est arrivé de rejouer et même de réenregistrer ensemble, comme c'est arrivé à Billie Holiday et Lester Young. Nous l'avons fait dès 1957 – sans grand succès d'ailleurs, à mon avis – et encore en 1974, à Carnegie Hall, en compagnie de Getz, qui n'apparaît pas sur le disque parce qu'il était sous contrat avec une autre compagnie : on a monté les bandes en coupant ses interventions. Mais, chaque fois, j'ai pris la peine de faire la leçon au producteur de l'album, au type chargé de rédiger le texte de pochette, aux reporters et, bien sûr, aux fans qui n'ont jamais cessé de venir pleurer la mort du premier quartette dans mon gilet : il ne s'agissait que d'une réunion ponctuelle, en aucun cas d'une amorce de reconstitution. « Ou alors, leur disais-je, il faudra que sur l'affiche on lise THE GERRY MULLIGAN QUARTET en lettres d'un pied de haut, et tout en dessous, en caractères minuscules, *with Chet Baker, trumpet.* » Je savais que ça lui serait répété et qu'ainsi, même s'il était moins orgueilleux que moi, la menace qui pesait sur nous ne serait pas mise à exécution. Si le jazz y a gagné quelque chose, c'est un des nombreux thèmes qu'avec l'âge je préfère ne pas aborder, gardant ces ruminations pour les longues années qui m'attendent au purgatoire, sinon dans le vestibule de l'enfer (on disait dans mon enfance que c'était le feu éternel qui se reflétait sur les cheveux des rouquins). Je sais seulement que, moi, je n'y ai pas perdu deux précieux avantages : le sommeil et la joie de vivre. Pour ce qui est de Chet, il n'a jamais eu besoin de personne. S'il avait pu se désencombrer de lui-même pour avoir les coudées plus franches avec sa musique, il l'aurait fait. D'ailleurs, en un certain sens, il l'a fait.

Témoignages (I)

Hans Henrik Lerfeldt et Thorbjorn Sjogren rapportent dans leur ouvrage *The Discography of Chesney Henry Baker*, publié à Copenhague en 1985, les propos suivants du trompettiste : « *Lorsque j'ai lancé le chiffre de trois cents dollars, Gerry Mulligan* m'a ri au nez comme si je lui demandais quelque chose de complètement ridicule. J'ai alors décidé de continuer avec mon propre quartette. Je suis allé trouver l'impresario Joe Glaser *(il était déjà celui de Louis Armstrong, entre autres)* et nous nous sommes entendus pour démarrer à mille dollars la semaine. À la fin de la deuxième année, nous avions atteint le double de cette somme et tout baignait dans l'huile. »

Dans le livre de souvenirs limité aux années 1929-1963 et publié après sa mort sous le titre de *As Though I Had Wings. The Lost Memoir* (dans la collection « Musiques & Cie » qu'il a créée chez 10/18, Jean-Claude Zylberstein en a proposé une traduction française réalisée par Isabelle Leymarie et baptisée *Comme si j'avais des ailes*), Chet Baker raconte :
« Après ma conversation avec Gerry, ce jour-là, je signai un contrat avec Joe Glaser (…) et (…) je partis en

tournée vers l'est des États-Unis. Je m'achetai une Jaguar, un roadster vert foncé, reprenant les traits d'un type d'Inglewood que je connaissais… Une fois (…) je dépassai le 200 à l'heure sur un long tronçon lisse de la Route 66, juste avant Albuquerque. Mon compte-tours indiquait 6800, c'était absolument fantastique… Russ *(Freeman)* refusait de monter en voiture avec moi. Je le conduisis une fois dans le trafic de Los Angeles et, au bout d'un moment, il me supplia d'arrêter et de le laisser descendre…

» À New York, je rencontrai une Parisienne nommée Liliane. Elle n'avait que vingt-deux ans et elle voyagea en ma compagnie durant les deux années qui suivirent. (…) Liliane… était vive, très belle et jouait bien aux échecs. À Los Angeles, nous enregistrâmes de nouveaux disques et j'obtins un rôle dans un film avec John Ireland. Avoir à me lever tôt, aller au studio, me faire maquiller puis rester sur le plateau à attendre qu'ils aient préparé les décors, les lumières et tout le reste ne m'emballa guère. Quand je m'ennuyais trop, je grimpais au sommet des décors…

» En 1956 *(1955, en réalité)*, le visa de Liliane expira et elle rentra à Paris. Je demandai à ABC *(la société de Glaser)* de m'organiser un séjour en Europe afin de pouvoir rester avec elle… »

Chet aura tout fait par amour, tout ce qui compte : l'amour et la musique. Mais l'amour, comme on sait, l'aura moins aimé que la musique.

Dans *Comme si j'avais des ailes*, cette ébauche de mémoires longtemps refusée à la mémoire du jazz, il raconte qu'il va traverser l'océan pour l'amour de Liliane, la femme qu'il a rencontrée à New York et qui fait passer sur ses joues, écrit-il, « un souffle d'air frais ».

1955. Il débarque à Paris quelques jours avant ses partenaires réguliers (Jimmy Bond, Peter Littman et l'insolite Dick Twardzik, remplaçant de Russ Freeman, que de terribles migraines ont terrassé). Le jazz en France est en train d'apprivoiser la légende qu'il avait longtemps crue réservée aux Noirs américains. La mort de Django Reinhardt, deux ans plus tôt, joue en secret le rôle d'un mythe fondateur. Le génie mis en terre va pouvoir germer et ensemencer la scène parisienne en lui fournissant à la fois un idéal et un remords. Plus d'excuse désormais pour quiconque n'essaie pas de décrocher la lune.

Mais c'est justement ce qui donne des ailes – ces ailes que Chet n'a pas encore froissées en se cognant aux angles d'une « vraie vie » qui, pour lui, s'il n'y avait pas l'amour, ne serait encore qu'une vague illusion, un mirage dans ce désert qu'est l'absence de musique. Chet ne sait pas encore qu'il est en ce monde une personne déplacée. Il n'a pas commencé de courir après l'innocence perdue. Il ne pressent pas en lui-même cet homme qui n'aura d'autre choix que d'être en fuite ou d'être en cage. En 1955, Chet apparaît comme le fils naturel de l'enfance et du printemps. Même s'il marche au-devant de l'hiver et va frotter son visage d'ange aux rides de l'Ancien Monde.

Il atterrit en France le 5 septembre, sous la pluie. Twardzik écoutait les voix qui murmuraient derrière la porte, dans un hôtel de la rue Saint-Benoît : il meurt d'une overdose le 21 octobre. C'est ce jour-là, peut-être, que Chet est devenu mortel. C'est à Paris, peut-être, qu'il a désappris à vieillir.

Dans sa vie amère, dans sa musique sans pareille, tout s'est fêlé très tôt et tout est resté miraculeusement intact. Dans sa vie, Chet est revenu de tout, et dans un triste état. Dans sa musique, il n'est revenu de rien. On le retrouvera inanimé dans les toilettes d'une station-service, il lancera sa trompette sur l'autoroute, projetant ses mains loin de lui dans la lumière des phares. Qu'importe ? Il continue d'aimer Valentine en silence, *Alone Together* et de regarder tomber dans sa tête la neige d'Oklahoma.

Ce regard conservera toujours la trace de l'enchantement originel. Jusqu'au bout, pour Chet, tout reste à faire. La renaissance l'attendait, comme Liliane l'avait attendu à Orly, je suppose. Il quitte un jour Paris, laissant derrière lui ces disques qui disent combien la fragilité peut être violente et quel est le poids des choses futiles, *These Foolish Things*.

Il reviendra. Il reviendra, à Paris ou ailleurs, tant que nous serons au rendez-vous. Eût-il vécu mille ans, au terme d'une longue course blanche, absente et outragée à travers le monde, cet éternel vagabond, cet exilé chronique aurait continué à s'encombrer de sa jeunesse (dans un de ces sacs de papier brun qui, dit-on, servaient parfois d'étui à Bix Beiderbecke), lui qui eut à tout âge l'âge de la musique, aussi vieille que le Temps et, toujours, toujours née avec les roses du matin.

Écoutez-le. Défile le cortège des heures et des saisons. *I'll Remember April, Summertime* : il revient vers nous. Beau comme un sou neuf – mais c'est un sou troué, un sou fêlé, tant mieux. Il vient nous faire écouter le silence de la terre et de l'ombre, les silences du cœur et des dieux à qui l'on pose des questions indiscrètes : tout ce silence qui se creuse en nous quand une musique venue d'ailleurs – d'un Oklahoma de derrière les fagots, de la lune, pourquoi pas ? ou d'on ne sait quels châteaux en Espagne, quelle cité engloutie – quand cette musique se met à nous parler de nous-mêmes, *Tenderly*, avec cette douceur, cette douleur, cette… On les reconnaît tout de suite. On ne peut pas les manquer. Elles ressemblent à de l'amour comme deux gouttes d'eau.

(Présentation par l'auteur du recueil phonographique *Chet Baker in Paris*, conçu par Daniel Richard pour la compagnie Emarcy/Universal, qui l'a édité sous la référence 543 547-2.)

Témoignages (II)

Boris Vian : «(Dans *Melody Maker*) une double page sur le quartette de Gerry Mulligan… : bonne musique "expérimentale", froide, sortie de l'application d'une formule et non de celle d'une passion… Chacun de porter aux nues (…) le trompette Chet Baker… En tout cas, les propos de ce bougre sont assez joyeux par instants : "Gerry Mulligan est un grand musicien, dit-il. Mais trop de gens lui ont dit qu'il est un génie, surtout son ex-femme. Gerry se balade maintenant avec l'impression d'être ce qui est jamais arrivé de plus formidable au jazz. J'ai dit à Gerry ce que je pensais de cette attitude…" » (*Jazz Hot*, n° 79, juillet-août 1953).

« Un bon papier de Nat *(Hentoff)* sur l'orchestre de Johnny Hodges (…) et notamment Harold Baker qui s'y trouve. Ah, oui, Nat, tu as raison, Baker, c'est un trompette formidable, et ça ne se compare pas à Chet du même nom. Et on n'enregistre pas Harold. Mais que diable, si Harold est 29e au referendum et Chet 1er, ça prouve bien que les referenda sont idiots. La tâche des journalistes doit consister à dresser le public et non pas à le suivre, ou alors c'est l'abjection la plus parfaite, le client a toujours raison, etc., etc… » (*Jazz Hot*, n° 94, décembre 1954).

« Les qualités essentielles de *(Bix)* Beiderbecke étaient la chaleur et la propreté de son jeu, la netteté et la fraîcheur de son inspiration et la pureté de son timbre, qui avait tout ce qui manque à Chet Baker. (Ceci n'est pas une pierre à l'adresse de Chet, trompette très agréable mais qui, avec une sonorité voisine et une conception d'ensemble du même ordre, n'arrive pas à la cheville d'un autre Baker, Harold, le plus sous-estimé de *tous* les musiciens.) » (*Jazz Hot*, n° 107, février 1956).

(Toutes ces chroniques ont été rééditées dans le sixième tome des *Œuvres complètes* de Boris Vian, publiées par la Librairie Arthème Fayard sous la direction de Gilbert Pestureau.)

Roy Carr, Brian Case, Fred Dellar : « Le succès, comme dit Art Blakey, peut être une tarte que l'on se prend en pleine gueule. En 1953, à vingt-quatre ans, l'étoile montante désignée par *Down Beat* se sentit asphyxiée par les louanges que ses fans adressaient à sa jolie sonorité et à son joli visage. Il incarnait le garçon d'à côté. Sa musique était comme le son des questions qu'on se pose sur soi-même les soirs d'été, assis tout seul sur l'escalier d'incendie. Il était ce qu'avait été Bix pour les fraternités d'étudiantes... *(Gerry Mulligan et son trompettiste)* ne se séparèrent pas en bons termes, et Chet en vint à gagner plus de deux gros billets chaque semaine. Tout allait bien pour lui – y compris sa carrière de chanteur *(à laquelle il consacrait une partie de son énergie, pour le cas où il aurait eu moins de succès avec sa trompette)*... Et sa voix jetait la même ombre que sa trompette, cette ombre de petit-garçon-qu'on-a-abandonné-et-qui-s'est-perdu capable de faire vider aux demoiselles des collèges chic les étriers de leurs selles Oxford. Il était James Dean, Sinatra et Bix déboulant en une seule personne. »

(*Mr Chet – A Modern Tragedy*, in *The Hip*. Faber & Faber, Londres, 1986)

Richard « Dick » Twardzik

Une formule avait cours chez les pianistes de Boston :
Margaret Chaloff donne des leçons, mais ne fait pas la
leçon. En gros, cela signifiait qu'à l'inverse des autres
professeurs classiques, elle n'essayait pas de vous
détourner de votre but si vous aviez décidé de vous
consacrer au jazz plutôt qu'à Liszt ou Scarlatti. Il faut
dire qu'avec un fils regardé par beaucoup à la fois comme
l'enfant terrible et le plus grand des barytons bebop, un
fils qui avait été l'un des *Four Brothers* de Woody
Herman et s'était payé le luxe d'enlever sa ceinture au
champion du monde de sa catégorie, Harry Carney, à
l'occasion des référendums de *Down Beat* et de *Metronome*, elle aurait été mal placée pour jouer les vierges
effarouchées. D'autant que leur amour pour Serge les
avaient conduits, elle et son époux (il était le pianiste du
Boston Symphony), non seulement à admettre, mais à
comprendre cette musique à laquelle il était attaché
« corps et âme ».

Ce cliché commence à donner des signes de fatigue.
Pourtant, c'est à dessein que je l'emploie. Dans le cas de
Serge Chaloff, il s'impose. Ce garçon avait réglé sur le
jazz toutes ses fonctions vitales, tous ses besoins fonda-

mentaux, tous ses désirs, toutes ses attitudes, toutes ses habitudes (et il en avait de solides !). Toutes ses paroles aussi. S'il avait, littéralement, le swing « dans la peau », le swing, en contrepartie, avait trouvé en lui l'une de ses incarnations les plus flamboyantes. Vous ne pouviez pas accompagner Serge au drugstore sans avoir le sentiment de vivre une aventure ni, en général, sans qu'il vous arrivât en effet quelque chose d'extraordinaire. Il provoquait l'insolite. Il attirait les emmerdements. Mais, une fois qu'ils étaient là, il s'arrangeait pour les faire tourner à son avantage. Il avait acheté un pistolet 22 long rifle et tirait au jugé par la fenêtre des chambres d'hôtel où il séjournait. On lui disait : « Tu vas finir par blesser quelqu'un. » Il répliquait avec superbe : « Penses-tu, je ne vise pas assez bien pour ça ! » Il s'était entraîné pour uriner discrètement, à la faveur de la foule, sur le pantalon de types qu'il rencontrait dans les cocktails et qui lui tenaient des propos qu'il désapprouvait ou qui l'assommaient. Quand les malheureux s'en apercevaient, il était trop tard pour dissimuler les dégâts et Serge avait déjà pris la tangente ! Woody lui-même avait été victime de cette procédure, en un temps où notre homme appartenait encore à sa formation. Mais que pouvait-il faire ? Avant de se livrer à son petit jeu, mon Chaloff, moins fou qu'on aurait pu le supposer, avait pris soin de prélever dans la réserve de partitions de l'orchestre toutes les parties de baryton. Il les avait soigneusement déchirées et jetées à l'eau sous un pont, rendant impossible son remplacement au pied levé. Je crois que les surréalistes auraient adoré Serge.

Et puis, toujours à propos de « corps et âme », la première fois que je l'avais rencontré, il m'avait dit : « Un de ces jours, mon gars, j'enregistrerai un *Body and Soul* qui ne fera peut-être pas oublier celui de Coleman Hawkins, mais qui, au moins, n'y fera pas du tout penser. Voilà mon idéal dans l'existence, gamin ! Ça et retrouver une de ces foutues paires de chaussures que Zoot avait arborées un jour, avec une séparation entre les doigts, comme dans les gants... »

Au conservatoire, chaque fois que quelqu'un prétendait surfaite la réputation de sa mère en tant que pédagogue, quelqu'un d'autre répliquait : « Ce n'est pas la magicienne à laquelle tu t'attendais, admettons. Mais si tu possèdes au fond de toi, bien caché, un grain, rien qu'un grain de magie, tu peux être sûr qu'elle va le faire apparaître au grand jour. » J'en témoigne. Elle m'a fait comprendre quel musicien j'étais, quand je cherchais ma voie, et elle m'a donné le courage de le devenir, contre vents et marées. Elle m'a inculqué ce qu'il faut de folie pour ne pas se contenter de faire penser à Bud Powell ou à Monk, à défaut de ne pas pouvoir les faire oublier.

« Richard, me disait Margaret, pourquoi ai-je la sensation, chaque fois que vous vous approchez du piano – ne serait-ce que pour jouer ces exercices que je propose à tous les élèves de votre classe –, pourquoi ai-je la sensation que le centre de gravité du clavier se déplace vers la gauche ? Même vos aigus ont quelque chose d'un peu sombre, vous ne trouvez pas ? Vous me faites pourtant l'impression d'un jeune homme équilibré. Moins tourmenté, apparemment, que d'autres que je connais... On dirait qu'avec vous l'instrument change de nature. Mais le vrai problème, c'est que j'ignore encore si je dois vous en féliciter ou vous en blâmer.

— Je me pose souvent la même question, madame, mais pas seulement à propos de cette couleur sombre dont vous parlez. En fait, jusqu'ici, je n'y avais pas vraiment prêté attention. C'est ainsi que j'entends la musique, je suppose, et l'on a tendance à reproduire ce qu'on entend… Mais je vois bien que je ne réussis jamais à rendre une pièce exactement de la même façon que mes camarades, alors que ceux-ci parviennent… je ne veux pas dire à être interchangeables, mais à atteindre le même but avec des moyens identiques… »

Elle souriait.

« D'aucuns vous diraient, mon cher Richard, que ce qui compte, c'est qu'aucune des personnes auxquelles vous venez de faire allusion ne parvienne de son côté au même résultat que vous, n'y parviendrait sans doute pas davantage en s'appliquant à vous imiter… »

Nous en étions restés là, mais, au cours suivant, elle était revenue sur la question.

« Ce genre de chose, il y a des musiciens qui donneraient tout l'or du monde pour l'obtenir et d'autres tout l'or du monde pour s'en débarrasser. Et la vérité est qu'il n'y a pour vous qu'une alternative, mais il faut vous décider vite : corriger ce pli ou le cultiver. En adoptant la première solution, il est probable que vous deviendrez meilleur pianiste, meilleur interprète et que vous aurez davantage de succès (y compris dans le jazz, j'insiste là-dessus : les amateurs de jazz vous demandent d'être original, n'apprécient pas trop que vous soyez insolite et, pour la plupart, ne tolèrent pas plus que les amateurs de musique de chambre que vous soyez dérangeant). En revanche, si vous vous engagez sur l'autre voie, attendez-vous à subir l'agression permanente non seulement du public, des critiques, de vos confrères par-dessus tout et, en premier lieu, de vous-même. En musique, Richard, la solitude est insupportable. Si vous la choisissez, attendez-vous à vous reprocher sans cesse, tout à la fois, votre intransigeance et votre incapacité à vous montrer aussi radical que vous souhaiteriez l'être. »

« Et Serge, alors ? », aurais-je pu lui répondre. Mais j'aurais été bien naïf de ne pas comprendre que c'était à lui, justement, qu'elle pensait. Et, devinant qu'elle souffrait de le voir ainsi écartelé, je n'allais pas lui avouer ce que son fils représentait pour moi. Ni que j'aurais donné beaucoup plus que tout l'or du monde, en ce temps-là, pour devenir le Serge Chaloff du piano, ni que je souhaitais suivre son exemple dans un autre domaine qui, pour moi, n'était pas séparable de la musique, du moins de cette pratique musicale qu'on appelle *l'improvisation*. Je parle de l'héroïne.

Serge passait pour rendre des points à Charlie Parker lui-même, en matière de défonce. Il était, de notoriété publique, le prince des junkies. Le roi et aussi le fou du roi. Et le grand muphti, parce qu'avec lui la drogue devenait un sacerdoce. Pour user d'un autre cliché, il s'y était adonné comme on entre en religion. Il ne ratait aucune messe. Et, avec lui, c'était la grand-messe à chaque fois. J'étais jeune, je n'avais pas encore sérieusement touché à la dope, mais, déjà, je ne *croyais* pas qu'elle m'aiderait à tenir le choc si jamais je me décidais à cultiver mon handicap (ou mon avantage : sur l'impossibilité de faire la différence, j'étais d'accord avec mon professeur). Non, je ne croyais pas cela : je *savais* que, sans elle, c'était foutu d'avance. Je savais que ce que j'avais en moi de plus inaliénable, ce noyau dur qui me fascinait, me bouleversait chez Bud, chez Bird, comme chez Alban Berg ou Arnold Schönberg, c'était *contre moi* que je devais aller le chercher. Ce n'était pas un paradis, fût-il artificiel, que je rêvais d'atteindre : c'était tout simplement l'occasion, au moins une fois dans ma vie, de ne pas passer à côté de cette chose-là, si tant est qu'elle fût à ma portée.

Peut-être existait-il d'autres moyens d'y parvenir, je veux bien retenir cette hypothèse. Hélas, je n'en connaissais aucun. Celui-là m'était servi sur un plateau et – des œuvres bien réelles étaient là pour en témoigner – il avait fait ses preuves. C'était la solution de facilité, je n'en disconviens pas. Seulement, c'était la solution de facilité pour réussir une chose qui, à mes yeux, était ce qu'il y avait de plus difficile au monde.

En 1954, Serge est revenu habiter Boston, comme chaque fois qu'il reprenait espoir, lui l'Excentrique en majesté, de rentrer dans le rang et de mener près de Margaret, à n'importe quel prix – au prix de ce qui le rendait incomparable, s'il fallait en passer par là –, une vie qui ne serait pas un attentat contre sa propre vie. Il était trop tard pour retrouver ce genre de paix. Il était déjà trop tard, je pense, la première fois qu'on l'avait revu, en 1949, après qu'il eut donné son congé à Woody Herman. Moi, j'avais labouré les sillons des enregistrements d'Arrau, de Gieseking, de Horowitz surtout. J'avais passé des examens, des concours. Je m'étais inscrit à la Longy School of Music de Cambridge, puis au New England Conservatory of Music, à Boston, où j'avais étudié la harpe. Quand les premiers 78 tours de Diz et Bird sont sortis, je n'avais que quatorze ans, mais le syndicat m'avait attribué une carte de membre. Je me produisais partout où l'on m'acceptait et, bien entendu, je participais au plus grand nombre de jams possible. C'est en ces circonstances que j'avais rencontré Serge. Je n'espérais pas que mon jeu aurait laissé la moindre trace dans sa mémoire. Quelle qu'en fût la raison, cependant, chaque fois qu'on l'a revu dans sa ville natale, il m'a appelé auprès de lui. En 54, il m'a invité à faire partie d'une formation destinée à se produire au *Jazzorama*.

J'étais encore un parfait inconnu. Deux ou trois ans plus tôt, j'avais écrit pour Serge une sorte de suite en miniature, baptisée *The Fable of Mabel*. Quand il était allé oublier dans la ruelle attenante, derrière un paravent de poubelles qui le rendait invisible des voitures de patrouille, les bonnes résolutions prises deux heures plus tôt en présence de sa mère (bien qu'elle ne lui demandât plus rien depuis longtemps), il réapparaissait sur l'estrade et me lançait : « Hé ! gamin, si on se faisait *Mabel* ? » Cet homme était une sorte de torero. Il n'aimait pas le danger à ce point : il s'était convaincu que seul le danger l'aimait vraiment.

J'ignore pour quelle raison au juste Russ Freeman souhaitait quitter Chet, ou du moins ne pas le suivre en Europe, mais j'ai toujours pensé que ses soudaines crises de migraine avaient un petit quelque chose de diplomatique. Russ était plus âgé que son patron (trois ou quatre ans, mais ça compte quand on est dans sa vingtaine). Ils avaient fait connaissance dans les jams de L.A., dès la fin des années 40. Leurs premiers enregistrements remontaient à l'été 53. Chet avait fondé son propre quartette l'année suivante. Il n'avait pas eu besoin de persuader Russ d'en faire partie ; Russ n'avait pas eu besoin de dire qu'il était d'accord ; tout naturellement, ils s'étaient mis ensemble et Chet, qui savait ce qu'il voulait mieux que personne, mais qui avait horreur des responsabilités, avait aussitôt bombardé Russ directeur musical de son groupe.

Chez les musiciens de la côte ouest, ça n'avait étonné personne. Russell Donald Freeman, né à Chicago, mais dont la famille s'était installée à Los Angeles lorsqu'il avait cinq ans, avait largement eu le temps de s'y faire une réputation. Disciple de Nat King Cole dans son adolescence, puis suppôt de Bud comme nous tous, il avait évolué au point de devenir le pianiste le plus original des bords du Pacifique avec Hampton Hawes, comme le démontrent par exemple ses duos avec Shelly Manne. Plus confidentiel encore : le fait qu'il était un compositeur de thèmes inspiré, admiré par des gens qui avaient eux-mêmes conçu des mélodies dignes des maîtres de Broadway (je pense à Gerry Mulligan). Inconditionnel, autant que Chet, de Charlie Parker et de Lester Young, il faisait passer le lyrisme avant toute chose. Cependant, chez lui, le lyrisme conservait presque toujours un petit aspect anguleux parce qu'il était tout aussi fou de Thelonious Monk, qu'il trouvait à la fois absolument bizarre et d'une parfaite évidence (une formule que j'aurais bien aimé pouvoir appliquer à mon propre jeu).

À la veille du départ de Chet pour le Vieux Continent, Peter Littman a remplacé Bob Neel, disparu sans laisser d'adresse. Peter passe pour un type impossible, non sans raisons. Mais c'est un batteur avec qui vous pouvez vous permettre bien des choses, sachant qu'il vous ramènera toujours dans le droit chemin. À Boston, nous avions été partenaires et compagnons de seringue. Dans cette spécialité encore, il n'y allait pas de main morte. Nous jouions ensemble là-bas quand Russ, de passage avec le Baker Quartet, est venu nous écouter. Il a aussitôt téléphoné à Dick Bock, des disques Pacific, pour le convaincre de m'enregistrer. « Il y a ici un jeune type qui joue, tu n'en croirais pas tes oreilles ! », s'est-il écrié en ma présence. « Tu n'as qu'à produire la séance toi-même ! », a répliqué Bock, qui avait une confiance aveugle en son jugement. Russ ne se l'est pas fait dire deux fois. Quand le poste de pianiste a été vacant auprès de Chet, Peter a lancé mon nom et Russ a enfoncé le clou. C'est le genre de type sur qui vous pouvez toujours compter. Russ ne se drogue plus d'aucune manière. Il avait déjà décroché quand il a rencontré Chet. Je serais même prêt à parier qu'à présent les junkies le mettent mal à l'aise. L'arrivée de Peter dans un orchestre où, déjà, le leader brûlait plus d'herbe que n'en broute un troupeau de bêtes à cornes, n'avait pas dû l'aider à se sentir dans son assiette. Aurait-il passé la main pour cette seule raison ?

Une fois dans le groupe, je suis allé le trouver en douce, afin qu'il m'en apprenne un peu plus long sur l'affaire dans laquelle je m'étais embarqué. Je me voulais le plus ouvert possible, mais j'étais plein de préjugés. Ainsi, je m'étais fourré dans le crâne que Chet Baker avait une prédilection pour les mélodies populaires qui avaient déjà pas mal de miles au compteur. Ce n'était pas entièrement faux. Il éprouvait une affection sincère pour ce genre de répertoire et, dans les tout premiers temps de notre collaboration, j'ai joué ma part de *But Not For Me*, de *Look For The Silver Lining* et de *Long Ago And Far Away*, sans parler du *My Funny Valentine* réglementaire. Cependant, il ne détestait pas non plus surprendre son public (le surprendre, j'ai bien dit : pas le provoquer comme Serge Chaloff). Pour cela, il interprétait des pièces originales dont la mélodie ne disait rien à personne, même pas aux musiciens présents dans la salle. Russ avait écrit la plupart d'entre elles. D'après lui, personne ne parviendrait jamais à les jouer comme Chet. « L'animal les comprend mieux que moi, me dit-il. Il y découvre des choses à côté desquelles j'étais passé sans leur accorder un regard. »

« Et cependant, poursuivit-il un peu plus tard, il ne jette même pas un coup d'œil à la partition. Il ne m'interroge pas sur la tonalité. En fait, je ne crois pas qu'il se soit jamais renseigné sur ce que pouvait être une progression harmonique. Tu as entendu parler de Jimmy Rowles, nature ? Jimmy a trimé dur pour emmagasiner dans sa tête les accords de je ne sais combien de chansons, et pas nécessairement les moins tordues. Chet, lui, ne saurait pas t'en nommer un seul. Mais quand ils improvisent ensemble sur un de ces morceaux-là, personne ne voit la différence ! Après toutes ces années, je me demande encore d'où sort ce type. Mais je peux te promettre une chose : lorsqu'il aura joué son chorus et qu'il te faudra prendre la suite, deux fois sur trois, tu souhaiteras être ailleurs. Et, la troisième, tu souhaiteras être *mort* !

» Écoute encore ceci, Dick. J'ai eu la chance de jouer avec Bird. Toi aussi, à ce qu'on m'a dit. Ce n'est pas que nous n'arrivons pas à la cheville des musiciens de cette trempe. Au besoin, nous pouvons même leur en remontrer dans tel ou tel domaine. C'est qu'en dépit des apparences ils n'évoluent pas dans le même espace que nous. Il ne sont pas au-dessus de nous, ce serait trop beau ! Ils sont autre part. Bird se promenait ailleurs, partout et tout le temps. Pendant dix ans, il n'a pas quitté ce maudit endroit qui ne figure pas sur les cartes dont, toi et moi, nous avons besoin pour nous orienter. Même quand il n'était que l'ombre de lui-même, il n'est pas redescendu sur terre. L'ombre d'un loup n'est qu'une ombre, en tout et pour tout : ça n'en fait pas l'ombre d'un caniche pour autant... Chet a ses entrées dans ce lieu dont il est probable que, ni toi ni moi, nous ne connaîtrons jamais l'adresse. À l'inverse de Bird, il n'y réside pas à demeure. Il entre, il sort. Il peut se retrouver à la porte, bouclé à l'extérieur, interdit de séjour pour des semaines, des mois… Qu'importe ? Il finira par entrer. Il a, au minimum, *quelque chose à voir* avec le génie. Ce qui signifie qu'à certains moments, non seulement il s'aligne sur les mêmes cendrées que Bud, Diz, Fats, Miles et le reste des champions, mais que Bird lui-même ne réussirait pas à le battre sur le fil. Chet jouera trente-deux mesures sur un thème rabâché, certains soirs, et tu auras le sentiment d'entendre une musique que tu n'avais jamais entendue chez personne d'autre. Tu seras confronté à quelque chose d'aussi simple et d'aussi accompli qu'une sphère qui tiendrait en même temps de la bille d'acier et de la bulle de savon. Je ne connais rien qui puisse te flanquer un tel trac.

» Chet a ses jours sans. De ce côté-là, au moins, il nous ressemble. Je t'avouerais même qu'il en a déjà eu bien davantage, depuis qu'on est ensemble, que Bird, Diz et Bud réunis (et tous ces gens-là étaient en piste des années avant lui). Mais lorsque les dieux sont avec lui, rien ne lui résiste, rien n'est hors de sa portée. Tu as connu comme moi, je suppose, de ces nuits où les bonnes idées coulent de toi aussi naturellement que si quelqu'un avait ouvert le robinet en grand et oublié de le refermer. Tu ne peux même plus *t'empêcher* d'être formidable. Si tu avais les mains libres, tu t'applaudirais à tout rompre, – et du fond du cœur, parce que, des solos pareils, quel qu'en soit l'auteur, tu n'en entends pas tous les jours. Et plus tu prends de risques, mieux tu t'en sors ! Tu te crois devenu infaillible. Et le lendemain au même endroit, à la même heure, sur le même thème, entouré des mêmes gens, alors qu'il ne t'est rien arrivé de notable entre-temps, tu t'installes au piano la gueule enfarinée et tu as beau te concentrer, suer sang et eau, rassembler toutes tes connaissances et prier tous les saints du Ciel, non seulement tu ne parviens pas à aligner deux idées qui tiennent debout, mais c'est à peine si tu peux assurer le minimum qu'un soliste est en droit d'attendre d'un partenaire détenteur de la carte syndicale !

» Chet n'est pas génial à volonté, mais quand il se met à le devenir, ce n'est jamais un simple coup de chance. Je veux dire que ça ne se fait pas malgré lui. Il a travaillé pour ça. Pas travaillé son instrument, la théorie musicale ni rien de ce genre, entendons-nous bien. Il a travaillé sur lui-même. Il s'est travaillé lui-même de manière que si la chance passe, elle ne puisse pas passer à côté. Il ne raisonne pas, comme le ferait un type qui aurait dans la tête tous les accords, toutes les variantes et les altérations, tous les prolongements et les renversements, toutes les substitutions et les combinaisons possibles, mais *il pense*. Il pense si terriblement à sa musique, Dick, que tu vois son esprit sortir de son corps, je te jure ! Ou alors à certains moments, au contraire, son corps se dématérialiser pour se confondre avec son esprit. »

J'ai dit que mon prédécesseur avait fourni à Chet un bon paquet de compositions originales. Pas loin de dix, je crois. J'hésitais encore à lui soumettre les miennes. En revanche, mon ego ne risquait pas grand-chose si je lui proposais pour commencer des thèmes qu'un autre avait écrits. À Boston, je m'étais lié avec un pianiste, Bob Zieff, dont la composition n'était pas le hobby, mais l'obsession permanente. Et je comprenais trop bien pourquoi : une ou deux pages de partition, en comptant l'arrangement qu'il avait imaginé pour habiller la mélodie, lui suffisaient pour vous faire entrevoir un univers *inouï*, je veux dire aussi neuf que fascinant. Bob était une sorte de Christophe Colomb qui semait dans son sillage de petites îles au trésor. J'en avais visité plusieurs et il avait bien voulu m'en confier les plans : *Just Duo, Rondette, Sad Walk, Re-search*, etc. Ce sont ces pièces-là que j'ai montrées à Chet, ou plutôt dont je lui ai donné un aperçu au piano.

Il a été conquis. Il en a retenu six, qu'il a apprises d'oreille en un rien de temps, comme s'il s'était agi de rengaines entendues à la radio. Il a même décidé que ce serait les premières choses qu'on enregistrerait à Paris. Une compagnie locale était si impatiente de nous traîner en studio qu'elle nous laissait carte blanche pour le programme. « Cette musique, tu vois – me disait-il, très excité –, ce n'est pas simplement l'écho d'une musique qu'on connaît déjà. Tu prends n'importe quelle note, n'importe quel accord, eh bien je défie n'importe qui, même un copain que j'ai eu à l'armée, qui était diplômé de Juilliard et qui s'appelait Greenspan, je défie quiconque de deviner la note ou l'accord qui vont suivre. Pourtant, lorsqu'ils arrivent, tu t'aperçois que c'étaient les seuls possibles, les seuls logiques pour que la pièce garde son caractère, pour qu'elle reste cette chose existant en un seul et unique exemplaire. Ton Zieff a trouvé un truc. Sauf que ce n'est pas un truc du tout, tu vois ? Sauf que, dans cette musique, il se passe des choses graves. Sauf que ce qu'elle raconte concerne ta vie. Elle raconte ce que chacun fait de la sienne, ce qu'il n'arrive pas à en faire et comment la vie finit par se lasser de tout ça. »

Jamais il ne m'avait tenu un aussi long discours.

Je me suis décidé à sortir un de mes propres thèmes de mes cartons. Il m'avait vu expédier une lettre au Grœnland et je lui avais fait croire que j'étais très lié avec une Esquimaude. Que je comptais même l'épouser à notre retour au pays, au bout des sept semaines prévues pour la tournée.

« Tu devrais en faire une chanson, m'avait-il lancé. Je suis sûr que ça ferait un tube. Ça paierait les frais de la noce ! »

Nous nous trouvions dans le couloir de l'hôtel Le Grand Balcon, au Quartier latin. J'étais retourné dans ma chambre et j'avais griffonné en haut d'une partition à laquelle je n'avais pas encore donné de titre : *The Girl from Greenland*. À la répétition, je lui ai mis le papier sous les yeux.

« O.K., m'a-t-il dit. Et ça ressemble à quoi ?

– Pas au prochain *Tenderly*, j'en ai peur ! », ai-je répliqué.

Je lui ai joué le thème.

« Ça ne sera peut-être pas le prochain *Tenderly*. À tout hasard, enregistrons-la quand même, celle-là aussi », a-t-il décrété.

Et nous l'avons fait.

À plusieurs reprises au cours de la séance, Chet m'a adressé un hochement de tête approbateur. En particulier pendant mes solos sur *Sad Walk* et *Just Duo*. Malgré tout, je suis rentré très déprimé du studio. J'avais tenté certaines choses, du côté de l'atonalité par exemple, ce qui était presque sacrilège dans le jazz. Il est même possible que j'en aie réussi quelques-unes. Cependant, il y avait un monde entre ce que j'entendais dans ma tête et ce qui sortait *effectivement* du piano. J'avais en moi, appelons-ça des hallucinations, des illusions de musique tout à fait merveilleuses, mais je n'étais pas à la hauteur de mes illusions. Ce jour-là, en particulier, je n'avais eu ni la force, ni le courage ni même la simple capacité de les concrétiser. Et, en toute honnêteté, je ne pouvais pas me dire que ç'aurait été différent un autre jour, que ça *serait* différent demain ou après-demain ou dans dix ans. À moins d'un miracle. J'avais déjà un mirage : il ne fallait pas trop en demander. Le problème, c'est que ce mirage pour lequel beaucoup auraient payé cher (« tout l'or du monde » – j'entendais la voix de Margaret), j'aurais de loin préféré ne l'avoir jamais eu. Il était si proche, il semblait si réel : c'était le supplice de Tantale. Bird en était passé par là, je le savais bien. Mais Bird était Bird et je ne pouvais raisonnablement espérer qu'il allait me pousser des ailes, à moi aussi : que j'allais débarquer à mon tour dans l'« ailleurs », comme disait Russ, ou simplement y poser pour un bref instant le petit bout de l'ongle du petit doigt de pied.

Le modèle était devant moi, mais je devais me contenter de le toucher avec les yeux. Il restait une image dont je ne pouvais pas me servir pour *construire* quelque chose en trois dimensions, quelque chose d'extra-ordinaire qui prenne place dans le quotidien au même titre que les objets les plus communs : une chaise, une table, une poignée de porte.

Ou une seringue.

« Tu sais quel est ton point fort ? m'avait dit un jour Serge Chaloff. Tu as du discernement. Mais dis-toi bien que ça ne va pas te rendre les choses plus faciles. Au contraire. »

Il faut connaître ses limites, j'en suis persuadé. Puis il faut survivre à cette révélation. C'est beaucoup plus compliqué, en effet. Il faut surtout que la musique puisse encore s'aimer un peu après avoir traversé pareille épreuve. Mais pour quoi faire au juste ? Compte tenu de ses limites, il y a des choses qu'un artiste ne peut pas accomplir lui-même. Pour échapper à cette situation, il doit perdre le contrôle. Plus exactement, il doit l'abandonner à un démon qui serait en lui et à qui rien ne serait impossible. Ce monstre n'existe sans doute pas, mais si l'on ne croit pas en lui, alors, très vite, on ne peut plus croire en soi-même. C'est l'ultime recours. La seule solution *radicale*, aurait encore dit Margaret. Il n'y a que lui pour vous porter sur ses épaules et vous faire franchir, les yeux fermés, vos propres limites. Mais pourquoi vous rendrait-il ce service ?

Une nuit d'hiver, en 1952, au *Hi-Hat Club* de Boston, j'avais demandé à Bird, que j'accompagnais, s'il pouvait me dire quelque chose à ce sujet. Il s'était foutu en rogne, ce qui lui arrivait rarement, et m'avait dit que c'était la plus idiote de toutes les questions idiotes avec lesquelles un emplâtré de Blanc du Massachusetts ait jamais tenté de le faire tourner en bourrique. Néanmoins, à la pause suivante, comme j'avais bousillé ma seringue par suite d'un faux mouvement, il m'avait proposé la sienne sans sourciller. Eh oui, à cette question, idiote ou pas, il n'existait à ma connaissance qu'une réponse. Et à sa connaissance aussi, apparemment. Ce qui pousse le démon à vous bousculer dans l'inconnu, c'est le piston d'une seringue hypodermique. On préférerait sans aucun doute quelque chose de plus métaphysique, mais jusqu'à plus ample informé, ce piston est le seul système qui, chez des gens de notre acabit, fonctionne à tout coup. Ou du moins le seul dont on ne soit pas absolument certain par avance qu'il va foirer.

J'ai beaucoup poussé le démon, mais le démon ne m'a jamais poussé assez loin. Jamais assez fort pour que je perde les pédales, que j'entre dans le décor, que je le traverse et que je me retrouve de l'autre côté. Depuis que j'ai rejoint le groupe de Chet et retrouvé Peter Littman, je sollicite la seringue avec un regain de ferveur. À présent s'y ajoutent de l'impatience et cette fébrilité singulière que l'angoisse fait naître. Je ne m'inquiète pas des risques que je fais courir à mon organisme, mais j'ai conscience de jouer ma peau. Ma peau de musicien.

Après la pénible impression que j'ai gardée de notre premier enregistrement parisien, après l'expérience catastrophique d'hier soir dans un club de Saint-Germain-des-Prés (Chet était si gêné qu'il s'obligeait à regarder ailleurs), j'éprouve une soif dévorante de connaître le verdict au plus vite : suis-je ou ne suis-je pas quelqu'un dont la musique gagne à s'encombrer ? Suis-je ou non capable de faire l'oiseau si peu que ce soit, de m'envoler ne serait-ce que pour un instant de cette cage où m'ont enfermé mon talent et toutes ces choses considérées de l'extérieur, comme l'« originalité » et même, c'est assez cocasse, la « liberté » de Richard Twardzik ?

Avant cette fameuse séance, il m'était arrivé une fois, en Suisse, de casser la ficelle à force de tirer dessus. Une sorte de voile noir était passé devant mes yeux et je m'étais écroulé d'un bloc dans les coulisses du théâtre où nous nous produisions. Lorsqu'il m'a engagé, Chet savait que je sortais de Lexington, la grande usine de désintoxication à la dolophine par laquelle nous passons tous un jour ou l'autre (à quelques semaines près, j'y croisais Sonny Rollins). Ce qu'il n'avait peut-être pas bien compris, c'est que je sortais de là, en règle avec les autorités, avec une seule idée en tête : retourner à la dope toutes affaires cessantes.

Pas de quoi bomber le torse : c'était comme de jouer à la roulette russe avec un pistolet à amorces. Ces événements se sont déroulés hier, pourtant ils ont eu lieu dans une autre vie, qui n'était pas la vraie vie. En un pays lointain, dans une époque reculée où je m'imaginais encore que j'avais tout le temps devant moi et un espace infini pour me retourner. J'étais bien pitoyable. Je mégotais avec des choses précieuses. Je badinais avec des choses graves. J'étais lâche, voilà la vérité. Lâche et frivole. Aujourd'hui, je vais jouer pour de bon. Quitte ou double. Je vais enfourcher le démon et lui caresser les côtes avec un éperon spécial, amoureusement préparé à son intention. (Il n'en a jamais vu de pareil, j'en suis sûr. Moi non plus, d'ailleurs, même pas lorsque Serge faisait le maître de manège.) Et si le monstre ne me catapulte pas en dehors de la cage, ce coup-ci, alors il ne me restera plus qu'à jeter l'éponge une fois pour toutes.

Chet

Dick était en retard. Ce n'était pas son genre. Envapé jusqu'aux yeux, il mettait un point d'honneur à remplir son contrat à la lettre et, contrairement à Peter, il y parvenait très bien. De nous quatre, je crois qu'il était de loin – avec Jimmy Bond, ancien étudiant de Juilliard comme Oscar Greenspan – le musicien le plus professionnel. À quoi j'ajouterais qu'il était, et sans hésitation possible cette fois, le garçon le plus intelligent. Au bout de quelques semaines, il baragouinait déjà le français avec le réceptionniste de l'hôtel et les chauffeurs de taxi. Je n'arrivais pas à le croire. Les journaux racontent que les toxicos vivent dans leur monde : Dick planait dans sa musique, mais, pour le reste, il avait davantage les pieds sur terre que les types qui écrivaient ce genre de conneries.

Nous avions rendez-vous au studio Pathé-Magellan, celui où nous avions mis en boîte les miniatures de Bob Zieff qui m'avaient tant séduit. J'étais content de cette première séance à Paris. Aussi content une semaine après qu'en écoutant les bandes en cabine après avoir joué *Brash*, le dernier morceau de notre liste. Pour tout dire, j'en étais fier. J'étais fier d'avoir interprété une musique en avance sur son temps avec autant de naturel que mes appréhensions et mon désir de bien faire me le permettaient. Et j'étais fier d'avoir su donner la réplique sans trop me démonter, me semble-t-il, à un type aussi exceptionnel et donc aussi déroutant que Dick Twardzik, qui nous bluffait tous autant que nous étions, un peu plus chaque jour.

Ces enregistrements avaient été effectués le 11 et le 14 octobre. Nous étions le 21. La veille au soir, Dick avait joué d'une manière telle que nous évitions de croiser son regard pour ne pas le troubler. Pour ne pas rompre ce charme sous lequel, grâce à lui, le public je ne sais pas, mais *nous*, nous étions tombés. Dès qu'elle s'était rendu compte que l'on vivait un instant magique, la rythmique avait changé d'attitude derrière lui. Peter et Jimmy ne se lâchaient plus des yeux et, à la dérobée, je pouvais lire sur leurs visages l'avertissement qu'ils se renvoyaient comme une balle : *À manipuler avec soin*. Ils se contentaient désormais de faire tourner rond le moteur, de produire un ronronnement continu, impeccable, sans à-coups, de façon que rien ne vienne distraire notre pianiste de l'état de grâce où, invention après invention, conquête après conquête, il était parvenu à accéder. Dans mon coin, je me disais que, s'il continuait sur cette lancée, Dick finirait par évoluer sur une autre planète que la nôtre – au cas où il n'y aurait pas ses quartiers d'ores et déjà.

Ce jour-là, donc, il se faisait attendre. Personne n'osait émettre à voix haute la moindre hypothèse sur les raisons de son absence. Pour finir, Peter a proposé de retourner se renseigner au Grand Balcon, notre hôtel, qui se trouvait à deux pas de l'église Saint-Germain-des-Prés. De toute évidence, il aurait été plus simple d'appeler le réceptionniste, auquel notre ami confiait certains de ses petits secrets : ce n'est pas que nous n'y avions pas pensé, c'est que nous préférions reculer le moment d'affronter la nouvelle, s'il s'était passé quelque chose de... – même dans nos têtes, nous n'aurions pas employé le mot « grave ».

Peter ne nous a pas téléphoné non plus, lorsque les gens de l'hôtel l'ont mis au courant. Il a foncé tout droit au studio. On l'a vu débarquer hors d'haleine, décomposé, livide. Il avait le regard d'un fou. Il essayait de hurler et de reprendre son souffle en même temps. Il tournait sur lui-même. Il s'envoyait dinguer d'un mur à l'autre. Il s'est cogné au piano avec une violence inouïe et a renversé la pique de sa meilleure cymbale. Il a fallu je ne sais combien de temps pour qu'on saisisse ce qu'il répétait en boucle sur tous les tons, mais sans changer une virgule à son message, comme s'il l'avait retenu par cœur et le récitait sans le comprendre, en se tordant les mains parce qu'on n'avait pas l'air de le comprendre plus que lui.

On lui avait affirmé que Dick était dans sa chambre. Il était allé frapper à la porte, mais n'avait pas obtenu de réponse. Le réceptionniste avait alerté le gérant, lequel était remonté à l'étage avec Peter et, la clé étant restée à l'intérieur, avait enfoncé la porte. Dick était étendu par terre, les yeux grands ouverts, la figure toute violette, l'aiguille encore plantée dans son bras. Il ne respirait plus.

Dans mon livre de souvenirs, je n'ai pas souhaité m'étendre sur cet épisode. Ni sur le traumatisme, ni sur la situation pour le moins incertaine où la fin brutale de notre partenaire avait placé le quartette. « La mort de Dick mit plus ou moins un terme à tous nos projets pendant quelque temps » : c'est tout ce qu'on lira sous ma plume, si j'achève ce bouquin et qu'il paraît un jour.

Peter avait fini par se calmer, mais il n'y avait plus rien à tirer de lui. Il se mettait à trembler de tout son corps chaque fois qu'il songeait au masque violacé de Dick, c'est-à-dire tout le temps. Il se précipitait aux toilettes. C'était tout juste s'il ne sortait pas son attirail devant la clientèle. Je l'ai renvoyé au pays. Un peu plus tard, Jimmy a pris le même chemin. On trouvait à Paris des contrebassistes sur lesquels on pouvait tout à fait se reposer, tels que Pierre Michelot, un Français qui écrivait aussi des arrangements, et Benoît Quersin, un Belge qui savait se servir de sa tête, un peu comme Dick. Il n'y avait pas que de bons contrebassistes, d'ailleurs. J'ai rencontré là-bas des pianistes qui ne faisaient pas semblant de jouer, en particulier René Urtreger et Maurice Vander. On était sûr avec ces gars-là que la tension n'allait pas retomber.

Moins de trois semaines après mon arrivée à l'aéroport d'Orly, Nicole Barclay, qui avait créé une maison de disques à son nom (Dizzy avait enregistré pour elle, ainsi que d'autres pointures – j'ai oublié lesquelles), Nicole m'avait fait signer un contrat pour une demi-douzaine de LP. J'avais sauté sur l'occasion. D'après moi, il ne manquait pas d'albums à mon nom sur le marché, mais notre arrangement prévoyait une avance sur royalties à laquelle aucun occupant d'emploi précaire n'aurait résisté – pas plus en 1955 qu'aujourd'hui, même si cette époque était relativement insouciante : on y craignait la bombe ato-mique bien plus que le chômage. Dans mon esprit, Dick Twardzik devait être l'éminence grise de toutes les opérations à venir, et je comptais sur lui pour nous faire étrenner un genre de jazz dont nous-mêmes, à la veille de l'exhiber au grand jour, nous n'imaginions pas encore à quoi il ressemblait. Après le drame, il a fallu parer au plus pressé. Cette séance du 21 octobre, par la force des choses, nous avons dû l'annuler, mais j'en ai fixé une autre avec Nicole, pour le 24. Je n'avais pas du tout le cœur à ça, dois-je le préciser ? Si j'ai tenu à ce que les choses se passent de cette manière, c'est uniquement parce que le fantôme de Dick serait venu nous hanter si, à cause de quelques grains de poudre en trop, nous avions failli à notre parole, ou simplement négligé d'assurer le spectacle. Nous devions à sa mémoire de rester sur le pont, même si, lui disparu, il n'était évidemment plus question de garder le cap. Je veux dire le cap sur l'inconnu, le cap sur un jazz qui n'avait pas encore de nom.

Urtreger n'était pas libre ce jour-là. Pour tenir le rôle, j'ai embauché le premier pianiste qui se présentait, un garçon que les disques Barclay venaient de prendre sous contrat, lui aussi, dont on me dit qu'il n'a plus fait grand-chose par la suite, en tout cas dans *notre* milieu. Il s'appelait Gustin. Gérard ou Bernard, je ne sais plus. Il ne s'en est pas si mal tiré, du reste. Il est vrai que, pour ce qui est du répertoire, je n'ai pris aucun risque. Rien que des standards, rien que des ballades éprouvées, que nous avons presque toutes interprétées sur tempo lent ou très lent : *These Foolish Things, Tenderly, Autumn in New York, You Go to My Head.* Si le disque n'existait pas, je n'aurais pas le moindre souvenir de ce que j'ai joué. Même dans le studio, j'étais ailleurs. J'étais hypnotisé par Dick. Je ne voyais que son image. En improvisant sur *Lover Man*, c'était à lui seul que je pensais. J'ai joué *Lover Man* comme une fille aurait pu le chanter. Et je n'ai aucun regret. Sauf de ne lui avoir jamais déclaré à quel point je l'aimais.

Sans Lili, je crois que je n'aurais pas tenu le choc. Sans mon herbe non plus, pour être tout à fait honnête. Ni sans les disques que je trimballais partout avec moi (car le Département d'État s'était emparé de l'affaire et, devenu notre imprésario, nous expédiait aux quatre coins de l'Europe, avec le vague espoir que l'on verrait ainsi un peu moins de *U.S. Go Home* fleurir sur les palissades et les murs des usines). J'étais devenu un vrai fan de jazz, ce que tous les jazzmen sont loin d'être. Tout ce qu'on diffusait à la radio, je l'écoutais. De ce point de vue, j'étais comme Bird : il n'y avait rien de trop médiocre pour moi. « Comment peux-tu supporter des horreurs pareilles ? », me demandait Jean-Louis Chautemps. Je ne les supportais pas : je leur posais certaines questions à propos de ma propre musique. Cela dit, j'avais mes enregistrements de chevet : Miles, Sonny Rollins, Gerry, Russ, Kenny Dorham, Art Farmer, Bill Perkins, Stan Getz, Zoot Sims, Jay Jay Johnson, Bob Brookmeyer, Frank Rosolino, Earl Swope, Milt Jackson, Horace Silver, le guitariste Tal Farlow et plus particulièrement Lee Konitz, avec qui le Mulligan Quartet s'en était donné à cœur joie en plus d'une circonstance, au *Haig* ou chez Phil Turetsky.

Je me souviens d'avoir déclaré à un reporter de *Metronome* : « Lee Konitz est vraiment mon soliste préféré à l'heure actuelle. On dirait qu'il ne se répète jamais. Son invention ne connaît pas de frontières. » À peu près à la même époque, j'ai rencontré un photographe du nom de Daniel Filipacchi, qui venait de lancer en France une nouvelle revue, *Jazz Magazine*, avec son ami Frank Ténot. Il m'a proposé de me soumettre à une écoute à l'aveugle qui serait publiée dans un prochain numéro du mensuel. J'ai accepté. Ça m'a fourni l'occasion de dire que Miles personnifiait tout ce que j'aimais dans le jazz ; que je le vénérais au point de vouloir devenir l'un de ses disciples. J'ai pu mettre aussi les choses au point sur un certain nombre de sujets, comme la distance que j'avais prise vis-à-vis du be-bop en général et de Dizzy Gillespie en particulier, ou comme ma prétendue dette à l'égard de Bix Beiderbecke. Bix était le trompettiste préféré de mon père, c'est vrai, mais il ne fut jamais le mien.

Je ne sais plus qui (peut-être bien Chautemps, ça lui ressemblerait assez) m'a sorti un jour : « Les meilleurs musiciens français ne sont pas difficiles à reconnaître : en général ils sont belges. » Une chose est sûre : il y avait quelques Belges derrière lesquels certaines célébrités américaines pouvaient toujours s'accrocher. En particulier Bobby Jaspar, saxophoniste et flûtiste, que j'ai pris avec moi pour faire la tournée des bases de G.I.'s dans les pays de l'OTAN. Il venait d'épouser Blossom Dearie, une magnifique chanteuse aux intonations de petite fille et qui, elle aussi en un certain sens, aurait pu avoir choisi Miles pour modèle. Bobby était un des plus fameux toxicos du Vieux Monde et, en même temps, avec un diplôme d'ingénieur en poche, un gars très instruit, très fin, qui semblait avoir été créé pour s'entendre avec Twardzik.

En décembre 55, alors qu'une nouvelle tournée était organisée dans le nord de l'Europe, ses obligations personnelles lui interdirent hélas de me suivre. Plusieurs personnes m'ont recommandé Jean-Louis. Il adorait Zoot. Il adorait les poètes et les peintres d'avant-garde. Il adorait se présenter en disant : « Je suis le Bobby Jaspar du pauvre. Vous n'avez pas forcément entendu parler de moi, mais, rassurez-vous, je suis quand même très surestimé. » Il adorait encore plus ne rien dire du tout. Je le respectais parce qu'il ne laissait personne penser, aimer ou détester à sa place. Lorsqu'il restait silencieux, les gens se mettaient à avoir peur de lui. Ça m'amusait beaucoup.

Jean-Louis Chautemps

— Je sais comme tout le monde que Chet Baker t'a engagé, mais pourrais-tu me rappeler dans quelles circonstances exactement ?

Jean-Louis Chautemps : Mon audition au *Tabou* ? Elle a lieu le 8 ou le 9 décembre 1955. Si l'on peut parler d'audition à propos de ce qui s'est déroulé (ou alors il faudrait à tout le moins l'encadrer de guillemets)... Avant toute chose, aie bien présent à l'esprit qu'à cette époque, à Paris, les musiciens de jazz ne savent pas où donner de la tête, tant on leur propose d'affaires. Et moi, en plus, je suis un tantinet à la mode. J'appartiens à une bonne dizaine d'orchestres : les formations d'Henri Renaud, de Christian Chevallier, de Raymond Fol, de Raph Schecroun, de Jay Cameron, de Tony Proteau, de Claude Bolling, sans parler du groupe qui opère à la *Rose Rouge* et d'un certain nombre d'autres. De surcroît, je dirige ma propre unité, baptisée le Modern Jazz Sextet, si ma mémoire est fidèle... Pour te donner une idée de mon emploi du temps, le jour de cette fameuse espèce de sorte d'audition, je me suis produit au *Tabou* en matinée, le soir au *Caméléon*, puis je suis retourné au *Tabou* pour jouer avec Chet.

– Jouer quoi ?

Chautemps : Aucun souvenir, en fait. La vraie question, de toute façon, serait plutôt : pourquoi est-ce sur moi que ça tombe ? Je crois qu'il y a deux raisons principales. D'abord, le temps presse. Chet a besoin d'un partenaire sur-le-champ. Il part en tournée ; le train que son nouvel orchestre doit prendre pour Copenhague quitte le quai dans quelques heures. Ensuite, je n'ai aucun concurrent ! Tous les bons saxophonistes du moment ont alors plus d'engagements qu'ils ne peuvent en remplir dans les studios. Pierre Gossez, Georges Grenu, Roger Simon, Denis Fournier, Georges Bessières étaient – et, pour ceux d'entre eux restés en activité, sont toujours – excellentissimes. Ils auraient très bien fait l'affaire à ma place. Mais ils avaient décroché par leur talent ce boulot très rémunérateur : ils ne ressentaient aucune urgence à l'abandonner. Moi, à défaut d'autre chose, j'étais libre.

– Quel type de relations entreteniez-vous ?

Chautemps : Pour commencer, nous étions très proches par l'âge. J'avais vingt-quatre ans, il n'en avait pas vingt-six. Ensuite, on peut parler d'une proximité dans l'espace. Sur scène, il se tenait toujours à ma gauche, le pavillon de sa trompette à trente centimètres de moi. En règle générale, quand il y avait un micro, il n'y en avait qu'un seul pour nous deux. Mais nous avions encore autre chose en commun : le peu que je savais, je l'avais appris non pas dans les écoles, mais lors de *jam sessions*, tout comme lui. Ceci posé, il y avait aussi entre nous de grandes différences.

– Par exemple ?

Chautemps : Ce qui prévaut chez lui, c'est le système de l'auricularisme totalitaire.

– Diable !

Chautemps : En d'autres termes, il joue et improvise d'oreille à cent pour cent, ce qui n'est pas du tout mon cas. En 55, nous sommes confrontés avec Chet Baker à un personnage en pleine maturité. Maturité musicale, d'abord, mais pas seulement. Le service militaire a fait de lui un garçon sacrément expérimenté. Débrouillard et plein de ressources, il affronte les situations nouvelles, et même l'aventure, sans la moindre appréhension. On peut dire qu'il a de l'audace, voire un certain goût du danger. Bref, il se caractérise par son autorité… à ceci près que, cette autorité, il ne l'exerce jamais ! C'est qu'il n'a aucun besoin de l'imposer. Pas plus qu'il n'éprouve le besoin de formuler, et encore moins d'expliquer, ce qu'il attend de ses partenaires. Quand tu joues à ses côtés, son ascendant sur toi vient du simple fait que chacune de ses notes est une leçon. Une leçon magistrale. De justesse, bien évidemment. Et de lyrisme : sa musique chante tout le temps. De surcroît, elle *parle*. Et elle parle avec une totale absence de bavardage.

– Je t'ai souvent entendu vanter certaines qualités, disons d'élocution, de Chet. À la trompette, j'entends.

Chautemps : En effet. Comme sa manière d'articuler. Il y a un champ de liberté très étendu dans ses attaques… Ce que j'admire peut-être le plus, c'est le choix du moment opportun, autrement dit – pour utiliser un mot que j'emploie tout le temps, comme tu sais (je ne devrais pas, parce que c'est effroyablement pédant, mais on s'économise grâce à lui des discours à n'en plus finir !) – le *kairos*. En plus du *kairos*, en plus de tout ce dont on a déjà parlé, Chet a la présence… Tu vas me demander ce que j'entends par là. Chez lui, en tout cas, il ne s'agit en aucune manière d'un don : c'est le résultat d'une conquête. J'ai commencé à comprendre de quoi il retournait – assez tardivement, d'ailleurs, et de façon plutôt inattendue – quand je l'ai vu conduire un véhicule motorisé. Cela se passait à Berlin, à la fin du mois de mars 1956. Peut-être même, si l'on est tatillon, le 31 mars très précisément. Liliane et nous, les musiciens de l'orchestre, nous nous trouvions avec lui dans une camionnette Volkswagen. Il avait pris le volant et c'était la première fois que j'assistais à ce genre de choses. On apprend beaucoup sur les gens quand on les regarde conduire. Il ne se contentait pas d'aller vite et de faire preuve d'une grande précision : on pouvait qualifier sa technique de sportive, et même de professionnelle. En témoignait son attitude : il était cool, relax, détendu. Mimer la décontraction est à la portée du premier venu. Chez lui, la décontraction était tout à fait réelle. Là où ça devient intéressant, c'est qu'elle coexistait avec une considérable vélocité des opérations mentales, un tempo remarquablement soutenu de la pensée.

Tant que Chet Baker chante, tant qu'il joue de la trompette, on peut très bien ne pas observer cette formidable agilité mentale. Elle n'est pas apparente : au mieux, on parvient à la pressentir. Dès qu'il conduit, en revanche, dès qu'il joue de la voiture, ce qui saute aux yeux en premier lieu, c'est justement cette promptitude de la pensée. Chet est à l'écoute – musicale – du moteur. Il conduit à l'oreille, comme il improvise. Ce qui lui permet d'exceller dans l'art de passer les vitesses au meilleur moment possible, avec tous les raffinements que tu peux imaginer : doubles débrayages, rétrogradations ingénieuses, etc...

– *Tu souhaitais parler de sa « présence », je te le rappelle...*

Chautemps : J'y arrive. La présence consiste à être devant. À anticiper. En l'occurrence à voir la route très loin : par le regard, il est déjà là-bas, à l'horizon, mais il ne perd pas de vue pour autant l'endroit de cette route où il se trouve. L'obstacle est donc repéré, reconnu et analysé en un temps très bref. Ainsi peut-il négocier subtilement les virages, entre autres traits de virtuosité… Si j'insiste sur son exceptionnelle maîtrise du pilotage, c'est pour une raison bien particulière. Beaucoup de musiciens de jazz de tout premier plan, je pense en particulier à Dizzy Gillespie, considèrent que les thèmes, les mélodies à partir desquels ils s'expriment sont des *véhicules*. Autrement dit des moyens de transport, des agents de communication et de transmission. Bref, ils servent à porter les idées musicales. C'est pourquoi, soit dit en passant, il est envisageable pour ces musiciens de jouer un même morceau tous les soirs en l'interprétant chaque fois d'une manière différente. Dans ce genre de sport, Chet aura été un as.

– *Quel genre d'homme était-il « à la ville » ?*

Chautemps : La première observation qui me vient à l'esprit, c'est que, même hors de scène, il restait – quoique d'un tempérament assez primesautier – extraordinairement concentré sur la musique. Une telle radicalité, un pareil engagement dans l'essentiel étaient alors très inhabituels. Je le revois encore, dans une chambre d'hôtel, en tournée, s'absorber dans une réussite. S'absorber, mais en apparence seulement, car, en réalité, c'était aux disques que Liliane passait sur son électrophone qu'il accordait toute son attention.

– *Quels disques ? T'en souviens-tu ?*

Chautemps : Souvent des enregistrements de Miles Davis, à cette époque déjà. On a beaucoup parlé de l'influence de Miles sur Chet : je vois les choses d'une manière différente. En superficie, certes, il y a entre leurs approches certaines similitudes. Pour autant, l'attente profonde – j'ai même envie de dire l'attente *philosophique* – de Chet, ce n'est pas vers Miles Davis qu'elle est tournée, c'est vers Charlie Parker. S'agissant de Parker, Chet se révèle finalement incapable de « tuer le mort » : d'effectuer le travail de deuil, ce processus psychique par lequel la réalité *devrait finir* par l'emporter au bout du compte. Ce qui est en question, contrairement à ce qu'on a dit, redit, répété *ad nauseam* sur tous les tons – et avec quelle légèreté ! -, ce n'est pas le deuil de Dick Twardzik, non, non, non, non : c'est le deuil de Parker, disparu pour sa part, je te le rappelle, huit mois auparavant seulement. En d'autres termes, ce que Chet va déjà commencer à rechercher chez Miles – et peut-être de façon névrotique, si l'on y tient absolument (vers la fin de sa vie, en tout cas, cette modalité ne pourra pas être exclue) –, ce qu'il recherche alors n'est rien d'autre que cela même qui, en Miles, a séduit ou intrigué Charlie Parker. On a un peu l'impression qu'à partir de ce moment-là Chet Baker va s'emmurer tout vif dans… si je ne craignais pas d'être pompeux, je dirais : dans le néant qui le hante. Je n'aime pas la formule, mais il ne m'en vient pas de meilleure pour l'instant.

– *Les textes divergent sur ce point : à ta connaissance, en ces premiers mois de 1956, Baker touchait-il ou non aux drogues dures ?*

Chautemps : En guise de préambule, je voudrais dire que la question de la toxicomanie me paraît parfaitement incontournable. Au cas où l'on choisirait, pour une fois, de ne pas esquiver le problème, j'apporterais donc les précisions suivantes : notre homme, à cette époque, est on ne peut plus *clean*…

– *Si l'on oublie le haschisch.*

Chautemps : D'accord. Mais il consomme du haschisch et rien d'autre. Ni coke, ni héroïne, ni benzédrine, ni rien de tout ça. Pas de tabac. Pas une seule goutte d'alcool. C'est sa règle. Le haschisch pur et dur. En ce qui me concerne, j'avais été initié à ce produit bien avant de rencontrer Chet : pour un musicien de jazz, en ces temps reculés, c'était le minimum ! Je passais même pour une sorte de petit-maître en la matière. Je connaissais, par exemple, la différence fondamentale entre avaler et inhaler la fumée. Chet allait me faire accéder à un niveau supérieur. Avec lui on va toujours tout droit au cœur des choses, et à fond, qu'il s'agisse de fumer le chanvre ou de conduire les automobiles…

– Tu as parlé de règle : cela signifie-t-il qu'elle souffrait quelques exceptions ?

Chautemps : Il m'a fait goûter à l'opium. Fumer de l'opium pour la première fois de sa vie, avec Chet Baker pour initiateur, dans une chambre d'hôtel à Pérouse (autant dire chez les Étrusques), juste avant un concert, tandis que l'organisateur, en l'espèce Adriano Mazzoletti, se ronge les sangs de l'autre côté de la porte – et on le comprend ! –, ce n'est pas le genre de souvenir que l'on peut jeter aux oubliettes comme ça, avec désinvolture…

– Pardonne-moi d'insister. J'ai lu quelque part qu'avant de devenir héroïnomane à son retour aux États-Unis, il avait déjà fait quelques expériences sporadiques en ce domaine. Aurais-tu été témoin de l'une d'elles, par hasard ?

Chautemps : En fait, oui. Il a eu recours à ce produit, mais, à ma connaissance, une fois et une seule. Cela s'est passé à Gênes, le 16 janvier 1956, ou vers cette date. D'ailleurs ça ne lui a pas réussi : je me souviens qu'il a été malade dans le taxi (ce qui prouve bien qu'il n'y était pas habitué). Au passage, je te signale que cette question d'héroïne aura une influence capitale sur l'avenir de mes relations avec lui. Car c'est la seule et unique raison pour laquelle je me suis tenu à l'écart quand il est revenu s'établir en Europe, à la fin des années 70. C'est ce qui m'a empêché d'aller comme tout le monde lui faire ma cour, lui présenter mes hommages et me répandre devant lui en courbettes et génuflexions. Jouer en sa compagnie n'est possible qu'en parfaite communion avec lui. S'il est junkie et que je veuille faire de la musique à ses côtés, je dois l'être moi aussi et je dois l'être *absolument*. C'est une nécessité impérative. Une obligation à laquelle il faut satisfaire toutes affaires cessantes. Mon hédonisme bien connu m'en a détourné, — mais je pense que là, je suis complètement hors sujet, non ?

(Propos recueillis au téléphone le 24 décembre 2001.)

Richard « *Dick* » Bock

Pour ma part, je ne crois pas que les drogues dures l'aient changé. J'imagine plutôt qu'il s'est mis aux drogues dures *parce qu'*il avait changé ; parce qu'il souhaitait changer davantage, le plus vite possible, et espérait qu'elles précipiteraient le mouvement. Il est rentré d'Europe en avril 1956. Humainement, il s'était endurci. Il n'avait jamais été ni le garçon fragile qui réveillait l'instinct maternel des filles ni la petite frappe dont il aimait parfois donner le spectacle à certains hommes. Il faut se rappeler qu'en 56 James Dean, qui allait trouver la mort sur la route de Salinas, triomphait dans *À l'est d'Éden* et *La Fureur de vivre*, tournés l'année précédente. D'après moi, l'acteur et le trompettiste avaient plus d'un point commun, mais Chet, j'ignore pourquoi, ne voulait pas en entendre parler. De Monty Clift, nous n'avons même pas eu l'occasion de discuter. Plus tard, le rapprochement avec Kerouac et les autres beatniks (*Sur la route* paraîtrait en 57) l'indignerait carrément, bien que ces types aient fait de lui, comme de Lester ou de Tony Fruscella, l'un de leurs saints apôtres.

Pour en revenir à Jimmy Dean, il est clair en tout cas que le sujet n'a pas particulièrement inspiré mon poulain, compte tenu bien sûr de ce qu'il aurait été capable de faire s'il s'était impliqué davantage quand je lui ai demandé, en novembre, d'être avec Bud Shank le principal soliste de la musique du film consacré par Robert Altman au comédien disparu. Et pourtant, les arrangements portaient la griffe de deux spécialistes que tous les musiciens respectaient : Johnny Mandel et Bill Holman. Deux jours après cet enregistrement, d'ailleurs, Chet recevait le baptême des camés du jazz. Arrêté pour la première fois en possession d'une dose de poudre, il faisait de son propre chef le pèlerinage de Lexington. Méthadone, sevrage, la routine. Il fit là-bas la connaissance d'un autre arrangeur formidable, Tadd Dameron, qui avait été l'éminence grise du be-bop à New York et dirigeait l'orchestre de l'établissement. Il est tombé amoureux de sa musique et, par la suite, a enregistré plusieurs de ses thèmes : non seulement *If You Could See Me Now*, que Sarah Vaughan avait lancé dès 46 et qu'à peu près tout le monde a joué, mais des pièces moins connues, telles que *Bevan Beeps, Choose Now, So Easy, The 490, On A Misty Night, Romas, Lament for The Living, Soultrane, Tadd's Delight, Gnid* ou *Mating Call*.

À l'image de son mariage avec Charlaine, ses aventures tournaient court. Il essayait pour de bon, je crois, mais, au bout d'un moment, trop préoccupé par sa propre personne, il ne parvenait plus à s'y intéresser suffisamment pour que ses partenaires y trouvent leur compte, sauf peut-être au lit (mais, pour ça, il ne manque pas d'effectif disponible). Les femmes ne cherchaient pas à le retenir. Leurs histoires avec lui partaient en eau de boudin. Émaillées de quelques larmes, sans doute, mais uniquement pour la forme. C'est comme ça que je voyais les choses : un nœud se défaisait et personne, au fond, n'était impatient de le renouer.

Avec Halema, j'ai eu le sentiment qu'il allait au-devant d'un échec en sachant parfaitement ce qui l'attendait. Quelque chose en lui, j'en mettrais ma main au feu, avait prévu que ça ne mènerait nulle part. Carol n'est pas loin de partager mon point de vue. Alors, conscient de cette issue inexorable, il a foncé tête baissée, comme pour se débarrasser d'une formalité à laquelle il s'était soumis. Il a même mis les bouchées doubles. Il m'a dit qu'il avait rencontré Halema en tournée, au *Rouge Lounge* de Detroit. Six mois plus tard, il l'a épousée et s'est dépêché de lui faire un enfant, le petit Chesney, troisième du nom, qu'ils appelleraient « Chetie ». Et c'est à la même époque qu'il a plongé la tête la première dans la dope. Ne me dites pas qu'il n'y a là qu'une coïncidence. C'était sa façon très personnelle de s'endurcir : il allait au-devant des responsabilités et refusait néanmoins de les prendre. Se fourrer dans le pétrin, bien profond, mais rester quoi qu'il arrive « au-dessus de ça ». Il apprenait à se montrer insensible dans la vie, afin peut-être de garder toute sa sensibilité pour sa musique. Sans en avoir l'air, l'ancien « garçon d'à côté » était devenu le bel indifférent, préparant le terrain à l'inaccessible Mr Baker, lequel pourrait vous accueillir à bras ouverts (surtout si vous faisiez partie de ses admirateurs) et cependant se dérober à votre étreinte et vous tenir plus sûrement à distance que s'il avait installé entre lui et vous une vitre à l'épreuve des balles.

Pour moi, fatigué d'être pris, à bientôt trente ans, pour un éternel adolescent, il avait décidé de grandir de façon spectaculaire. De mûrir de telle façon que personne ne puisse plus le traiter avec cette espèce de condescendance. Il voulait que l'on voie en lui, au premier coup d'œil, un adulte normal, c'est-à-dire, dans sa conception, un individu n'en faisant qu'à sa tête dans un absolu dédain des règles sociales et de l'opinion d'autrui. Pas un « rebelle », comme on commençait à dire de personnages interprétés par Dean et Brando et empruntant leur dégaine à Elvis, mais un indompté. Un solitaire refusant au groupe, contre lequel il n'entretenait pas lui-même la moindre animosité, le droit de se mêler de ses oignons. Il avait eu un fils moins pour être père que pour ne plus être seulement le fils de quelqu'un, en dépit de toute l'affection qu'il portait à ses parents, en particulier à sa mère. L'émancipation était son obsession majeure. Pour la raison principale, on l'aura compris, qu'elle n'était pas à sa portée. À part sa musique, tout ce qu'il faisait pour échapper à l'immaturité – ses amours, ses voitures, ses parties de cache-cache avec les autorités, et le reste – le ramenait à l'immaturité. Ses excès de vitesse étaient une mise en scène presque caricaturale de sa fuite en avant, comme le fut son mariage avec Halema.

William

Je connais la théorie de Dick Bock. On la connaît
tous. Il nous en a assez rebattu les oreilles ! Au premier
abord, du reste, et compte tenu des éléments d'appréciation dont il pouvait disposer, elle tient debout, en dépit
du fait que Dick est un homme, mon Dieu… disons un
peu spécial, ainsi qu'en témoignent certains de ses choix
esthétiques et les idées imprévisibles qu'il a parfois eues
en tant que producteur. Comme de superposer, dans les
années 60, une partie de guitare de Joe Pass aux plus
fameux *vocals* enregistrés par Chet au cours de la décennie précédente, ou d'encourager le même Joe Pass à
s'exprimer sur des rengaines *country* de Hank Williams.
Je ne sais plus quel musicien m'a aussi confié un jour que
la façon dont Dick montait les bandes magnétiques en
vue de la publication des disques Pacific relevait, faute
des connaissances musicales suffisantes, de « la boucherie
pure et simple ». Il n'empêche que les mélomanes lui
doivent quelques trésors, en plus d'avoir été le parrain du
Mulligan Quartet. Et puis je n'oublie pas qu'il m'a mis, à
moi aussi, le pied à l'étrier, en utilisant mes photographies pour ses pochettes. Mais ce n'est pas de cela qu'il
est question maintenant.

Dick Bock avait amplement prouvé qu'il ne manquait pas de flair. Concernant Chet, pourtant, il ne flairait pas tout. Si je voulais l'accabler, je rappellerais que Chet avait dû lui forcer la main pour enregistrer ses premiers disques de chanteur, à l'automne 53. Dick n'avait cédé, j'imagine, que par peur de voir sa principale vedette lui glisser entre les doigts, alors que Gerry se trouvait déjà en villégiature sur les terres du shérif. J'ai encore dans l'oreille le coup de fil qu'il m'a donné : « Tu ne devineras jamais ce qu'il réclame, à présent. Il voudrait chanter ! Et que je l'enregistre, en plus ! Et que j'essaie de faire avaler ça aux distributeurs, aux disquaires, aux clients, qui viennent tout juste de se faire à son style de trompette ! » Il s'égosillait. Je l'ai laissé s'étouffer, puis j'ai répondu : « Fais ce qu'il te demande. Tu ne risques rien : il chante comme il joue. Ceux qui apprécient ceci ne vont pas cracher sur cela. Et puis, autre chose encore, Dick, puisque tu me parles commerce : réfléchis un peu à l'avantage d'avoir un chanteur *et une chanteuse* pour le même prix… »

La fameuse androgynie de Chet… Dans la mesure où il ne la cultivait pas (si même il en était conscient, ce dont je doute), dans la mesure où il s'affichait ouvertement comme hétérosexuel, cette particularité qui ne résidait pas uniquement dans son apparence physique, mais avait déteint sur son art, était susceptible de contribuer pour une large part à la promotion du produit Chet Baker. Et c'est ce qui arriva. La morale était sauve (encore plus après la naissance de Chetie). Le puritanisme américain s'y retrouvait : il pouvait se permettre le léger frisson d'un trouble dont l'innocuité lui était garantie. J'ai toujours pensé pour ma part que l'hypothèse d'un Chet bisexuel ne retenait l'attention que des hommes qui, sur ce point, n'étaient eux-mêmes pas très sûrs d'eux.

Quoi qu'il en fût, cette ambiguïté purement superficielle, purement conventionnelle, purement *théâtrale*, en fait (même si, je le répète, il n'en jouait jamais), aura bien servi sa carrière auprès d'un public qui, sans elle, aurait sans doute ignoré sa musique. Cela et, bien entendu, le charme qui émanait de sa personne. Sa beauté, aussi. Sa beauté, et peut-être encore davantage (étant qui je suis, je n'étonnerai personne en soutenant ce point de vue) le caractère photogénique de cette beauté.

Photogénique, je connaissais *le mot*, il va de soi. Mais, pour être franc, rien de plus. Jusqu'à cette nuit de l'automne 1952 où, dans ma chambre noire, j'ai développé les clichés que Dick, qui n'était alors que l'agent de publicité du club, m'avait autorisé à prendre au *Haig*… Je savais que j'avais fait du bon boulot. Ou plutôt qu'une réussite certaine m'avait été servie sur un plateau par mon sujet. Dans le quartette de Gerry Mulligan, tout le monde était jeune, tout le monde avait de l'allure, tout le monde avait une gueule. Si je ratais des modèles de cette qualité, la pellicule, elle, ne les raterait pas ! D'une façon ou d'une autre, elle récupérerait au moins en partie ce qu'ils avaient à offrir.

Et puis, à la lueur de l'ampoule rouge, imprégnant, imprimant peu à peu le papier, le visage de Chet est apparu dans les bacs. Presque toujours, il figurait au milieu d'autres visages, mais, quand même, on ne voyait que lui. J'exagérerais à peine si je disais que ce n'est qu'à ce moment-là que, par le biais d'une image fixe en noir et blanc et en deux dimensions, j'ai pris conscience de la beauté *vivante* du garçon. Il avait fallu que j'en passe par une représentation. Par la suite, chaque fois que j'ai eu l'occasion de braquer sur lui mon objectif — et ce fut, grâce au Ciel, très souvent —, j'ai eu le sentiment qu'il prenait plus d'épaisseur à mes yeux.

À part cela, il savait d'instinct, comme il savait beaucoup d'autres choses, se placer et évoluer dans un décor, bouger, ne jamais poser et cependant se mouvoir en toute circonstance dans la lumière idéale. Les photos, Chet s'en moquait peut-être, mais il aimait le fait d'être photographié. C'est la raison profonde pour laquelle l'objectif l'aura aimé comme personne d'autre de ma connaissance.

Il y a une chose que Dick Bock ne pouvait pas savoir, sauf si quelqu'un comme moi la lui avait confiée. Et je n'ai pas l'impression que nous ayons été nombreux dans le secret. Probablement parce que personne n'avait songé à en faire un secret. Le fait est cependant que cette histoire n'avait pas transpiré. Après quoi, Chet l'avait récrite à sa manière.

Par une journée caniculaire de l'été 55 (les photos sont à la disposition des enquêteurs éventuels, archivées d'une manière qui ne laisse subsister aucun doute sur la date à laquelle je les ai prises), j'avais rendez-vous avec lui à Redondo Beach, où il habitait alors, pour un reportage photo que Dick m'avait commandé, en vue de la publication d'un album qui, pour la partie musicale de l'affaire, n'était même pas encore à l'état de projet. Il se trouvait seulement que le patron de Pacific Jazz Records devenait nerveux s'il restait plus de trois mois sans entraîner dans un studio sa poule aux œufs d'or et que Chet, qui n'avait pas encore rencontré Liliane, n'envisageait alors pas le moins du monde de traverser l'Atlantique. Des images de lui portant ma signature, sa compagnie de disques n'en manquait pas, et j'étais reconnaissant à Dick de m'en acheter sans cesse de nouvelles, plutôt que d'exploiter le stock en sa possession. Et pourtant le modèle n'avait pas changé d'un pouce. La coupe de cheveux exceptée, mais ça datait déjà d'un an : il avait dû en avoir marre d'être coiffé à la James Dean et avait opté pour quelque chose qui épousait la forme du crâne, sans ressembler à une brosse pour autant ; à mon sens, il avait perdu au change, mais nul ne pouvait le blâmer de vouloir se distinguer à tout prix d'une célébrité à laquelle on ne l'avait que trop comparé.

J'arrivai à son domicile avec un peu d'avance (les gens étaient encore à table : il n'y avait quasiment personne sur les routes). Une jeune femme qui m'était inconnue m'ouvrit la porte. Tout d'abord, je la pris pour une Noire métissée, au teint clair. Elle était en réalité, comme je l'apprendrais des années plus tard, d'origine pakistanaise et se nommait Halema Ali. En me la présentant, Chet ne me dit que son prénom et, sur le moment, je compris « Helima ». Peu importe. Ce qui me frappa ne fut ni sa complexion, ni ses caractéristiques ethniques, ni la façon dont elle se faisait appeler. Au vrai, je n'éprouvais qu'une chose en sa présence : une violente démangeaison de la cadrer, elle, dans cette robe d'été un peu mousseuse qui flottait autour d'elle, pas trop bien coupée et barrée d'une large ceinture de cuir, parmi cette écume de soleil qui l'environnait.

Le cadre, toutefois, ne me parut pas idéal, ni pour elle ni pour son amant (car ils étaient aussi amants à vingt pieds l'un de l'autre que si je les avais surpris au cours de leurs ébats, ce qui, je l'aurais juré, avait bien failli être le cas). Je les ai entraînés dans une maison voisine qu'en arrivant j'avais repérée du coin de l'œil. On était en train de la restaurer, mais, à cette heure de la journée, les ouvriers devaient encore être au snack. D'après mes estimations, nous pouvions disposer des lieux à notre convenance pendant vingt bonnes minutes au moins. Dans une des pièces, il y avait une fenêtre éclairée par un contre-jour. Je les ai installés sur une sorte de banquette qui prolongeait l'appui de la fenêtre et continuait à courir le long du mur. Halema s'est assise devant la croisée, tournée de trois quarts de manière à m'offrir son profil droit, Chet en face d'elle, dans l'angle de la pièce. Puis nous sommes retournés chez lui et, dans l'après-midi, son batteur Peter Littman est venu nous rejoindre. J'ai pris quelques instantanés, à tout hasard (et pour ma satisfaction personnelle). L'un d'eux les représente tous les trois, entourant le chien du maître de maison. Halema avait changé de tenue. Elle portait à présent une marinière à rayures transversales et un short de couleur sombre.

Épouser Halema plus d'un an après cet épisode n'avait rien de la fuite en avant supposée par Dick Bock. Tout au contraire, c'était un recommencement. Un retour en arrière très délibéré, que Chet lui-même jugeait si incongru, si contradictoire avec sa façon d'être, qu'il cherchait à le dissimuler. J'éviterais à mon tour de me lancer dans la psychologie de bazar, mais je ne suis pas loin de penser que c'était l'expression d'un remords – l'un des rares qu'il eût jamais éprouvés.

Je me souviens d'un incident qui avait émaillé cet après-midi à Redondo Beach. Littman était reparti. Nous fumions tranquillement. La conversation menaçait de retomber. J'avais demandé à Chet, assis par terre, quelle était pour lui la chose la plus importante au monde.

« Je ne sais pas, Bill. Ma trompette, j'imagine… Et ma nouvelle Cadillac… »

J'avais photographié un peu plus tôt l'instrument, posé sur le capot de la voiture, dont les chromes accrochaient les rayons du soleil.

Halema s'était levée.

« Merci beaucoup, Chet », avait-elle dit d'une voix blanche, sans regarder personne.

Elle avait quitté la pièce. Après quelques secondes de réflexion, il avait sauté sur ses pieds, tout sourire, et s'était lancé à sa poursuite. Je l'avais entendu crier :

« Attends, ma biche. J'avais oublié Bix ! J'adore Bix, aussi ! »

C'était le nom du chien.

La toute première fois que j'avais vu Chet, je fréquentais encore le collège et il se produisait au *Tiffany Club* de la 8ᵉ rue, dans le groupe de Charlie Parker. Comme beaucoup d'amateurs qui n'avaient pas encore appris à écouter, j'avais cru entendre un disciple de Miles Davis, en plus mélancolique peut-être. Or, la mélancolie n'était pas ce que j'attendais du jazz en ce temps-là. À la fin du dernier set, Bird avait faim et il n'y avait plus un seul restaurant ouvert à la ronde. Mes parents étaient absents pour le week-end : j'avais proposé de l'amener dans leur Packard manger un morceau avec quelques fans de mes amis à La Canada, le quartier chic où nous habitions, sur les collines de Pasadena. Charlie était capable d'avaler tout ce que vous mettiez devant lui. Le dimanche soir, le réfrigérateur était vide et je m'étais retrouvé seul avec l'homme que je considérais comme le plus grand musicien de la terre, étendu sur une chaise longue, les mains croisées sur le nombril, et j'avais osé lui poser la question qui me brûlait les lèvres depuis la veille :

« Dites, Bird, qu'est-ce que vous lui trouvez, au juste, à ce trompettiste qui est avec vous ? »

Il m'avait souri et il avait lâché, le regard brillant de malice sous ses lourdes paupières :

« Eh bien…, il *bixélise*, comprends-tu, vieux ? Un jour, j'étais encore très jeune, ma mère m'a rapporté en rentrant du boulot deux ou trois disques de Bix Beiderbecke. Tu connais ? *(J'avais fait signe que oui.)* Bix jouait avec une grande douceur, une grande légèreté, il allait droit au but et on entendait tout de suite qu'on avait affaire à un garçon foncièrement honnête. Qu'il n'avait pas appris et n'apprendrait jamais à tricher. Je retrouve cela chez ce petit gars. Le style n'a rien à voir là-dedans. Mais je retrouve la même simplicité et la même… – ah ! c'est un mot que j'hésite à prononcer, aujourd'hui – la même pureté… Oui, pourquoi ne pas le dire franchement ? la même pureté. »

Avec Chet, nous partagions l'amour des voitures rapides et de la conduite sportive. Un jour que nous comparions nos performances, il me parla d'un trajet Los Angeles-San Francisco qu'il avait effectué en un temps record, « bien que les flics m'aient arrêté deux fois pour me verbaliser », précisa-t-il. De mon côté, j'avais échappé aux contraventions jusque-là et je lui en fis la remarque.

« Oui, mais moi, répliqua-t-il en clignant de l'œil, c'est parce qu'ils veulent mon autographe. Toi, tu vois, ils ne désirent pas ta photo. Et pourtant tu es un photographe célèbre, alors que je n'ai rien du tout d'un écrivain. C'est ça, la musique, vieux : on t'aime bien, mais ce qu'on attend de toi, ce n'est pas ce que tu souhaiterais offrir. »

Il ne riait qu'à moitié. D'ailleurs il ajouta :

« Je parierais qu'aucun de ces types qui me réclament ma signature dans la rue n'a jamais acheté un seul de mes disques… Le plus drôle, c'est qu'au fond je préfère qu'il en soit ainsi. »

Richard « Dick » Bock

En Europe, comme je le disais, Chet avait entrepris de s'endurcir (la disparition tragique de Twardzik, je suppose, devait y être pour quelque chose). Son approche de la musique, en même temps, était devenue plus brutale. Ça ne s'entend pas forcément dans les premières pièces que je lui ai fait enregistrer, le 23 juillet 1956, pour la simple raison qu'elles mettent en évidence l'art du chanteur, qui, lui, était resté intact. Chanter, nous lui avions déconseillé, Russ Freeman et moi, d'aller dans cette direction, mais c'était là, c'était en lui. C'était un désir qu'il avait. Dévorant. Écoutez plutôt certaines des plages que nous avons captées le lendemain, le surlendemain et le dernier jour du mois au Forum Theater – la carte de visite de son nouveau quintette, lequel regroupait autour de lui Bond, Littman, Phil Urso au ténor et ce pianiste de Philadelphie, Bobby Timmons, un Noir qui avait fait ses classes dans le rhythm' n' blues, qui venait d'accompagner Kenny Dorham et qui allait devenir l'un des Messengers d'Art Blakey. Prenez *Jumpin' Off A Clef* ou *Chippyin'*, par exemple, et vous aurez compris qu'il était en pleine mutation. Il s'est peut-être imaginé que je n'y verrais que du feu, sous prétexte qu'il avait repris *Line for Lyons* et un autre morceau de Gerry, intitulé *Revelation*. Loin des yeux, loin du cœur, comme on dit. Les gens avaient commencé de l'oublier, voire de le faire passer par profits et pertes, et lui, au lieu de leur rappeler tout ce qu'il avait signifié pour eux, encore un an plus tôt, il ne trouvait rien de mieux que de se rendre méconnaissable ! Au moins a-t-il eu l'élégance de ne pas trop s'étonner de l'accueil plutôt mitigé qu'ils ont réservé au « nouveau Chet Baker ». Peut-être eût-il mieux valu cependant que la gifle le cueille à froid. Qu'elle laisse une marque bien rouge, bien cuisante, et qu'il tire de la mésaventure les conséquences qui s'imposaient. Au lieu de quoi, il en a conclu qu'il avait toujours eu raison de penser que le public végétait au fin fond des grottes préhistoriques, quand les musiciens, eux, s'apprêtaient à s'envoler pour la lune…

En 1956, le jazz appelé *west coast* battait son plein en Californie. De surcroît, les disques qui se présentaient sous ce label marchaient bien dans tout le reste du pays, ainsi qu'à l'étranger. Pour un petit bout de temps encore, nous qui avions été les parents pauvres des New-Yorkais, nous tenions un filon. J'ai tout fait pour que Chet reste dans ce coup. Je l'ai associé en studio à des types comme Art Pepper, Bud Shank, Richie Kamuca ou Pete Jolly. Il faisait celui qui trouve le temps long. J'ai manœuvré en sous-main pour organiser des retrouvailles avec Gerry. J'ai tenté d'amadouer Chet en cherchant des solutions de compromis. En lui permettant par exemple d'interpréter des thèmes d'un illustre inconnu dénommé Zieff ou encore de Jimmy Heath, grand copain de Miles, mais dont le public, lui, se fichait pas mal. J'ai risqué mon argent sur *Quartet*, un album cosigné avec Russ, qui faisait la nique au style west coast tout en n'impliquant que des stars du mouvement : les amateurs du genre pouvaient prendre ça pour un reniement. J'ai offert à Mr Baker les dispendieuses séances en big band auxquelles il semblait tenir tellement. Et malgré toutes ces concessions, il ne rêvait que de *hard bop*, un jazz teigneux qu'Art Blakey et d'autres Noirs de New York avaient élaboré en réaction au jazz de L.A., avec l'air de croire que celui-ci était une maladie qu'il fallait soigner. Il rêvait d'aller se frotter à ces gens-là. Comme s'ils attendaient sur lui ! Il rêvait de rejoindre ce qu'il croyait être la Mecque des camés, comme si les camés ne faisaient pas rouler leur Pierre noire devant eux, partout où ils se rendaient ! Au point où il en était, cet individualiste, cet égomaniaque forcené rêvait de Miles Davis plus que de Chet Baker. J'en aurais mangé mon chapeau. Même cela, pourtant, ne l'aurait pas retenu dans son élan. Il m'a glissé entre les doigts, c'était couru. Il est monté à New York. Là-bas, il est allé jusqu'à enregistrer avec des terreurs comme Johnny Griffin ou Philly Joe Jones. De Malibu, c'est bien simple, je pouvais entendre ces hyènes ricaner derrière son dos.

Témoignages (III)

Miles Dewey Davis III : « Ce qui me gonflait le plus dans tout ça, c'étaient tous ces critiques qui se mettaient à parler de Chet Baker dans l'orchestre de Gerry Mulligan, comme s'il s'agissait du retour de Jésus-Christ sur terre. Et l'autre qui sonnait comme moi – enfin, pire que moi, même quand j'étais le dernier des junkies. Parfois, je me demandais s'il pouvait vraiment jouer mieux que moi, Dizzy et Clifford Brown qui arrivait tout juste dans le métier. Je savais que Clifford dépassait tous les jeunes musiciens de la tête et des épaules – c'était en tout cas mon opinion. Mais Chet Baker ? Merde, je voyais pas... »

(Extrait de *Miles. L'autobiographie*, ouvrage écrit en collaboration avec Quincy Troupe et publié en France aux Presses de le Renaissance, dans une traduction de Christian Gauffre.)

Le quartette de Gerry Mulligan avec Chet avait connu en quelque sorte TROP de succès sur les boulevards de Hollywood, trop de succès avec ses grâces et ses pudeurs et sa gaieté mortifère pour que les tenants d'une musique plus dure (« hard », c'était l'épithète dont elle faisait parade : en tout cas, elle était plus sauvage, plus effervescente, plus brûlante, plus ivre et plus enivrante, plus exaspérée, plus indocile, plus indiscrète, plus belliqueuse et revancharde – encore que pas plus cruelle, contrairement à ce qu'elle imaginait ; elle se disait fière d'avoir traîné dans le ruisseau et de dégager de puissantes odeurs corporelles : d'être, en un mot, « funky »), le « pianoless quartet » avait rencontré un succès bien trop grand (démesuré, son trompettiste était le premier à l'admettre) pour qu'aient le cran, l'abnégation de le lui pardonner des musiciens qui, eux-mêmes, pour la plupart, continuaient à battre le pavé, comme depuis le début de l'histoire tous les jazzmen de toute origine et de toute couleur l'avaient fait à un moment ou à un autre (en général plus souvent qu'à leur tour et, dans un très grand nombre de cas, tout au long de leur existence), à l'exception de Louis Armstrong, de Nat King Cole, de

Coleman Hawkins roulant en Cadillac en plein krach, drapé dans son manteau de ragondin, et d'une poignée d'autres à qui personne, pas une âme dans ce panier de crabes, sauf à passer pour la proie de l'envie, ne voulait ni ne pouvait rien reprocher, dans la mesure où leur supériorité en un domaine au moins (quelquefois plusieurs : Armstrong ou King Cole avaient cet avantage) n'était pas contestable. Pas contestable, alors qu'il était si facile, si tentant, si rassurant, si voluptueux, si moral et si hygiénique au fond de dresser Harry Carney, l'Empire State Building des barytons, devant Mulligan et, en face de Baker, non seulement Louis, mais une armée de demi-dieux qui, c'est vrai, d'une façon ou d'une autre, lui mangeaient la soupe sur la tête : Red Allen, Bubber Miley, Rex Stewart, Cootie Williams, Buck Clayton, Roy Eldridge, Dizzy Gillespie, Fats Navarro, Miles Davis, Clifford Brown, voire Kenny Dorham ou Art Farmer devant lequel lui-même, bon prince, se montrait disposé à plier le genou (et la liste n'est pas close).

Une compétition imbécile s'était installée dans le jazz. Imbécile ? On ne prétend pas qu'elle n'avait aucun sens. Elle n'en avait que trop dans le cadre d'une rivalité à coup sûr malsaine, mais inévitable entre concurrents dès lors qu'il n'y a que des miettes à se partager. Elle renvoyait clairement, au surplus, à des affrontements autres que les conflits d'intérêts : des conflits de classes, de cultures, de mémoires et d'histoires, de communautés, d'ethnies, des conflits de générations et, naturellement, des conflits de personnes. Pour autant, cette compétition était absurde, dans la mesure où l'on ne dresse pas l'un contre l'autre des univers qui n'ont aucune chance de se rencontrer : des choses qui, bien plus encore qu'elles ne s'excommunient, prétendent s'exclure réciproquement et qui néanmoins, *de ce fait même* (c'est tout le paradoxe de cette affaire, mais il est riche d'enseignements), sont condamnées à cohabiter, chacune apparaissant à la fois comme l'envers et comme le manque (donc la compensation) de l'autre.

Chet Baker ne le fit pas exprès, mais il eut cette chance d'être coincé entre le marteau et l'enclume, s'attardant dans la buée par temps de canicule et faisant circuler une atmosphère limpide au sein du brouillard. Il ne resta pas tout à fait le Chet qu'il avait été (encore qu'il lui arrivât de le redevenir) ; il ne fut jamais ce Chet qu'il aurait voulu être et qui, plus que son double, était son ombre, dans le genre tapageur toutefois. Il déploya de considérables efforts, mais il eut cette veine de les voir réduits à néant, ou peu s'en faut, par une inertie qui était en lui et qu'il ne contrôlait pas : une force insaisissable, indéfinissable, que l'on pourrait néanmoins baptiser son génie sans trop friser le ridicule. Son génie le tirait en arrière. Son génie le ramenait en douce vers ce qu'il voulait fuir de façon tapageuse, afin de prendre au vu et au su de tous (et à ses propres yeux d'abord) le sillage de Miles Davis.

Il chercha désespérément à se faire taire, à laisser parler Miles Davis par sa bouche. Ses propres mots, ses intonations, ses obsessions, ses soupirs, ses silences filtraient quand même. À la fin des années 70, ils renverseraient et balaieraient la digue. On est en situation aujourd'hui de poser la question sans porter préjudice à quiconque : ne se pourrait-il pas que Chet eût compris, pour finir, à peine plus de choses à Miles Davis que Miles à Chet Baker ?

En se regardant l'un l'autre, celui-ci avait l'espoir, celui-là redoutait de contempler son miroir. En musique, pourtant, c'est tout juste si, l'espace de quelques mois, ils se seront frôlés (et si soulagés alors, je présume, de ne pas s'être vraiment reconnus).

Elle fut irrésistible, la bakerisation de Chet Baker, et d'autant plus manifeste qu'elle résultait de l'opération qui visait à la contrarier. Il souhaitait se trahir au bénéfice de Miles, et cette trahison même ne faisait que mieux trahir le Chet irréductible, le Chet inexpugnable, celui qui avait enregistré *Moonlight in Vermont* et *My Funny Valentine* en compagnie de Gerry Mulligan, puis le solo de son premier *But Not For Me*, le 15 février 1954, avec Russ Freeman. Il croyait arracher sa vieille peau, sa vieille pulpe trop tendre, et ne faisait qu'exhiber le noyau dur de sa musique. Et dur est le mot, tant il est vrai que son art, le plus original de son art, participait du cynisme. Un cynisme candide : un cynisme tout de même. Car jamais il ne se laissait troubler, lui, par l'émotion qu'il mettait dans son jeu. Cet homme pratiquait avec distanciation un jazz à fleur de peau. Il ouvrait son cœur sans déboutonner sa chemise. Sa musique pouvait bien être au bord des larmes : jamais il n'esquissa le geste de s'apitoyer sur elle.

Au détour d'une phrase du livre qu'il a publié en France chez Joëlle Losfeld, dans une traduction de Rémy Lambrechts et sous le titre de *Jazz Impro*, Geoff Dyer a écrit là-dessus des lignes très pénétrantes : « La musique qu'il jouait semblait abandonnée par lui. Il jouait les vieilles ballades et les standards avec une **long**ue série de caresses qui ne menaient nulle part et se fondaient dans le néant. C'était ainsi qu'il avait toujours joué et qu'il jouerait toujours. Chaque fois qu'il jouait une note, il lui faisait un au revoir. Parfois, il ne lui faisait même pas de signe. Ces vieilles mélodies, elles étaient habituées à être

258

aimées et désirées par ceux qui les jouaient ; les musiciens les enlaçaient et les faisaient se sentir toutes jeunes, toutes fraîches. Chet les faisait se sentir dépossédées. Quand il la jouait, la chanson avait besoin de réconfort : ce n'était pas son jeu qui débordait d'émotion, c'était la chanson elle-même, blessée. On sentait chaque note essayer de rester avec lui un peu plus longtemps, le suppliant... »

Chet ne montrait aucun trouble, et l'on n'en était que plus troublé. Puis on s'apercevait qu'il n'*éprouvait* aucun trouble (du moins pas un trouble de cette nature, et surtout pas un trouble qui aurait compromis la lucidité têtue du musicien en train d'organiser, de bâtir, d'articuler, bref de composer dans sa tête son improvisation) et là, il arrivait que l'on perdît complètement les pédales, découvrant – parfois avec amertume, il ne faut pas le nier – que l'on allait au-devant de lui pour trouver dans sa musique quelque chose qu'il y plaçait en toute connaissance de cause, mais que lui-même ne recherchait pas. Les coulisses de cette musique ne ressemblaient pas du tout à la scène où elle se produisait. N'était-ce pas Emil Gilels, mémorable concertiste classique, qui disait : « On sert le mieux la musique avec une froide intelligence et un cœur ardent » ? Chet Baker l'a froidement servie avec une intelligence qui, toutefois, par un nouveau renversement, tenait davantage de l'intelligence du cœur que de l'intelligence artificielle. Sans compter qu'à sa manière de « lonesome cow-boy » monté sur chevaux-vapeur, il avait le cœur chaud.

William « *Bill* » Grauer

RIVERSIDE RECORDS
BILL GRAUER PRODUCTIONS, Inc.
553 West 51st Street
New York 19, N.Y.

Mr CHESNEY BAKER
Prison de Rikers Island

New York, N.Y., le 16 juillet 1959

Mon cher Chet,

J'ai appris avec satisfaction qu'ils avaient réduit ta peine de six à quatre mois pour bonne conduite. S'agissant de ce qu'il te reste à tirer, ne t'en fais pas : je vais payer ta caution, tu seras dehors avant la fin du mois.

J'ai repensé à ce que tu m'avais dit à propos d'un nouveau séjour de l'autre côté de l'eau. En ce qui me concerne, je ne suis pas si sûr qu'il s'agisse d'une bonne idée, mais – encore que je préférerais te voir en ville, disposé (dans la mesure où Bock serait toujours d'accord) à enregistrer de nouveaux disques pour nous – je n'ai pas à te dicter ta conduite, il va de soi. Considère cette réflexion comme venant d'un ami qui ne reste pas indifférent à ce qui peut t'arriver.

Au fait, puisqu'il est question de disques, le projet sur les chansons de Lerner et Loewe est lancé. J'ai même réservé un studio pour le 21. Zoot, Pepper Adams et Bill Evans m'ont donné leur accord. En revanche, je ne peux pas te promettre que Philly Joe Jones sera des nôtres.

Orrin, qui produira la séance, se joint à moi pour te serrer la main. Très chaleureusement.

Bill

Halema Baker

Cher William,

Je vous écris de Milan où Chet s'est fait adopter par un groupe local, engagé dans un club appelé *La Taverne Mexicaine*. Il apprécie particulièrement le saxophoniste ténor, Giani Basso, le pianiste, Renato Sellani, et le batteur (il se fait appeler Gene Victory et il joue tout en finesse, sans faire beaucoup de bruit, ce que mon mari a toujours apprécié, je ne vous apprends rien).

En ce moment même, je me trouve avec Chetie à la terrasse d'un café situé non loin d'un studio où ils ont enregistré avant-hier en sextette et où Chet est retourné aujourd'hui pour faire un disque avec toute une formation de cordes et de bois. Il doit chanter dans plusieurs morceaux. Jusqu'à présent, il n'a pas l'air trop heureux du résultat (la précédente séance l'avait satisfait davantage, même si les Italiens ne connaissaient pas tous les morceaux qu'il souhaitait interpréter). Le producteur, pourtant, se déclare enchanté. En ce qui me concerne, après ce qui s'est passé à New York, je ne sais plus que penser.

Pour tout vous avouer, cher William, mes relations avec la musique sont un peu bizarres, ces derniers temps.

263

D'abord, comme vous le savez mieux que personne, je n'ai jamais été orfèvre en la matière. Ce qui est nouveau, c'est que, lorsque j'écoute Chet, il me devient de plus en plus difficile de distinguer entre la musique elle-même et ce que je perçois, moi, dans ce qu'il joue (pas seulement les sons, d'ailleurs : je parle des impressions de diverses natures qui m'envahissent). C'est un peu la même chose, je suppose, que d'assister des coulisses à un merveilleux spectacle, en ne voyant que le mauvais côté du décor et en remarquant sur les costumes les reprises, les coutures défaites, les taches, les traces d'usure et de sueur. Comprenez-moi : je ne veux pas du tout insinuer que je détecterais les défauts de sa musique (ça, je n'en suis guère plus capable que lorsque nous nous sommes rencontrés). Mais je ne peux plus ignorer que cette musique a un envers et même, si vous me permettez de jouer sur les mots, un revers. Qu'il y a derrière l'illusion une réalité implacable. Qu'il y a d'une part la façade brillamment éclairée, et d'autre part les impasses latérales avec les murs sans fenêtre, les escaliers d'incendie, les immondices et les vieilles choses abandonnées. Lui-même n'en a pas conscience – ou du moins il s'en fiche et n'en tient aucun compte –, mais je sais trop bien tout ce que cela lui a coûté. Si j'osais, j'irais jusqu'à écrire, et je ne le fais qu'en raison de notre déjà vieille amitié : tout ce que cela *nous* a coûté.

Nous sommes arrivés en Europe tous les trois il y a quelques semaines. Chet a joué au *Blue Note* de Paris avec des musiciens français qu'il connaissait déjà, René Urtreger, Pierre Michelot, et un batteur américain, installé là-bas et que vous devez connaître, car tout le monde semble le considérer comme une sorte de légende vivante : Kenny Clarke (ou Clark ?). Il a revu avec énormément de plaisir Jacques Pelzer, un ami qu'il s'était fait lors de son premier voyage et qui s'est déplacé de Belgique pour l'entendre. Jacques joue du saxophone et de la flûte chaque fois qu'il en a l'occasion, mais, le reste du temps, il tient une pharmacie à Liège. Chet l'a beaucoup encouragé à garder le contact avec le milieu du jazz et à y tenir un vrai rôle. Il est patent que Jacques l'adore. D'ailleurs, tout le monde s'est montré plus que gentil à son égard. Malgré cela, il était impatient de se rendre en Italie. En 1956, les Italiens l'avaient reçu comme le messie : c'est à ce moment-là qu'il est tombé amoureux de leur pays.

Si j'en juge d'après ce que j'ai vu à Milan, il est plus respecté ici qu'il ne le fut à Los Angeles à son retour d'Europe. Pour ne rien dire de New York, où certains musiciens, même parmi ceux qui étaient moins réputés que lui, l'abordaient avec condescendance, voire, pour certains d'entre eux, avec mépris. Hier soir, il y avait une petite fête chez Gianni Basso, où nous étions invités. Tout le monde s'amusait et buvait du *spumante*. Avec entrain, je dois dire. Chet a fait toutes sortes de simagrées avant d'accepter qu'on en verse dans son verre une demi-goutte, qu'il n'a finalement pas bue. Il s'est retiré dans un coin de la pièce, a mis des écouteurs sur ses oreilles et s'est passé tous les albums de Miles Davis alignés dans la discothèque, en particulier ceux du quintette avec John Coltrane, qui venaient seulement de sortir en Europe. J'étais terriblement gênée. Je suis allée l'excuser auprès du maître de maison. Il n'avait pas du tout l'air contrarié et m'a confié (j'ai été si frappée par ses paroles que je peux vous les citer de mémoire) : « Vous savez, Halema, il y a deux choses surtout qui m'épatent chez lui : son exceptionnelle rigidité, concernant certaines choses comme l'alcool, et son extraordinaire manque de principes en d'autres domaines. Cette contradiction se retrouve dans sa musique, d'une certaine manière ; si j'étais critique, en tout cas, j'essaierais de creuser dans cette direction. Au moment crucial, il réussit à ne pas choisir, et l'on comprend que cela, justement, est son choix. Votre bonhomme est quelqu'un d'impossible. J'entends par là qu'un type comme lui ne peut tout bonnement pas exister ! Pourtant il se tient là devant nous. C'est ce qui fait qu'il est un artiste, un Martien, alors que je ne vois dans cette pièce que des musiciens qui me ressemblent et parviennent au mieux, lorsqu'ils s'appliquent, à passer pour des professionnels. Il évolue sur une autre planète, d'accord, mais ce n'est pas un comportement qu'il adopte : c'est sa nature. Ou plutôt, c'est le reflet de ce qu'il y a de surnaturel en lui. »

Chet est sorti de prison, en juillet, comme il y était entré : le plus sereinement du monde. Les événements les plus graves paraissent désormais couler sur lui, et entre nous, cher William, il arrive que je m'en inquiète. Sans parler de la mienne, quelle est la place de notre enfant dans un monde dont son père, dès qu'il ne s'agit plus de musique, n'attend ni ne redoute rien ? Comme tout un chacun, Chet goûte les bonnes choses de la vie et ne se réjouit pas des malheurs qui le frappent, mais, à part les voitures et la vitesse, il apprécie celles-là distraitement et regrette ceux-ci avec une certaine désinvolture. Bref, il m'a raconté son séjour à Rikers Island comme s'il revenait d'un camp de scouts où il se serait un peu ennuyé. Un peu, mais pas plus que cela. Il avait enseigné la musique à d'autres détenus. Grâce aux Noirs qu'il fréquentait, il avait atteint un niveau honorable au basket, auquel il consacrait l'essentiel de ses journées. Le soir, il jouait aux échecs ou aux cartes et il assistait avec ravissement aux démonstrations de claquettes d'un dénommé Baby Laurence qui, d'après lui, était le meilleur représentant de la spécialité depuis la mort de Bill « Bojangles » Robinson (celui qu'on voit danser dans le film *Stormy Weather*, vous vous souvenez ?).

Une fois dehors, une de ses plaisanteries favorites consistait à prétendre qu'on l'avait pressenti pour travailler à l'infirmerie, mais qu'il avait décliné la proposition sous prétexte qu'il y avait nombre de prisonniers qui, en matière de piqûres, avaient autrement plus d'expérience que lui. Peut-être est-il préférable qu'il rie de ces choses, s'il a préféré ne pas les éliminer de sa vie comme vous le lui aviez conseillé une fois (et vous n'étiez pas le seul). Or, je suis à présent convaincue qu'il ne conçoit plus sa vie sans elles. Il m'arrive même de me dire qu'il éliminerait, de préférence, sa vie elle-même. D'ailleurs est-il possible qu'une personne se drogue de plus en plus sans que son existence lui appartienne de moins en moins ? N'est-ce pas le choix qu'il a fait, en toute connaissance de cause, et ce choix n'est-il pas désormais irréversible ? Mais pourquoi avoir pris ce chemin ? C'est une question qu'on ne peut pas du tout aborder avec lui. J'essaie de faire bonne figure, mais cette question me ronge. Je pourrais comprendre qu'il se détache de l'existence qu'il mène avec moi et même, à l'extrême rigueur, avec son fils. Mais comment un homme comme lui, avec tout son talent et le caractère indépendant qui est le sien, peut-il faire si peu de cas de sa propre vie ? Parfois, j'ai l'impression qu'il s'acharne contre elle.

Ce Pelzer dont je vous ai parlé lui a dit qu'on trouve en Allemagne un médicament en vente libre, le Jetrium, dont les effets, à haute dose, ressemblent à ceux de l'héroïne. Savez-vous que, par deux fois déjà, Chet s'est rendu à Munich en avion, sans sa valise pour éviter que les douaniers italiens ne la lui fassent ouvrir, et qu'il est revenu littéralement tapissé de boîtes d'ampoules de ce produit, à se demander comment il a fait son compte pour s'asseoir et surtout pour ne pas attirer l'attention, avec ce visage d'ange, du moins ce qu'il en reste, perché sur un torse de bibendum (pour ce genre d'expédition, il emprunte l'imperméable du plus corpulent de ses musiciens) ? En revanche, il ne traverserait pas la rue pour aller se chercher un verre d'eau s'il mourait de soif !

Pardonnez-moi, cher William, de vous ennuyer avec toutes ces histoires. Si Chet ne peut rien pour lui-même, il n'est que trop évident que je ne peux rien de mon côté et vous moins encore, qui n'êtes pas marié avec lui et vivez en outre à plusieurs milliers de miles d'ici. Et vous ne pouvez rien faire pour moi non plus, sinon me donner le sentiment que quelqu'un m'écoute, que quelqu'un *sait* et ne reste pas, lui, indifférent à ce qui se passe, contrairement à celui à qui cette chose épouvantable est en train d'arriver. Mais je m'exagère peut-être la situation. Je ne voudrais pas vous alarmer. En fait, ne croyez pas que...

(Cette lettre n'a jamais été ni achevée, ni relue, ni postée. Le Jetrium sous forme injectable contenait 13,5 mg de substance active par cc. Chet Baker, d'après son propre témoignage, en consommait à Milan de 1 000 à 2 000 mg chaque jour, si bien, note-t-il dans ses mémoires, que cela ne lui fit bientôt plus aucun effet. Et il ajoute : « J'étais en mauvaise santé, avec le teint jaunâtre, je ne mangeais rien et j'avais fréquemment de terribles frissons. Des amis me persuadèrent d'aller voir un médecin. Après m'avoir examiné et fait faire des analyses, il me donna de quatre à six mois à vivre si je continuais à prendre du Jetrium. »)

Ettore Boltrani

Quand – avec cette désinvolture qu'il a, ce manque d'égards qui me tape sur les nerfs, mais que je n'arrive pas à lui reprocher – il m'a téléphoné pour me prévenir qu'il entrait le jour même à la Villa Turo pour une cure de sommeil et qu'en conséquence on ne le reverrait pas au club avant des semaines (car il en profiterait pour se soumettre à un sevrage intégral), j'ai eu le pressentiment qu'il ne se réveillerait jamais. Ce qui explique mon absence de réactions, alors que c'était une fameuse pilule qu'il me forçait à avaler. Je ne peux pas dire que je n'aie pas songé à mon tiroir-caisse, mais, la première chose qui me soit venue à l'esprit, c'est une vision de ma vedette exposée dans son cercueil, et sûrement pas au Duomo : il n'avait plus assez d'allure pour ça !

Ce type vieillissait d'au moins une année chaque soir. Et même, certains matins, après le dernier set, quand il s'apprêtait à regagner son hôtel, où sa femme s'occupait de l'enfant (au club, quand personne ne lui adressait la parole, elle regardait droit devant elle, les yeux vides ; je l'imaginais, assise au bord du lit et fixant ainsi jusqu'à son retour je ne sais quoi d'inaccessible, à travers le mur de leur chambre), certains matins, on ne pouvait plus lui donner d'âge du tout. Mais j'aurais dû me méfier : ce gringalet qui prenait un malin plaisir à se foutre en l'air avait de la ressource. Dans une certaine mesure, il jouait sur le velours à ce jeu-là. Il y avait en lui quelque chose d'indestructible.

J'avais eu l'occasion de m'en apercevoir. Plus d'une fois, il était arrivé au club dans un état pitoyable. Graziella et moi, on guettait le moment où il allait s'étaler de tout son long sur les tables du premier rang. Mais sa capacité de récupération était phénoménale, purement phénoménale. Sans aucun doute, il l'entretenait artificiellement, mais tout de même ! (J'aimerais bien d'ailleurs qu'on m'explique par quel miracle ce même produit qui venait de lui couper les genoux avait le don de le remettre d'équerre un peu plus tard… Passons.) Il disparaissait à la première pause, après avoir été à la traîne de ses partenaires, lesquels, je dois le dire, déployaient des trésors d'ingéniosité pour cacher au public qu'il n'était que l'ombre de lui-même. Lorsqu'il était de retour, il piaffait des quatre fers et, une fois lancé, laissait, lui, tout le monde sur place !

Ayant assisté à ce genre de métamorphose, j'aurais dû me douter qu'il n'allait pas lâcher la lampe comme ça. D'autant que le consulat américain, paraît-il, avait préféré se ranger discrètement de son côté, plutôt que de voir un scandale éclater au grand jour : c'était l'Oncle Sam qui réglait la note de la clinique, ce qui, j'imagine, motivait le personnel soignant.

Quoi qu'il en fût, un mois environ après le début de sa cure de désintoxication (prévue pour durer le double), mon Chet refaisait surface, frais comme un gardon. Pas un instant il n'avait douté qu'on lui aurait gardé sa place. C'était au reste ce qu'on avait fait, en prenant des risques vis-à-vis des propriétaires de la boîte, qui n'étaient pas des sentimentaux. Compte tenu des plumes que j'aurais pu perdre dans l'histoire, ne m'en demandez pas la raison ! Et ne me demandez pas non plus pourquoi, quand je l'ai revu, je n'ai pu m'empêcher de pousser un soupir de soulagement, de remercier la Madone à voix haute et de serrer ce fils de pute sur mon cœur, comme s'il était non seulement le fils prodigue, mais mon fils à moi par-dessus le marché !

Jacques Pelzer

Chet, d'après moi, faisait partie des extralucides. Pour y voir clair, il ne se contentait pas de regarder autour de lui. La plupart des gens s'arrêtent aux apparences. Non parce qu'ils se contentent d'aussi peu, mais parce qu'ils croient de bonne foi qu'ils connaissent ainsi le fond des choses. Que les apparences sont l'ultime réalité et que l'invisible est irréel.

Je me souviens de ces journalistes néerlandais qui étaient venus me voir à la maison et qui, en essayant de restituer l'atmosphère de la pièce où je les avais reçus, avaient écrit dans leur article que l'ameublement était vieillot, que ma collection de disques datait des années 50 et que les seuls objets de valeur que l'on trouvait chez moi étaient mes instruments. Cet environnement leur paraissait peut-être désolant, mais je préfère cent fois être à ma place qu'à la leur. Je trouve dans les pochettes dépenaillées de mes 45 tours Vogue du Gerry Mulligan Quartet, par exemple, des trésors dont ils n'ont pas idée, même s'ils connaissent comme moi les morceaux de ces disques par cœur, de la première note au point d'orgue. J'y puise des richesses d'émotion dont je perdrais le plus précieux si je remplaçais ces antiquités par les rééditions de ces enregistrements sur disques compacts. La musique aurait beau être la même, j'y entendrais moins de belles choses. Moins de choses troublantes, surtout. Peut-être le plus précieux d'une musique consiste-t-il dans une sorte de valeur ajoutée tenant à des réminiscences strictement personnelles (des impressions persistantes, le reflet d'anciennes images, l'empreinte d'anciennes émotions…), réminiscences elles-mêmes attachées à des objets aussi précis que des pochettes de 45 tours, voire à des particularités plus dérisoires, plus triviales encore, comme les fentes et les éraflures de ces mêmes pochettes ?

Il y aura toujours des gens pour ne pas percevoir la texture spéciale du silence sur les lieux des grands massacres et des grandes catastrophes (en particulier, ai-je remarqué, les éruptions volcaniques qui ont rayé des villes entières de la carte). Il y aura toujours des gens capables d'escalader les pyramides du Mexique sans avoir devant les yeux (je dis *devant les yeux*, et pas seulement derrière la tête) le sang ruisselant, bouillonnant sur les marches les jours de sacrifice. Certaines personnes examinent le décor, quelques autres assistent à la pièce…

J'espérais pourtant leur avoir mis les points sur les i, à ces Bataves. Je leur avais désigné tour à tour des sièges, des coins de la pièce : « Là, près du piano, s'est tenu et a joué Stan Getz. Sur le tabouret s'est assis Bud Powell. Don Byas et Archie Shepp se sont installés devant la fenêtre, au même endroit exactement, mais pas le même jour… » Ils m'écoutaient, ils suivaient mes gestes, portaient chaque fois leurs regards dans la bonne direction, mais je sais à présent qu'ils n'ont rien *vu* de ce que je leur montrais. De ce que je leur *révélais*. Ils n'ont vu que des meubles : la vieillerie, la lourdeur, la médiocre facture de ces meubles, le goût de tout petits bourgeois provinciaux qu'ils trahissaient et même, j'en ai peur, la poussière qui était dessus. Et ils ont vu, j'imagine, un type un peu bizarre, une sorte de vieil hurluberlu, pas mal décati lui aussi à l'époque, et qui était peut-être aux musiciens dont il parlait (ce n'est pas à moi d'en décider) ce que son mobilier était à celui du palais du roi à Bruxelles. Ils ont vu ce vieil épouvantail, déblatérant dans un mélange de français qu'ils ne comprenaient pas, d'anglais qu'ils avaient du mal à reconnaître et de flamand qui leur donnait envie de sourire, ils l'ont vu s'agiter dans le mauvais éclairage de cette pièce où tant de rêves secrets avaient pris forme, où tant de rêves secrets s'étaient tus, s'agiter et tenter d'en faire oublier la banalité déprimante à leurs yeux en la peuplant de fantômes que seuls les siens parvenaient à distinguer...

L'idée ne les a pas effleurés un seul instant que ce cadre, avec force, sinon avec violence, manifestait d'abord la colossale indifférence de celui qui l'habitait et de ceux qu'il y avait reçus avant ou après des concerts mémorables, avant ou après des concerts désastreux, aux goûts petits-bourgeois, aux valeurs, aux vertus, aux attitudes petites-bourgeoises, aux perceptions et aux émois de cette population, c'est-à-dire, pardon de me répéter, à ces apparences qu'elle confond avec la réalité et, non contente de cela, tient pour une vérité indépassable.

Mon père, je pense, se serait senti à l'aise parmi eux. Il aurait compris, et même partagé de grand cœur, les timidités, les craintes, les gênes de ces gens-là. Il aurait reconnu, et même célébré, leur sainte horreur de la Faute et de l'extravagance, confondues l'une avec l'autre. À dix-huit ans, vers 1942-1943, j'ai versé moi-même dans ce mysticisme. J'ai répudié publiquement (j'entends au vu et au su de mes camarades les plus proches) les œuvres et les pompes de la Bête. Bobby (Jaspar) me regardait affronter le péché comme un mineur obligé de descendre parmi les coups de grisou regarderait un gars qui, de sa propre initiative, irait gratuitement risquer sa peau sur la face nord du Mont-Blanc. Quelle différence entre nous deux ! Cependant, le jazz allait abolir ce qui nous séparait. C'est que le jazz était clandestin, souterrain, comme tout ce qui, pendant l'Occupation, venait d'Amérique. Donc comme tout ce qui était bien, voire comme tout ce qui était LE Bien. J'ai compris que, même pour s'élever dans les sphères éthérées, il fallait passer par les catacombes, à l'instar des pionniers de la foi. Cette découverte m'a rapproché de mes amis, au moment où un rien aurait suffi à m'en détacher.

Bobby, René Thomas et moi, nous nous sommes retrouvés, dans les soirs de Liège, à voir des films, à lire des livres, à écouter des disques américains sous le nez de l'occupant. Ce n'était pas de la résistance au sens que l'on donnait alors à ce mot et les risques, qui prétendrait le contraire ? n'étaient pas du tout comparables. Mais c'était une façon parmi d'autres, et peut-être pas la moins subversive, peut-être pas la moins insurrectionnelle quand on y songe, de considérer les barbelés, les chars, les mitrailleuses, les feldgendarmes à colliers de chien, les impers de cuir des gestapistes, les murs de fusillés, les trains de la Nuit et du Brouillard, non seulement comme un mirage (ce qui était déjà blasphématoire), mais comme un mirage éphémère. Dans notre coin, sans moufter, nous appelions à la dissipation de l'horreur.

J'avais soif de pureté, de rigueur, de discipline : d'idéal, en somme, pour reprendre la vieille formule apprise sur les bancs du lycée. À leur insu, en grande partie, simplement par leur manière de se comporter, Bobby et René m'ont fait comprendre que la vraie morale consiste d'abord à se dépouiller des oripeaux du moralisme, et en particulier de l'obéissance. Que la vraie morale est un déraillement consenti, dans une société qui vous condamne à tourner rond, c'est-à-dire en rond. Chet a fait le reste. Il a achevé de m'ouvrir les yeux. Chet m'a lavé du péché originel que mon père avait mis en moi, avec beaucoup d'application (le brave homme croyait bien faire, je ne le lui reproche pas).

Même des gens qui l'ont fréquenté, même des musiciens qui l'ont suivi sur la route, racontent à propos de Chet des choses que j'ai du mal à entendre. Celle-ci, par exemple : retranché en lui-même, il aurait été inaccessible à la communication au-delà d'un certain point. Mon expérience personnelle contredit ces témoignages. Pour moi, du premier au dernier jour, il aura été « the most beautiful guy in the world ».

J'ai fait sa connaissance à Paris, d'abord en octobre 1955, quand Dick Twardzik était encore parmi nous, puis en novembre, alors que Bobby avait rejoint son orchestre, et ni à cette époque, ni à aucun des autres moments où nous avons été réunis, jusqu'à la veille de sa mort, soit pendant près de trente-trois ans, je n'ai eu la sensation qu'il y avait entre nous un mur, une vitre, voire une simple ligne invisible que je ne pouvais pas franchir. S'il était enfermé dans sa coquille, eh bien moi, je ne m'en suis jamais rendu compte ! Je sais en revanche, et cela de source sûre, qu'il m'a fait sortir de la mienne.

Bobby et moi, nous avons une formation scientifique. Pour autant, nous n'avons jamais cru que l'on pouvait réduire en toute circonstance des effets complexes à des causes simples. Combien de fois ai-je entendu murmurer dans mon dos, ou crier sur les toits, ou vu publier noir sur blanc, que mon amitié avec Chet était fondée sur le fait que ma pharmacie du Thier me donnait accès à des substances dont je faisais profiter mon entourage ? Peu de gens en revanche semblent avoir relevé le fait que, lorsque cette amitié est née, Chet ne consommait que de l'herbe. Pour fumer, ça, il fumait comme une cheminée d'usine, je ne vais pas dire le contraire. Mais le monde de la poudre lui était à ce point étranger que la défonce pourtant assez voyante de Dick lui passait au-dessus de la tête. Il semblait même, à cet égard, d'une surprenante naïveté. Plus tard, c'est vrai aussi, je lui ai fourni certains produits, je lui ai donné certains conseils. Je me suis débrouillé pour que ce qui devait se passer se passe le mieux possible. Je n'ai pas toujours su lui éviter le pire, mais, à ce moment-là, il n'avait besoin de personne pour faire ses choix. Chaque fois qu'il est venu me voir, il a profité de ce que je pouvais mettre à sa disposition, sans avoir besoin de me le réclamer. Qui prétendra cependant qu'il n'aurait pas pu aller trouver n'importe quel dealer, et sans être obligé pour cela de parcourir, au sortir d'un club à Rome ou à Hambourg, des centaines de kilomètres en voiture ?

« Jack, me disait-il lorsque je le découvrais sur le seuil de ma porte, je suis sûr que tu m'attendais. »

Moi aussi, j'en étais sûr. Je lui répondais :

« Tu te trompes, vieux. Je n'avais même pas remarqué que tu étais parti. »

Toutes ces années ne furent que le commencement de quelque chose, le brouillon de quelque chose. Personne ne savait de quoi et, à vrai dire, nul ne s'en préoccupait. Nous vivions tous au jour le jour et, en même temps, nous étions comme dans une parenthèse de nos existences. Sinon que chacun avait sa vie, alors que nous nous retrouvions tous dans cette parenthèse. L'avantage de ne jamais commencer vraiment, c'est qu'on n'envisage même pas de finir. Demain on rasera gratis : demain nous prendrons le temps de devenir mortels. Pour l'heure, nous évoluons en dehors du temps...

Quand je l'ai rencontré, Chet admirait Miles Davis d'être en avance et, pendant quelques années, il a cherché à lui courir après. Puis il a suivi sa course avec le même intérêt, mais des gradins. De l'autre côté de la vitre. Il n'était plus jamais ni en avance ni en retard sur lui-même ou sur qui que ce fût. Il baignait dans le Temps. Il faisait la planche. Bizarrement, on avait dit cela de Bobby, pendant sa période parisienne. Une plaisanterie courait à son propos : « Il vient de Liège et il flotte comme un bouchon. »

Qui, parlant de notre ville natale, a donc écrit : « Il y a des villes, comme ça, qui devraient sentir le bouchon et où l'on hume d'immenses rêves dans de petites espérances, où l'on boucle de longs voyages dans des partances minuscules, où des beautés infinies se paient de bonheurs à première vue dérisoires. Et dont on ne veut pas trop, à première vue » ?

Bobby, Chet, René, moi, on voulait cette beauté, mais on ne voulait pas du tout de ces bonheurs. C'est peut-être cela, notre histoire. Et c'est peut-être pour cela qu'elle n'a pas très bien tourné – vous diraient les petits-bourgeois.

Arrigo Prezzolini

Tu connais Romano ? Quel Romano, tu demandes ?
Elle est bonne ! Romano Mussolini, mon pote ! Ça te la
coupe, hein ? Le fils du Duce en personne. Le
quatrième. Rentré d'Ischia après l'exil avec sa mère et sa
sœur, sans un rond, au bord de la dèche totale, bientôt
clodo et devenu, tu ne le croiras jamais, pianiste de jazz !
Toutes choses qui, on aura beau faire, en disent long sur
le niveau où l'Italie est tombée. Le Capitole et la Roche
Tarpéienne, toujours la même vieille histoire qui se
répète. Mais, cette fois, elle ne concerne pas tel ou tel
consul ou je ne sais qui : c'est le pays tout entier qu'on
balance par la fenêtre. Je l'imagine, Benito, tiens, appre-
nant qu'un de ses gamins fait le bastringue dans des
boîtes de nuit, devant des cons d'existentialistes. Oh,
putain, je vois la scène d'ici !
   J'avais un copain qui terminait la nuit au *Bricktop's* de
la via Veneto. Romano jouait là. Ce Chet Baker s'est
pointé et quelqu'un lui a dit à qui il avait affaire. Mon
pote Di Santo était assis près du piano. Il se trouve qu'il
parle anglais comme père et mère, Di San. Un souvenir
du marché noir. Il a tout vu, tout entendu. Ce connard
d'Amerlaud s'est approché de Romano. Il lui a mis la

main sur l'épaule et il lui a dit, tu vas pas le croire, je te jure : « Désolé pour ton vieux, mec ! »

L'histoire a fait le tour de Rome. Les gens se marraient. Pas moi. Il se croyait dans un western, ou quoi, le gardien de vaches ? « Désolé pour ton vieux ! » De quoi je me mêle ? Un peu de respect, putain ! On n'est pas des négros, quand même ! Le jazz, déjà, c'est de la merde : on joue chacun la sienne et allez tous vous faire foutre ! Mais là, c'était de la merde que cette moitié de pédé nous balançait à la gueule ! Pourquoi j'aurais accepté ça ? Pourquoi un Italien tolérerait des choses pareilles sur sa terre natale ? J'aurais été présent, ça ne se serait pas passé comme ça, je te promets ! Bon. Là-dessus, le rédac' chef s'amène et me fait : « Arrigo, y a un musicien de jazz nommé Chet Baker qui défraie la chronique. Les minettes en sont folles. Elles le prennent pour Frank Sinatra et James Dean réunis. On sera pas les derniers sur ce coup-là. Et je te jure que si on n'a pas été les premiers, on va se rattraper vite fait, bien fait. La drogue, la drague, tout ça : il est pour nous, ce client. Tu vas lui coller aux fesses et nous ramener des photos. Je veux du croustillant, camarade ! Besoin de te faire un dessin ?

– Je prends ! que j'ai répondu. On va l'habiller pour la saison, t'en fais pas pour ça. »

J'ai raflé sur les étagères mes appareils, mes objectifs – toute la collection, on ne sait jamais –, et j'ai enfourché ma Guêpe.

En principe, j'étais pas de taille. Ce fumier adorait les bagnoles nerveuses et il les conduisait comme à Imola. Sans les embouteillages, sa petite Fiat m'aurait laissé sur place. Mais une Guêpe, ça se faufile. Et puis, au bout d'une semaine, j'avais mémorisé la plupart de ses itinéraires. Il démarrait : au premier carrefour, trois fois sur quatre, j'avais deviné sa destination. Et moi, je connaissais les raccourcis, y compris des petits sens interdits qui ne me faisaient pas peur (les flics de Milan, je les tutoie presque tous, et je sais comment m'arranger avec les autres, ou avec leurs chefs si ceux des carrefours se montrent durs à la détente). Lorsqu'il travaillait dans un club comme le *Santa Tecla*, disons, pas la peine de m'emmerder, j'allais directement l'attendre devant la porte. Pour le reste, j'avais mes informateurs et, en dernier ressort, les contacts du journal, les bénévoles et les autres.

Au bout d'un certain temps, il m'a repéré, mais qu'est-ce que ça changeait ? Il ignorait encore pour qui je le mitraillais. Il devait me prendre pour un fan de jazz, un tifoso de ce zinzin à la con : je n'allais pas le détromper. Il me faisait risette. Il m'adressait des petits signes. Et moi, je lui répondais de la main gauche tout en continuant d'actionner le déclencheur de la droite. Guignol, va ! Rira bien qui rira le dernier. Pour le boulot, les boîtes de nuit, c'est une bonne chose : tu t'assures que le client est entré, tu vas tranquille assister au match de foot, faire un peu la fête si ton équipe a gagné, et tu es assuré qu'à la fermeture du bistrot, il te restera largement assez de temps pour retourner là-bas et attendre ton mec à la sortie. S'il doit se passer quelque chose d'intéressant, ce sera à ce moment-là. Je veux dire quand, même sans la came, ces gars n'y voient plus très clair, ou alors juste assez pour embarquer des femmes qui ne sont pas les leurs. Et même s'ils ne les embarquent pas – ça arrive : ils sont tellement tordus –, s'ils se contentent de leur dire au revoir avec un petit baiser, l'objectif (c'est pas sa faute : contactez l'inventeur si ça vous défrise), l'objectif, lui, ne fait pas la différence. La légende du cliché encore moins, et le lecteur du canard, alors lui, pas du tout ! Il voit ce qu'il voit, le lecteur. Et pour peu que ce ne soit pas très joli à voir, il estime qu'il en a eu pour son argent. Grand bien lui fasse. Moi, j'ai rempli mon contrat. Les lubies des gens, c'est pas mes oignons. Chacun sa merde.

Je le pistais quand il se déplaçait à Rome. Clic-clac – merci – pas de quoi ! Pour un peu, certaines nuits, il aurait pris la pause… Puis, j'ai dû le suivre à Lucques et camper là-bas dans une piaule merdique, par sa faute (le fils de pute avait trouvé le moyen de se faire engager par une boîte chic sur la plage de Focette, à côté de Viareggio). Ça, ça m'arrangeait pas du tout. La Toscane, pour moi qui suis né à Turin, ça commence à sentir le Sud, et le Sud, c'est un avant-goût de la Calabre, de la Sicile, de toute cette pouillerie qui déborde de l'Afrique et qui tire l'Italie vers le bas, vers le fond. Les touristes sont persuadés que Florence est, comme ils l'ont lu dans leurs guides, un des berceaux de la civilisation. Moi, je te dis que ce sera le point de chute de la sauvagerie, une fois que les barbares auront de nouveau réglé son compte à Rome (Naples, il y a longtemps que c'est fait). Les copains me charrient là-dessus : je leur réponds que, pour avoir une petite chance de stopper la gangrène au genou, il faut trancher à mi-cuisse. Moi, tiens, je te tracerais une ligne Bologne-Modène-La Spezia et je te bâtirais là-dessus une seconde muraille de Chine, en deux fois plus large et en dix fois plus haut que la première. De l'autre côté, ils pourraient bien s'entrégorger avec les dents, je ne les gratifierais même pas d'un regard. L'unité italienne, c'était une belle idée, d'accord, mais à condition de s'unir avec des gens qui avaient du répondant, pas avec une bande de mendigots. On a viré les Autrichiens pour s'acoquiner avec toute la racaille bronzée qui éclaboussait le bas de la Botte : tu parles d'un progrès ! Et en plus, ces pouilleux vivent sur notre dos…

La Toscane, toutefois, ce n'était pas le pire dans l'histoire. Au printemps, il fallait même admettre que ça restait encore assez agréable. Ce qui me faisait franchement chier, c'était l'impression qu'à l'autre fils de pute, le Chet Baker, en dépit de tous mes efforts et de ceux des collègues, on ne parvenait en définitive qu'à servir la soupe. Tendancieuses ou pas, compromettantes ou non, nos photos le rendaient de plus en plus populaire. Et cette popularité, pour couronner le tout, mettait du beurre dans ses épinards (en tout cas plus que dans les miens, et pourtant j'étais sur le pont quasiment vingt-quatre heures sur vingt-quatre). Qu'est-ce que ça voulait dire, ce merdier ? J'ai confiance, y a pas un Italien sensé qui peut blairer la musique de dingues que ce gusse balançait − pas un sur dix mille, garanti sur facture −, mais Gina, Sophia, ce taré de Mastroianni et toutes les autres stars de l'époque n'étaient pas mieux vues de la populace que ce gigolo de trompettouilleur de mes deux ! Il finira par se croire tout permis, voilà ce que je disais. À ce train-là, je disais, y aura bientôt des abrutis pour croire que Caruso ou Toscanini, ça s'écrit Chet Baker !!!

Moi, je l'aimais pas, ce cow-boy, pas du tout, ça faisait pas un pli. Mais mes appareils, eux, ils se régalaient avec lui. Ça me rend malade de l'admettre, mais je peux pas dire le contraire. J'ai du métier, après dix-neuf ans de pratique (d'abord les mariages, pendant la guerre, puis, sur un coup de bol, pour ce canard qu'un gros industriel venait de créer, les vedettes, les célébrités, leurs histoires de fesses, leurs petites cachotteries, leurs petites cochonneries et le gros scandale qui leur tombe dessus sans qu'elles sachent d'où ça vient, mais nous, comme par hasard, ayez pas peur, on se trouve là au moment précis où ça dégringole et on te flashe plein cadre la sale gueule qu'ils tirent, tous ces messieurs-dames et les qui ne sont ni l'un ni l'autre, quand ils s'aperçoivent que le pot aux roses est découvert et qu'il fleure si peu la rose que ça se sent jusque sur la photo, imprégnant le papier glacé !). Dans la profession, je serais même un vétéran et j'ai comme qui dirait lancé à Milan la mode d'utiliser une Guêpe, plutôt qu'une bagnole, pour courser le gibier. Demandez à n'importe qui, même la concurrence. J'ai le coup d'œil, les réflexes, la connaissance du matériel, tout le tintouin. Eh bien, malgré ça, non, je n'irai pas prétendre que c'était par ma grâce que cette petite gouape avait toujours l'air d'un dieu sur mes photos. Du moins, c'est ce qu'affirmaient les filles du journal. Moi, je lui trouvais une tête à claques, et même, pour être plus précis, un crâne à manche de pioche et une bouche à huile de ricin, comme au bon vieux temps. Mais toutes ces gonzesses, toutes, de la standardiste à la chef maquettiste, elles tombaient en pâmoison devant les clichés que je rapportais de mes expéditions. Parole d'homme, c'était à se les mordre ! La greluche qu'il se trimbalait – Elimina, Alinea, quelque chose comme ça –, elle était peut-être jolie, quand on aime le genre moukère, mais, sur la pellicule, elle lui arrivait pas à la cheville. Elle serait sortie du coiffeur, admettons, et lui d'un tas d'ordures ; ils se seraient rejoints et moi, à cet instant précis, j'aurais actionné le petit oiseau : à côté l'un de l'autre, elle aurait quand même eu l'air pas net et lui, par contre, d'une réclame d'after-shave dans une revue de super-luxe.

Au journal, en tout cas, ce qu'ils me réclamaient à cor et à cris, c'étaient des photos du mec avec toutes les bonnes femmes de la création, sauf celle-là puisque c'était la sienne. Tonino semblait persuadé que l'Amer-laud était un baiseur fini. Pour ça, il en avait bien l'air, mais la chanson, moi qui ne le lâchais pas d'une semelle, j'avais jamais eu l'occasion de l'entendre. C'était râlant. Jusqu'au jour où je l'ai suivi au *Club Olympian*, une sorte de music-hall où il ne jouait pas : un endroit qui, en fait, n'était même pas une boîte de jazz, c'est peut-être ce qui m'a mis la puce à l'oreille. Avant de s'y rendre, il menait tout un trafic entre Lucques et la plage, mais ça n'avait rien à voir avec les filles.

Pendant cette période, il utilisait pas sa caisse, la Fiat : il se faisait brouetter par un autre particulier. Ce gars l'amenait de sa villa à la boîte chic, *La Bussola*, puis le ramenait de la boîte à la villa après le boulot. La première fois, j'ai failli marcher. J'ai cru être tombé sur quelque chose de juteux, mais il m'a suffi de lever le nez pour voir que la villa en question était une maison de santé : la clinique Santa Zita. Quelques billets glissés dans les mains adéquates, et j'ai appris que l'autre bran-leur y suivait un traitement à base de vitamines. Mauvaise nouvelle ! Pourquoi pas à base d'eau minérale ? Le zèbre qui lui servait de chauffeur était un docteur Lippi Francesconi, patron de la clinique. Pas de chance pour moi non plus : les flics étaient convaincus qu'on n'y dévissait pas le mironton. Même avec les sous-entendus de rigueur, tout ça ne valait pas beaucoup plus qu'une brève dans la rubrique des échos. Tonino allait encore me faire la tronche.

Et puis, alors que je commençais à désespérer, le client a repris sa propre chignole et m'a conduit tout droit à l'*Olympian*. C'était moins huppé que *La Bussola* de Focette, donc plus abordable, question prix et question sapes (scooter et costume du dimanche, ça va pas bien ensemble). D'ailleurs, malgré l'habitude des planques, je commençais à m'emmerder, à fumer et à lire des « jaunes » sur ma Guêpe. Avec ça, la nuit était fraîche pour la saison. Bref, au bout d'un moment, je suis entré.

Je suis entré… et je l'ai pas vu à l'intérieur. J'ai tout de suite pensé : « Le salaud m'a entourloupé ! » (J'avais déjà dû trop m'en farcir, de ces polars de merde.) Mais penses-tu, il se foutait bien de moi ! Il était en coulisse au milieu des danseuses plus ou moins à poil. Par la méthode habituelle, j'ai vite su qu'il était déjà venu (qu'est-ce que je foutais donc, ce soir-là ?), qu'il en avait repéré une et qu'elle n'était pas mécontente de s'être fait repérer par cette tête de nœud. Ces deux-là n'avaient pas l'intention de perdre du temps, c'était clair. Plus tard dans la soirée, je les ai vus se lécher la pomme dans un coin sombre, mais pas moyen d'opérer : je me serais fait retapisser avec mon flash avant d'avoir pu viser et, pour peu que l'endroit appartienne à la pègre, j'aurais passé un sale quart d'heure.

Le lendemain, Toto-la-trompette était de nouveau là, et la garce de nouveau suspendue à son cou. Le surlendemain, ils se louaient une chambre à la villa Gemma, une pension des environs. Le jour d'après, la fille (une Angliche ; elle s'appelait Carol ; il paraît qu'elle faisait le mannequin, autrement), elle a quitté la troupe, histoire de lever la jambe en l'air pour un meilleur motif. Et le jour suivant, après avoir failli me casser la gueule en essayant de voir à l'intérieur de la villa du haut d'un poteau télégraphique, j'ai eu le temps de prendre la moitié d'un rouleau au moment où ils sortaient de la maison, main dans la main, sans se méfier. Il m'a couru dessus, mais j'ai sauté sur ma Guêpe et bien le bonjour messieurs-dames ! Et j'ai dit tout haut en filant directo sur Milan à l'embranchement : « Là, c'est pas pour me vanter, mais tu l'as dans l'os, mon con ! »

Le gros lot, la vache ! La supercagnotte ! Mes images, on peut dire qu'elles ont fait du bruit. La légitime du gars est vite tombée dessus (il aurait fallu être aveugle, aussi !) et, du coup, on se retrouvait deux à lui coller aux basques. Ils avaient un gosse, j'ai oublié de le dire : elle te l'a vite expédié aux U.S. pour pouvoir surveiller le copain de plus près. Mais l'autre, la nouvelle, la danseuse, la Carol, elle entendait pas se faire éjecter. Elle s'accrochait, fallait voir comme ! Elle lui filait le train partout. Ça finirait en cortège, cette affaire. La rigolade que c'était, je te jure ! Avec sa régulière, ils avaient des scènes terribles dans la rue, dans les bars, dans les clubs. Du scandale, ils nous en servaient sur un plateau d'argent, ces deux-là ! Je me faisais raconter, parce que je n'étais pas toujours aux premières loges. Je me méfiais. Depuis le coup de la villa Gemma, je n'avais pas intérêt à m'approcher de trop près. Je m'en foutais : j'étais équipé pour travailler à distance, et puis Tonino m'avait envoyé un petit jeune qui, je dois dire, avait le chic pour passer inaperçu. À nous deux, on l'avait pris en tenaille, comme qui dirait. Et puis, on n'était pas seuls. Les mitrailleurs, autour de lui, ça poussait comme des champignons. Il pouvait quand même pas voler dans les plumes à tout le monde, cet excité ! En réalité, c'était surtout à mézigue qu'il en voulait et, entre nous, je n'en étais pas peu fier. Il rendait hommage à mon savoir-faire. Ça n'avait pas que des avantages, remarque. Le 31 juillet 60, ç'a même failli dégénérer.

Un après-midi, il était retourné à la clinique. Je m'apprêtais à l'attendre des heures, mais il était ressorti de là sur les chapeaux de roues, comme s'il voulait me semer. Direction la plage, apparemment. Il devait avoir filé rancart à cette Carol à *La Bussola*, ou dans les environs. J'ai mis la gomme. Un feu rouge m'a coupé dans mon élan. Il en a profité pour s'évanouir. Je ne me faisais pas trop de souci quand même. Puis, en pleine cambrousse, il a réapparu, *mais dans mon rétroviseur*, si bien que j'avais l'impression d'être pris en chasse à mon tour. Il a mis son clignotant et il m'a doublé. Le soir tombait. Il portait des lunettes de soleil et il fixait la route loin devant. Il est passé à côté de moi sans un regard, comme s'il ne m'avait pas reconnu. Je me suis dit qu'il était peut-être à moitié dans les vapes. Je préférais ça. Je l'avais déjà vu se battre et ce morveux, avec sa silhouette de gamin et sa gueule de tantouze, cognait rudement sec, comme s'il avait passé sa vie à se bagarrer dans le ruisseau. Tonino en avait même tiré l'un de ces titres dont il a le secret : *Le petit prince voyou*. Moi, j'ai assez fait le coup de poing comme ça, quand on chassait le socialiste à Turin. Dans la vie, il y a un temps pour tout. Et j'allais sûrement pas me colleter avec un semi-professionnel, champion poids coq à l'armée peut-être bien. D'abord, c'est pas pour ça qu'on me paie. Bref. Il me dépasse, je commence à respirer, et voilà-ti-pas qu'il se rabat devant moi sans crier gare ! Si ma roue avant a pas laissé du caoutchouc sur son pare-choc, ç'a été tout juste. Moi, bien sûr, j'ai braqué à mort, freiné à mort et j'aurais pu mourir à mort, tant que j'y étais, vu que je me suis retrouvé cul par-dessus tête dans le fossé, avec ma Guêpe cabriolant dans le ciel et qui allait m'atterrir sur le coin de la gueule. Je l'ai évitée d'un cheveu. Quand je me suis redressé, plus rien. La poussière soulevée par la Fiat était retombée. J'ai tendu l'oreille : aucun bruit de moteur. Il ne restait que des traces noires et des rayures brillantes sur l'asphalte. Pas une âme à l'horizon. La nuit serait là dans cinq minutes. Personne n'avait rien vu. Le guidon de la Guêpe était perpendiculaire au tablier ; le kick en avait pris un sérieux coup ; la bête faisait sous elle. Ciao bella ! Au moins, dans la sacoche, mon matériel semblait intact. Ça me faisait une belle jambe. J'ai mis la musette en bandoulière, je me suis planté au bord de la route et, au premier camion, j'ai levé le pouce.

Sur la banquette, j'ai presque pas desserré les dents. J'étais trop mal. Une ordure avait voulu me repasser à froid et j'y pouvais rien. Même pas me plaindre à quelqu'un. Le routier, que je lui cause ou pas, il s'en foutait royalement. Peut-être même ne m'aurait-il pas entendu, si je m'étais mis à bavasser. Son problème à lui, c'était ce qu'indiquait sa jauge. Il avait pas trop fait gaffe (autrement, il ne se serait pas arrêté pour moi, Zébulon !), et voilà qu'il lui fallait d'urgence remplir son réservoir. Mais il venait dans la région pour la première fois – un remplacement décrété par son patron. Y avait-il une station pas loin ? J'en connaissais justement une, avant Viareggio. Il m'aurait embrassé, cet abruti !

La distraction de ce nase a complètement changé la donne. Un retournement de situation digne des meilleurs bouquins. Imagine la scène : on s'arrête à la pompe et, la première chose que je remarque, c'est la Fiat de mon tueur, devant le bureau du garagiste !

Discrètement, je demande au branleur qui promène l'éponge sur les pare-brise, histoire de te soulager d'une pièce ou deux au passage :

« Hé, petit, le gars de la Fiat, il est où ça ?

– Aux gogues, il me répond. Même qu'il semble s'y plaire. Ou alors, il sera tombé dans le trou. »

Ces mecs-là, ils savent à peine écrire leur nom, mais il faut toujours qu'ils fassent les malins.

Je me suis dirigé vers les toilettes, à l'arrière du bâtiment. Il y avait une seule cabine et elle était occupée, en effet. J'ai fait semblant de ressortir, mais j'étais resté à l'intérieur, retenant mon souffle. Je me suis approché de la porte sur la pointe des pieds. Et les dieux m'avaient toujours à la bonne, figure-toi ! Mon rigolo avait tourné la clé dans la serrure de telle façon qu'on pouvait zieuter par le trou.

Dans le mille ! Il était assis sur la cuvette, tout dépoitraillé de partout, le pantalon sur les chevilles, et il était en train de chercher un endroit où se planter la seringue qu'il avait à la main. Il suait comme un damné. Ça n'entrait pas. Il essayait plus loin. Plus haut, plus bas. Ça n'entrait toujours pas. Finalement, il a baissé son calcif. Tu vas pas me croire, mais il a essayé de se faire l'injection en plein dans son outil. Ça, c'était trop beau ! Et dire que je pouvais pas prendre un cliché de ce spectacle ! L'aiguille, le boudin blanc ! Tonino n'aurait jamais publié ça, c'est sûr, mais on se serait bien régalés et on aurait invité toute la profession à se rincer l'œil avec nous ! Des photos auraient circulé sous le manteau. On le tenait, l'oiseau ! Tout ce qu'il aurait eu à faire, ç'aurait été de passer la frontière en quatrième vitesse et de ne plus jamais remettre les pieds chez nous.

Je pestais trop, intérieurement. Il a fallu que j'aille prendre l'air. Ça m'a éclairci les idées. J'ai couru au bureau, j'ai demandé le téléphone et j'ai alerté les poulets de Viareggio.

Je priais la Madone. J'avais peur qu'il ressorte. Mais non. Les flics ont radiné. Je leur ai indiqué le chemin des toilettes. J'ai suivi à distance, pour qu'ils n'aient pas l'idée de me refouler (l'ingratitude, ça les connaît, les condés). Il était toujours barricadé là-dedans. Ils ont frappé à la porte. Ils ont gueulé :

« C'est la police. Ouvrez ! »

Il a obtempéré tout de suite. Il s'était rhabillé. Il avait l'air calme. Même pas plus étonné que ça. Moi, il ne m'a pas regardé. Il voulait pas me voir, j'ai idée.

« Suivez-nous ! », ils lui ont dit.

Ils l'ont embarqué dans la voiture de patrouille. J'avais pris une ou deux photos pour la forme, mais ça n'était pas l'essentiel. Je suis retourné au téléphone et j'ai appelé Tonino. Je lui ai tout déballé. Tout ce qu'il souhaitait entendre. Comment les carabiniers avaient dû défoncer la porte. Comment Toto était allongé par terre dans les pommes et le vomi. Comment tout était bien crade à souhait et comment il y avait du sang partout, jusqu'en haut des murs.

À distance, il m'a serré sur son cœur, Tonino.

Le papier est paru le lendemain matin, ils l'avaient déjà relâché. Mais c'était reculer pour mieux sauter. Avec ce qu'on avait publié, et que tous les autres allaient reprendre comme un seul homme, les autorités ne pouvaient pas rester la tête dans le sable. Dès qu'il a été au parfum, le procureur de Lucques a ordonné une enquête. En attendant les résultats, les flics sont allés repêcher le fumier dare-dare à *La Bussola* et l'ont collé au trou. En perquisitionnant chez lui, ils ont trouvé sur sa moricaude des tablettes de je ne sais plus quelle saloperie. Pas de jaloux : ils l'ont encristée elle aussi, dans le même donjon, section femmes. Un collègue a raconté que, la nuit, l'Amerlaud l'entendait pleurer, avec tout l'espace de la cour entre eux. Y a encore des poètes, dans la corporation !

J'ai copiné avec un ou deux matons, histoire d'avoir des nouvelles fraîches. L'administration ne l'avait pas à la bonne, notre gars. C'est pas qu'on lui menait la vie dure : on s'arrangeait seulement pour qu'il ne soit jamais tranquille. Ils lui censuraient les lettres de la dénommée Carol, par exemple (elles devaient être gratinées, putain !). J'étais aux anges. Avec le fric que m'a rapporté cette affaire, j'ai pu me payer une Guêpe toute neuve. Dans la foulée, on a ramassé le reste de la bande : le taulier de la villa Gemma, le Francesconi qui n'en menait pas large, un autre toubib, Bechelli, accusé d'avoir rédigé pour Toto des ordonnances bidon, et puis du menu fretin.

Résultat : je n'avais plus rien à me mettre sous la dent. Ils m'ont rappelé à Milan. Bon. J'ai retrouvé mon trois-pièces, Antonietta, sa mère, les gosses qui me gonflaient avec leur rock'n'roll (mais j'avais mes disques de Nilla Pizzi, Sergio Bruni et Flo Sandon's). J'ai retrouvé les copains, le stade et, bien entendu, les planques interminables dans le hall des hôtels qui recevaient des vedettes. Mais je sais pas, je n'avais plus le feu sacré, tout à coup. Je m'emmerdais un peu, il faut bien l'avouer.

Je me suis senti revivre quand Tonino m'a renvoyé à Lucques pour le procès, en avril 61. Plus question de baroud, avec l'autre sous les verrous, mais ce fut quand même un beau bordel ! Surtout grâce aux deux filles. Une dans le box, une dans la salle, qui tiraient la mourre chacune dans son coin et se fusillaient du regard. C'était pain bénit. Les Rolley n'ont pas chômé, je te prie de croire ! Le procureur non plus n'était pas là pour s'amuser : il a carrément réclamé sept ans fermes pour notre camarade. Qu'est-ce que ç'aurait été si on m'avait appelé à la barre et si j'avais pu dire tout ce que je savais ! Pour une graine d'assassin, il s'en tirait encore à bon compte, mais avec ces gouvernements de lopes qu'on a depuis la fin de la république de Salò, tu peux pas non plus espérer la lune.

Comme de juste, les avocats ont semé la pagaille. Les bonneteurs qui trafiquent dans les allées du marché aux voleurs sont pas pires, question embrouille. Quand les baveux ont fini de baver, c'est bien le diable si vous pouvez encore jurer que le plafond se trouve au-dessus de votre tête, plutôt que sous vos semelles. Même moi, je finissais par plus savoir au juste qui était accusé : les accusés, les carabiniers, la loi italienne et l'« acharnement judiciaire », la presse et ses « débordements », le public avec ses « émotions naïves » et ses « curiosités malsaines », les Italiens en général, aveuglés tout à la fois par « un certain puritanisme hérité d'une conception étriquée du christianisme », « l'obscurantisme et des préjugés d'un autre âge », « l'incompréhension des arts neufs qui, aujourd'hui comme hier, édifie pour les créateurs courageux des bûchers en place publique » ou encore « cette xénophobie rampante dont, hélas, n'a pas encore été lessivé le pavé de nos rues » ?

Le pire, avec ce charabia, c'est que moins les juges le comprennent, plus il leur fait d'effet. Après qu'on a eu déroulé ce tissu de conneries devant eux, ces lavettes ont retourné leurs vestes. La fille, Francesconi et toute la clique s'en sont tirés sans une égratignure. J'en croyais pas mes oreilles ! Et moi, alors, j'avais risqué ma vie pour la peau ? Il y a que l'Amerlaud et Bechelli qui sont pas tout à fait passés à travers les gouttes. Mais tu sais pas la meilleure ? C'est le toubib qui a le plus trinqué dans l'histoire, sous prétexte qu'il avait fait payer ses ordonnances (comme quoi si tu distribues la drogue gratuitement, par exemple à la sortie des écoles, il est bien probable que tu seras décoré !). Deux ans pour Bechelli contre dix-huit mois seulement à l'autre dégénéré. Et encore, il était pas heureux, ce connard : il a eu le toupet de faire appel !

Sa légitime, je sais pas trop ce qu'elle est devenue. L'Anglaise aussi a disparu de la circulation. Au procès, tu le croiras jamais, elle avait fait venir sa mère de là-bas : sa propre mère, oui, pour soutenir le type qui se l'envoyait, elle, pratiquement sous les yeux de sa femme à lui ! « Impudence et dépravation », pour reprendre le titre de Tonino.

Au match retour, on a eu beau mettre les bouchées doubles au journal, on n'a pas eu plus de chance : les malheureux dix-huit mois ont encore été réduits à quinze. Quant au Bechelli, ils l'ont tout simplement relâché. Qu'est-ce que tu veux que je te dise ? Il a fallu se contenter de ça : Toto restait le dernier à l'avoir dans l'os. J'étais écœuré quand même. À quoi ça sert d'essayer de garder un pays propre, en dépit des Togliatti, Fanfani, Nenni et consorts (et je fourre Segni dans le même sac) ? À quoi ça sert de se battre pour garder le respect de soi-même ? La racaille, elle est persuadée te valoir cent fois et, maintenant, les politicards, les curés, même les juges et certains flics lui donnent raison. C'est la nouvelle élite de l'Italie, la racaille. La preuve ? Y a des aristos qui se font communistes, comme ce pédé de Visconti. Là, franchement, je sais plus quoi faire. Si on fait rien, je sais pas où on va. Je vais pas devoir m'exiler, tout de même ? Ils seraient bien trop contents ! Mais qu'est-ce que je fous ici, d'un autre côté ? Où que tu te tournes, de gauche à droite et de droite à gauche, partout les mêmes enfoirés. Et après, on se demande pourquoi les gens vont voir les putes !

Chet

Halema avait rejoint Chetie. Carol était partie pour l'Angleterre, mais elle m'écrivait chaque jour, y compris le dimanche. Toutes ses lettres étaient ouvertes et lues avant de m'être remises. Pour le cas, je suppose, où elles auraient contenu un plan d'évasion. Les miennes subissaient le même sort au départ de la prison. On se serait cru à l'armée en temps de guerre ou dans une zone sensible comme Los Alamos. Ça ne devait pas être pire en France, à la même époque, avec leurs attentats et leurs menaces de guerre civile à cause de l'Algérie. Certaines phrases de Carol disparaissaient sous une épaisse couche d'encre noire. Cela m'intriguait. Que pouvait-elle donc me raconter de si subversif ? Je me suis posé la question jusqu'au jour où j'ai réussi à déchiffrer une de ses phrases par transparence. Il s'agissait tout simplement de sexe. Tout banalement. Deux personnes amoureuses – et nous l'étions beaucoup à cette époque –, qu'ont-elles de plus urgent à se dire une fois qu'on les a séparées ? Il y a les petits mots doux, les tendres confidences, les grandes déclarations sentimentales pour ceux à qui ça ne fait pas peur – toute la partie romantique de l'affaire, qui n'est pas à négliger avec certaines filles, même si Charlaine, elle, la jugeait barbante et gnangnan – et puis, de fil en aiguille, on en arrive à des confidences un peu plus précises, à des allusions et des évocations un peu plus excitantes. Personnellement, il m'arrivait de composer des paragraphes torrides, persuadé de suivre ainsi le cours normal des choses.

Tel n'était pas l'avis de l'administration pénitentiaire italienne, du moins dans cette taule. La censure qu'on y exerçait concernait avant tout, même dans l'intimité de la correspondance, le respect des bonnes mœurs. Certaines parties du corps ne devaient pas être montrées sur les écrans ; de même, certaines appellations ne devaient pas figurer dans les lettres envoyées ou reçues par les pensionnaires de l'établissement. J'imagine le boulot des caviardeurs s'ils avaient dû appliquer leur industrie aux bafouilles que fignolaient mes petits copains de Rikers Island, avec schémas à l'appui !

De caviardeur, en fait, il n'y en avait qu'un à Lucques, et c'était l'aumônier, catholique il va de soi, ce qui explique bien des choses. J'ignore s'il s'était beaucoup démené pour obtenir ce job et passer la moitié de son temps à déchiffrer des trucs qui lui sortaient les yeux de la tête et la fumée des oreilles, ou s'il n'avait fait que remplir son sacerdoce en l'acceptant, mais personne ne peut nier qu'il mettait du cœur à l'ouvrage. Ce maudit curé était si préoccupé du salut de mon âme, si soucieux de garder purs les morceaux de mon anatomie les plus exposés à la tentation, qu'il restait insensible à ce que les hardiesses de Carol manifestaient de charité chrétienne envers un malheureux condamné à l'abstinence. J'ai appris par la suite que, non content de noircir les passages à son avis les plus scabreux (par chance, il ne connaissait pas trente mots d'anglais et les termes argotiques lui échappaient), non content de cela, donc, il réduisait consciencieusement en confetti microscopiques les doubles pages que Carol prenait la peine de détacher de *Playboy* et de m'expédier avec une abnégation qui, si l'on veut bien regarder les choses en face, aurait pu émouvoir même un apôtre de la chasteté. Quant à mes propres lettres, elles arrivaient en Angleterre comme tartinées de goudron. Puisqu'il ne comprenait strictement rien à ce que j'écrivais, le père Ricci jugeait plus prudent de tout maquiller, à l'exception de quelques rares prépositions et articles. Sans médire, on peut soupçonner ce brave homme d'avoir été un complet abruti.

La prison a fini par changer mon style, bien plus qu'elle ne m'a transformé moi-même. Carol ne m'envoyait pas seulement des lettres et des photos de *playmates*, mais aussi des colis entiers de livres de poche – jusqu'à vingt bouquins par semaine. Ces textes-là me parvenaient intacts, même ceux de Henry Miller qui avaient été interdits aux États-Unis pour les raisons que l'on sait. Sevré de tout le reste, j'étais devenu en un rien de temps accro à la littérature. Alors que je ne manquais pas de temps libre dans la journée, je m'usais les yeux des nuits entières à dévorer des romans à la lueur d'une ampoule de cinq watts.

Une fois, Carol est venue me voir. C'est en des occasions comme celle-là que l'on mesure tout l'intérêt qu'il y a à fraterniser avec au moins un ou deux gardiens. Peccora, surtout, m'avait à la bonne. Peccora s'est débrouillé pour être de service au parloir ce jour-là, puis il s'est débrouillé pour qu'on y reste seuls un petit moment, elle et moi. Il s'était découvert une violente envie d'en griller une et, comme fumer était interdit dans ce local, il avait pris ce prétexte pour se retirer discrètement. Je n'ai pas eu le loisir de jeter un coup d'œil à ma montre, mais, d'après moi, il ne s'est pas contenté d'une seule cigarette… Peccora, vieux frère, pourquoi ne t'ai-je pas explicitement dédié l'un des trente-deux thèmes que j'ai composés durant la période où – avec Draza qui, lui, n'était pas un maton, mais préparait clandestinement, sur un réchaud qui faillit cent fois faire sauter tous les fusibles du bâtiment, des spaghettis fantastiques – tu fus mon meilleur ami (et, de toute façon, l'un des plus précieux que j'aurai jamais eus sur cette terre) ?

Dans cette prison, plus qu'à Rikers (ou à Lexington, inutile de le préciser), j'ai perdu le contact avec la vie musicale. Mais pas avec la musique. Non seulement, comme je viens de le dire, j'ai écrit beaucoup de morceaux – une activité que j'avais négligée jusque-là, c'est le moins qu'on puisse dire –, mais j'ai travaillé mon instrument tous les jours, deux heures environ. L'intérêt d'une pratique suivie, c'est qu'il n'y a même pas besoin de *viser* les progrès : ils viennent à vous d'eux-mêmes. Néanmoins, ça ne m'empêchait pas de les solliciter en me proposant des buts de plus en plus difficiles à atteindre, compte tenu du fait que je n'avais pas bénéficié de la même formation qu'Oscar Greenspan. Je ne cherchais pas à devenir Dizzy Gillespie : il n'était simplement pas question que je me contente d'être toute mon existence un demi-Chet Baker.

J'avais pris le taureau par les cornes. Je voulais, à ma sortie, parler italien couramment et jouer mieux, au moins d'un point de vue technique, que dans mes meilleurs enregistrements (par exemple le disque que Dick Bock m'avait fait faire avec Russ et Shelly lorsque j'étais rentré de France : il y a là un *Love Nest* dont je continue d'être fier). De surcroît, je me concentrais sur l'architecture de mes phrases et sur ce que je pouvais mettre de moi dans chaque élément de cette construction, de manière que rien n'y soit moins intéressant – en tout cas *pour moi* – que si j'avais reproduit le chorus d'un autre ou même gardé le silence.

Rivaliser avec le silence, pour un musicien, ce n'est jamais qu'un premier pas, en un certain sens. Mais c'est un premier pas que la plupart d'entre nous n'ont jamais l'occasion de franchir (s'ils tentent seulement de le faire…). Moi, j'étais résolu à tenir ce pari coûte que coûte. Et je ne voulais plus que la chance, qui m'avait beaucoup servi, eût encore quoi que ce soit à voir en cette affaire. Un beau jour, il faut bien finir par se prendre en main, d'une façon ou d'une autre. Et j'en avais plus qu'assez des larmes de crocodile versées dans toute la presse à sensation d'Europe occidentale sur « la déchéance du martyr de la drogue ». Passé la porte de cette cage, je ne serais pas le revenant du jazz moderne, une sorte d'« ectoplasme réincarné » (comme l'écrivit je ne sais plus quel type que j'ai lu là-bas) frappant timidement à la porte : je serais celui qui rapporte du lointain une victoire que nul ne pourrait lui contester. Et qui, tant qu'à faire, laisserait baba pas mal de monde.

Ancien résistant yougoslave, ancien escroc qui se déguisait en officier pour aller se faire remettre dans les camps et les bases des armes qu'il revendait à son profit, Draza m'avait pris sous son aile et fait de moi un joueur d'échecs acceptable. Il me donna au surplus d'utiles conseils pour la rédaction de mon script. Des types de Cinecitta s'étaient pointés un jour à la prison et avaient demandé à me voir. D'après Peccora, ils pouvaient faire valoir plus d'accréditations occultes que des gros bonnets de la maffia. En réalité, c'étaient des producteurs de cinéma. Leurs femmes et leurs petites amies s'étaient donné une indigestion à force de gober toutes les insanités publiées sur mon compte et ils en avaient conclu qu'un film sur ma vie ferait un tabac. Ça ne dépendait que de moi : après Benny Goodman, Glenn Miller, Gene Krupa, Bix et son disciple Red Nichols (lequel m'avait plus marqué que le maître, soit dit en passant, mais chaque fois que j'ai fait cette observation devant des journalistes, personne n'a cru bon de relever, croyant peut-être que je parlais à travers mon chapeau), – après toutes ces stars, donc, je pouvais devenir un héros des écrans, éventuellement dans mon propre rôle, puisque j'avais déjà une petite expérience des plateaux. À cause d'elle, justement, cette perspective ne me faisait pas sauter au plafond. Ils trouveraient bien quelqu'un pour faire le pitre à ma place : les volontaires ne manquent pas pour ce genre de corvée. En revanche, je dressai l'oreille lorsqu'ils évoquèrent la possibilité pour moi de composer la musique de la bande-son, d'ébaucher au moins les grandes lignes du scénario et même, si je me sentais d'attaque, de mettre noir sur blanc une continuité dialoguée. Du moment que j'avais repris le contrôle de ma vie, méprisant le fait que je moisissais derrière les barreaux, cette vie, autant que ce soit moi qui la raconte à ma façon, plutôt qu'une bande de charognards à la façon d'une bande de charognards.

Pour finir, le film ne s'est pas fait. J'ai appris à cette occasion que ce genre de déconvenue arrivait sans cesse. Que les films présentés dans les salles constituent l'exception à la règle. Il paraît même que des réalisations *achevées* restent à l'écart du circuit, pour des raisons qui m'échappent, compte tenu du nombre de navets qui y accèdent tous les jours. L'avantage de ce système délirant est d'assurer tant bien que mal, entre la mise au monde et la mise en bière d'un projet, les fins de mois d'une foule de parasites et de fruits secs dont on se demande bien ce qu'on espérait d'eux en les mettant dans le coup. Mais je ne devrais pas faire la fine bouche, puisque j'ai été du nombre. Alors que mes finances se trouvaient au plus bas, on l'imagine, ces rêveurs m'ont avancé sans sourciller trois mille dollars de l'époque, ce qui n'était pas une plaisanterie, et m'ont promis qu'une fois dehors je toucherais la même somme chaque semaine, à concurrence de vingt-cinq mille dollars pour l'ensemble de ma contribution, jusqu'à ce que le tournage soit achevé.

J'ai commencé à jeter des idées sur le papier. Des idées d'intrigue et de dialogue, auxquelles Draza avait toujours son grain de sel à ajouter, et puis des idées mélodiques. Il fallait que les thèmes ressemblent le plus possible à des chansons que n'importe qui peut fredonner. Pas facile, mais j'étais dans mon élément. Un type, quelque part, travaillait déjà aux *lyrics*.

J'ignore si mes brouillons avaient plu à quelqu'un d'influent dans les studios. Toujours est-il qu'à ma sortie de prison, je fus contacté par Dino DeLaurentis en personne, pour un autre script autobiographique. Ça semblait déjà plus sérieux, mais cette affaire-là aussi est tombée à l'eau.

Le jour de ma libération, Carol m'attendait. J'étais toujours aussi fou d'elle. Mon premier geste, je le laisse deviner. Mon deuxième, après avoir récupéré quelques affaires personnelles déposées chez Ettore par mes partenaires de *La Bussola*, fut d'acheter une Alfa Romeo, dans laquelle nous ralliâmes Rome comme si nous risquions d'être en retard à l'audience de Sa Sainteté Jean XVIII. Il est vrai que j'étais impatient de savoir où en était *mon* film, ignorant que le premier tour de manivelle n'avait pas été donné et qu'il n'était plus question de le donner un jour.

Nous nous installâmes, Carol et moi, à Parioli, dans un hôtel de petite taille mais de grande classe. La saison des amours à la sauvette au premier étage de la villa Gemma ou dans un coin du parloir de la prison était révolue. Ce séjour à Parioli fut comme un voyage de noces, conditions idéales pour oublier que je ne recevais aucun signe de Cinecitta. Après deux semaines, je tirai un trait sur cette histoire. Il n'était que temps de passer aux choses sérieuses, c'est-à-dire de prouver aux critiques blasés, aux confrères sceptiques, aux amateurs inconstants que Chet était de retour et que, cette fois, il était là pour rester.

Plus célèbre en Italie qu'en Californie à la grande époque du *Haig*, j'y étais l'étranger le plus connu avec Brigitte Bardot. On ne me tenait pas rigueur de mes démêlés avec la justice ni même de toutes les turpitudes que me prêtait la presse à scandale. Les Italiens, au contraire, me vouaient une sorte de reconnaissance parce que j'avais appris à m'exprimer à peu près correctement dans leur langue et que je ne leur avais pas tourné le dos après les déboires que j'avais connus dans leur pays. Ils sentaient que je les aimais et que l'Italie était à mes yeux un enchantement, sans cesse renouvelé. Parfois, j'avais l'impression qu'avec leurs chamailleries perpétuelles, politiques et autres, ils se rabibochaient dans l'affection qu'ils me portaient et qui franchissait les barrières sociales, voire, plus surprenant encore, les barrières culturelles. Les industriels du Nord, les intellectuels de Pise, les mannequins de la via Veneto et les putes de la via Appia, les aristocrates de Venise, les marchandes de quatre saisons des rues de Naples et, je suppose, les criminels endurcis de Palerme, tout le monde avait un faible pour moi. Ajouté à la force que j'avais acquise en prison, ce faible pouvait me porter, dans ma musique, aussi loin que j'espérais, puisqu'il m'offrait la liberté de jouer ce que je voulais jouer sans craindre la désaffection du public. Vos fans servent à cela : puisque vous leur plaisez *inconditionnellement*, ils vous délivrent de l'angoisse d'être désavoué et de la corvée de séduire, qui peut être suicidaire pour un artiste. C'est pourquoi, au grand étonnement des autres musiciens et des gens qui me connaissent, j'ai toujours accueilli avec beaucoup de chaleur les chasseurs d'autographes et répondu sans la moindre ironie, sans la moindre condescendance, aux questions souvent idiotes que viennent me poser entre les sets ou à la fin des concerts des personnes qui comprennent la musique comme moi la relativité d'Einstein, mais qui prennent la peine de collectionner mes disques. C'est le genre de concessions qu'il faut faire en coulisse si l'on veut se donner les moyens de n'en faire aucune sur scène.

Pour profiter de la conjoncture, j'ai monté un nouveau groupe. J'ai fait appel à Bobby Jaspar, de passage en Europe après qu'il se fut installé aux États-Unis où, d'après ce qu'on m'a dit, en dépit du fait qu'il avait joué avec Miles, avec Jay Jay Johnson, et enregistré notamment aux côtés de John Coltrane, ça n'avait pas marché aussi fort pour lui qu'il le méritait. Bobby était accompagné d'un vieil ami liégeois, qui était lui aussi l'un des meilleurs sur son instrument (et pas seulement sur le Vieux Continent) : le guitariste René Thomas. Je l'avais entendu à Paris quelques années plus tôt. Sonny Rollins avait déclaré quelque part qu'il était le plus grand de tous et je n'étais pas loin de partager ce point de vue. René était tout bonnement fantastique, comme son compatriote, et tous deux étaient aussi de fantastiques camés, à qui l'on aurait pu consacrer une salle spéciale au musée de la Dope. Derrière les hublots de ses énormes lunettes, le regard de René flottait quelquefois de manière inquiétante, comme si le dernier lien qui le rattachait à la réalité s'était rompu. Mais vous écoutiez ce qu'il était en train de faire sur sa guitare et vous vous aperceviez que personne n'aurait pu être davantage dans le coup, davantage au cœur des choses qu'il ne l'était à cet instant précis. Le secret était plutôt bien gardé, nombre de gens n'en soupçonnaient rien : pour autant, il avait trouvé le sésame, il avait trouvé la clé de l'essentiel. Il le paierait très cher, c'était couru, du fait qu'on ne peut pas être à la fois *out of this world* et proche du mystère de la vie (c'est le genre de grand écart qui vous déchire). En attendant, il faisait dire à la musique, soir après soir, le genre de choses qu'en règle générale elle n'avoue que contrainte et forcée, ou alors une ou deux fois dans la vie d'un musicien, par inadvertance. Le 5 janvier 62, aux studios RCA de la via Tiburtina, non loin de Rome, nous avons enregistré un microsillon qui paraîtrait sous le titre de *Chet Is Back !* Pour des raisons différentes, tout le monde avait envie de faire des étincelles. Si j'ai signé, à ce qu'il paraît, des disques « désespérés », celui-là n'en fait certainement pas partie.

J'ai composé ou improvisé de la musique pour des documentaires de cinéma, certains commandés par le gouvernement italien. J'ai fini par tourner et par chanter dans un film, *Ulatori alla sbarra*, dont personne, surtout pas moi, ne conserve un souvenir impérissable. J'eus droit aussi à un grand article d'Oriana Fallaci dans *Europea*. Pour les journaux à fort tirage, cependant, je n'étais plus ni Chet Baker ni même Chet, mais *Tromba d'oro*, « Trompette d'Or ». Un sobriquet si peu adapté à ma conception de l'instrument me laissait perplexe ; au moins me conférait-il un certain éclat sur le plan promotionnel. À Naples, quelqu'un qui avait dû prendre l'expression au pied de la lettre s'imagina que je jouais sur un biniou en or massif et s'empressa de m'en délester pendant que je discutais avec des amis entre deux sets, le dos à l'estrade. Ce ne serait pas la dernière trompette qu'on me volerait. La même mésaventure m'arriverait l'année suivante au Chat-qui-pêche, mais, là, le coupable devait plutôt être une sorte de fétichiste.

On voit de tout dans les boîtes de jazz. Tant mieux ! S'il ne fallait compter que sur les purs mélomanes, elles fermeraient toutes les unes après les autres. Tenir un établissement de nuit, dans quelque spécialité que ce soit, n'est pas une sinécure. On ne doit pas s'étonner outre mesure que, dans bien des cas, les gangsters aient été les seules personnes ayant assez peu froid aux yeux pour affronter pareille épreuve. Comme tous les musiciens, je connaissais la situation par cœur. Ça ne m'a pourtant pas dissuadé d'ouvrir à Milan mon propre établissement, *The Chet Baker Club*, avec l'aide d'un ami du nom de Nando Latanzzi, qui m'avait organisé déjà quelques concerts couronnés de succès. Pour ce qui était des spaghetti, Nando en aurait remontré à Draza lui-même. Chaque soir, après la répétition, lui, moi, mes musiciens et le personnel, nous en enfournions des quantités stupéfiantes.

Je ne suis pas obsédé par les réglages au millimètre, les mises au point cent fois refaites, mais, toujours décidé à jouer gros jeu, et engageant mon nom (qui s'étalerait en lettres de néon sur la façade), j'avais la ferme intention de ne pas accueillir le public avant d'être en mesure de lui présenter quelque chose, non pas d'« abouti » (le jazz n'autorise ni n'ambitionne ce genre de performance), mais de parfaitement rodé.

Après ce dîner pris en commun, nous jouions aux cartes. Je me défendais plutôt bien au poker. Carol et moi, nous nous étions installés à l'hôtel *Virgilio*. Plus d'une fois, j'y suis rentré les poches farcies de ces grosses coupures italiennes qui, par la taille, vous donnaient le sentiment d'être encore deux fois plus riche que vous ne l'étiez en réalité. Les premiers temps, je faisais toutes sortes de cadeaux à Carol. Moi, je n'avais guère besoin que de remplir le réservoir de mon cabriolet et d'être en mesure de payer les éventuelles amendes pour excès de vitesse, au cas où je tomberais sur un flic qui ferait semblant de ne pas me reconnaître. Certains avaient une dent contre moi, depuis que leurs collègues de Viareggio et de Lucques m'avaient joué un tour de cochon. Oublions ça. Ce que je voulais dire, c'est que ces « premiers temps » n'ont pas duré.

Aucun produit franchement illicite ne circulait en prison. Ç'aurait été différent aux États-Unis, en particulier à Rikers. Mon séjour sous les verrous m'avait éloigné de la came et, jusqu'à l'épisode du *Chet Baker Club*, Carol, la musique et mon Alpha Romeo me suffirent pour planer. Même l'exemple de Bobby avec la Ritalin et de René, qui aurait gratté de l'héro dans un nid de scorpions (lorsqu'il n'était pas sur scène ou en studio, la recherche d'une dose, puis d'une autre et de la suivante, lui prenait la totalité de son temps), même leur exemple ne m'avait pas fait succomber à la tentation. J'en étais le premier surpris, mais je restais *clean*. Puis, sans heurt, sans crise, sans solution de continuité, je ne le suis plus resté. Des âmes charitables sont passées me voir au club, qui n'avait toujours pas ouvert ses portes, et j'ai replongé de la même manière qu'un type retrouve ses pantoufles en rentrant à la maison. D'abord les comprimés de Palfium, puis des choses un peu plus consistantes...

Au printemps 1962, je me suis rendu en Allemagne, où je devais donner des concerts à Hambourg et à Munich. Dans l'urgence, je suis allé trouver un médecin. Je lui ai subtilisé des ordonnances et je les ai remplies pour me procurer certains produits. Je me suis fait prendre la main dans le sac. Le juge m'a condamné à passer trois semaines en cure de désintoxication dans une clinique munichoise, peine assortie d'une interdiction de séjour de deux ans dans le pays. La cure terminée, on nous a conduits à la frontière suisse, Carol et moi. De Suisse, nous pensions regagner l'Italie, mais j'étais attendu et les douaniers me refoulèrent. J'étais devenu indésirable dans le pays que j'aimais le plus au monde et où j'étais le plus aimé. Carol se rendit à Milan afin d'emprunter de l'argent à l'une de nos connaissances. J'avais un contrat de plusieurs millions de lires avec la compagnie RCA, mais, pendant mon absence, la police avait bloqué tous mes avoirs. Je ne pouvais même pas récupérer la bagnole. En fait, il fallut abandonner tout ce que nous possédions là-bas, y compris la masse de vêtements que Carol ne parvint pas à fourrer dans les valises. J'étais capable d'y renoncer. Mais comment ne pas ressentir cruellement la perte d'un décor, d'une lumière, d'un art de vivre qui étaient devenus l'une de mes principales sources d'inspiration ?

Jean-Philippe Coudrille

Je venais de m'installer à Paris (enfin, à Clamart) quand les revues de jazz ont annoncé que Chet, de retour d'Italie, était pour trois mois à l'affiche du *Blue Note* de la rue d'Artois, le club où Lester jouait quelques jours avant sa disparition. À l'époque, je débutais dans la vie. Je n'avais pas encore de meubles, pour ainsi dire, à part un lit et un fauteuil que mes parents avaient fait livrer de Strasbourg, et, bien sûr, j'étais fauché dès le 15 du mois. Pourtant, je ne sais pas comment j'ai fait mon compte (j'ai dû me farcir une sévère dose de riz-pâtes-patates, je suppose), mais je suis allé au *Blue Note* trois soirs de suite, et j'y suis encore retourné deux fois avant la fin de l'engagement du trompettiste. Il était mon musicien préféré depuis que j'avais découvert grâce à un copain de la fac le 25 cm Swing où Bob Brookmeyer et Bud Shank figurent à ses côtés. En ce temps-là, par principe et exception faite de Bix Beiderbecke et de Stan Getz (celui-là, il me mettait dans tous mes états), je n'appréciais pas les jazzmen blancs, et encore moins ceux de la côte ouest. J'avais toujours refusé d'écouter les enregistrements du quartette Mulligan. Je tenais Shank, comme Art Pepper ou Paul Desmond, pour quantité négligeable. Si Brookmeyer trouvait grâce à mes yeux, c'était parce qu'il jouait sur un microsillon de Getz que j'avais acheté et dont je pouvais passer et repasser vingt fois de suite un morceau intitulé *Cool Mix*, sans réaliser une seconde qu'il n'y avait qu'un cheveu entre cette musique qui me faisait fondre et ce que Bill Perkins et les autres jouaient à la même époque sur les bords du Pacifique.

Le copain en question m'a montré que, si on écoutait un solo de Brookmeyer au trombone à pistons en 45 tours, plutôt qu'en 33, on entendait quelque chose qui ressemblait pas mal à un solo de Chet Baker à la trompette. Ce que ça prouvait au juste, je serais bien en peine de le dire, même aujourd'hui, mais cette expérience m'a convaincu que, si « Brook », hautement apprécié par Stan Getz (j'avais lu des interviews à ce sujet), s'était choisi Chet Baker pour modèle, Chet Baker, finalement, ne devait pas être aussi mauvais que Boris Vian l'avait dit et répété (et Dieu sait pourtant que tout ce qu'avait déclaré Boris était à mes yeux paroles d'Évangile). Au fait, Chet n'avait-il pas enregistré en compagnie de Stan ? En 1958, ils avaient participé ensemble à une séance Verve en quintette, inédite en France, sur laquelle j'essayais vainement de mettre la main, Stan étant devenu mon saxophoniste de prédilection après que Sonny Rollins m'eut beaucoup déçu avec son espèce de machin en compagnie d'Elvin Jones au Village Vanguard, où ça part dans tous les sens, mais où ça ne mène jamais nulle part (et je ne dis rien de ma perplexité devant le *My Favorite Things* de John Coltrane, puis le *Free Jazz* d'Ornette Coleman).

Le copain tenait vraiment à me convertir : il est allé jusqu'à me fourrer son 25 cm entre les mains. Le prêt, en ce temps-là, n'avait guère cours entre amateurs sérieux :

nous avions bien trop peur que nos trésors nous reviennent marqués d'une façon ou d'une autre, alors que nous manipulions les pochettes *intérieures*, en papier ou en plastique, avec plus de précautions que de la nitroglycérine. Mes pièces préférées, j'allais jusqu'à éviter de les écouter trop souvent, afin de ne pas les user.

En une nuit, dans ma piaule de la cité universitaire, je suis passé de la méfiance à la fascination, du scepticisme au fanatisme, devenant du jour au lendemain ce que je suis resté quarante ans plus tard : un bakerophile pur et dur, et même un bakerolâtre. Nous ne devions être qu'une poignée dans tout l'Hexagone. On finissait toujours par se rencontrer ; on s'échangeait de la correspondance. Grâce à ces réseaux et aux contacts qu'on obtenait par leur entremise à travers l'Europe et jusqu'aux États-Unis, voire au Japon, non seulement j'ai entrepris de collectionner tout ce que Chet avait fait, toutes les photos où on l'apercevait (même de dos), tous les articles où son nom était cité, mais je me suis mis à l'affût du moindre potin le concernant. Lorsque les gardiens du Temple, auxquels j'avais été si fier d'appartenir, me demandaient des comptes au nom de la pureté de la musique négro-américaine, je répondais avec superbe : « Il y a le bon jazz, il y a le mauvais et puis il y a Chet Baker. » À l'appui de cette thèse, je leur chantais le solo de trompette de *Little Man You've Had A Busy Day*. Ils me prenaient pour un fou. Et pour un renégat, il va sans dire.

J'ai appris qu'après son passage au *Blue Note,* Chet s'était rendu en Angleterre, d'où était originaire la fille avec laquelle il sortait alors (on le devine, les membres de notre petit club en étaient trop jaloux pour ne pas la détester ou, du moins, la traiter par le mépris). Il devait aussi jouer là-bas son propre rôle dans un film avec

Susan Hayward, *Stolen Hours*. Il paraît qu'il habitait avec la fille en question, Carol Jackson, chez les parents de cette dernière. Ça nous semblait bizarre. On avait du mal à comprendre qu'un génie de la musique soit obligé de vivre aux crochets de quelqu'un. On se rassurait en se disant qu'il jetait l'argent par les fenêtres. Qu'il claquait son fric au jeu, avec les putes et – on en parlait à mi-voix, mais avec délectation – auprès des revendeurs de drogue (le mot *dealer* n'était pas encore entré dans le vocabulaire usuel). Même le haschich, il aurait fallu me menacer avec une arme pour que j'y goûte. Non seulement les « substances » ne me tentaient pas, mais elles me remplissaient d'horreur. Pourtant, la consommation immodérée que notre idole était censée en faire les rendaient plus mythiques, plus mystérieuses et donc plus sacrées à nos yeux. La simple idée d'une seringue d'héroïne me mettait au bord de la nausée, mais, plantée dans une veine de Chet, le même objet devenait à mes yeux un attribut qui grandissait le personnage. Qui, loin de salir la belle icône, la préservait de toute souillure. Je m'explique : la drogue déconnectait Chet de ma réalité à moi. Purifié de cela, il devenait comme le fruit d'une immaculée conception. Cette Carol, comment osait-elle poser ses mains sur lui ? J'essayais de me persuader qu'il la réservait à un usage strictement hygiénique.

Dans les cercles d'initiés – fréquentés par quelques types qui, eux, s'étaient faits junkies par amour de Chet, trouvant qu'il était plus facile de se piquer que d'apprendre la trompette –, le bruit courait qu'à Londres, c'était tout juste si les services de santé ne distribuaient pas stupéfiants et narcotiques au coin de la rue. Le toxico entrait dans la première pharmacie venue et réclamait la dose quotidienne qui lui avait été allouée par les autorités. En plus, ça ne lui coûtait qu'une somme modique. Voilà donc pourquoi notre héros avait quitté la France ! C'était un soulagement de savoir qu'il ne nous préférait pas ses fans britanniques. En revanche, l'annonce que Carol avait mis au monde un enfant de lui, prénommé Dean, le 25 décembre 1962, nous fit l'effet d'une douche froide. Bien sûr, on n'allait pas s'avouer les uns aux autres des sentiments pareils. Mais, tout de même, est-ce qu'on ne lui suffisait pas ? Est-ce qu'être le père de la plus belle musique du monde ne lui suffisait pas ?

Tandis que la fameuse Carol accouchait, il se morfondait en taule une fois de plus, pour avoir dépassé la dose permise. À peine dehors, il reprit son trafic de fausses ordonnances. En mars, les Rosbifs l'expulsèrent sans autre forme de procès. Vers la France. Pour nous, c'était la meilleure nouvelle de l'année. Mais qu'attendait-il pour enregistrer ? Pour se décider, par exemple, à faire son disque de bossa-nova, comme Getz, Brookmeyer, Zoot Sims, Quincy Jones et tous les autres ?

Il s'est retrouvé à l'affiche du *Blue Note*. J'étais là le premier soir. Et aussi, par le plus grand des hasards, la nuit où il s'est fait virer. Il avait pris l'habitude de jouer assis. Quelqu'un m'a expliqué que cela déplaçait son centre de gravité d'une manière qui convenait à son jeu de trompette. Mais pour le vulgum pecus, c'était une attitude encore plus désinvolte que celle de Miles Davis, qui tournait le dos au public et disparaissait pendant les solos de ses partenaires. En fait, Miles avait tous les droits, alors que Chet était censé se plier aux usages. Les patrons de club s'engraissaient sur son dos, mais ils refusaient de le traiter comme une star. Ça nous mettait dans des colères noires.

Le *Blue Note* était dirigé par un couple, les Benjamin. On racontait que Chet avait bataillé dur avec eux pour obtenir de s'asseoir pendant le deuxième et le troisième set. En revanche, il devait jouer le premier bien droit sur ses jambes. Cela nuisait à sa concentration, mais ils n'en avaient strictement rien à battre. Du moment que la salle était pleine et que les clients renouvelaient leurs consommations, la qualité de la musique leur semblait très secondaire. À part les fêtards égarés dans leur établissement, ils étaient les seuls à ne jamais y prêter attention. Un copain les avait surnommés « les Thénardier ».

Cette nuit-là, Chet s'est installé sur son tabouret dès que l'orchestre a pris possession de l'estrade.

« Debout ! », a hurlé la mère Benjamin quand elle s'en est aperçue.

Il a levé le bras. Derrière lui, le trio s'est arrêté de jouer au beau milieu d'une phrase. Même au bar, les papotages se sont tus. Ben Benjamin s'est avancé vers les musiciens.

Il a dit en anglais quelque chose que mon voisin m'a traduit à l'oreille :

« Ou tu te tiens comme il faut, ou tu dégages ! »

Chet a mis sa trompette sous son bras, a traversé tout le club et s'est retiré sans un mot. On était si estomaqué, autour de notre table, qu'on n'a même pas eu la présence d'esprit de lui courir après pour lui dire à quel point, nous, on le respectait.

Un peu plus tard, une rumeur inquiétante nous vint aux oreilles. Il avait déclaré, disait-on, que ce qui le passionnait le plus dans le jazz contemporain, c'était John Coltrane ! Non seulement il se régalait de ce déluge de notes sans queue ni tête, mais il avait « fini par comprendre » qu'il devait se diriger dans cette direction pour répondre à une sorte d'appel intérieur. Le mot de consternation n'est pas assez fort pour définir ce que nous avons ressenti. Chacun s'est précipité chez soi pour réécouter ses disques gravés après sa rencontre avec Johnny Griffin (lequel n'avait pas la cote parmi nous, en raison de propos plus que désobligeants qu'il avait tenus sur Stan Getz). Y avait-il là ne fût-ce qu'une note dont un rigolo du genre de Don Cherry aurait pu être l'auteur ? Nous en sommes tous arrivés à la même conclusion : ou bien notre informateur nous avait raconté des bobards, ou bien Chet ne touchait plus terre lorsqu'il avait fait cette déclaration. Il n'y avait pas d'autre alternative. Malgré tout, nous vivions dans l'angoisse, craignant qu'un nouveau microsillon nous oblige à réviser notre jugement. Pour un peu, nous nous serions maintenant félicités de la totale indifférence des producteurs à son endroit.

D'être évincé du *Blue Note*, dans le quartier des Champs-Élysées, n'a pas mis notre ami sur la paille. Il s'est replié sur *Le Chat qui pêche*, une cave du Quartier latin, qu'il a squattée huit mois durant. Il a jugé bon d'embaucher un joueur de cor turc du nom de Melih Gurel, mais, pour l'essentiel, nos appréhensions se révélèrent sans fondement : Chet rêvait peut-être de rivaliser avec Miles, avec Freddie Hubbard, avec Lee Morgan ou même avec Don Cherry, mais il continuait de jouer comme le seul et unique Chet Baker. Et, entre nous, il n'en avait pas l'air si mécontent. Plus tard, il a confié à un journaliste que, l'un dans l'autre, 1963 avait été l'une des années les plus heureuses de son existence.

Pour autant, les déboires ne lui furent pas épargnés. Les policiers étaient en permanence sur son dos, cherchant un prétexte, j'imagine, pour le refouler en Belgique ou en Espagne, afin de ne pas être en reste avec leurs collègues allemands, italiens et anglais. Ils examinaient ses bras à la loupe. Chaque mois, il devait aller pisser dans une éprouvette. Ça ne l'empêchait pas, à ce qu'on murmurait, d'organiser des petites javas à sa façon avec les supercamés de passage dans la capitale : la chanteuse Anita O'Day, Getz, un autre ténor inspiré par Lester et qui avait enregistré avec Tony Fruscella : Allen Eager. Ils allaient fumer le hasch du côté de la Bastille, puis se réunissaient dans la chambre d'hôtel de l'un ou de l'autre pour passer aux choses sérieuses.

Chet, cependant, n'était toujours pas une star. S'il avait croisé dans la rue le Chet qui avait enregistré *My Funny Valentine* avec Mulligan, il aurait dû lui abandonner le trottoir. Lorsqu'il se rendit à Juan-les-Pins pour y écouter Miles, qui se produisait au festival, les contrôleurs placés devant la pinède Gould refusèrent de le laisser entrer, sous prétexte qu'il n'avait pas acheté de billet.

Au Chat, on lui a fauché son instrument. Quelqu'un lui a prêté un vieux bugle. Chet s'est souvenu que Miles avait enregistré sur ce truc-là certains de ses plus beaux disques. Il est tombé amoureux de cet engin. Il ne s'est remis à la trompette qu'une demi-douzaine d'années plus tard, alors qu'il se trouvait au creux du creux de la vague et qu'on se demandait tous s'il referait surface un jour. C'est en 1963 que je me suis intéressé pour de bon à Clark Terry, au seul motif qu'il avait la réputation d'un bugliste de premier ordre. Je voulais me prouver que Chet n'avait rien à lui envier. À vrai dire, on aurait eu le plus grand mal à me faire soupçonner le contraire. En attendant, je me suis mis à adorer Clark sans même m'en rendre compte. J'ai même racheté certains de ses disques avec Duke et avec Monk, dont je m'étais débarrassé quelques années plus tôt pour me payer de vieux Pacific Jazz de Chet en pas trop bon état, qui se négociaient sous le manteau au prix de l'or.

Mme Ricard, la patronne du Chat, n'avait pas auprès des musiciens, et donc de nous autres les groupies, la mauvaise réputation des Benjamin. Quand Chet en était l'attraction, sa boîte débordait de clients. On en entassait le plus qu'on pouvait au bar, situé au niveau de la rue, et dans l'escalier qui menait à la cave proprement dite. Sur ces marches, l'amateur pouvait croiser ses dieux. Certains soirs, malgré tout, Mme Ricard devait refuser du monde, ou proposer aux nouveaux arrivants d'attendre dans la rue que quelqu'un sorte, voire d'aller perdre une heure ou deux dans un des cinémas du coin. Si j'en juge par ma propre expérience, ce genre de mésaventure arrivait à pas mal de gens. Voyant cela, peut-être Chet s'est-il cru invulnérable. D'une certaine manière, il l'était bel et bien. Sa musique, si parlante, si poignante, évoquait une tour d'ivoire transformée en citadelle imprenable : aucune influence extérieure n'était assez puissante pour l'investir, et encore moins pour la contaminer. Le seul problème de Chet, c'était que la formidable invulnéra-bilité de l'artiste ne rendait pas l'homme intouchable aux yeux de la loi.

On prétend qu'elle est faite pour tout le monde, la loi. Je veux bien. On s'en félicite ; je m'en félicite aussi. Je ne crois pas avoir l'esprit moins démocratique qu'un autre. D'après moi, cependant, les créateurs de génie (ils ne sont pas si nombreux !) devraient constituer l'exception à la règle. Je parle des artistes, bien entendu. Les savants, les penseurs, j'ai le plus grand respect pour eux, mais enfin, si un type n'invente pas le fil à couper le beurre, un autre, tôt ou tard, le fera à sa place. Je ne dis pas non plus que les grands esprits sont interchangeables, mais une bonne idée germera toujours dans la tête de quelqu'un, avant de s'imposer à l'humanité tout entière. Sans Galilée, on aurait fini par s'apercevoir que la terre tourne. Tandis que le style de Louis Armstrong, par exemple, personne ne pouvait l'inventer à sa place. Dès lors, en admettant qu'il ait commis quelques incartades par-ci par-là, qu'est-ce que la civilisation aurait gagné à enfermer Louis Armstrong ? Elle l'aurait empêché de s'exprimer, de donner des concerts, d'enregistrer des disques. Qui aurait été le plus puni, en définitive : lui, ou bien la société ? J'irais même plus loin. Quoi que Chet ait pu faire, y compris étrangler Carol ou Mme Benjamin, je le trouverais plus utile sur une scène que sous les verrous. Quant à l'embastiller pour avoir compromis sa propre santé, ça me paraît relever du délire pur et simple.

Il faut croire que délirer n'effraie pas ceux qui pourtant se définissent eux-mêmes comme des bien-pensants. Estimant peut-être que la rareté de ce qu'il avait à offrir le mettait à l'abri des tracasseries administratives, Chet n'a pas refusé d'aller jouer au *Blue Note* de Berlin, en dépit des ennuis qu'il avait eus en Allemagne. On l'a épinglé dès son arrivée, retiré du circuit un certain temps et, comme d'habitude, éjecté à coups de pieds dans le derrière.

Cette fois, il en a eu marre. Il est reparti pour l'Amérique via l'Espagne et, dans cette affaire, les seules personnes pénalisées furent des fondus dans mon genre, qui n'auraient pas fait de mal à une mouche.

Témoignages (IV)

Chet Baker : « Barcelone était magnifique en décembre 1963. Après Paris, la ville semblait presque tropicale. Il fut convenu que je jouerais un mois dans une cave présentant du jazz depuis environ un an. En haut, Antonio Gades dansait, accompagné par des guitares, des claves et des castagnettes. Le club me fournit aussi un petit appartement. Je me mis à demander à des médecins de me fournir du Palfium. Pendant mon engagement au club, je rencontrai une famille très influente, avec de nombreuses relations, et, par leur intermédiaire, un médecin qui possédait une clinique ultramoderne et flambant neuve avec un bloc opératoire. Les compétences et les locaux de ce chirurgien attiraient des patients du monde entier. J'obtins bientôt de lui qu'il me rédige des ordonnances, et tout recommença une fois de plus. »

(Post-scriptum à *Comme si j'avais des ailes*, op. cit.)

Gérard Rouy : « Expulsé le 3 mars 1964, il débarque à Kennedy Airport avec toute sa famille. Il n'a pas un sou en poche. La légende veut que Chet ait alors téléphoné à

Gerry Mulligan pour lui emprunter vingt dollars afin de prendre un taxi pour Manhattan et que le saxophoniste ait refusé ! » *(Question : comment emprunte-t-on par téléphone un billet de vingt dollars dont on a un besoin immédiat ?)*

» Absent depuis presque cinq ans de la scène américaine – où la face du jazz du début des années 60 a une nouvelle fois singulièrement changé pendant son long périple européen –, Chet Baker a eu largement le temps de se faire oublier : le magazine *Metronome*, sans nouvelles, écrit qu'il serait peut-être mort ! La jeunesse s'enthousiasme pour les stars du rock et de la pop music, les musiciens de jazz traversent une époque difficile. "Au début des années 60, se souvient avec amertume Bud Shank, il était impossible de travailler en tant que musicien de jazz, nous jouions un peu en Europe, mais, aux États-Unis, il n'y avait rien, c'était envolé. (…) On enregistrait très peu de disques (…), c'était une sale époque, (…) nous pensions tous que c'en était fini de nous, nous ne savions pas ce qui allait advenir, nous pensions que c'était la fin de notre carrière…"

» À New York, en 1964, le jazz est à quelques mois de sa "Révolution d'octobre", John Coltrane est en pleine ascension… L'heure est au "Black is beautiful" et l'Amérique ne pense plus à Chet Baker, ni à ses congénères californiens qui ont le double tort d'être *cool* et blancs. »

(Extrait de *Chet Baker*, biographie publiée aux éditions du Limon)

Tadley Ewing « Tadd » Dameron

Je me fiche bien d'être « moderne ». Il fut un temps où, à New York, avec Bird, Diz, Bud, Monk, Miles, Fats, Kenny et d'autres, je représentais l'avant-garde, et je m'en fichais déjà. En 1956, j'ai enregistré un disque avec Coltrane et personne ne m'y a contraint : j'appréciais ce qu'il faisait. Mais le contrat ne stipulait pas que je devrais aimer de la même façon tout ce qu'il ferait par la suite, sous prétexte que ça devenait de plus en plus « moderne ». Aujourd'hui comme hier, la seule chose qui m'intéresse, c'est la beauté, qui, d'après moi, n'est d'aucune époque et sur laquelle, toujours d'après moi, le temps ne doit avoir aucune prise. Il y a déjà bien assez de laideur dans le monde : pourquoi les artistes devraient-ils en rajouter ? Dans la perspective de se mettre à son niveau ?

J'ai lu hier, je ne sais plus où, que Trane faisait désormais une « musique de résistance ». À mes yeux, au contraire, chaque fois qu'il installe le chaos là où, après des siècles d'acharnement, on avait réussi à introduire un semblant d'harmonie, il cède du terrain ; il accepte les règles d'un jeu où les gens comme nous ont perdu d'avance. Et puis, qui m'expliquera comment on parvient à combattre le mal par le mal ? Certains me disent :

« Donc, tu approuves tout ce qui se passe autour de nous : tu fignoles de jolies sérénades pendant qu'ils lynchent nos frères en Alabama ! » Me croient-ils assez défoncé pour ne pas voir ce que j'ai sous les yeux ? Inutile de descendre dans le Sud pour être confronté à l'intolérable : se rendre au coin de la rue suffit bien. Nous vivons au milieu de l'injustice, de la violence, de la peur, de l'horreur quelquefois. Mon idée, pour nous sortir de là, c'est de montrer sans relâche qu'autre chose existe. Je propose avec ma musique un monde qui disqualifie celui où nous sommes. Il me semble qu'en matière de subversion, on ne peut guère aller beaucoup plus loin, dès lors qu'on se refuse à employer les armes de l'adversaire. Dire non à l'horreur, c'est une chose, mais le vrai combat consiste à dire oui à ce qui rend l'horreur impossible. Il consiste, pour commencer, à donner corps à cette chose-là. À lui donner corps et âme : à lui donner vie. Là est le véritable héroïsme, puisque vous opposez un simple songe à une réalité contre laquelle vous vous cognez de toute part. Là est aussi, je trouve, la véritable conquête.

La beauté, Chet Baker, lui, n'avait pas besoin de la conquérir : elle lui courait après. Il ne parvenait tout simplement pas à s'en dépêtrer. À Lexington déjà, en 59, il la trouvait un peu collante. Aussi était-il tenté de prendre ses distances avec elle. Tous les bons musiciens que j'ai connus eurent cette tentation à un moment ou à un autre, Clifford représentant la seule exception. Pour lui, comme pour moi, la beauté était un devoir, le premier de tous. Et l'on aura compris que je parle de beauté sereine, de beauté gracieuse. D'une beauté qui survole, qui transcende, qui élève, qui rend meilleur.

Chet, pour sa part, ressemblait un peu à Miles : comme il avait cela en lui, comme il n'avait acquitté aucun droit pour l'obtenir, il avait tendance à s'en méfier, voire à s'en lasser. Il se disait que pour accéder à de nouveaux rivages, à des terres inconnues, il devait d'abord rompre les amarres qui le retenaient à son port d'attache, à l'enfance et à la mémoire de sa musique. En une phrase : se tourner le dos pour ne pas tourner en rond. Rendre son jeu plus âpre – ou, pour reprendre ses propres termes, « plus dur », « plus méchant » – était devenu son obsession quand nous nous sommes rencontrés là-bas. En même temps, il restait soucieux de ne pas se trahir, de « conserver un minimum d'honnêteté » (disait-il encore) et de ne pas proposer une musique qui aurait été la sienne à moins de quatre-vingt-quinze pour cent, le reste étant ce qu'il s'autorisait d'emprunts à Miles (pour ce qui est de certains choix cruciaux ; je ne fais évidemment pas allusion aux similitudes superficielles, comme l'absence de vibrato). Il appelait Miles son « ange gardien ». Parce qu'il lui indiquait le cap et l'empêchait de s'égarer en cours de route, expliquait-il. L'empêchait en particulier – ajouterais-je de ma propre initiative – de se perdre en lui-même.

Lorsque nous nous sommes revus au printemps dernier, si contents de ces retrouvailles que nous avons décidé d'habiter ensemble et d'échanger nos seringues aussi long-temps que nous nous supporterions mutuellement, son dilemme était toujours le même. Ou bien rester Chet Baker au risque de se scléroser, ou bien se transformer au risque de n'être plus qu'un masque, une coquille vide. Il cherchait le secret d'une métamorphose qui aurait préservé son intégrité. C'était ce que j'appréciais le plus chez lui : en musique, il n'optait jamais pour la solution de facilité, ne s'attaquait jamais à des problèmes déjà résolus. Toutefois, il n'était pas impossible qu'il ait trouvé son équilibre en balançant entre deux précipices. Ou plutôt, entre l'oubliette où finit par vous fourrer votre propre mémoire et le trou sans fond de l'amnésie absolue. Sur le fil du rasoir, Miles procédait par embardées. Chet, pendant ce temps, s'appliquait à faire des pointes. C'était moins spectaculaire, mais le risque restait le même : le risque non pas seulement d'échouer dans sa tentative, mais encore de se dissoudre, de s'anéantir, soit dans l'auto-suffisance, soit dans la dépendance (je ne sais pas si je devrais utiliser ce mot) à l'égard de quelqu'un qui n'est pas soi, de quelque chose qui n'appartient pas à sa propre nature. Recevoir la lumière sans être ébloui par elle, assimiler les choses extérieures de la même manière que l'air qu'on respire, ni plus ni moins, irradier sans se décharger de son énergie : Clifford était orfèvre en ces matières. Mais Clifford, lui, ne fut jamais « dépendant » qu'à des substances qu'il aimait d'amour et qui, de leur côté, le lui rendaient bien : la joie de vivre, la fraîcheur du printemps, la tendresse de LaRue, sa femme. De telle sorte qu'entre leur nature et la sienne il n'y avait aucun hiatus.

Clifford représentait tout ce que Chet ne deviendrait jamais, qu'il ne pouvait même pas *rêver* d'atteindre (alors qu'il pouvait rêver d'être Miles). Mais contrairement à ce que ce dernier pensait − ou faisait semblant de penser, ou essayait de faire croire aux autres, étant incapable de s'en persuader lui-même −, la réciproque était vraie. La force de Clifford, cette force d'âme, surtout, ça ne peut justement pas s'acquérir sur un coup de force. Et la fragilité, la vulnérabilité de Chet non plus, en particulier pour des hommes aussi forts que Clifford ou Dizzy. On peut fêler un plat : on ne peut pas fêler une musique. Tous ceux qui s'y essaient tombent immanquablement, au mieux dans le sentimentalisme, au pis dans le racolage. La musique se fendille rarement dans les chocs que lui réserve la vie, et jamais sur commande, jamais à la suite d'un acte volontaire. Il faut que la fêlure soit en elle d'emblée. Il faut que la fêlure soit là en premier et que tout s'organise autour d'elle. Après cela, les chocs de l'existence peuvent agrandir la brèche : voyez Bud Powell.

Lorsque nous avons repris contact à New York, Chet voulait à tout prix me faire admettre que son jeu était devenu plus agressif. Le soir où je me suis rendu à Manhattan pour entendre son nouveau quintette (avec un vieil ami à lui au saxophone ténor : Phil Urso), la première chose qu'il m'a dite fut : « Tu entends ? Je joue dur, à présent, hein ? Ça t'épate ! Attends un peu. L'orchestre va prendre ton *Tadd's Delight*, tiens, et tu verras que je peux jouer encore plus dur que ça ! »

Ce refrain, par la suite, il me l'a servi cent fois. Je souriais. Je lui tapais sur l'épaule. Cette première nuit, je lui ai fait voir en douce, enveloppée dans un papier de soie, la dose que j'avais apportée pour lui, en guise de cadeau de bienvenue. Je ne voulais pas le décourager. Je ne voulais pas me mettre en travers de sa route. Mais, dur, il ne l'était pas davantage qu'il ne l'avait jamais été et qu'il ne le serait jamais. Implacable, oui, à sa façon, mais ce sont deux choses bien différentes.

« Tu as entendu, là ? me disait-il, alors qu'il expérimentait sur son biniou dans l'appartement que nous partagions. Tu as entendu cette note, ce son acide qui te perfore ? C'est comme un clou, non ?

– Comme un clou d'argent », je lui répondais – sans élever la voix, mais, les remarques de ce style, il les aurait perçues si je m'étais borné à les énoncer dans ma tête.

Il fronçait le sourcil, haussait une épaule, frappait parfois la table ou le bras du rocking-chair, grommelait entre ses dents :

« J'en ferai un clou rouillé ! »

Et moi de remarquer :

« Tu sais, Chet, un clou d'argent, ça peut faire un clou de cercueil. Autant alors que ça ne rouille pas trop vite : la rouille, le mort s'en occupe.

– Tadd, répliquait-il, personne ne va mourir. »

Un silence s'installait entre nous, forcément. Je me sentais gêné d'avoir manqué de pudeur à ce point. Moi, « l'arbitre des élégances » selon les critiques, il m'arrivait encore, à quarante-sept ans, d'en manquer singulièrement, et ma « touche magique » pouvait se révéler d'une lourdeur incomparable...

Mais il m'agaçait, aussi, avec son acidité, sa rouille, ses clous ! Il prétendait vouloir jouer râpeux, vouloir découper sa sonorité dans la tôle, telle une boîte de sardines ouverte avec un couteau de poche émoussé – et, en même temps, il avait adopté le bugle, connu pour être plus moelleux que la trompette et remplacer, lorsqu'il était joué par un maître à l'image de Clark Terry, le vif-argent de celle-ci par une sorte de fluide voluptueux, doré comme un soir de juin à Cleveland et possédant la densité, la concentration, la rondeur, la chaleur, la profondeur de la première huile sortie du pressoir.

Parfois, Chet était comme le Vieil Homme de la montagne, à qui personne n'aurait rien pu apprendre, en tout cas pas moi. À d'autres moments, il se montrait d'une candeur désarmante. Il aurait voulu me convaincre, par exemple, que le bugle l'aidait à se durcir dans la mesure où c'était un instrument plus difficile à maîtriser que celui sur lequel il s'était exprimé pendant déjà plus de vingt ans. Dès qu'un journaliste commettait l'imprudence de lui demander des nouvelles de sa santé, il l'attirait sur ce terrain-là : « Le bugle, mon vieux, tu n'imagines pas les efforts que ça demande ! Est-ce que tu te rends compte un peu ? Les lèvres se noient dans l'embouchure, tu as l'impression d'avoir une portion de mou de veau plaquée sur les dents ! Et le putain de tube est tellement large qu'il faudrait Moby Dick pour le remplir ! J'en bave, mon vieux. C'est dans une lutte à mort que je me suis engagé avec cette saloperie ! »

Moi, je répliquais dans mon coin, sans ouvrir la bouche :

« Hé, petit Blanc, pourquoi tu ne leur dis pas que tu es ravi d'avoir une bonne excuse pour faire du charme à la clientèle, tout en essayant de lui refiler tes fameux clous rouillés dont elle n'a que faire et que tu ne saurais même pas où trouver, de toute façon. Mec, ces trucs-là ne poussent pas dans ton jardin, tu ferais mieux de t'y faire. Allez ! goûte-moi plutôt le dernier arrivage : on raconte dans le quartier que même la neige de l'aube n'est ni aussi blanche, ni aussi pure… »

J'étais devenu alors un personnage respecté, mais aux services duquel la profession avait de moins en moins souvent recours. Élu, je l'étais sans discussion, lorsqu'il s'agissait d'évaluer mes mérites, mais ces compliments appuyés avaient quelque chose d'un éloge funèbre par anticipation. J'étais en somme beaucoup élu, mais rarement appelé. Peu d'arrangeurs célèbres auraient pu m'en remontrer en matière de sous-emploi. Je me débrouillais comme les junkies sont accoutumés à le faire. Personne n'a jamais pigé leur système, et eux moins que quiconque. Mais ils s'en sortent, en général, jusqu'au moment où les Instances Supérieures se chargent de les retirer du circuit. De 1956 (mon disque avec Coltrane) à 1962, je n'avais enregistré, à la demande d'un producteur indépendant, qu'une série de solos de piano impromptus – le comble, pour un arrangeur ! – dont, faut-il le préciser ? aucune compagnie n'avait voulu. Puis Orrin Keepknews m'avait fait réaliser pour Riverside *The Magic Touch*, cet album en big band que la presse avait fort bien accueilli, avec Clark, Johnny Griffin, Bill Evans, mon cher Philly Joe Jones à la batterie. Je jouissais même d'un certain prestige. Ce n'était pas assez pour qu'on me confie un autre projet d'envergure, mais ça a suffi pour me mettre en situation de recommander Chet aux responsables d'une petite compagnie du nom de Colpix. Ils ont sauté sur l'occasion. Et comme ils n'avaient pas froid aux yeux, sans faire de détail ils ont publié le disque sous le titre de *L'album de jazz le plus important de 1964-1965*. En guise de remerciements, Chet avait inscrit à son répertoire cinq de mes thèmes (sur dix au total), dont quatre arrangés par mes soins. Au mois de novembre, une autre petite société phonographique, Limelight, le relancerait à son tour. Ce serait *Baby Breeze*. Il est venu me faire entendre les bandes à l'hôpital.

Il s'obstinait :

« Ça, tu ne vas pas me dire que ça n'est pas dur, quand même ? »

Au lieu de répondre, j'ai demandé :

« Tu connais Billie Holiday, bien sûr ? »

Il a sursauté comme si je l'avais insulté.

« Lady Day ? Tu déconnes, ou quoi ? Je jouais à Chicago. C'était juste avant Lexington. Moins d'un an avant sa mort. Elle passait dans un autre club de la ville. Je suis allé l'entendre. J'y ai couru ventre à terre, mon pote ! Elle était dans un de ces états… Mais, pour moi, elle sonnait comme du cristal… On a bavardé un peu… Billie était la plus chic fille du monde… J'ai appris quelque chose, ce soir-là. Quelque chose en l'écoutant chanter, quelque chose en discutant avec elle. Et quand je saurai quoi, je saurai exactement ce que je dois faire et je m'en tiendrai là. Je ne tenterai plus rien d'autre. Mais pourquoi me poser cette question ?

– Est-ce que Billie est dure, à ton avis ? »

Il a réfléchi un instant.

« Dure comme le cristal, Tadd. Ça te va ?

– Ça me va très bien, fils.

– Et alors ?

– Tu es aussi dur que Billie, vieux. On dira que vous êtes deux verres de cristal. Attention : fragile ! Écoute. Je suis fatigué, alors il est possible que je ne souhaite pas revenir sur cette question. D'autant que tu es seul à pouvoir y apporter une réponse. À condition toutefois que tu trouves une manière de te la poser… Tu n'es pas un verre de cristal, en fait. Tu es en train de te fabriquer, crois-tu, une espèce de cuirasse. Ta vraie chance, c'est qu'il y a une paille dans le métal, et que tu n'y pourras jamais rien. Tu peux rajouter plaque sur plaque et garnir le tout de pointes effilées : qu'est-ce que ça changera ? Demande-toi si ta force ne serait pas plutôt dans ce défaut… Écoute encore. La laideur, je l'ai là au fond de moi. Ça s'appelle un carcinosarcome et c'est si moche que ça ne ferait même pas un bon titre de morceau. Pour le dissimuler, j'entasse autant de beauté que je peux par-dessus. Toi, tu t'évertues à étaler une couche de "dureté", comme tu dis, sur ce que Dieu a mis en toi – Dieu ou un autre, ça ne me regarde pas. Mais il suffit de gratter du bout de l'ongle, et c'est la beauté qui apparaît, une beauté aussi douce et limpide que la lumière du matin, aussi douce et déchirante que la lumière du soir. Si tu t'épargnes la peine de la camoufler, est-ce que ça ne rendra pas la situation plus claire pour tout le monde, et pour toi en premier lieu ? »

Le 8 novembre, à la demande de Babs Gonzales, le Dr Crowley m'avait accordé la permission de minuit (disons de trois heures du matin : avec les musiciens, il faut toujours retarder la pendule si l'on veut vivre à leur rythme). Je lui en avais été reconnaissant, tout en me faisant la réflexion que, cette fois-ci, je n'en avais plus pour très longtemps. L'hôpital n'aurait pas relâché sa surveillance une seule minute dans le cas contraire. D'ailleurs, la gravité de mon état n'était pas une découverte et, si j'avais encore des doutes à ce sujet, l'initiative de Babs les aurait dissipés. Quand on organise une soirée d'hommage à quelqu'un dans un club de jazz, c'est ou bien qu'on vient de le porter en terre ou bien qu'il a déjà un pied dans la tombe.

Ce soir-là, Babs avait convié le ban et l'arrière-ban du jazz new-yorkais à me rendre les honneurs au nouveau *Five Spot Café*, au coin de la IIIe avenue et de la 7e rue est. Ce type est capable de tout ! La première fois qu'on m'a parlé de lui, il servait de chauffeur à Errol Flynn. Ce dernier lui laissait sa voiture pendant qu'il travaillait sur les plateaux de cinéma, c'est-à-dire, en gros, de l'aube au crépuscule. Babs en profitait pour se pavaner sur Hollywood Boulevard et multiplier les conquêtes. Afin de ne pas effaroucher la femme blanche, il se faisait passer pour un prince hindou en villégiature. Il s'était affublé d'un turban de satin piqué d'un énorme faux diamant et baragouinait dans un sabir qui a dû beaucoup l'aider quand il a commencé d'improviser en scat sur des thèmes bop. Parfois, il lâchait un dollar à un gamin de Watts à la peau bien sombre, pour qu'il tînt le rôle de son propre chauffeur. Ce type-là, on prétend que débloquer est sa seconde nature : à mon avis, elle a supplanté la première depuis longtemps. Chet n'est pas fait pour s'entendre avec lui. J'ai préféré ne pas l'inviter.

Chet

Cher Dick,

Je pense que, même à L.A., vous avez entendu parler de Tadd Dameron. Je l'adorais. On aurait pu faire de grandes choses ensemble, je crois, mais il est mort le 8 mars dernier. Cancer. Il se savait perdu depuis longtemps. Et perdu de vue par trop de gens dans le métier, mais c'est une autre histoire. J'aurais été fier de contribuer à le remettre en selle, du moins si j'avais été en situation de le faire, ce qui n'est pas vraiment le cas, je dois dire. Mais tu es sans doute au courant de ma situation. Il suffit d'ouvrir un canard de jazz pour s'apercevoir que je ne suis pas exactement le gars dont tout le monde parle.

Je m'en fous un peu, tu me connais. Mais pas tant que ça, dans la mesure où j'ai besoin de bouffer comme les autres. Et pas seulement. Il y a quelques mois, j'ai eu la malencontreuse idée de mettre mon sort entre les mains d'un autre Dick, qui, humainement, n'a hélas rien à voir avec toi : Richard Carpenter, le mec qui a signé le *Walkin'* avec lequel Miles a fait un malheur autrefois, tu te souviens ?

Cet enfoiré m'a fait enregistrer une tonne de trucs. Il n'en a pas écrit une putain de note, mais il a signé autant de morceaux qu'il a pu sans se fouler le poignet (c'était notre arrangement, je ne peux pas me plaindre). Après quoi, il a vendu les bandes à Prestige. De quoi publier, à vue de nez, une demi-douzaine de LP. Et sais-tu ce qui s'est passé ensuite ? Il s'est évaporé dans la nature avec le fric. Ni les musiciens ni moi n'avons touché un cent. On ne nous a même pas remboursé nos frais de taxi ! Si bien que me revoilà sur la paille, avec une bande de vautours qui cherchent en plus à me la retirer de sous les fesses.

Écoute, vieux : n'aurais-tu pas une idée lumineuse pour monter quelque chose qui marcherait un tant soit peu ? Je sais que c'est très dur en ce moment. Même là-bas. Même pour toi. Mais tu as toujours été un homme de ressource (au fait, bravo pour les disques de Gerald Wilson : on en a parlé jusqu'ici). De toute façon, fais-moi signe à l'adresse indiquée. Si tu ne m'y trouves pas, c'est que j'aurai décidé de venir à toi sans attendre ta réponse. J'ai de nouveau envie de vivre au soleil. Outre le fait que le climat sera bon pour mon plus jeune fils, qui vient de naître (nous l'avons appelé Paul), la Grosse Pomme, finalement, n'est peut-être pas faite pour moi. Quand les musiciens sont à la rue, ils se marchent sur les pieds : ça n'encourage pas à l'optimisme. Et pourtant, j'en aurais bien besoin.

Fidèlement à toi,

Chet

Philip « Phil » Urso

Le patron de la boîte où je bossais se souvenait des triomphes du Mulligan Quartet, mais ignorait que, par deux fois déjà, à la fin des années 50 et ces derniers temps, Chet s'était trouvé sans boulot à New York. Il n'était donc pas mécontent de l'avoir chez lui. Surtout au prix qu'il avait proposé et que Chet, complètement à sec, s'était empressé d'accepter. On s'aimait bien, Mr B. et moi. Il appréciait mon jeu depuis toujours et l'avait largement prouvé en me sollicitant chaque fois que c'était possible, depuis son premier comeback en 56. Cependant, je ne me faisais pas d'illusion. En route vers la Californie, il ne s'était arrêté dans le Colorado que pour y réunir, grâce à moi, les fonds nécessaires pour mener à son terme ce voyage, effectué dans sa voiture personnelle avec Carol, Dean, qui devait avoir dans les trois ans, le bébé et tout ce qu'ils avaient pu entasser d'affaires autour d'eux.

Il a fait cette étape de quinze jours à Denver, juste avant d'enregistrer toutes ces merdes (Chet et les mariachis ! Pourquoi pas la brigade des sifflets à roulette de la police montée canadienne ?). J'avais l'affaire et il était « l'invité spécial ». C'était un peu comme si, histoire de rompre avec nos habitudes, il jouait pour moi au lieu que ce soit le contraire. Notre employeur avait exigé que je

335

reste le leader en titre, de manière qu'après le départ de Chet, on n'ait pas l'impression que son club n'avait plus qu'un second couteau pour vedette. Même si je veillais à consulter mon nouveau partenaire sur tous les points qui, en principe, étaient de mon seul ressort, je me sentais gêné dans cette situation. Lui, pas du tout. La musique d'abord. Les préférences, il s'en fichait pas mal.

Ainsi, Chet Baker a-t-il traversé Denver pour la première et la dernière fois de sa vie. Moi, je suis né à Jersey City, mais c'est à Denver que se sont déroulées mon enfance, mon adolescence, une partie de ma jeunesse. C'est là que j'ai appris la musique et tenu dans mes mains ma première clarinette. C'est là que je reviens quand je ne me sens plus à ma place où je suis. C'est là que je reviendrai, encore et toujours : l'endroit d'où, sans doute, je n'aurais jamais dû partir. Ce n'est pas à Denver qu'on devient l'interlocuteur privilégié de Chesney Baker Jr, je sais bien. Plus généralement, ce n'est pas à Denver que ça se passe, la vie du jazz. D'un autre côté, ce n'est pas le jazz qui, devrais-je demeurer mille ans sur cette terre, m'accordera, même au prix fort, le millième de ce que cette ville m'a donné et continue de me donner pour rien.

Pendant que nous jouions en ville ou que nous prenions nos repas au ranch de mes parents, je surpris Chet en train de jeter des regards à la dérobée soit vers la porte, soit par-dessus son épaule. Ce comportement m'inquiétait. Un soir, sur l'estrade, profitant d'un solo du contrebassiste, je n'ai pu m'empêcher de lui murmurer à l'oreille :

« Dis, tu ne fuirais personne, par hasard ? »

Il m'a répondu sans remuer les lèvres (un truc qu'il avait appris en prison) :

« Tu es à Denver, Phil : tu sais mieux que moi ce qu'il en est. On n'a besoin de personne pour fuir. Seulement d'un endroit où aller. »

Vera Baker

Je l'ai entendu venir de très loin, cette fois encore, et, bien avant de le voir s'engager dans l'allée, j'ai su que quelque chose n'allait pas. Puis j'ai aperçu son visage… Jésus-Christ ! Qui avait bien pu l'arranger de cette manière, mon garçon ? Ça nous a rapprochés malgré tout. Les mauvaises choses qui lui arrivent, même à l'autre bout du monde, finissent toujours par le rapprocher de moi. Quand les suites de cette vilaine histoire ont failli l'empêcher définitivement de jouer, il a rejoint Carol et les enfants (Melissa s'était ajoutée à Dean et à Paul) chez nous, à San José, et il s'y est installé pendant plusieurs années. Vous ne me ferez pas dire que ce furent les meilleures de mon existence, mais je dois admettre qu'en dépit de toutes les misères qu'elles ont apportées, je n'en ai guère connu d'aussi bonnes.

Je viens d'utiliser l'expression « chez nous ». C'est par habitude. Dad nous avait quittés en 67. C'était un homme solide, personne ne s'attendait à le voir partir aussi vite. De sorte que, même moi, jusqu'à une période récente, je n'ai pas pu croire tout à fait à sa mort. Et puis, je ne voulais pas. Je ne voulais pas que quoi que ce fût me gâche le plaisir d'être avec mon

Chet, que je voyais souvent depuis qu'il était rentré de New York.

Il avait refait des bêtises et il avait fallu qu'il retourne un peu en prison, je veux bien l'admettre. Mais de là à ne pas lui accorder de permission pour assister à l'enterrement de son père ! J'ai eu son visage devant les yeux pendant toute la cérémonie : ça m'a permis de regarder le cercueil sans le voir et de ne pas trop penser au fait que Dad, pour la première fois en ce genre de circonstance, ne se tenait pas à mes côtés pour me soutenir.

Lorsqu'on s'est retrouvés, avec Chet, je ne sais pas pourquoi, d'un commun accord, nous avons tout de suite parlé d'autre chose, et nous n'avons pour ainsi dire jamais cessé. Je me comportais comme si Dad n'avait fait que s'absenter, comme s'il allait réapparaître d'une seconde à l'autre, avec un sac de commissions sous le bras, ou quelque chose ; du coup, mon garçon ne se sentait pas enclin à aborder le sujet. Lui, la seule façon qu'il avait d'évoquer son père, c'était d'aller prendre sa vieille guitare, de l'accorder comme Dad lui avait montré à le faire lorsqu'on habitait encore avec tante Agnes et de plaquer les accords d'une vieille chanson, l'une de celles que mon défunt jouait déjà avant qu'on se marie. Carol ne descendait pas toujours pour l'écouter. Moi si. Je sortais de ma cuisine. J'ouvrais grandes mes deux oreilles. Et je ne fermais pas les yeux, surtout pas. Je regardais cet homme né de moi, mais pour qui, surtout, j'étais née, qu'on le veuille ou non : cet étrange garçon qui, en un certain sens (j'espère ne pas blasphémer), m'avait mise au monde et le seul au fond qui avait vraiment le pouvoir de m'en retirer. Du moins, je le croyais alors. Mais les choses sont plus compliquées qu'on n'imagine et, comme vous voyez, je suis toujours là.

Je regrette qu'il s'intoxique, naturellement, à cause du mal qu'il se fait et du mal qu'on lui fait parce qu'il a cette manie qui n'a pas l'heur de plaire à tout le monde. Mais je ne peux pas lui en vouloir. Je ne suis pas en position de le lui reprocher. Je sais de quoi il retourne : mon fils est ma drogue depuis sa conception ! Plus je le vois, plus j'ai besoin de le voir. Plus il est près de moi, plus j'ai envie qu'il se rapproche. Je ne devrais pas le dire, mais il arrivait parfois que Dad – vous savez comment sont les hommes (et les femmes, d'ailleurs, je ne voudrais pas rejeter toute la faute sur lui) –, il arrivait que Dad m'encombre un peu, qu'il soit sur mon dos au mauvais moment, qu'il me sollicite à contretemps, ce genre de choses. Chet, moi, je suis capable de me mettre dans ses jambes, j'en ai bien conscience, mais la réciproque n'est pas vraie : quoi qu'il fasse, il ne peut pas m'importuner. La toxicomanie pourrait vous causer tous les maux de la terre, ça ne vous fatiguerait pas d'elle pour autant. La drogue pourrait vous tuer : s'il y a un Ciel, elle serait néanmoins la première chose dont vous vous inquiéteriez en arrivant Là-Haut.

Sa bouche le faisait trop souffrir. Carol n'en pouvait plus de le voir dans cet état. Elle et Dick Bock, son producteur, le genre d'homme qui est toujours là quand vous avez besoin de lui, se sont débrouillés – ça n'a pas été sans mal ! – pour qu'il accepte de consulter un dentiste, un spécialiste de renom que des gens avaient recommandé à Dick. Ou bien il était trop tard, ou bien il n'y avait vraiment plus rien à faire. Bref, cet homme lui a arraché les dents du haut et il lui a fabriqué un dentier.

Dad n'en avait jamais porté. Il avait gardé jusqu'au bout la plupart de ses dents naturelles. On m'a dit une fois qu'il ressemblait un peu à Clint Eastwood, surtout par la démarche et l'allure générale. Ayant vu quelques films avec cet acteur, j'aurais tendance à le croire. Tout à coup – juste avant et juste après le dentier –, c'était comme si Chet, non content d'avoir engendré sa mère, avait été le père de son propre père. Là, j'étais bien obligée d'admettre qu'il avait vieilli, depuis l'époque où nous allions concourir le dimanche dans les kermesses. Mais s'il fallait faire tout ce qu'on est censé faire, il y a beau temps que la Terre aurait cessé de tourner. Pour quelle raison, me demanderez-vous ? Parce que les gens auraient perdu le goût de pousser à la roue, pardi ! Ce qui donne envie, c'est bien connu, ce n'est pas ce qui est permis. Et encore moins ce qui est obligatoire. Alors, je lui disais, bien fort (je n'aurais pas détesté que les voisins entendent) : « Chet, tu auras bientôt quarante ans, mon petit. Comment fais-tu ton compte pour ne jamais changer ? »

Avant l'intervention de l'arracheur de dents, chaque fois qu'il soufflait dans son embouchure, son incisive brisée par les voyous l'élançait comme si on avait branché un fil électrique sur le nerf. Après l'intervention, il demeura quelque temps sans toucher à sa trompette, ainsi que cet homme le lui avait conseillé. Le dentier n'avait pas été son idée, mais il s'était laissé faire. Je ne sais pas ce qu'il en espérait. S'il en espérait autre chose qu'une sensation de bien-être (sensation qui, quoi que les gens aient pu raconter sur son compte, ne fut jamais sa préoccupation majeure ; sauf peut-être avec les filles, mais une mère n'est pas censée s'occuper de ces choses). Je ne sais pas davantage ce qu'il redoutait de cet « appareil », de cette chose étrangère installée en lui plus ou moins à demeure, contre sa langue, se frottant à son

340

souffle, se prenant dans ses mots. Je pense que Carol l'ignorait aussi. Et je ne suis pas loin de penser que lui-même ne souhaitait pas l'apprendre. Mon Chet a toujours préféré croire que ce qui lui arrive n'a aucune importance, comparé à ce qui arrivera *par* lui. D'aucuns jugent que c'est de l'égocentrisme, d'autres estiment que c'est de la prétention. Et l'humilité, et la générosité, et l'abnégation qui percent à travers tout cela, je serais vraiment seule à les percevoir ?

Il a bien fallu qu'il se remette à jouer. Les musiciens de jazz n'en avaient déjà plus si souvent l'occasion, en Californie, à cette époque : ils n'allaient pas se faire porter pâles les rares fois où on la leur accordait. Un club de la région l'avait contacté, j'ai oublié lequel. Ils étaient disposés à l'engager pour deux semaines d'affilée. Il n'a pas demandé la permission du dentiste. Il a dit oui et il est allé directement rouvrir son étui. J'étais à mon travail à ce moment-là. Les gosses se trouvaient, l'un à l'école, les deux autres au jardin d'enfants. Carol assistait à la scène. Il a porté l'instrument à ses lèvres, il a fait tout ce qu'il devait faire… et, à l'autre bout, rien n'est sorti. Pas un son. Rien qu'un peu de vent.

Il a froncé les sourcils. Il a recommencé. Toujours rien. Il aurait joué avec un paquet de coton enfoncé dans la gorge, ça aurait donné le même résultat. La même absence de résultat, je veux dire. Il n'a fait aucun commentaire. Il n'a pas juré. Il ne s'est pas plaint. Ni devant elle, ni devant moi par la suite. Mais il n'a pas repoussé sa trompette. Il ne l'a pas reposée dans l'étui. Il sautait les repas. Il se privait de sommeil. Il ne prononçait plus un seul mot. Du matin au soir et du soir au matin, les paupières closes, il tentait de forcer cet instrument à parler. Il *l'écoutait*, sans relâche, pour lui montrer, à sa trompette, qu'elle avait quelque chose à dire et que lui, mon Chet, ne serait jamais dupe de son silence. Et que même, derrière ce silence, *dans* ce silence, il y avait des paroles qui se cachaient, mais qui ne pourraient pas toujours tromper la vigilance d'un homme à l'affût. Il était devenu chasseur. La première note qui montrerait le bout de son nez, il ne la raterait pas.

Et voilà. La première note est sortie de son trou. Il l'a prise, il l'a mise de côté et, sans attendre, il a guetté la suivante. Ça lui a demandé des jours et des nuits, mais il les a eues l'une après l'autre. Il les a bien rangées : do, ré, mi, fa, sol, la, si, do. Il les a comptées et recomptées, des semaines durant. Elles étaient toutes repérées, toutes fichées, toutes placées sous surveillance. Aucune ne pouvait plus lui faire faux bond. Elles tentaient bien de lui échapper, mais il finissait toujours par les reprendre. Des semaines durant, il les a domptées, il les a dressées. Elles cherchaient à le désarçonner : il remontait dessus aussi sec. Elles se sont fatiguées avant lui. Carol et moi, nous enregistrions le score. Nous proclamions les résultats à mesure que se déroulait le combat. Il ne perdait plus aucun round. Un soir, je suis rentrée et Carol m'a dit, rayonnante : « Écoutez ça, Ma ! Cet après-midi, Chet nous a composé une petite chanson. »

Elle était petite, je ne prétends pas le contraire. Mais Chet avait été petit autrefois et même alors, dans les kermesses, souvenez-vous, personne ne lui arrivait à la cheville.

Longtemps, il a vécu cloîtré à San José. Vivre à six sur mon maigre salaire et la minuscule pension de Dad, ça n'était pas pensable, mais, grâce à l'Assistance publique, nous nous en sommes tirés malgré tout. Après coup, mon Chet, et je lui donne cent fois raison, a préféré raconter aux journalistes qu'il avait travaillé dans une station-service des environs. Seize heures par jour, précisait-il, car il ne voulait pas qu'ils apprennent de quelle manière il avait dû lutter pied à pied avec sa trompette. En fait, voyant la dèche où l'on se trouvait, il avait bel et bien essayé de se faire embaucher par un pompiste. Il a commencé vers quatorze heures, un lundi, et, sur le coup de vingt heures, il a rendu sa salopette. Avec ses pour-boires, il nous avait acheté un de ces poulets qu'on cuit à la broche sur le trottoir, devant les supérettes. À les voir, on pourrait croire qu'ils sont en carton ; quand on les mange, on n'en doute plus une seconde. Au moins, on a pu persuader les enfants qu'ils étaient en train de se régaler.

À table, Chet nous a dit :« Crever de faim, bien sûr, ce n'est pas l'idéal. Mais j'aime encore mieux ça que de mourir d'ennui. »

J'ai hoché la tête. Je le comprenais. Je connaissais un peu la question. Ce qu'il y a de terrible avec l'ennui, c'est que, justement, on n'en meurt pas.

Témoignages divers

Alain Tercinet : « Et pour huit ans, c'est pratiquement le silence. Devenu une figure de légende dont on aime se souvenir, Chet Baker laisse derrière lui une étrange impression de manque, et de nostalgie. »

(In *West Coast Jazz*, éditions Parenthèses, collection *Epistrophy*. Marseille, 1986.)

Jean-Louis Ginibre : « Baker (Chet). L'ex-partenaire de Gerry Mulligan vit sur la West-coast, en un lieu tenu secret par lui et que personne, ici, ne cherche à connaître. Il surgit, de temps en temps, dans un club, la trompette sous le bras, pour faire une jam. On le rencontre au *Playboy Club* (…), on le rencontre au *Donte's* où, un soir, il tenta de jouer avec le trio de Jimmie Rowles. Lorsqu'ils le voient arriver, les musiciens terminent le plus vite possible leur set et font de longues pauses. Mais Chet veut jouer à tout prix et, souvent, cela donne un résultat assez pitoyable. Chet est perdu pour le jazz. »

(Extrait d'un article baptisé *Los Angeles 68 de A à Z* et publié dans le n° 156/157 – juillet-août 1968 – de la revue *Jazz Magazine*.)

Ted Gioia : « Après l'agression dont il fut victime…, Baker se retrouva dans l'incapacité de jouer de la trompette et se vit contraint de travailler, au moins pour un temps, comme employé dans une station-service, remplissant les réservoirs d'essence et donnant un coup de torchon aux essuie-glaces, de sept heures du matin à onze heures du soir. Durant ces cinq années passées loin du jazz dans une retraite forcée, des plans d'aide gouvernementaux lui permirent de temps à autre d'arrondir ses fins de mois. Drastique, la réduction de ses revenus eut quand même une conséquence positive, la seule : la limitation de sa consommation de narcotiques. De 1970 à 1973, il participa à un programme de *(cure substitutive par)* méthadone – participation qui, ce n'est peut-être pas une coïncidence, s'acheva à peu près au moment où il recommença de se produire et retrouva le très confortable train des jazzmen engagés dans le circuit international.

» Certains critiques ont suggéré, non sans raison, que la réputation de Baker dans les cercles d'initiés aurait été bien meilleure s'il était mort jeune. Le mythe romantique du trompettiste de jazz qui rencontre une fin précoce était devenu un stéréotype. Baker n'y sacrifia pas avec autant d'obligeance que *(Bix Beiderbecke et d'autres)*. S'il fit quelque chose du mythe en question, ce fut de le saboter dans toutes ses dimensions. Au lieu d'incarner l'image d'Épinal du trompettiste enfant disparaissant avant que le temps ne ternisse l'éclat de sa jeunesse, Baker montra les stigmates du vieillissement et de la débauche alors qu'il n'avait pas atteint la quarantaine. Au lieu de laisser derrière lui des enregistrements peu nombreux, mais considérés comme des classiques, il a signé plus de disques – des bons, des mauvais, des pires –

346

que la quasi-totalité des jazzmen de sa génération. Au lieu de succomber précocement à de tragiques événements échappant à son contrôle, il s'est maintenu en vie plus longtemps que quiconque l'aurait cru possible. Et les circonstances qui ont entouré son décès, quand il a fini par se produire, ne suscitent guère la compassion, dans la mesure où elles laissent penser que Baker fut probablement coupable, au moins en partie, de sa propre mort. »

Ted Gioia écrit encore ce qui suit :
« Pendant la seconde moitié de sa carrière, Baker dut affronter en permanence des critiques hostiles qui tenaient à le considérer comme un *has-been* − quelqu'un qui, ou bien n'avait jamais mérité la réputation dont il jouissait, ou bien était depuis longtemps redescendu des hauteurs qu'il avait pu atteindre. Le jugement tôt venu de Max Harrison clouant au pilori le style "monotone et émasculé" de notre trompettiste est typique des commentaires fournis par ceux qui ne pouvaient ou ne voulaient pas entendre la puissance émotionnelle pourtant sans ambiguïté que dégageait l'esthétique *cool* selon Baker. Mais la musique elle-même raconte une histoire qui ne cadre pas avec le commentaire qu'ils en font. Ses premiers enregistrements sous étiquette Pacific comptent parmi les durables chefs-d'œuvre du jazz de l'après-guerre. Il y eut toujours de mauvais albums de Baker (...), en particulier dans les années 60. Mais les enregistrements d'exception les surpassent en nombre. Ceux des années 80 − y compris les tout derniers qu'il réalisa − ont bien plus de force que ne l'admettaient la plupart des gens à l'époque. (...) Dans les derniers temps, il refusa d'être une réclame ambulante pour le *Portrait de Dorian*

Gray, de la même façon qu'il avait refusé, quelques décennies plus tôt, de se couler dans le moule du *pin up-boy* que les autres voulaient voir en lui. À chaque étape, dans sa musique comme dans sa vie, Chet Baker n'a fait les choses qu'à sa façon. Lorsqu'il mourut, certaines des premières dépêches d'agence faisaient état de rapports de police stipulant qu'un trompettiste *de trente ans* avait été victime d'une chute : c'était comme son ultime pied de nez. Même en tirant sa révérence, il refusait d'être un *has-been*. »

(In *West Coast Jazz. Modern Jazz in California 1945-1960*, éditions Oxford University Press Inc., New York, 1992. Il n'existe pas de traduction française de cet ouvrage.)

Jimmy Rowles

Contrairement à plusieurs de ses confrères, Jean-Louis Ginibre ne pouvait être suspecté de malveillance ni à l'égard des musiciens de la côte ouest en général (la preuve : j'étais son pianiste préféré !), ni à l'égard de Chet en particulier. Ce qu'il a écrit dans son journal, au terme d'une enquête minutieuse (et amoureuse), c'était en vérité ce que nous pensions tous lorsqu'il est venu nous voir à L.A. Je ne suis même pas certain que l'expression « perdu pour le jazz » n'ait pas été de Russ... ou de moi ! Puis Jean-Louis est retourné à Paris, et quelque chose s'est passé. Ça n'est pas arrivé d'un seul coup et, pendant des mois, sinon des années, nous n'avons été qu'une poignée à pressentir, puis à enregistrer le phénomène : quelques personnes du métier qui non seulement connaissaient bien Chet, mais avaient eu comme moi le privilège d'assister à ses débuts. Le changement fut subtil ; cependant, nous ne rêvions pas. Notre ami continuait de jouer mal, ça oui. Atrocement, même, certains soirs. Mais *les idées* qu'il ne parvenait toujours pas à concrétiser étaient de plus en plus ambitieuses, de plus en plus courageuses, de plus en plus complexes et, surtout, de plus en plus originales. Elles représentaient un concentré de « bakerisme » qu'il réussirait bien à distiller un jour ou l'autre. La seule chose qui fonctionnait de travers, dans le système, c'était l'alambic : la formule chimique, elle, était de premier ordre !

Autrement dit, Chet jouait mal, d'accord, *mais pas dans sa tête*. Et nous qui ne le fréquentions pas de la veille, nous avons fini par entendre dans nos propres têtes, au-delà de ce qui sortait de la cornue, ce qui se mijotait sous son crâne. Il suffisait d'être patient : si nous le devenions vis-à-vis de lui, lui-même le resterait vis-à-vis des difficultés purement matérielles qu'il lui fallait vaincre. Aussitôt, les copains qui avaient compris cela ont cessé de le traiter en pestiféré, même s'ils devaient parfois, je puis en témoigner, prendre sur eux pour y parvenir.

LIII

Carol Baker, née Jackson

On imagine que Carol aurait pu fournir un témoignage de ce genre :

Le plus souvent, quand il s'est remis à sortir, il recherchait les endroits où se produisaient des inconnus, parce que c'était là qu'il avait le plus de chances de passer inaperçu. Là aussi qu'en principe les musiciens auxquels il demandait la permission de faire le bœuf, de manière à mesurer les progrès qu'il avait accomplis, montraient – ayant eux-mêmes des moyens limités – plus de patience envers une exécution problématique que les célébrités des clubs de Hollywood, dont la maîtrise instrumentale faisait la fortune dans les studios voisins.

J'ai bien dit « en principe ». L'indulgence n'avait pas cours chez nombre de gens qui auraient pourtant eu le plus pressant besoin d'en bénéficier eux-mêmes. Pour éviter les camouflets, bien vite Chet adopta une autre tactique, attendant qu'on l'invite à jouer. C'était généralement le cas dès que quelqu'un dans l'établissement l'avait reconnu. Or, même dans d'obscures *coffee shops*, il était exceptionnel que son incognito résistât toute une soirée : son visage si caractéristique avait été la cible de trop de photographes. Si on le priait de sortir son instru-

351

ment, il y avait alors un risque que sa renommée faussât le jeu. Ou bien, compte tenu de son passé, on chercherait à le ménager, ce qui ne l'arrangeait pas du tout : à quoi sert de s'entraîner au cent mètres sur une piste qui n'en mesure que quatre-vingts ? Ou bien, au contraire, en raison des exploits qu'il avait accomplis jadis, on ne voudrait pas comprendre qu'il traversait une mauvaise passe et l'on ne tolérerait pas la moindre faiblesse de sa part. Comme il entreprenait seulement de remonter la pente, degré par degré, les musiciens qui l'accueillaient parmi eux, en dépit du fait qu'il les avait prévenus de son manque de forme, s'excusant par avance des erreurs qu'il allait commettre, l'auraient volontiers soupçonné d'être venu sur leur territoire avec l'intention expresse de faire fuir leur public et de les mettre en difficulté vis-à-vis de leur employeur.

Certains chefs d'orchestre, se croyant diplomates, avaient adopté une position aussi prudente qu'hypocrite : ils lui faisaient de larges sourires, lui tapaient dans le dos à la pause, mais − par pure distraction, n'est-ce pas ? − oubliaient régulièrement de le faire monter sur l'estrade.

Chet a connu, même lorsqu'il luttait seul à la maison, la défaite, l'humiliation, la rage, l'aigreur, les souffrances de toute nature (y compris physiques, je pense, bien qu'il n'en disait rien). Mais jamais il n'a connu l'angoisse. Jamais le découragement. Jamais le désespoir. Et moi non plus. Pas une seule fois nous n'avons douté, non seulement qu'il retrouverait sa place parmi les professionnels, mais qu'il rejouerait aussi bien que dans ses meilleurs disques. En fait, je suis certaine que, dans la candeur de son orgueil, il se proposait de jouer mieux et ne se fixait pas ce but à la manière d'un idéal auquel on ne saurait accéder, mais qui vous permet de vous dépasser vous-même : il avait bel et bien l'intention d'y parvenir et la conviction, non pas même que la chose était possible, mais qu'elle était tout à fait inévitable.

Il faut bien voir qu'après quelques semaines de flottement, quelques mois tout au plus, lui-même avait compris qu'en un certain sens il n'avait rien à reconquérir, rien à réapprendre. Absolument rien. Toute sa rééducation consistait à forcer sa nouvelle bouche, maintenant pleine de corps étrangers, à articuler de façon claire et élégante ce que lui, Chet, savait à la perfection. Ce qu'il avait toujours su. Ce qu'il saurait toujours. Et que nul autre ne pouvait ni ne pourrait jamais savoir à sa place.

Il a déclaré plus tard que, pendant cette période de son existence, il avait « passé son temps à ne rien faire, si ce n'est s'envoyer en l'air », dans la maison de Vera. J'exprimerais la même idée autrement : en ce temps-là, Chesney Henry Baker Jr, qui passait le plus clair de ses journées à tirer d'une trompette des sons qui le navraient, réussit néanmoins à être pour de bon mon époux, le père de mes enfants et, c'est vrai, le plus assidu des amants. Car il ne faisait rien à moitié, même pas les choses parfaitement respectables.

Timothy Donald Walker

Alors que j'entreprenais mes études de droit, ma vie fut bouleversée par un événement si insolite, si incongru, si inconvenant à mes yeux que je n'aurais jamais été capable de simplement en envisager l'éventualité.

Mon père avait été le Dr Donald Timothy Walker, pilier de la communauté de Watts, héros de la guerre de Corée, abonné aux saisons de l'opéra et membre du bureau politique semi-clandestin d'un des mouvements de résistance noire les plus radicaux de toute la côte. Deux ans à peine après sa mort « dans des circonstances mal définies » (c'est ce qu'écrivirent les journaux), ma mère épousait dans un relent de scandale que je nourris de ma propre indignation un Blanc qui était musicien de jazz et, de surcroît, l'un des plus obscurs de la ville. Son nom ne figurait que sur un seul disque, comme partenaire d'un pianiste à peine plus célèbre que lui ; édité par une compagnie éphémère, cet enregistrement n'était d'ailleurs plus accessible depuis longtemps. Autant dire que ma mère entretenait cet homme avec l'héritage du Dr, lequel représentait au demeurant une petite fortune (acquise en partie grâce à des investissements judicieux dans une agence qui organisait des rencontres de boxe au plus haut niveau). Mon père avait été prévoyant : je ne risquais pas d'être spolié de la part qui me revenait. Mais là n'était pas la question.

La question résidait dans le fait que mon beau-père essayait de m'aimer, tandis que je m'efforçais de le haïr et que nous n'y arrivions vraiment ni l'un ni l'autre, ce qui, paradoxalement, nous…. J'allais dire « nous rapprocha ». Non, bien sûr : ce qui nous aida à délimiter et à préserver entre nous une zone tampon, une sorte de terrain neutre où mon hostilité à son égard et son peu d'attirance pour moi se justifiaient et donc se désamorçaient réciproquement. Aucun de nous, en d'autres termes, ne parvenait à se sentir complètement innocent de l'attitude de l'autre.

Je n'ai pas étudié la psychologie, mais il me semble qu'en toute logique la mauvaise conscience aurait dû envenimer nos rapports. La vérité est pourtant qu'elle rendit possible entre nous une certaine forme de communication – essentiellement muette, mais qu'importe ?

Je crois que John ne pouvait pas s'avouer que la vue des *hommes* de couleur, la simple idée qu'ils existaient quelque part à côté de lui, le plongeaient dans un malaise dont il ignorait les causes, mais dont il ressentait profondément, et sans doute même dramatiquement, les effets. Et si, dès l'adolescence, il avait recherché des filles de ma communauté pour partenaires, cela devait être une tentative, sans doute inconsciente, soit d'attenter à la virilité des Noirs du même sexe que lui (en tout cas de rivaliser avec elle), soit d'en percer le mystère. Il n'aurait pas été le seul Blanc pour qui notre sexualité avait quelque chose d'ostentatoire et d'énigmatique à la fois.

Quant à moi, le secret que je ne voulais pas apprendre sur moi-même et dont mon ressentiment vis-à-vis de John me condamnait la porte, je crains aujourd'hui qu'il n'ait pas été à mon honneur non plus. Il y avait d'une part, j'imagine, mon dépit d'appartenir à un groupe contraint de hurler sa fierté – *Black is beautiful !* – non tant pour défier ceux qui la lui contestaient que pour imposer silence à son propre scepticisme, et, d'autre part, le soulagement d'avoir vu mettre en terre, à l'âge où je devenais un homme, le trop parfait modèle de mon enfance (soulagement souligné par une inavouable jubilation à l'idée que sa disparition avait été violente et probablement douloureuse).

À notre corps défendant, nous étions liés, John et moi, par notre immoralité, nos perversions, nos malveillances, nos terreurs et nos orgueils respectifs. Nous étions ennemis, et néanmoins complices. Nous étions complices, mais cela ne nous rendait aucunement solidaires l'un de l'autre. En ce qui me concerne, je l'ai d'autant plus détesté qu'il réalisait mieux mon désir de piétiner la tombe du Dr, de tasser si bien la terre au-dessus de son cercueil que le cher disparu ne puisse même pas se lever d'entre les morts le jour du Jugement, car je ne voulais plus jamais, jamais, jamais, être mis en sa présence.

John incarnait l'éternelle humiliation de l'homme que j'avais *dû* prendre pour modèle, non seulement parce qu'il m'avait engendré, élevé et façonné à son image (dont pas une seconde il ne douta, j'en mettrais ma main au feu, qu'elle ne fût une fierté pour sa femme, pour moi, pour Watts et le peuple noir tout entier), mais parce qu'il faisait l'admiration de tous mes camarades de collège et que nos maîtres eux-mêmes reconnaissaient en lui une référence indiscutable, le juste milieu, le milieu juste, entre deux formes de sublime : la brûlante patience du pasteur King et l'impatience glacée de Malcolm X.

La médiocrité de John, sa mentalité de gigolo, sa paresse insigne, l'empressement avec lequel, en toute circonstance, il sacrifiait sa dignité à son confort, son horreur et sa peur de l'homme noir, son horreur et sa peur des musiques européennes, que mon père avait considérées supérieures à toutes les autres par les ambitions comme par les résultats, tout cela faisait de lui un opiniâtre, un impitoyable fossoyeur. Le Dr, avec lui, n'était pas près de relever la tête. Comme on s'en doute, je croyais détester mon beau-père parce qu'il assumait ce rôle avec un tel naturel, une telle absence de scrupules et de remords. J'ai pensé le tuer ou, pis, le faire assassiner par d'autres (les candidats n'auraient pas manqué, attirés par les gages, ou animés par le fanatisme). L'idée ne m'a jamais traversé l'esprit que je l'aurais plutôt protégé d'une manière ou d'une autre si une menace réelle avait pesé sur lui.

Avant sa mort, John ne me fit qu'une seule confidence. Un jour qu'il avait bu plus que de coutume, il me raconta au retour d'un match de base-ball comment, sept ou huit ans plus tôt, il s'était rendu avec la quasi-totalité de ses confrères opérant à Los Angeles ou dans les environs à une audition organisée par Charlie Parker. Décidé à s'attarder en Californie, Bird était à la recherche d'un trompettiste pour le quintette qu'il avait l'intention de former. Chet Baker s'était présenté en retard. Parker avait tout arrêté pour l'entendre et déclaré aussitôt que c'était lui qu'il engageait. John n'avait, de son propre aveu, aucune chance d'être choisi. Cependant, il s'était préparé à cette épreuve, pour se prouver à lui-même qu'il était capable de l'affronter et pour avoir le privilège de jouer ne fût-ce que la moitié d'un morceau au côté du musicien qu'il admirait le plus au monde (lorsqu'il s'agissait de jazz, bizarrement, il acceptait très bien la *puissance* des Noirs : mon explication à cela est qu'elle rendait fatidiques, donc supportables, ses propres échecs). Bref : sa frustration était considérable. Ne jurant plus que par Joe Gordon, Harry Edison, Carmell Jones ou même Dupree Bolton (j'entendais ce nom pour la première fois), il avait pris en grippe les trompettistes de sa propre couleur qui tenaient le haut du pavé en Californie dans les années 50 : Shorty Rogers, Jack Sheldon, Stu Williamson, Don Fagerquist, Rolf Ericson, Maynard Ferguson, les frères Candoli. Ceux de l'Est, au demeurant, ne lui inspiraient guère plus d'indulgence, à l'exception d'Ira Sullivan et de Red Rodney, j'ignore pourquoi. Quant à Chet, qu'il ne connaissait pas encore le jour de l'audition et qu'il avait trouvé maladroit et inconsistant, il s'obstinait à le considérer comme un imposteur, estimant son influence des plus nuisibles sur le public comme sur les autres musiciens, déboussolés par les succès que ce débutant avait obtenus en proposant, estimait mon beau-père, « une version à l'eau de rose de ce que Miles Davis avait fait de plus sucré ». Il tempêtait dans la voiture :

« La musique de salon n'a pas besoin qu'on vole à son secours, Timmy ! (C'était aussi la première fois qu'il m'appelait Timmy.) Chez ces tantouzes d'Européens, ça fait des siècles qu'elle emmerde tout le monde ! »

John disparut en 1963 dans des circonstances que les enquêteurs n'eurent, cette fois, aucun mal à élucider. Il fut poignardé en pleine rue à la sortie d'une boîte minable où il lui arrivait encore de se produire en dépit de son nouveau statut de prince consort, par un Noir de quinze ans. Un Frère que je n'avais pas commandité, qui n'entretenait aucune relation avec les milieux activistes et ne s'intéressait pas assez aux succédanés du be-bop pour juger inacceptable le style incertain mais pétulant de mon beau-père. Il s'agissait tout bonnement d'un petit paumé « de couleur » qui, mal noté à l'école, débutait dans le métier de coupe-jarret et dont l'excès de zèle pouvait être porté au compte de la nervosité et de l'inexpérience. Ça ne l'empêcha pas de griller sur la chaise dans l'indifférence générale (éventuellement dans la sienne propre, s'il avait une vision assez lucide de l'avenir qui l'attendait). À quelques années près, ayant été nommé juge en 67, j'aurais pu prononcer moi-même la sentence. Sans état d'âme, comme on dit, c'est-à-dire avec la ferme volonté de dénier à mon âme tout droit à l'expression. Sans compassion, par conséquent, ni pour ce garçon qui avait embrassé le crime avec un enthousiasme sans mélange, ni pour sa victime qui, à part quelques femmes noires, n'avait embrassé pour sa part que des ombres, des mirages, des illusions. Sans compassion pour moi qui, sous le couvert de ma robe couleur de fusil à canon scié, ajoutait aux turpitudes de l'un les lâchetés de l'autre.

J'avais appris le solfège à l'école. Le Dr m'avait aussi fait donner quelques leçons de violon par le soliste de je ne sais plus quelle formation symphonique locale, mais j'accomplissais au fil des mois des progrès si ténus qu'ils se distinguaient mal de l'immobilisme parfait. Je fis – avec une volupté que je me dissimulais du mieux que je pouvais – le désespoir du professeur et le désenchantement de l'homme qui payait ses leçons. Après quoi on me laissa tranquille. Plus grand, je n'assistai que contraint et forcé aux premières à l'opéra. De ma propre initiative, je ne fréquentais aucun concert d'aucune sorte. Mes rares disques étaient des enregistrements de crooners, en particulier Frank Sinatra, Nat King Cole,

Tony Bennett, Billy Eckstine, Dick Haymes et Dean Martin, que j'appréciais dans cet ordre. Ce genre de musique était méprisé par le Dr, raillé par mes camarades au nom de l'atonalité, de la modalité ou du rock'n'roll ; il semblait des plus suspects aux activistes. Ma mère en connaissait toutes les mélodies, pouvait en fredonner avec moi toutes les paroles. En d'autres termes, il ne présentait que des avantages à mes yeux. Ce n'était pas tant qu'il me plaisait : il m'offrait une occasion inespérée de déplaire et de désigner sans en avoir l'air tout ce qui ne me convenait pas, non seulement dans la musique, mais dans la vie en général.

John n'avait pas demandé (je le comprends) que sa trompette fût enterrée avec lui. Cet instrument traînait à la maison, que ma mère désertait à présent pour flirter à Beverly Hills avec un catcheur mexicain qui prétendait avoir été torero. J'emportai dans ma chambre, sur le campus, l'étui, l'outil, les sourdines, les méthodes, les partitions, la collection de *Down Beat* et de 30 cm du défunt et, comme si ç'avait été la chose la plus naturelle du monde, voire la seule chose à faire en la circonstance, je me mis à la trompette en autodidacte. Dans la mesure où l'explication du phénomène me dépasse infiniment, je crois pouvoir dire que j'avançai à pas de géant.

J'avais pris Chet Baker pour modèle. Je l'avais choisi parce que les autres trompettistes qui fréquentaient cette université ne s'intéressaient qu'à Miles, à la rigueur à Freddie Hubbard ou à Booker Little (quelques-uns à Don Cherry, mais plus personne à Dizzy, et à Chet moins encore). Je l'avais choisi contre mon beau-père, il va de soi. Et grâce à lui puisque, à mon grand étonnement, il possédait tous ses disques, certains portant des marques d'usure évidentes.

Je ne parvenais à jouer à peu près bien, en tout cas de mon point de vue, je ne parvenais à me satisfaire qu'en imitant Chet Baker. Non, ce n'est pas la bonne explication : je n'y parvenais, je n'y parviens qu'en me mettant dans sa peau. Avec tout ce que cela comporte. Nul n'a besoin de me rappeler que s'appliquer à être le reflet d'un autre ne peut mener très loin, si d'aventure cela mène quelque part : j'en suis le premier convaincu. Avec ma trompette, je ne sors pas de chez moi. Je ne sors pas de la plus stricte intimité. Je n'ai pas l'intention d'aller où que ce soit. Je n'en ai jamais joué que devant ma glace (encore une formulation malheureuse, car, pour les raisons qu'on imagine sans peine, je me garde bien d'avoir mon image devant les yeux quand je travaille l'instrument). On ne me verra jamais dans une jam. Je ne tirerai pas ma trompette de sa boîte à la fin des repas bien arrosés, des soirées entre amis, des barbecues sur la pelouse, des randonnées parmi les pins. L'intérêt de jouer à la manière de Chet, c'est qu'on peut jouer sans sourdine (contrairement à Miles, il n'a jamais été très féru de cet accessoire) et ne pas attirer l'attention des voisins pour autant, dès lors qu'on habite une maison particulière. On pose sur la platine l'un de ces enregistrements qui proposent d'improviser en compagnie d'une rythmique prestigieuse, et, tant bien que mal, on superpose ses chorus à l'impeccable accompagnement imaginé par des professionnels de haut vol. La compagnie Music Minus One s'est spécialisée dans ce genre de matériel orthopédique.

Ainsi, je n'aurai jamais joué que « pour moi ». Mais, là encore, l'expression usuelle est trompeuse : je ne jouais pas plus pour moi que je ne jouais contre moi. Je jouais à ne plus être ni le fils de l'homme que j'étais censé avoir vénéré, ni le beau-fils de l'homme que j'étais censé avoir vomi, sachant cependant fort bien, ce faisant, que je jouais celui-ci contre celui-là. Mais je n'entrais pas dans ces considérations. Je tirais mon plaisir d'une perversion plus simple, et plus violente, qui consistait d'abord à ne pas être moi-même. Je n'étais pas le juge Walker quand je faisais, sans témoins, le musicien de jazz. Je n'étais pas la doublure de Chet Baker quand je tenais le rôle du juge. Cependant, je ne pouvais pas être un vrai musicien, du fait que j'étais juge, et je n'étais qu'un faux juge, du fait que je me prenais pour un musicien. Je n'étais nulle part à ma place. Je me cantonnais dans la lointaine banlieue de la réalité. Plutôt que de verser dans la schizophrénie, je n'étais ni le docteur Jekyll ni Mister Hyde, en dépit de ce qu'un pisseur de copie quelconque ne manquerait pas d'écrire quand toute l'affaire aurait éclaté au grand jour, mais la négation vivante de ces deux archétypes à la fois, comme le devint justement le personnage de Stevenson. Je n'aurais rien dû craindre des miroirs : ils ne reflétaient pas mon image.

Le hasard voulut qu'en 1969 Chet Baker fût déféré devant mon tribunal. Il avait maquillé des ordonnances médicales, opération dont il était coutumier et pour laquelle il s'était déjà vu condamner. Récidiviste, il risquait une lourde peine. Saint Quentin lui tendait les bras, et cet établissement n'était réputé ni pour l'hospitalité de ses pensionnaires ni pour celle de leurs gardiens. À l'époque, Chet avait pratiquement disparu de la circulation. Ses disques accusaient son absence, plutôt qu'ils ne la tempéraient. Ce jour-là, ayant revêtu la toge du juge, je laissai le trompettiste prononcer la sentence. Un verdict éhonté, au regard de la loi, mais qui, pour la première fois peut-être, me procura l'ivresse de ma fonction : quatre mois seulement, et à la prison d'État de Chino, où j'étais sûr qu'il trouverait ses marques.

Mais je ne m'en tins pas là. Je le fis comparaître de nouveau et, d'un solide coup de marteau, prononçai son élargissement, sous réserve qu'il se soumît à une cure de méthadone. Il finirait tôt ou tard par s'y soustraire, retomberait dans les pattes des argousins. Avec un peu de chance, cela se passerait à Seattle ou à Milwaukee : je pourrais m'en laver les mains. Lui et moi, nous n'étions pas responsables de l'absurdité de ce monde. Assumer la nôtre, déjà, nous donnait assez de pain sur la planche.

À peine rentré chez moi, j'ai appelé Slipper pour lui fixer rendez-vous. Je traitais avec lui parce que c'était une jeune brute qui ne pouvait s'empêcher d'avoir peur de moi, alors que, réglant toujours rubis sur l'ongle, je n'avais pour ma part rien à craindre de lui ni des autres sbires que se plaisait à manœuvrer ce Jarvis, le triste sire qu'ils appelaient « L'Homme », en baissant la voix et en jetant des regards inquiets autour d'eux. Certes, le garçon pourrait livrer mon nom lors d'un interrogatoire musclé, mais que valait sa parole ? Qu'avait-elle jamais valu, depuis qu'il était né ? Qu'avait-il fait, de toute son existence, pour lui conférer le moindre prix ? On le soupçonnerait seulement de vouloir compromettre un magistrat par vengeance (il avait déjà eu affaire à moi : c'était ainsi que je l'avais connu). Il ne ferait qu'aggraver son cas. Sur des présomptions aussi fragiles, aucun flic d'ici, même les Blancs, ne viendrait me demander de relever mes manches, par peur du ridicule ou du scandale (ou encore de ce que je pouvais connaître de leurs propres débordements). Slipper ne détenait aucune preuve contre moi. J'exigeais de le rencontrer en terrain neutre, dans des endroits de mon choix, jamais les mêmes. Je le méprisais ouvertement et il devait se faire plus bête qu'il n'était pour ne pas avoir l'air de s'en apercevoir. J'ignorais alors qu'il m'avait surnommé Poivre et Sel : Poivre à cause de ma robe sombre et de mon humour noir, Sel à cause de la poudre blanche.

Ayant rendu sa liberté à Chet Baker et congédié d'un revers de main le commissionnaire de l'Homme, j'étais dans un tel état d'excitation que je n'ai pas attendu d'être revenu à la maison. J'ai garé ma Lincoln sur un terre-plein désert, au bord de la falaise, et je me suis fait un fix en écoutant le *Live for Love* de Sarah Vaughan sur une petite radio locale qui diffusait de la musique sans interruption. Après, j'ai regretté de ne pas avoir pris ma trompette avec moi. Accompagné par l'océan, j'aurais pu reproduire à s'y méprendre le chorus de Chet sur *But Not For Me*, la version avec Bill Perkins au ténor. La moins célèbre, mais celle que je préfère, finalement.

Oscar D. Greenspan

En tournée à travers le pays, comme cela était indispensable pour entretenir sa renommée, l'orchestre du Met devait se produire au Hollywood Bowl en avril 1970, dans un programme centré sur quelques-unes des œuvres les plus étincelantes de Mahler et de Richard Strauss (un souvenir du temps où Bruno Walter, qui avait été leur ami à tous deux, tenait la baguette). Les déplacements constituent à mes yeux le seul véritable inconvénient du métier et j'ai toujours plaint de tout cœur les musiciens d'Ellington et des autres grandes formations de jazz, condamnés à un nomadisme éternel. C'est pourquoi, même si j'avais été capable de swinguer et de jouer chaque jour de ma vie *Take The A Train* ou *One o'Clock Jump* sans que ma raison vacille, je n'aurais jamais brigué une place dans ces unités.

Toutefois, je n'étais pas mécontent de cette escapade californienne. Je m'étais renseigné sur les programmes des clubs à Los Angeles et dans les environs (Pasadena, Santa Monica, Culver City, Long Beach, etc.) et je savais que Don Ellis s'était mis en congé de big band pour se faire entendre une semaine au *Shelly Manne's Hole* en petit comité (un batteur-percussionniste et un spécialiste des claviers électriques et des synthétiseurs étaient ses seuls partenaires). La participation de Don à l'œuvre de George Russell une dizaine d'années plus tôt avait retenu mon attention. Ses expériences dans le domaine métrique à la tête de ses propres troupes (le passage en 32/8 de *Variations for Trumpet*, *Great Divide* écrit en 13/4 et je ne sais plus quoi en 3 1/2 /4, notamment) m'avaient amusé. Tout cela, cependant, m'avait moins intéressé que l'utilisation qu'il faisait d'une trompette à quatre pistons, grâce à laquelle il accédait sans peine aux quarts de ton. J'espérais l'entendre s'exprimer sur cet instrument et je ne fus pas déçu, encore qu'il passât tout un set à martyriser la batterie pendant que l'homme aux synthétiseurs déclenchait des séismes en série dont le maître des lieux, présent cette nuit-là, eut la charité de sourire. Shelly est connu pour sa tolérance, mais je ne savais pas que son stoïcisme pouvait friser l'ataraxie. Il restait impavide dans la tempête, sachant néanmoins que le voisinage multipliait les plaintes en nuisance contre son établissement.

Pendant le dernier set du trio, Chet Baker a fait son entrée. J'avais suivi sa carrière (un mot malheureux, le concernant), mais je ne l'avais pas revu depuis notre séjour en Allemagne. J'ai failli ne pas le reconnaître. Il portait les traces d'une vieillesse précoce, tel un masque transparent plaqué sur les vestiges – encore spectaculaires – d'une adolescence, voire d'une enfance, qui s'obstinait à ne pas le quitter. Pour être franc, en dépit de l'étui à trompette coincé sous son bras, je conservai un petit doute jusqu'à ce qu'Ellis approchât un micro de ses lèvres pour annoncer la présence d'un visiteur de marque qu'il invitait à se joindre à lui.

Chet ne se fit pas prier. Il était étrangement serein. Étrangement sérieux, aussi, alors que les facéties de Don sur son prototype avaient mis le public en joie. Ce fut sans rire qu'il prévint :

« Pour rétablir la moyenne, je jouerai sur deux pistons seulement. »

Il n'en fit rien, mais le résultat fut pitoyable quand même. Je veux dire qu'il m'inspira une commisération si grande, si pénible à supporter, que je pris la décision de ne pas aller lui serrer la main (je l'aurais plutôt serré sur mon cœur en éclatant en sanglots). Moi, il ne risquait guère de me repérer : j'avais grossi de plus de trente livres et arborais désormais une barbe fournie. Conditionnés, les gens l'applaudirent comme après une bonne blague. Il salua de la tête, très digne, rangea son instrument avec le plus grand soin, prit congé des musiciens, de Shelly et se retira comme il était venu, sans un regard en arrière.

Steve Parmighetti

Chat, Baker, chat to me
Cause, Baker, cause avec moi
Ils ne peuvent plus t'entendre
Tu parles aux pères qu'ils n'ont pas eus
Qui se sont détournés d'eux avant de les connaître
Et qui ne les reconnaîtront jamais
Tu parles aux fils qu'ils ne sauront pas enfanter
Car le swing de leur semence
L'élan de leur propre naissance
Lancée, versée,
Tombée dans la poussière aussitôt
Ne frétille pas dans la poussière
Et contre le miroir, la mer d'huile et dorée des parquets
Il forme une tache sèche
Une moisissure
Un impétigo vitrifié
Transparent
Qu'on gratte de l'ongle
Et qui se détache tel le vernis mort des ongles des femmes
Du couvercle des cercueils
Et tu leur parles, pensent-ils, comme le calfat discourt
avec l'étoupe

371

Tu leur rebats, disent-ils, les oreilles avec des bâtons de cire à cacheter

Ils courent dans tous les sens

Volailles suicidées

Ils ont mal dans tout leur corps

Ce qu'ils n'entendent pas de toi leur crève les yeux

La douce lumière du petit matin enfonce dans leurs prunelles un tire-bouchon trempé de vitriol

Ce sont des Œdipe de drugstore

D'uniprix

De fast-food

De quick-lunch

De laverie automatique

De pressing-minute

De vidange-graissage le temps d'éclabousser l'émail fendu des toilettes

ou le ventre fendu des bitumeuses harassées

Et ressassées

Et mystérieuses quand même

Oui !

Des Œdipe de motels loin des routes

Loin des sommeils

Des Œdipe de mains humides et vagabondes dans la pénombre des cinémas

(permanents

c'est-à-dire livrés à un éphémère qui colle à la peau et que n'effacera pas même

pas même la putréfaction ni

la résurrection de la chair)

Des Œdipe nés sous X

Dans des orphelinats de l'éternité

Mais

Tu es cependant leur mère impudique

Leur mère obscène
Leur mère obscure et meurtrière
Et qu'ils tuent croyant tuer leur père
Qu'ils tuent la tête ailleurs
Glissée de leurs oreilles qui battent dans l'haleine du
soleil à la façon des papillons ignorant que l'univers a des
milliards d'années
Et qu'il s'en fout, lui aussi
Cause avec moi, Chet Baker
Ne me parle pas d'amour
Parle-moi de choses utiles
Et compatissantes
Parle-moi de ce que je ne connais pas
Et ne tiens pas à connaître
Sauf à travers toi
Parle-moi de la neige à Chicoutimi
Des glycines de Corfou
Des glycines, des lilas
Des lys d'Ophélie
qui fait la planche sur l'étang de son sang
et que je voulus épouser naguère
Épouser toute en blanc

Chit, Baker, Chit
La note, Baker, la note ils te l'envoient
Ils te la font monter
La facture
L'addition
Chaque note qu'ils n'ont pas écoutée
Chaque note que tu n'as pas jouée comme il faut
– comme il faut pour qu'ils l'entendent à travers
la couche épaisse
la cire

l'étoupe
le grincement des navires à l'ancre
le vent du large qu'ils n'ont pas pris
le temps
le temps qui passe –
Ces millions de notes illégales
puisqu'elles leur sont interdites
Depuis toujours ils en tiennent le compte
Sur un petit carnet
Qui ne les quitte pas
Qu'ils serrent
Pétrissent
Caressent
Empoissent
Et cornent
En pénétrant dans les bordels sans femmes de leurs
nuits sans couleur
Où leur ombre hésite à les suivre
Où ils se font écornifler
À des tables où l'on joue
Gros jeu sous les housses
qui les recouvrent comme un linceul
Sous un dais de toiles d'araignée
Plumés ils se tournent vers toi
La main tendue au carrefour
Du remords et de l'indifférence
Ce sont des sommes vertigineuses que tu leur dois
Des symphonies, des opéras
Cinq cents milliards et demi de *Funny Valentine*
et de *But Not for Me*
Tenderly
Foolish Things
Long Ago And Far Away

Far Away…
Où avais-tu la tête,
Alouette ?
Où posais-tu les lèvres ?
Sur quelles lèvres ?
Sur quel satin ?
Sur quel oubli ?
La dette, Chet, la dette !
Une ardoise longue comme un ciel d'hiver
Un hiver plus long que la vie dans un faubourg
de Norvège
Dans une prison du nord de l'Italie
Et de partout
Dans les cages invisibles
De ta vie bien réelle
De tes voitures de course
De tes chevaux de fer
Sur les pistes indiennes planquées sous l'asphalte
d'Oklahoma City
Reste sourd à leurs prières
Vieillis dans une précieuse aura
De rapacité
Ne leur fais pas l'aumône
Jamais plus
Le dernier cent que tu n'as pas
Tu en as besoin pour le jeter par les fenêtres
Par les millions de fenêtres
Qui aveuglent l'aurore
Quand tu marches dans ces villes
Ces ruches
Où l'on passe
Où personne de vivant n'aura jamais vécu

Cheat, Baker, cheat on me
Trompe-moi
Dupe-moi
Leurre-moi
Sois infidèle
Triche
Mens
Mens comme un homme qui s'est arraché les dents pour ne pas mordre son silence
et qu'il reste inviolé
Sanctuaire de la musique
Au saint des saints de sa musique
N'avoue pas
N'avoue rien
Ne risque pas la moindre confidence
Ne fais confiance à personne
Ni à moi
Paie-nous en monnaie de singe notre amour et notre mépris et notre peur, notre pudeur affreuse, notre impudeur affreuse, nos certitudes et le songe impuni
d'orgasmes bon marché
d'extases en hamac
Les vérités bonnes à dire sont écrites sur tous les murs
et le mur de Jérusalem
Jérusalem !
Ce sont des graffitis de pissotières
Les quignons de pain flottent par-dessus
Dans un miel pâle et détrempé (baptisé, comme on dit)
De luxure furtive
D'interdit provincial
Vaguement désuet
Tu ne dois pas les porter à ta bouche

Non
Les vérités bonnes à dire sont meilleures à taire
Tels de pieux mensonges
Blasphème, Chet, détourne-toi des autels
Ne t'allonge pas dans l'ombre de l'Arbre
de la Connaissance :
La nuit ne s'y risque jamais
Et tu as besoin de dormir
Grand besoin de dormir, sentinelle
Pour voir nos rêves marcher sur toi
Un couteau entre les dents
Ramper viet-cong dans la mangrove
Urbanisée
Épave des gazomètres et des calandres
De Cadillac
Ne pose pas tes lèvres douces
Cette chair à fleur de chair
Au bord de ton cœur au bord des lèvres
Sur la rouille de ce monde et le vert infécond
Vert-de-grisé
Des dollars
N'écoute pas
Ne veille pas
N'éveille pas les paroles à midi
N'éveille pas les paroles du dimanche
Ne dis rien
Ne dis rien de compromettant
Compromets plutôt ton silence immaculé
Compromets-toi corps et âme
Envers et contre nous
Chat, chit, cheat, Chet Baker
Murmures, mémoire, mensonges
Maraude, morsure, mécompte

Meute et meurtre
Pierre, papier, ciseaux
La chair, le vent, la cendre
Le vent, le sable, la pierre
Et l'oiseau

John Birks « *Dizzy* » *Gillespie*

Il n'entendait pas ce que je disais. Du moins n'entendait-il pas tout, et, estimant alors que ce qu'il ne pigeait pas n'avait aucun sens, il s'imaginait que je parlais pour ne rien dire. Je ne peux pas le lui reprocher : il se bornait à faire confiance à ses oreilles. Je suppose que nous sommes tous pareils de ce point de vue. Vous m'auriez demandé, au début des années 60, mon opinion sur Ornette Coleman : en fait d'incompréhension, je vous promets que vous auriez été servi ! Je savais très bien qu'il m'avait traité de bavard dans des interviews : il y a toujours de bonnes âmes pour s'assurer que ce genre de détail ne vous a pas échappé. Mais, après tout, quand je n'avais pas ignoré purement et simplement son existence, je n'avais pas colporté que des éloges à son sujet. Surtout après que cet enfoiré de Bird nous eut brisé les nougats, à Miles et à moi, en nous racontant que ce petit Blanc de la côte ouest allait nous bouffer tout crus. J'ai attendu le premier disque du nouveau prodige avec une certaine nervosité, je l'avoue, parce que les étoiles qui se lèvent et annoncent le déclin de la vôtre à plus ou moins brève échéance, cela existe bel et bien. Je dirais même qu'à part Louis et Bird, assez peu d'entre nous, les caïds, auront eu le privilège de ne pas tomber sur leur challenger planté en travers de leur chemin. Je connais le coup. J'ai payé pour voir, comme au poker. Quel âge avait Clifford Brown, selon vous, quand je me suis cassé le nez sur lui ? En 49, bien sûr, il n'était pas de taille à me battre – et, en un certain sens, il ne m'aura jamais battu, pas plus que Fats ou Miles ou Freddie Hubbard. Mais il aurait fallu être sourd comme un pot pour ne pas se rendre compte qu'il avait d'ores et déjà le potentiel de me *dépasser* un jour (ce qu'il a fait, en un certain domaine en tout cas, et je n'ai pas hésité à le reconnaître dans mes mémoires). Il avait le choix entre me passer dessus ou me contourner. J'ai le cul bordé de nouilles : il a préféré me contourner. Clifford, *baby, I love you* !

Je me suis précipité sur les disques du quartette de Mulligan quand ils sont arrivés à New York. Pas rassuré du tout, décidément, car ils arrivaient comme la tournée du patron quand on a la langue dans les chaussettes : précédés, comme on dit, « d'une rumeur flatteuse ». Je me suis enfermé chez moi. J'ai même demandé à Lorraine d'aller voir ses copines. J'ai posé la galette sur le plateau, le bras sur la galette et, deux minutes plus tard, j'éclatais de rire ! Pas parce que je trouvais cette musique ridicule, ou quoi que ce fût du genre : simplement à cause du soulagement. Brutal. Et complet. Ce Baker et moi, on ne boxait pas dans la même catégorie (vu la façon dont il s'y prenait avec une trompette, c'était tout juste si l'on jouait du même instrument) : ce gars-là ne risquait pas de m'envoyer au tapis. J'avais aussi peur de lui, désormais, qu'un semi-remorque d'une trottinette, ou King Kong d'une libellule. J'ai l'air de blaguer, comme ça, mais je sais ce que je dis : inutile de me rappeler (ou de murmurer dans mon dos, pensant me débiner) qu'une libellule possède certains avantages que King Kong n'a pas. J'en suis parfaitement conscient, et de longue date. En 1944, je n'en étais peut-être pas encore persuadé, mais dès que j'ai entendu Miles, ce petit con qui se permettait de jouer à David et Goliath avec le saint sacrement, je veux dire cette Trompette devant laquelle Roy, Fats, moi, Howard McGhee, nous nous prosternions et nous voilions la face avec effroi, j'ai réalisé que je pourrais accomplir tous les exploits, battre tous les records et même, à la rigueur, faire manger ce putain d'instrument dans ma main, il y aurait toujours quelque chose – un *petit* quelque chose – qu'il me refuserait. Et ce petit, tout petit quelque chose, ce serait comme un monde, un univers infini dont j'apercevrais derrière un mur pour moi infranchissable, balançant dans un vent chargé de parfums bizarres, la cime d'arbres aussi frêles que les filaos des Antilles, mais qui ne ressembleraient à aucun des arbres du lieu où j'étais assigné à résidence, et avec lesquels, par conséquent, même les plus vieux séquoias ne pouvaient pas rivaliser.

Je n'en voulais pas à Chet d'avoir eu jadis des fans à qui l'envie vous prenait de flanquer une bonne fessée – et ils ne l'auraient pas volée. Vous n'étiez jamais que quelqu'un qui essayait d'apporter au maximum un peu de bonheur et d'émotion, au minimum un prétexte pour danser et quelques heures de divertissement dans la vie de merde des populations. Mais ces enfoirés vous regardaient avec les mêmes yeux qu'un goret pour un hachoir à saucisses ! Ils se sentaient agressés par notre musique et se montraient cent fois plus intraitables avec nous, les trompettistes de l'Est, les be-boppers (notamment avec moi, qui passais pour le plus méchant de la bande), que les supporters de Rocky Marciano à l'égard de Joe Walcott.

En décembre 1953, je me trouvais à Hollywood en compagnie du Jazz At The Philharmonic. Norman Granz, avec qui je venais tout juste de signer, en a profité pour me faire enregistrer mon premier disque sur son label, à la tête d'un groupe où figuraient Stan Getz, Max Roach et le trio d'Oscar Peterson. Je sortais du studio, sans méfiance. L'un de ces forcenés a fondu sur moi, là en pleine rue, les yeux hors la tête, écumant de partout et, alors que j'avais déjà refermé ma main sur le manche du lingue qui ne me quitte jamais, m'a craché en pleine figure : « Tire-toi, fumier ! On n'a pas besoin de ta putain de gueule ici : on a Chet Baker ! »

Là-dessus, Oscar m'a rejoint sur le trottoir et, quand l'autre a visé la carrure de la bête, il a détalé sans demander son reste. S'il avait eu une pancarte *Chet président !*, il l'aurait abandonnée sur place. Du coup, rentré à la maison la queue entre les jambes, il se serait juré d'avoir ma peau pour de bon.

J'aurais été malvenu de me plaindre, cependant. La vie, qui tient ses comptes, ne faisait jamais que me rendre la monnaie de ma pièce. J'avais eu mes propres inconditionnels dans les années 40. Ce n'étaient pas des enfants de chœur non plus, d'autant que la lutte était rude, en ce temps-là, entre les « raisins verts », dont j'étais l'un des meneurs avec Bird, et les « figues moisies ». C'était carrément Gettysburg et j'ai tout lieu de craindre que, dans le feu de l'action, mes partisans n'aient guère ménagé le camp d'en face. Ni même les autres tricoteurs de pistons, de quelque bord qu'ils fussent ! Bien sûr, ils regardaient de travers tous ceux qui, d'une manière ou d'une autre, de Louis à Miles, avaient choisi une autre voie que la mienne. Mais ce n'était rien à côté du traitement qu'ils réservaient à ceux qu'ils soupçonnaient de vouloir marcher sur mes plates-bandes. À leurs yeux, il n'y avait que deux façons de jouer du jazz à la trompette. Comme moi ou pas comme moi. Celle-ci était un sacrilège ; celle-là du brigandage. Les pauvres gars n'avaient qu'une manière de s'en sortir : porter leur biniou chez ma tante et se mettre dare-dare à l'ocarina ou au flûtiau mongol !

Aujourd'hui, les excités se font rares autour de moi. Les gens se contentent de me trouver sympathique et rigolo. Personne ne souhaite plus ma mort, du moins je ne pense pas. Personne ne me prend plus pour le Messie, – ça, j'en suis sûr. On m'a collé sur le front une étiquette de « légende vivante », moyennant quoi l'on me considère en réalité comme une survivance. Une sorte de ruine en bon état. Qui ne fait pas mal dans le paysage, du reste, et qu'on a plaisir à visiter (on se sent même plus cultivé à la sortie). Ce n'est pas le respect du public qui me manque : c'est son *attention*. De la curiosité, il en a – mais il en a à l'égard de mon personnage, ou à l'égard des disques que j'ai faits il y a plus de quarante ans. Ma musique, celle que j'invente aujourd'hui, en gros il s'en tape.

Dès que je joue la première note d'un chorus, chacun est intimement persuadé qu'il pourrait me souffler la dernière. Parce qu'ils connaissent, ou croient connaître le fin mot de l'histoire, les gens oublient que j'ai des choses à raconter. Que s'il n'y a pas de bonne blague sans chute, une chute séparée de ce qui précède ne peut amuser personne. Ils s'en foutent. Tout leur est bon pour ne pas *écouter* la musique. À croire que ce serait la pire des punitions. Quand ils vous respectent, ils pensent à autre chose. Et quand ils vous aiment vraiment, ils mènent un tel bordel qu'ils ne peuvent plus vous entendre… Là vous comprenez – heureusement lorsqu'il est trop tard – que, même si vous rêviez au départ d'être un bienfaiteur de l'humanité avec votre biniou, tout cela au fond ne se passe qu'entre vous-même et vous-même et, dès lors, à quoi bon avoir joué des coudes pour grimper sur l'estrade ?

Là-haut, désormais (mais ça n'a peut-être jamais été très différent), je suis le seul avec quelques-uns de mes garçons, pas forcément tous, et, en mettant les choses au mieux, avec le soutien moral de quelques musiciens égarés dans la salle, je suis seul à me demander où ma phrase m'entraîne, par quels chemins elle va passer, et à m'étonner de sa trajectoire. À m'en émerveiller parfois, les bons soirs. Si les gens ont décidé que vous étiez prévisible, vous pourriez bien devenir vert à raies jaunes sous leurs yeux ou vous mettre à marcher sur les eaux qu'ils n'en démordraient pas. Or, d'après eux, vous êtes prévisible à partir du moment où eux ont prévu ce qu'ils allaient dire et penser de ce que vous n'avez pas encore entrepris de jouer. Une fois que vous avez commencé, très peu d'entre eux, en fait, seraient capables de compléter *une seule* de vos phrases, y compris celles qu'ils qualifient, en croyant faire preuve d'indulgence à votre égard, de « clichés personnels ». Mais ça ne vous rend pas moins prévisible de leur point de vue : ça vous rend seulement, car ils n'en sont pas à une contradiction près, plus emmerdant.

C'est le choléra, ce truc. Un passeport pour le purgatoire sur la terre. D'aucuns reçoivent le visa avec gratitude, cependant, du fait qu'à l'époque où le public – ce même public – les avait jugés *trop* imprévisibles pour son goût, c'était l'enfer qu'ils avaient vécu. Chet Baker, aujourd'hui, fréquente le même purgatoire que moi. Ce n'est pas qu'on nous en veuille, bien au contraire. Mais, sous prétexte qu'ils nous ont plutôt à la bonne, on n'est jamais que tolérés.

Tout comme moi, Chet, tel que je le connais, ne se pose pas trop de questions sur l'impression qu'il va produire, la surprise qu'il va causer. Nous ne cherchons pas à étonner qui que ce soit : uniquement à continuer de fabriquer de la musique (c'est déjà assez de souci comme ça, si l'on ne fait pas semblant). Charlie Parker, lui, avait le même problème, mais il se le posait autrement. Il se le posait du point de vue du public, ce merveilleux empaffé qui, pourtant, survolait ce genre de considération comme je n'aurais jamais osé le faire. Il se demandait ce qu'il y avait de si neuf dans ce qu'il jouait. Quand on cherche bien, on est sûr de ne pas trouver. Il s'y est brûlé les ailes vite fait, l'Oiseau.

Et c'est là que je voulais en venir. Tout s'est gâté le jour où *lui-même* s'est fourré dans le crâne qu'il était prévisible. C'est arrivé beaucoup trop vite, voilà le grand malheur. Peut-être dès notre virée à Los Angeles, fin 45. Il avait quoi ? Vingt-cinq ans ? Vingt-six à tout casser ? Et qu'est-ce qu'on allait foutre si loin de nos terres ? On se prenait pour des missionnaires, peut-être ? C'était ridicule, de toute façon, mais il a foncé dans le piège tête baissée. Et puis alors *Lover Man*, Camarillo et tout le reste... Des tas de types ont prétendu que, à partir de ce séjour prolongé en Californie, ça ne tournait plus très rond chez lui. S'il avait entendu ça, il aurait sans doute prétendu que le hic, au contraire, c'était justement que ça tournait trop rond. Qu'il n'arrivait plus à rattraper le cerceau dévalant la colline, et encore moins à lui ouvrir la route comme il l'avait fait mainte et mainte fois à mes côtés, dans le courant de cette année 1945 et même avant, quand j'étais encore l'un des rares témoins de l'opération.

La cause est entendue : soit tu es la pierre qui roule, soit tu amasses la mousse, ou plutôt tu te la ramasses en pleine tronche. Mais lui, il dégringolait cette pente tel l'à-pic du super-grand huit de Coney Island et il s'imaginait qu'il était à la traîne, qu'il lambinait, qu'il tirait la patte, qu'il en était à renifler le cul des autres. Peut-être pas le nôtre (il n'était pas aveugle à ce point), mais celui des Stravinski, des Bartok, de je ne sais qui encore, des clampins si haut perchés dans ses rêves de grandeur que leur nom ne s'est même pas donné la peine de me descendre dans l'oreille. Charlie Parker se soupçonnait d'imiter Charlie Parker. Il était même devenu son principal suspect. Au terme de son enquête, ses pires soupçons se trouvèrent confirmés. Pardi ! Vous aurez du mal à le croire, mais figurez-vous que de tous les comiques qui soufflaient alors dans un saxophone, pas un seul n'imitait Charlie Parker de manière aussi flagrante que Charlie Parker ! Ça par exemple ! Dieu sait pourtant que la plupart ne se faisaient pas faute d'essayer. Il se voyait comme le dernier de tous, le dernier des derniers, le plagiaire le plus éhonté, le plus impardonnable de la bande. Il avait la bave aux lèvres, du venin plein les dents. Il se demandait seulement qui il devait mordre en premier : le Charlie Parker qui imitait Charlie Parker, ou celui que Charlie Parker imitait et qui, à y bien réfléchir, était peut-être bien cause de toute cette embrouille. Il *se* tournait en bourrique. On ne m'ôtera pas de l'idée que, bien tranquille sur le canapé de la baronne Nica, devant la télé, tournant le dos à l'une des plus belles vues de New York, seul et sans armes, plus qu'à moitié dans les vapes, il a fini par s'entretuer.

Entre Bird et moi, il y a un squelette dans le placard : le sien. Avec Chet, de son côté comme du mien, ça n'a jamais été une question de vie ou de mort. C'est sans doute regrettable, mais c'est ainsi. Ce qu'il a dit de désagréable sur moi, je le lui pardonne ; ce que j'ai pensé de désobligeant sur son compte, je me le pardonne aussi bien volontiers. Et quand bien même il m'aurait fait de vraies crasses, ça ne m'empêcherait pas de l'envier. Envier un type que vous n'admirez pas, est-ce que ça a le moindre maudit bon sens ? Oui, tout de même, si ce qui vous rend jaloux, ce n'est pas ce qu'il réussit, mais ce qu'il rate.

Ça me fascinait, ce qui lui était arrivé. Parce qu'un triple débile lui avait fait sauter un morceau d'incisive, de fil en aiguille il en était venu au point de ne plus pouvoir souffler que du vent (et plutôt fétide, à ce qu'on m'avait raconté). Il avait dû repartir de zéro. Atteindre un simple *do* à vide, sans bouger les doigts, tout à coup c'était aussi vertigineux que de gravir l'Himalaya. Mais je m'en foutais bien, de ses talents d'alpiniste ! Moi, ce que je voyais dans cette affaire, c'était qu'il avait la chance de renaître, en tant que trompettiste. Non pas de réapprendre ce qu'il avait su naguère, mais de découvrir autre chose. Il n'y a pas que le génie qui soit une prison (comme Bird vous l'aurait démontré en cinq sec). Toutes vos conquêtes, à mesure que vous avancez, à mesure qu'elles vous libèrent de ceci ou de cela, se transforment en prisons : des rails qu'il vous devient de plus en plus difficile de quitter. Au début des années 70, je me sentais enfermé à double tour dans ces libertés naguère enlevées une à une, tels des blockhaus réputés imprenables, baïonnette contre mitrailleuses. Je rêvais d'être une bille toute neuve lancée sur une nouvelle table. Je rêvais, depuis pas mal de temps déjà, de me refaire une virginité, sachant que c'était impossible et que je devrais me contenter d'être le sultan de mon harem. Sultan ou eunuque, malheureusement, je ne voyais plus très bien la différence. Chet, lui, avait eu cette chance incroyable :

redevenir le puceau de sa musique. Avoir, du moins, la possibilité de la baiser comme il voulait. Il était en situation de se venger, de me venger, de venger Bird, de nous venger tous. J'étais curieux de voir comment il allait s'en sortir. Je n'allais certainement pas lui filer un préservatif.

Cela se passait pendant l'été 1973. Mon agent m'avait obtenu une affaire à Denver (Colorado). Pour une raison ou pour une autre, à aucune étape de ma carrière je ne me suis trouvé en position de faire la fine bouche. En 73, n'importe quel jazzman aurait joué dans les toilettes pour hommes de la gare de Vladivostok si on lui avait payé le déplacement et les frais de séjour. Au terme d'une longue absence, Chet avait choisi ce moment de crise pour reprendre du service. Et son premier engagement de relativement longue durée (une semaine) depuis trois ou quatre ans, il l'avait justement décroché à Denver. On ne l'y attendait pas au tournant, comme ç'aurait été le cas dans n'importe quel club de la côte, de San Diego à Oakland. Et surtout, il retrouvait là-bas un ténor du nom de Phil Urso, un partenaire de longue date, sur lequel il pouvait compter s'il se mettait à déraper pour une raison quelconque.

Cela dit, il avait la ferme intention de garder l'équilibre. À force d'expérimentations, tout seul dans son coin, il avait fini par mettre la main sur l'embouchure qui convenait le mieux à sa nouvelle denture. Il contrôlait sa sonorité, savait comment tourner à son avantage les inflexions intempestives. Musicalement parlant, il avait une idée précise de l'endroit où il souhaitait se rendre, du trajet qu'il allait emprunter et des moyens qu'il lui fallait mettre en œuvre pour parvenir à son but. On m'avait affirmé qu'il n'avait fait que quelques entorses à son régime (je parle de la méthadone). En d'autres termes, il

388

était venu là non pour grappiller quelques miettes en passant, mais bien pour tout bouffer, au besoin en disputant leur part aux autres. Je suis allé l'écouter et j'ai tout de suite vu à son regard qu'il était impatient d'en découdre. J'ai deviné qu'il venait de remporter au millième round une victoire par K.-O. sur un adversaire coriace qui était une partie de lui-même, et qu'il ne craignait plus désormais ni Dieu, ni diable – ni moi !

Nous avons fait le bœuf. Personne n'a vaincu personne. Il n'y a pas eu d'empoignade. Nous ne nous sommes même pas effleurés. Nous sommes restés sur nos positions, non par peur de prendre des coups, mais de manière à concentrer nos forces et à ne pas les gaspiller dans des chamailleries de cour d'école. Chacun a lutté pour mettre en valeur son propre style, non pour discréditer celui de l'autre. Chacun n'a lutté que contre sa propre paresse, ses propres tics, ses propres accommodements avec ses rêves et ses ambitions de jeunesse. Nous avons donné, en quelque sorte, le spectacle de deux champions qui, après avoir laissé tomber leurs peignoirs sous les hurlements de la foule et fait mine d'écouter les recommandations de l'arbitre, se seraient mis à pratiquer le *shadow boxing* sur des lignes parallèles, veillant seulement à respecter, chacun pour soi, toutes les règles de l'art.

Le public s'est peut-être senti frustré. Globalement, ce que nous jouions manquait sans doute d'homogénéité. Mais, dans la mesure où nous évoluons depuis toujours sur des orbites distinctes, Chet et moi, cette non-agression, dans le cas particulier (en d'autres circonstances, je n'ai rien contre un solide étripage : il m'arrive même plus souvent qu'à mon tour de rechercher les coups durs), ce refus de la compétition, cette limitation des échanges à des hochements de tête approbateurs, chaque fois que l'un de nous allait au-delà de ce qu'il visait, tout cela était, de mon point de vue, ce qui pouvait arriver de mieux, ou en tout cas de moins mauvais, à la musique, cette nuit-là.

Je ne suis pas Tadd Dameron : ce qu'il y a de plus original dans ce que fait Chet, je n'y suis guère sensible, et ce que j'apprécie chez lui n'est guère original, comparé à ce que sont capables d'offrir dans le même genre ne serait-ce qu'un Blue Mitchell ou un Bill Hardman, qui, eux, ne sont jamais passés aux yeux de personne pour des génies. Miles, Clifford, Lee Morgan, Freddie Hubbard, voilà ma tasse de thé, voilà ce qui me branche vraiment. Je ne m'en suis jamais caché. Disons **que** ces gars-là parlent à quelque chose qui se trouve **au** fond de mes gènes. Mais je vais plus loin : *dans ma tête*, autant que dans mon cœur, je suis convaincu qu'ils ont fait avancer la musique, et pas lui. Ces mecs auront été des prophètes, alors que lui, le chat qui s'en va tout seul, n'aura même pas prêché dans le désert. Il n'aura pas prêché du tout. Il n'aura transmis aucune foi, vous comprenez ? Uniquement – et uniquement aux gens qui étaient équipés des capteurs nécessaires pour les enregistrer – des espèces de vibrations intimes, strictement individuelles. Je ne dis pas que ce n'est rien, attention ! et encore moins que c'est mal. Mais ça ne fait pas changer le monde, voilà. Pour l'essentiel, ça ne fait même pas changer le jazz. Je me fourre peut-être le doigt dans l'œil, mais j'ai le sentiment que le jazz aurait évolué de la même manière, avec ou sans Chet. Dire à certaines personnes des choses impor-tantes qui les concernent, voire des choses fondamenta-les, c'est une chose, apporter un message *à la musique*, un message qui va changer sa vie à elle, c'en est une autre et très peu d'entre nous en ont été capables.

À la pause, je lui ai demandé où il comptait se rendre, après Denver.

« New York », m'a-t-il répondu.

J'ai appelé sans attendre le père Canterino, au *Half Note*, sur la 54ᵉ rue ouest. Ouvert depuis moins d'un an, l'établissement connaissait déjà, comme la quasi-totalité de ses concurrents à l'époque, de sérieuses difficultés. Il fermerait d'ailleurs ses portes l'année suivante, après avoir été l'un des hauts lieux du jazz sur la côte atlantique. Compte tenu de cette situation, ça devait être une aubaine inespérée pour la famille Canterino que de pouvoir engager un musicien assez célèbre pour attirer du monde (Chet restait une légende aux yeux de pas mal de gens) et, en même temps, assez oublié, assez impatient de revenir dans la course, assez aux abois pour ne pas avoir d'exigences exorbitantes (je me suis gardé de lui poser la question, mais je suis convaincu qu'il aurait joué pour la bière et les pickles). Chet avait tout de l'oiseau rare susceptible de remplir la boîte sans la saigner à blanc du même coup.

Il m'a suivi dans mon hôtel, où, faute d'un jeu d'échecs, on s'est mis à taper le carton. Une demi-heure plus tard, le *Half Note* me rappelait. L'affaire était dans le sac : Chet avait décroché deux semaines en novembre. Il a souri comme je ne l'avais jamais vu sourire. À cet instant-là, il m'a semblé que je comprenais sa musique – ce qu'elle avait d'irremplaçable.

Je lisais de la gratitude dans ses yeux. Il n'avait pas besoin de me dire merci, et il ne l'a pas fait. De toute façon, on n'était pas du genre à se pleurer sur l'épaule, ni lui ni moi. Lui, surtout, n'avait pas de temps pour les effusions. Il a commencé à tirer des plans sur la comète. C'était comme s'il avait déjà mis un pied sur l'estrade du

Half Note. Il m'a demandé ce que je pensais d'un certain nombre de gars qu'il avait l'intention de prendre avec lui, s'ils étaient libres le moment venu. La plupart d'entre eux, j'en avais à peine entendu parler, mais j'étais sûr qu'ils feraient l'affaire. Un soliste de sa trempe ne s'amuse pas à traîner avec des pannes.

« Et en attendant, lui ai-je dit, tu as des projets, des propositions, des concerts, une séance, quelque chose ? »

J'étais disposé à lui prêter un ou deux billets s'il avait envie de me taper.

« Te casse pas la tête, Diz, m'a-t-il répondu. Je vais me débrouiller. La débine, ça n'est jamais qu'une habitude. Une façon de vivre comme une autre, j'ai appris ça. Quand tu es décidé à faire avec, tu continues d'avoir le couteau sur la gorge, mais il ne s'enfonce pas. Ça n'est pas confortable, mais, bizarrement, ça n'est pas mortel. Repasse demain à la boîte, vieux, s'il te plaît : il y a une fille que j'aimerais te présenter. Elle s'appelle Diane.

– Tu es amoureux, baby ? »

Il m'a regardé droit dans les yeux avec une sorte de candeur.

« J'aime bien qu'on soit amoureux de moi. » (Il a hoché la tête.) « Une fille amoureuse de moi, tu vois, il me semble parfois que je pourrais la suivre au bout du monde. »

Paul Breitenfeld, dit Paul Desmond

Comme chacun sait, je suis un célibataire endurci. Ainsi les femmes n'ont-elles jamais eu la moindre raison de me fuir. Je suis un type facile à quitter. Je me quitte moi-même, du reste, avec assez de désinvolture, chaque fois que ma présence me pèse. En résumé : j'aime trop les femmes pour les épouser et j'apprécie trop peu ma compagnie pour l'imposer aux autres. Je suis un cas désespéré. « Desperate Desmond », c'est ainsi qu'ils m'appellent.

J'aime les femmes minces, un peu fragiles, parce que rien ne me plaît davantage que de les manier avec précaution. Tant de précaution que, moi qui collectionne les conquêtes, je passe volontiers pour homosexuel. Au moins ai-je la pudeur de ne pas m'en défendre. Je tombe amoureux avec nonchalance et distinction. En principe de cousines d'Audrey Hepburn. Chaque fois que j'improvise, je rêve qu'au moins un homme dans l'assistance va fermer les yeux et voir entrer Audrey Hepburn dans une pièce où il se trouve seul, un dry martini à la main. Moi, si je n'imagine pas cette scène, je ne parviens pas à me concentrer sur ce que je joue. Si le verre n'apparaît pas, la musique est comme un cocktail que j'essaierais de retenir entre mes mains nues.

Je collectionne surtout, sinon exclusivement, les femmes des collections : je veux dire les mannequins de haute couture. Elles ont le genre de silhouette que j'aime voir flotter vers moi et le genre de démarche dont les tapis ne gardent pas la trace. Ce sont des hallucinations concrètes. Concrètes jusqu'à un certain point, à l'image de ma musique et de tout ce que je touche. Le cœur de la matière, pour moi, ressemble à une fumée de cigarette. Il est possible que cela explique bien des choses…

Chet avait épousé en secondes noces un modèle anglais du nom de Carol. Un modèle anglais, selon moi, ne pouvait que représenter la quintessence du genre. Il me bluffait et ce n'était pas la première fois, j'y reviendrai. Quand j'ai rencontré Diane Vavra, cependant, j'ai eu quelque peine à masquer ma surprise. Non qu'elle ne fût pas une jolie fille, au contraire, mais elle avait quand même quelque chose d'exotique à mes yeux. Quelque chose qui s'accordait mal avec un dry martini et un salon destiné à un subtil marivaudage, où s'empilent les livres que la bibliothèque ne peut plus contenir et où ronronne sans doute un feu de bois. Diane avait été la baby-sitter des Baker des années avant que Chet ne trompât Carol avec elle. La première fois qu'il l'avait vue, elle jouait de la batterie dans l'arrière-salle d'une pizzeria où l'on organisait des jam-sessions le dimanche.

Je fais profession d'exécrer les batteurs. C'était l'éternelle plaisanterie entre Joe Morello et moi, au temps du Dave Brubeck Quartet. Il n'empêche qu'à part Connie Kay, que j'ai sollicité chaque fois que j'ai pu, les membres de la corporation me rendent réellement nerveux, ou du moins méfiant. J'ai toujours peur qu'ils lâchent quelque « bombe » (pour reprendre une de leurs expressions) qui retiendra Audrey sur le seuil de la pièce ou la fera fuir par l'escalier de service, ses chaussures à la main…

I'm Old Fashioned devrait être mon indicatif. Je peux concevoir à l'extrême rigueur une belle femme sans talons hauts, mais la souplesse de mon intellect reste très relative : elle ne va pas jusqu'à tolérer la contradiction trop flagrante d'une belle femme prenant place derrière une série de tambours.

J'attire les confidences des femmes, du moins de celles que j'ai plaisir à entendre (les femmes, pas leurs confidences). J'ai compris, lorsqu'elle m'a parlé, que Diane portait sur Chet le même genre de regard que moi sur les mannequins des grandes maisons. Ce n'était pas tant qu'elle l'idéalisait, excès auquel, paraît-il, l'attirance sexuelle incline volontiers : elle le « déréalisait » (ayant lu ce mot dans un article plutôt banal de *Penthouse*, je pense que j'ai le droit de l'utiliser à mon tour). Elle le détachait, l'isolait de sa réalité tangible, accordant non seulement plus d'importance, mais plus de substance à l'image qu'elle se faisait de lui dans sa tête qu'à l'homme en trois dimensions qui évoluait à l'extérieur.

On aurait tort de croire, soit dit en passant, qu'une telle opération dissuade de l'amour charnel. Tout au contraire. Qu'imaginer de plus sacrilège, et par conséquent de plus sacré, qu'un contact érotique étroit, comportant l'échange des humeurs et des fluides, avec une entité surnaturelle ? J'exagère à peine en employant cette expression. Un jour, Diane m'avoua que Chet lui avait fait, je la cite, « l'effet d'un dieu grec », bien avant qu'ils ne se rencontrent, et qu'elle s'était sentie portée vers lui « par une sorte d'élan mystique ».

Cette révélation m'étonna moins, au bout du compte, que le calme avec lequel je l'accueillis et la facilité avec laquelle je la digérai. À première vue, pourtant, le mysticisme était aussi étranger à mon univers que la section de cuivres du grand orchestre de Stan Kenton. Puis j'ai réfléchi et j'ai dû convenir à part moi que les filles que je courtisais le cocktail à la main, toutes les Holly Golightly que j'attirais dans ma garçonnière, étaient elles aussi d'une essence suprahumaine – une essence distillée, raffinée au moyen de mes propres yeux et de mes propres rêves. Je ne leur demandais d'ailleurs qu'une chose (et de façon moins détournée que je ne sollicitais leurs faveurs) : qu'elles demeurent elles-mêmes persuadées de ne pas être tout à fait de ce monde, du moins tant que j'étais avec elles.

Qu'il fût déréalisé ou divinisé par une femme, j'ai le sentiment que Chet ne s'en préoccupait guère. Qu'on vît en lui quelqu'un de spécial ne le déconcertait en aucune façon, du moment qu'il *était* ce genre de personne. Il appréciait seulement que bien des manœuvres d'approche, bien des préliminaires, lui fussent ainsi épargnés. Il pouvait en effet se montrer assez paresseux dans ses relations avec autrui. Non pas distrait, ni indifférent, mais si sûr de son charme qu'il ne ressentait plus le besoin d'en jouer. Il laissait l'adoration des filles monter jusqu'à lui et il en jouissait sans le moindre embarras. Pas forcément comme si c'était un dû : plutôt comme si ça n'avait plus rien de surprenant. Quelle différence avec votre serviteur, qui s'éteindra dans l'intime conviction d'avoir volé chacun des sourires qu'on a pu lui adresser.

Dès le début, quand il avait demandé à faire le bœuf avec Dave et moi au *Blackhawk* de San Francisco (en 1950 si ma mémoire est fidèle), j'avais été frappé par une étrange attitude qu'il avait. Contrairement à l'immense majorité des musiciens que j'ai connus, il ne se faisait aucune illusion sur ses capacités, ni dans un sens ni dans l'autre. Il savait très exactement de quels moyens il continuerait de disposer dans les pires moments et à quels sommets il n'accéderait pas dans ses meilleurs. Lucide, il était même relativement modeste. En revanche, comment exprimer cela ?... même à la droite de Bird, il ne doutait pas d'être à sa juste place. Jamais il ne mettait en cause sa légitimité. Si Mozart en personne lui avait proposé un duo sur une sonate dont lui, Chet, eût tout ignoré, au lieu de prendre ses jambes à son cou comme nous l'aurions tous fait, je parie qu'il aurait répondu : « Okay, petit : tu commences et je te suis. »

J'ai raconté un soir à Gerry Mulligan et à Gene Lees que les solos de Miles me faisaient souvent penser à un homme qui tenterait de construire un mobile, perché sur la selle d'un vélo de cirque à roue unique. Quand j'écoute un solo de Chet, je ne peux pas m'empêcher de voir le tabouret sur lequel il est assis. Il lui arrive de ne pas décoller, ou d'être jeté à bas par une force qui le dépasse, mais, de lui-même, jamais il ne perdra l'équilibre. S'il prend parfois de grands risques, c'est parce qu'il est une sorte de culbuto dont l'assiette n'est pas l'enjeu d'une lutte permanente, mais une propriété innée dont il ne saurait se défaire. Sa musique a la stabilité chevillée au corps.

Au *Blackhawk*, il a joué son premier chorus avec nous, trente-deux mesures sur *At a Perfume Counter*, une chanson à laquelle nous revenions tous les soirs, mais qui, de toute évidence, ne lui était pas familière. Au moment d'enchaîner, Bru cherchait mon regard. Adossé au piano, je cherchais le sien. À la seconde où nos yeux se sont rencontrés, d'un accord tacite ils se sont dérobés. Une gêne inexplicable s'était installée entre nous, comme si, soudain, chacun de nous, pris la main dans le sac, avait un peu honte d'apparaître pour la première fois sans masque devant un vieux complice. J'ai baptisé cela « l'effet Baker ». Il se reproduirait un certain nombre de fois. Plus d'un quart de siècle après les faits, je crois avoir compris, du moins en ce qui me concerne, l'origine de ce malaise : Chet était éternel, alors que je mourais tous les jours, à petit feu mais irrémédiablement, depuis que j'étais en âge de distinguer la veille du lendemain. Il est vrai que, mourir, je suis assez doué pour ça.

J'ai toujours pensé que mon jeu, tiraillé entre l'émotionnel et le rationnel, répondait à une conception française de l'art. Je devais me tromper puisque la France fut, pendant très longtemps, le pays où peut-être on supportait le moins de m'entendre (en tout cas celui où l'on hésitait le moins à me faire savoir que je dérangeais). Au demeurant, c'est là un préjugé que je partage, ce qui, après tout, fait quand même de moi une sorte de Français d'adoption.

Un des rares amis que j'ai là-bas m'a demandé un jour, en désignant mon paquet de cigarettes, la signification exacte de Pall Mall. Il avait consulté son dictionnaire à ce sujet et lu que *mall* désignait « une allée, un peu comme notre mail », mais que *pall* pouvait s'appliquer à pas mal de choses, dont certaines semblaient être en rapport avec les funérailles (un *pallbearer* étant, en anglais, l'un des personnages qui tiennent les cordons du poêle).

« Allée ? Obsèques ? L'énigme ne me paraît pas très difficile à percer, ai-je dit en rejetant un nuage de fumée. Ça devrait vouloir signifier quelque chose comme "couloir de la mort"… »

Quand sont sortis les premiers disques du quartette sans piano de Gerry, je me suis aperçu qu'il me suffisait de trois ou quatre auditions pour retenir non seulement des phrases, mais des solos entiers de Chet. Peut-être certains mélomanes les auront-ils reconnus au passage : j'ai passé une grande partie du temps qu'il me fallait tuer sur scène à les citer, quelquefois en leur long. J'ai tendance à penser qu'ils expriment plus fidèlement ce que j'ai à dire que quatre-vingt-dix-neuf sur cent de mes propres chorus. Ignoriez-vous, au reste, que, dans la rue, les gens nous confondent ? Faute de quoi ils ne me réclameraient pas d'autographes. Par chance, à force d'entraînement, j'imite maintenant sa signature à la perfection.

À l'abri de Chet, je peux me livrer sans retenue, sans remords, à mon sport favori, lequel consiste, par le simple fait d'aligner des notes soufflées du bout des lèvres, à plonger mes contemporains dans un état proche de la neurasthénie. C'est ainsi que les experts voient les choses. Pour ma part, je serais un peu plus réservé à ce sujet. Je ne suis pas certain d'être aussi démoniaque que cela. Ni d'endosser avec enthousiasme la livrée de rabat-joie professionnel.

Gene Lees a voulu savoir d'où venait, dans ma musique, cette touche de mélancolie semblable à une tache indélébile.

« Eh bien, lui ai-je répondu, du fait que je ne joue pas mieux et que je m'en rende compte. »

Il pouvait prendre cela comme une boutade, nous évitant ainsi un déballage fastidieux (auquel, d'ailleurs, je n'étais pas disposé). Et il me connaissait suffisamment pour savoir que je ne plaisantais qu'à moitié. En comptant large.

La nostalgie qui se dégage du jeu de Chet n'est qu'une vapeur insaisissable : une simple impression que, pour l'essentiel, à mon avis, il ne partage pas. Peut-être une hallucination de la part de ceux qui l'écoutent. S'il y a de la mélancolie en lui (et franchement, je n'en sais rien), elle n'est pas de la même nature que la mienne. Lui, il ne désire que *chanter*. Et si les plus belles chansons sont toujours un peu tristes, ce n'est pas sa faute : il les a trouvées comme ça lorsqu'il est venu au monde.

En 1952, le tandem Brubeck-Desmond sortait d'une interminable période de vaches maigres. (Un temps, mes seuls concerts avaient été des mariages et des bar-mitsva, et, même dans ces conditions, on ne peut pas dire qu'ils aient rencontré un succès phénoménal.) Cette association, peu ragoûtante pour de bons Américains, du Métis et du Crâne d'œuf (le premier ayant fréquenté l'université, le second étant à moitié juif, ce qui ne constituait pas des circonstances atténuantes) – bref : l'attelage Bru et Breitenfeld –, avait été convié à rejoindre une caravane à laquelle s'était joint notamment Jimmy Rowles et dont le chariot de tête était occupé par le gang de Pa Parker, auquel Chet appartenait.

Le parkérisme était alors un totalitarisme. Sans Lester Young et sans Lee Konitz, aucun d'entre nous n'y aurait échappé. Gigi Gryce, Art Pepper et moi, nous savons le prix qu'il a fallu payer pour faire bande à part. On pouvait toujours tenter de jouer autrement que Bird. Quant à produire quelque chose qui fût susceptible de rivaliser avec sa musique, autant vouloir vider l'océan à l'aide d'un dé à coudre…

L'hégémonie parkérienne, toutefois, ne concernait pas plus Chet que Bird lui-même. Ce dernier, avec des fortunes diverses, ne visait qu'à s'en affranchir. Bird commençait, et Chet le suivait. Sauf que celui-ci ne cherchait pas à mettre ses pas dans les pas de celui-là. S'il le « suivait », c'était seulement dans la mesure où Charlie l'avait incité à s'émanciper. Quoi qu'il lui en coûtât. Mais on aurait juré que cet effort titanesque ne coûtait rien à Chet. Rien que l'obligation de se contempler le nombril, gymnastique pour laquelle il avait certaines dispositions. Plus tard, quand il a choisi de jouer assis, penché en avant, il n'a fait que se faciliter la tâche.

Chet avait obtenu grâce à Dizzy Gillespie la promesse d'un engagement de deux semaines à New York au *Half Note* en novembre 1973. Mais il lui fallait tenir le coup jusque-là. Or, il n'avait pas le sou. J'imagine qu'il s'en moquait : pas moi. Si l'on vous colle l'étiquette de « désespéré » sur le dos, le moins que vous puissiez faire pour compenser est d'évoluer dans l'existence avec une certaine désinvolture. Je m'y suis employé dans la mesure de mes capacités. Chet, réduit à guetter le facteur qui déposerait peut-être l'enveloppe de l'aide sociale dans la boîte aux lettres de sa mère, à San José : quand je fus conscient de cette situation, je ne trouvai pas assez de frivolité en moi pour la laisser durer plus longtemps. J'aurais tendance à penser que j'avais mauvaise conscience d'avoir amassé autant d'argent pendant mon séjour chez Dave et avec les droits que continuaient de me rapporter *Take Five*, cette scie dont le rythme a dû m'être inspiré par le bruit d'une machine à laver automatique dans un quartier défavorisé.

Je persuadai plusieurs amis de se produire avec moi dans une série de concerts donnés au bénéfice du revenant. J'avais trouvé un slogan pour cette opération : « Bonne chance, Chet Baker ! » J'admets qu'à première vue il n'était pas d'une originalité renversante, mais, pour moi, il signifiait énormément.

Il signifiait bien sûr que je souhaitais à Chet de réussir son come-back. Je n'en doutais guère, à moins de douter de l'humanité. (Je doutais de l'humanité, pour être tout à fait franc, mais je n'allais pas le crier sur les toits.) Il signifiait surtout, dans mon esprit, que Chet Baker et les sourires de la fortune avaient *en musique* partie liée, non pas seulement depuis qu'il avait porté sa première trompette à ses lèvres, mais de toute éternité. Si j'en avais eu le culot, j'aurais fait imprimer sur les affiches : « Bonne chance = Chet Baker ! »

Au *Half Note*, les choses s'étaient plus ou moins bien passées, si tant est qu'il se passait quoi que ce fût – d'heureux ou de funeste, là n'est pas la question – dans le jazz de l'époque, lequel s'interrogeait plutôt sur le temps qu'il lui restait à vivre avant de disparaître (d'être suicidé par le *music business* serait une formulation plus appropriée). Chet s'est montré avec Phil Woods, avec Lee (dans le loft d'Ornette Coleman !), avec moi. Au mois de novembre de l'année suivante, il m'a invité avec Ron Carter, Jack DeJohnette et quelques autres à sa première séance de studio non alimentaire depuis ses enregistrements Prestige de 1965, dans lesquels il ne jouait que du bugle.

Le producteur Creed Taylor a publié cela sous son nouveau label, C.T.I. Six mois plus tard, sous les auspices de la même compagnie, nous étions conviés tous les deux à épauler un autre de mes vieux amis, le seul et unique Jim Hall (qui n'a besoin de personne pour faire des miracles, mais c'est une autre histoire). À l'instigation de Taylor, et de Don Sebesky, l'arrangeur dont il s'était assuré les services, nous avons repris le *Concierto de Aranjuez* de Joaquin Rodrigo avec lequel, autrefois, Miles Davis et Gil Evans avaient triomphé chez les disquaires. Notre version connut elle aussi un large succès, mais Creed avait les yeux plus gros que le ventre et, en dépit de l'impact commercial de ce disque, sa politique d'édition luxueuse louchant vers le genre de public qui préfère le papier glacé à l'éventuel intérêt de ce qu'on imprime dessus le conduisit à la faillite en un tournemain. Ni Jim, ni Chet, ni moi, ni personne ne fit fortune dans cette aventure. Elle nous rapporta, pour citer Jim, « de quoi crever de faim avec une certaine nonchalance ». J'avais enchéri, en retenant un soupir : « De quoi payer les cigarettes. » Dans mon appartement en terrasse, à l'angle de la 55ᵉ rue et de la 6ᵉ avenue, les talons hauts des mannequins louvoyaient avec une grâce infinie entre les paquets écrasés de Pall Mall. Je les abandonnais derrière moi comme on lance des bouteilles à la mer. J'aimais tellement Chet qu'il m'importait peu de savoir si j'étais payé de retour.

Il avait loué quelque chose dans le Bronx. Où en était-il alors avec Diane ? Il ne me l'a pas dit. Il a fait venir de Californie Carol et leurs trois enfants. Il se disait à la veille d'une renaissance, moyennant quoi il avait entrepris de rédiger ses mémoires. « Écrire n'est pas mon métier ! », s'insurgeait-il sans cesse. Mais il alignait plus de phrases que je n'ai jamais eu le cran de le faire, moi qui me serais volontiers pris pour un écrivain contrarié.

Plus que jamais, il était décidé à croire que New York était l'endroit au monde où sa musique devait prendre racine – et que cent fleurs s'épanouissent ! New York, apparemment, ne l'entendait pas de cette oreille. Les ennuis ont commencé. Un quelconque imbécile réalisa pour une chaîne de télévision un reportage qui, à part le fait qu'il était signé, possédait toutes les caractéristiques d'une dénonciation anonyme. L'ordure se renifle de loin. Le Bronx ne passe pas précisément pour le secteur le plus délicat de la ville. Les voisins des Baker, cependant, crurent bon de s'indigner. Ils jetèrent des cailloux contre leurs vitres. À l'école comme sur le trottoir, les enfants furent l'objet de vexations sans nombre. Et dès que Chet mettait le nez dehors, on lui courait après pour le traiter de « pourriture » et de « sale toxico ». Non sans pertinence, il jugeait ces manières peu civilisées. La famille déménagea pour se fixer à Long Island où, à peine arrivée, elle connut les mêmes déboires. Finalement, ils se réfugièrent dans un motel, mais les bons Américains savaient où les trouver. Le manager les flanqua dehors sous prétexte qu'on avait aperçu une douzaine de souris faire le manège dans leur chambre, entre les valises et les lits. Ce n'était qu'un prétexte, mais les rongeurs n'avaient rien d'imaginaire. Les gosses les avaient élevés dans une cage, à Long Island : ils les avaient lâchés pour se venger de ce personnage qui le prenait de haut avec leurs parents, comme s'ils étaient non ses clients mais des réfugiés qu'il aurait recueillis.

La mort dans l'âme, Chet reprit avec les siens le chemin de la Californie, avant que George Wein, au cours de l'été 75, ne lui trouvât une occasion de retourner en Europe.

Pour ma part, je suis allé de l'avant. J'ai vieilli. J'ai dépassé en coup de vent l'âge de ma fiche d'état civil et l'âge de mes artères. J'ai brûlé les étapes en grillant mes Pall Mall. Cinquante-deux ans et des poussières : les cendres, si j'ai bien compté, d'environ huit cent vingt mille cigarettes. Un terril de taille respectable, on ne pourra pas m'ôter ça. Je n'ai pas été fiancé, hélas, à huit cent vingt Holly Golightly. Peut-être même pas à quatre-vingt-deux. Si j'avais pu prévoir, je me serais montré moins indolent.

Chet et moi, nous nous sommes retrouvés, à New York toujours, aux studios Sound Ideas, en février 1977, pour une séance dont il était la vedette et que produisait Sebesky. C'est ce dernier qui m'a appelé de sa part. Le 13 mai, Don m'a convoqué de nouveau pour ajouter mon alto en surimpression dans un des morceaux que Chet avait gravés sans moi. Quelques jours auparavant, le professeur qui me suivait (pas de trop près, j'espère pour lui) m'a appris la bonne nouvelle : j'allais pouvoir quitter l'hôpital, puisqu'on renonçait à m'importuner plus long-temps avec les séances de rayons et la chimiothérapie.

Je devinais la question qui brûlait les lèvres de mon interlocuteur : « Est-ce que tu pourras le faire ? »

J'ai dit, avant qu'il ait eu le temps de la formuler et d'en être malheureux toute la journée :

« Pour lui, Don, je le ferai. Je ne le ferais pour personne d'autre. Même pas pour toi, pardonne ma franchise. Mentir est un luxe que je ne peux plus me permettre.

– Je comprends. Ne t'inquiète pas.

– Merci beaucoup. Tu m'obligerais encore en gardant pour toi ce que je viens de te dire. À lui, surtout, ne le répète jamais. Même si d'aventure la course folle d'un autobus venait à interrompre la longue carrière qui m'est promise.

– Tu peux compter sur moi. Pour le reste, auras-tu besoin de quelque chose, Paul ? s'est-il forcé à me demander.

– Rien d'inhabituel. Quelques dry martinis et deux ou trois paquets de Pall Mall devraient faire l'affaire. Je pourrais apporter les cigarettes, mais mon docteur m'a formellement interdit d'en avoir sur moi.

– Moi, je ne suis pas ton docteur, Paul, a-t-il articulé d'une drôle de voix. »

C'est le genre de chose que je n'ai pas envie de raconter, mais je le sentais au bord des larmes.

« Nous t'attendons », a-t-il ajouté.

Je n'ai pas su me retenir.

« Vous n'êtes pas les seuls, ai-je dit. J'ai un rendez-vous imminent avec quelqu'un de très haut placé. »

Spécialement pour le disque qu'il avait en tête, Don avait écrit d'après la deuxième symphonie de Rachmaninov un morceau baptisé *You Can't Go Home Again* (« On ne peut pas revenir à la maison »). Il comptait en faire le titre de l'album.

En aparté, il me dit : « Tu comprends, Chet, c'est justement ce qu'il essaie de faire depuis maintenant plus de dix ans : retourner parmi les siens.

— Tu fais allusion aux dieux de l'Olympe ?

— Je ne permettrais pas à tous ces gars-là de cirer ses godasses ! ronchonna-t-il.

— Ne les décourage pas, ai-je soupiré en sortant le briquet qu'une de mes Holly m'avait laissé au nom de toutes ses sœurs, pour solde de tout compte. On m'a toujours dit que mes godasses à moi en avaient bien besoin. »

Je ne pense pas que Chet ait jamais ouvert le roman de Thomas Wolfe, si même il en avait entendu parler. À part ce titre merveilleux, *You Can't Go Home Again*, il y avait pourtant là bien des phrases, bien des pages qui le concernaient tout particulièrement. Qui concerneront toujours, j'espère, les chemineaux sans chemin, tous ceux qui sont partis un jour sans avoir nulle part où aller, persuadés seulement de vouloir aller autre part : ces hommes devant qui la route s'est effacée, derrière qui la route s'est refermée, et qui continuent à marcher comme si la poussière leur brûlait les semelles et qui laissent sur le sable des messages embrouillés que le vent récrit sans cesse et que d'autres prennent pour des pistes.

Le livre de Wolfe, il n'y a pas besoin de dépasser le prélude pour comprendre, pour *entendre*, tout ce qu'il révèle de la passion calme et hautaine de saint Chesney Baker. Connaissez-vous ce passage ? « Il lui vint une image de la vie tout entière de l'homme sur la terre. Il lui sembla que toute la vie de l'homme était comme une minuscule flammèche qui brûlait brièvement dans les ténèbres terrifiantes et sans limites, et que toute la grandeur de l'homme, sa tragique destinée, venait de la brièveté et de la petitesse de cette flamme. Il savait que sa vie était peu de chose et s'éteindrait, et que seules les ténèbres étaient immenses et éternelles. Et il savait qu'il mourrait avec un défi aux lèvres, et que le cri de son refus résonnerait avec le dernier battement de son cœur pour disparaître dans la gueule de la nuit vorace. »

Hé ! l'homme, pardon, vous n'auriez pas du feu ?

Le 13 mai, j'ai lâché en quittant le studio : « Je vous remercie. C'était délicieux, mais je n'en reprendrai plus. »

Chez moi, je laisse la porte ouverte, au cas où Holly – une Holly ou une autre – ferait un tour en passant. N'importe quel visiteur est le bienvenu, s'il tolère l'odeur du tabac et se montre assez compréhensif pour admettre que je n'aille pas le recevoir sur le seuil comme c'était naguère encore mon habitude. J'ai fait ranger devant mon lit un demi-cercle de fauteuils et de chaises. En fin de compte, je ne suis pas devenu un musicien français, mais je m'entoure d'un apparat quelque peu comparable à celui qui prévalait à la cour de Versailles.

Je ferme les paupières et j'imagine les prestigieux fantômes qui pourraient venir occuper ces sièges, s'ils voulaient s'en donner la peine. Un soir ou un matin (je ne fais plus la différence), je les ai rouvertes et il y avait là dans la pénombre, immobile, minérale, la silhouette ténébreuse de la Mort du *Septième Sceau* d'Ingmar Bergman, sauf qu'elle portait en plus de sa cape un chapeau à larges bords. Je m'apprêtais à lui offrir un verre (il y a toujours une thermos de dry martini pour ceux qui me font la grâce de s'inviter chez moi) et aussi à lui poser, disons, quelques questions d'ordre pratique sur le déroulement des opérations, quand j'ai reconnu Mingus. Il m'a dit qu'il m'avait regardé dormir en silence pendant plus de deux heures.

« En silence, Charles ? ai-je fait. Avoue que ça ne te ressemble pas.

– C'est toi qui me ressembles, Paul. C'est ce que j'étais venu vérifier, mais, tu me connais, il m'a fallu ces deux heures pour l'admettre. Si tu le racontes à qui que ce soit, je te casse la gueule ! »

Ça m'agace. Je n'arrive pas à me souvenir de qui est la maxime que Gene Lees a citée devant moi, lors de ce repas que nous avons fait avec Gerry, il y a quelques siècles de cela : « On n'a qu'une vie, mais, si on s'y prend bien, une seule suffit. »

(Paul Breitenfeld, alias Paul Desmond, s'est éteint à New York le 30 mai 1977. Charles Mingus Jr. a trouvé la mort à Cuernavaca, au Mexique, le 5 janvier 1979, en essayant de soigner son propre mal d'une manière expéditive.)

En ce temps-là, les bureaux de *Jazz Magazine* étaient installés sous les combles d'un immeuble des Champs-Élysées, en face des actuelles galeries du Claridge. On traversait l'avenue pour se rendre chez un célèbre disquaire, à l'enseigne de *Lido Musique*, où l'on s'approvisionnait en importations américaines et, surtout, japonaises. Futur animateur du département jazz d'Universal, ami des plus chers, Daniel Richard y officiait dans un déploiement de pilosité quasi patriarcal. Rien ne lui échappait de ce qui regardait l'édition phonographique en matière de jazz, d'Oslo à Johannesburg et de Vienne à Tokyo en prenant la route des Indes occidentales.

Comme Jacques Réda, qui n'avait pas encore pris ses fonctions éditoriales à la *NRF* et travaillait tout près de là, je me rendais régulièrement au journal. J'y bavardais avec Philippe Carles (il tenait la boutique depuis le départ de Jean-Louis Ginibre pour les États-Unis). Je recueillais de sa bouche les derniers potins internationaux. Je me renseignais sur les prochaines affiches des clubs parisiens, que je fréquentais encore à cette époque. Je me jetais avec voracité sur une copieuse ration de disques à « chroniquer », en échange de quoi je remettais les critiques déjà rédigées (souvent dans un esprit dogmatique qui m'inspire aujourd'hui quelque regret, tempéré toutefois d'un certain attendrissement). Lorsque j'avais été embauché par Ginibre, une dizaine d'années plus tôt, Philippe m'avait comparé dans un de ses comptes rendus du festival d'Antibes-Juan-les-Pins – pour rire, mais pas nécessairement à la légère – à l'accusateur public du Tribunal criminel extraordinaire sous la Terreur.

Je suis entré cet après-midi-là dans l'ancienne chambre de bonne qui lui servait de quartier général. Après les salutations d'usage, il s'est hâté d'ouvrir un dossier en évidence sur sa table et m'a brandi sous le nez la première d'une série d'épreuves en noir et blanc.

« Est-ce que tu le reconnais ? »

Le cliché représentait en assez gros plan l'épaule et la tête d'un homme photographié de profil. Un vieil homme, en tout cas aux yeux de quelqu'un qui venait tout juste d'avoir trente ans. Un Blanc. Ou peut-être un Latino-Américain. Il portait un chapeau de cow-boy de couleur claire et ce qui semblait être un blouson de jean. Si je me souviens bien, il était mal rasé, à la façon des patriarches alcooliques et teigneux qui écument les films américains de l'âge d'or. Sa joue, en outre, était striée de profonds sillons verticaux évoquant davantage des cicatrices, voire des plaies mal refermées, que de simples rides.

Au regard de Philippe, à son excitation mal contenue, je devinais qu'il s'agissait d'un personnage pour lequel j'éprouvais une tendresse particulière. Cependant, ce visage, cette dégaine ne me disaient rien du tout. D'emblée, j'avais éliminé la possibilité que cet homme fût un musicien : tous ceux que j'aimais d'amour, je

410

voyais leurs traits aussi nettement que s'ils se tenaient devant moi en chair et en os. J'ai plutôt cherché du côté de nos connaissances communes : des gens avec lesquels nous avions dîné, des photographes, des journalistes, des lecteurs rencontrés dans les coulisses des salles de concert ou des festivals. De proche en proche, j'élargissais le cercle de mes investigations jusqu'aux écrivains, aux acteurs, aux célébrités diverses que je n'avais jamais rencontrées, mais qui étaient connues pour apprécier le jazz. Cependant, je ne trouvais personne qui, de près ou de loin, pût correspondre à l'image que j'avais sous les yeux. J'ai dû jeter l'éponge.

« Chet Baker », a lâché Philippe.

Plus d'une fois, sur le coup de cinq ou six heures du matin, nous avions mis un terme à une soirée riche en péripéties culinaires et en prises de bec (les collaborateurs de *Jazz Magazine* ne constituaient pas, quant à l'idéologie, un milieu très homogène), en écoutant dans le recueillement, lui et moi (tout le monde ne partageait pas notre fascination), l'une des premières chansons gravées par Chet : *I Fall In Love Too Easily, There Will Never Be Another You, Look For The Silver Lining* et, il va de soi, *But Not For Me*, que nous pouvions passer en boucle jusqu'à ce que quelqu'un finît par protester.

« Non », ai-je répliqué.

Simplement « non », sans point d'exclamation ni d'interrogation. J'avais beau écarquiller les yeux, plisser les yeux, écarter ou rapprocher le document de mes lunettes, non seulement je n'arrivais pas à y voir Chet, mais je ne reconnaissais rien, strictement rien du trompettiste dont, à mes débuts dans la carrière d'amateur, j'avais été, comme de Desmond et d'autres, amoureux en secret (ce qui offre l'avantage d'aimer à la folie en toute impunité).

411

Il faut comprendre qu'en jazz, à la fin des années 50, le désir avait le devoir d'être violent, mais pas le droit de choisir ses objets. On forniquait uniquement dans le cadre d'un mariage arrangé (forcé même, quelquefois), où la critique tenait le rôle d'entremetteuse. Pour ma part, très soucieux des usages et convenances en la matière, avide de retrouver une certaine respectabilité au sein même de l'insoumission civique que représentait l'intérêt pour cette musique dans une ville de province coincée entre ses usines et ses casernes, le souvenir d'un passé glorieux et l'angoisse du lendemain, j'aimais en cachette (voire en cachette de moi-même) les musiciens qui incarnaient le mouvement west coast, ou qui avaient gravité dans ses marges.

Sauf exception en effet (et ce n'était le cas ni de Baker ni de Desmond), ils n'avaient pas bonne presse auprès des propagateurs de la Foi : les juges de touche, les inquisiteurs, les aruspices, les oracles dont j'estimais sacrée la parole. Boris Vian, pour commencer, qu'Henri Baudin m'avait fait découvrir en même temps que le jazz, et auquel je vouais une passion égale, en un temps où ses livres ne circulaient qu'entre initiés, entre intimes, sous le manteau, leur signataire ne connaissant pas encore le déshonneur d'être aux yeux d'une nouvelle génération de lycéens, en plus d'un auteur inscrit au programme, le héros obligatoire des rébellions coutumières et, de ce fait, malgré lui, comme plus tard Serge Gainsbourg et d'autres, une manière de dissident consensuel, pour ne pas dire reconnu d'utilité publique.

Boris rejetait Chet, n'ayant d'autre argument à l'appui de cet ostracisme que sa répugnance. Mais il n'en était pas moins péremptoire. Or, même en pensée, il fallait être plus que téméraire pour oser affronter un polémiste de sa trempe.

Interdit à l'affichage, rejeté dans un « enfer » intime, mon plaisir n'était plus ni inféodé au sens du devoir, ni corrompu par l'éthique du bon goût. Convaincu d'être dans mon tort, coupable sans circonstances atténuantes, assuré en outre de perdre mon âme et même, comme me le répétait sans ambages un camarade moins compromis que moi, de « chier la honte » sans retenue, il ne me restait que la jouissance. Celle de ma faute et celle de ce qui l'avait provoquée. J'ai donc joui du jazz west coast sans entraves, pour la raison bizarre que tout me rattachait à ses détracteurs. Cette expérience allait marquer toute mon approche de la musique et des choses de l'art en général. J'incline toujours aux tendresses scandaleuses, le problème étant que seules les détestations passent aujourd'hui pour insolentes.

Dans la monographie qu'il consacrerait au trompettiste après sa mort, Gérard Rouy écrirait que Chet, désormais, ressemblait « davantage à Jack Palance qu'à James Dean ». On ne saurait mieux dire en aussi peu de mots, pourtant cette évidence ne m'avait pas frappé dans le bureau de Philippe, en dépit de l'impression très vive que j'avais gardée de Palance dans *The Big Knife*, le film de Robert Aldrich.

Je suis rentré chez moi bouleversé. J'ai rejoint ma machine à écrire tel un somnambule et, sous une citation de Thomas Wolfe que je connaissais par cœur, j'ai tapé d'un trait, sans une rature, quelque chose qui ne ressemblait à aucun des textes que j'avais publiés jusqu'alors sur le jazz et les jazzmen. Quelques paragraphes où je ne me mêlais ni d'apprécier, ni d'expliquer, ni d'enseigner ce que je croyais vrai, ni même de convaincre qui que ce fût de la pertinence de mes réflexions : simplement des paroles qui se pressaient derrière mes lèvres et que celles-ci ne pouvaient pas contenir.

Le lendemain, je suis retourné aux Champs-Élysées pour montrer à Philippe ce que j'avais écrit. Dans le timide espoir de lui faire partager, à titre de revanche, l'émotion dont je lui étais redevable. L'idée qu'il pourrait publier ces lignes ne m'avait pas traversé l'esprit. Je n'en avais pas honte, je n'en étais pas fier : elles étaient les premières qui, s'étant écrites sans moi, m'apprenaient cependant sur moi-même quelque chose qui avait toute l'apparence d'une révélation. En les rédigeant, j'avais laissé choir sans m'en rendre compte une vieille peau dans laquelle, désormais, je ne me glisserais plus qu'avec un sentiment d'inconfort, d'insincérité, voire de désertion.

Philippe a fait imprimer ce texte dans le numéro 174 de la revue, sous ce titre à double entente, qui était bien dans sa manière : *Légende pour une photo de Chet Baker.* J'étais devenu sans l'avoir cherché – et même en m'étant efforcé, par discipline philosophique, de ne pas l'être – une sorte d'« écrivain du jazz ».

Légende pour une photo de Chet Baker

Comme un paysan du vieux Sud, il reviendra, mon ami, vêtu de toile et d'invisible poussière ancestrale, avec un chapeau et des rêves de ce temps-là, rêves aussi morts et scintillants que sa musique, et des rides d'Indien sur sa face. Comme un rêve, il reviendra, mon ami, une trompette à la main – la sienne, il l'aura lancée la veille sur l'autoroute, projetant ses mains loin de lui dans la lumière des phares apeurés, tandis que des ivrognes applaudiront son nom sans le connaître, à quelques pas de lui et de sa fin. Il sera là, dans cette autre lumière malheureuse, cherchant sur les visages l'énigme familière, et ne la trouvant plus. Ce sera dans un autre pays, mon ami ne saura dire lequel.

Il aura d'autres pensées, d'autres souvenirs, et dans sa tête il chantonnera quelque chose de très étrange et de très doux, où il sera question de notre histoire. Il ne sera venu que pour ça, mon ami, ramasser son argent et chanter devant tout ce monde la vieille romance d'autrefois, de naguère et de toujours. Comme un trouvère du Tennessee, comme un aveugle des chemins. Aussi vieux que les plus vieux bluesmen, aussi usé que les plus vieilles romances. Immobile devant nous, et muet, il prendra la fuite dans sa tête et déclamera des vers oubliés, éclaireur, étranger dans la ville. Dans sa tête il enverra des espèces de cartes postales. Chère Valentine, si drôle, si délicieuse... Cher Clair de lune dans le Vermont... Chère Lady de mon enfance, toutes deux vagabondes, chimères évanouies...

La tête penchée sur le sol, un peu, pour écouter les routes, et ces rythmes perdus dans d'autres hémisphères, il sera dupe de tout cela, lui seul, au bord de cette estrade solitaire. Suspendu avec elle dans l'espace déserté, plus rien ne l'atteindra. Son pied marquera la mesure, hypnotisant ses accompagnateurs ankylosés à force d'attention, d'application. Ça ne pourra pas continuer comme ça. Obstinément, malgré tout, il scandera le silence du bout de sa bottine de garçon de ferme et de gandin à la Pasolini : one, two, three, four... uno, due, tre, quattro... un, deux, trois, quatre... Chère Valentine, Cher Bernie, impitoyables fantômes. C'était, voyons, en 1952, 1953.

Gerry avait les cheveux en brosse et nous étions les rois. Nous allions aux concerts dans nos automobiles, traversant nuitamment l'inhumaine Amérique sans rien voir. Nous jouions partout pour des gens qui nous ressemblaient comme des frères, qui ne nous entendaient pas, déjà en cette époque lointaine, et qui hurlaient nos noms...

Un peu plus tard, un peu plus loin, à Paris ou ailleurs, nous pensions être des fous, mais nous n'avions que des habitudes. Des manies, déjà. Déjà en ces temps reculés. Le monde tournait et nous restions immobiles à marquer du bout de la semelle une mesure archaïque : one, two, three, four..., pétrifiés sur les estrades de Bruxelles, Hambourg, Londres, Lund, Milan, Reykjavik, Frisco, L.A., New York, jetant sur notre propre et muette désolation de longs regards cadavériques ou de brefs regards traqués, que les objectifs des photographes prennent au piège.

Nous qui étions musiciens, à ce qu'on prétendait, nous avions cessé d'apprendre la musique. Nous avions cessé de l'entendre. Nous soufflions et nous bougions nos doigts, nos bouts de bottines en cadence, en contemplant vos visages sans les voir. Nos esprits étaient vides. Parfaitement vides et indisponibles : un parc en décembre, fermé à tout public.

Telle est l'histoire sans histoire de mon ami, sa longue course vaine et outragée à travers le monde, quand il aurait pu profiter de sa jeunesse. Des années plus tard, à ce qu'on dit, on le trouva inanimé dans les toilettes d'une station-service, entre l'aube et le trépas. Il était musicien : tout le monde savait que cela devait arriver un jour, on l'avait bien prévenu. On ramassa son corps sur le carrelage souillé, et il passa des mois en prison. Est-ce alors qu'il perdit sa trompette, ou qu'il la vendit, ou qu'on la lui vola ? Un beau jour, on n'entendit plus parler de lui. Mon ami était retourné dans son pays, pour y aimer Valentine sans un mot en regardant tomber la neige, posté tout au long du jour dans l'embrasure d'une fenêtre très haute à New York, Frisco, Yale (Oklahoma) ou Poughkeepsie – tomber la neige, même à Glendale, à Malibu, à San José, et passer toutes les autres jeunes filles sur des traîneaux d'un autre temps, emmitouflées dans des fourrures, tourbillonnant à la folie dans leurs rires frais et radieusement insensibles à toute la musique du monde. Immobile derrière cette vitre, mon ami, tout au long du jour, chantonnant dans sa tête quelque chose de très étrange et de très doux que lui-même n'entendait pas vraiment, marquant du pied la mesure à son insu – one, two, three, four… – et n'ayant toujours pas compris pourquoi Valentine était morte sans lui.

Et le temps passera quand même dans cette éternité immobile, les heures et les saisons, pareilles d'abord à une procession de spectres taciturnes, puis se mettant peu à peu à bruire et à tanguer, et alors il reviendra, mon ami, un jour il reviendra. Je sais de quoi il aura l'air, je l'imagine déjà :

Comme un paysan du vieux Sud, comme un Indien ridé, comme un rêve qu'on assomme. Vêtu de grosse toile bleue, une trompette à la main. Il reviendra et nous écouterons ensemble, encore une fois, toujours encore en remuant la cendre de nos vies consumées, le silence de la terre et de l'ombre.

Jean-Philippe Coudrille

Au bout de dix ans, il a fini par revenir. Dix ans et des poussières… Les années, je ne les comptais plus. Je ne comptais plus sur lui et, du coup, plus sur un seul jazzman en ce monde-ci. J'avais raccroché. Ils avaient réussi à me dégoûter. À me dégoûter d'eux et, dans la foulée, à me dégoûter de moi. La musique qu'ils avaient tirée du néant, dont j'imaginais qu'ils étaient si fiers, ils en avaient fait un torchon, une guenille, une immondice. Le genre d'endroit que personne n'aurait le cœur de laisser dans l'état où il l'avait trouvé en entrant. Sauf eux, qui se faisaient un point d'honneur de le dégueulasser un peu plus à chacune de leurs visites. Ils me faisaient penser à ces porcs qui, dans leurs H.L.M, se servent de la baignoire comme réserve à charbon. Il y avait à peu près le même rapport entre ce qu'on appelait à présent le jazz (mais je me demande bien pourquoi on prenait encore cette peine puisque le jazz, ou bien les musiciens le vomissaient, ce qui était encore une marque d'honnêteté de leur part, ou bien ils en faisaient du vomi et vous le servaient en tartines), il y avait à peu près le même rapport entre ce machin (la « Nouvelle Chose », disaient-ils) et le chorus de Chet dans son *But Not For Me* avec Bill Perkins qu'entre le plafond de la chapelle Sixtine et les ruines d'Hiroshima. Et encore, à Hiroshima, autant que je sache, on n'avait pas laissé les victimes pourrir au milieu de la rue…

Je ne voulais pas être mêlé à un pareil gâchis. De toute façon, je m'en foutais. Je n'allais pas tirer un trait sur le passé, tout au contraire, mais je n'étais pas assez bouché pour ne pas voir que le passé était le passé, qu'il le resterait et que les choses, de ce point de vue, ne s'arrangeraient pas après ma mort.

Mort, le bruit avait couru que Chet l'était. Rien à dire : c'était dans l'ordre de ces choses-là. Si ce triste spectacle lui avait été épargné, on ne pouvait que s'en réjouir pour lui. Selon d'autres rumeurs, il avait laissé croire à sa disparition et était reparu à l'autre bout des États-Unis, au Canada, au Mexique, sous une identité d'emprunt. Il était barman quelque part. Ou taxi. Ou livreur de pizzas. Ou docker. Ou dealer. Plus sûrement clodo, et qu'est-ce que ça pouvait bien me foutre, à présent ? D'habitude, à ce qu'on raconte, l'âme quitte le corps. Là, c'était le corps qui avait quitté l'âme, et ce n'était plus mon problème dans la mesure où, l'âme, je l'avais tout près de moi, plus près encore, confondue avec la mienne. Si je savais que j'en avais une, d'ailleurs, c'était grâce à la sienne. Autrement, je ne m'en serais peut-être pas rendu compte et, du reste, qui dit que ça n'aurait pas été préférable ?

Par leur médiocrité insigne, ses plus récents disques, comme *Albert's House* ou *Blood, Chet and Tears*, me serraient le cœur (c'était déjà quelque chose !). Les anciens, j'avais fini par les récupérer un à un, en me rendant aux puces de Saint-Ouen tous les samedis, dès l'ouverture. Je laissais Myriam en écraser et je fonçais là-bas. Quand j'en trouvais un dans les bacs, j'étais si

420

content que je l'achetais, à n'importe quel prix, même si je le possédais déjà en deux ou trois exemplaires. Il suffisait que l'édition soit différente. Pour ceux des années 50, les Pacific Jazz, les Barclay, les Riverside, j'essayais de mettre la main sur des exemplaires aussi neufs que possible. Ainsi, je pouvais écouter mes morceaux préférés autant que je le souhaitais, sans crainte de les user. Et puis, souvent, le texte de pochette de ma dernière acquisition avait un nouvel auteur. Pour les besoins de mon métier, je baragouinais maintenant quelques mots d'anglais. Parfois, j'apprenais des choses à la lecture de ces *liner notes* : une date, un nom, un jugement porté par Chet sur telle ou telle star, ou l'inverse.

Chet Baker Sings, par exemple, je me le suis offert six fois. Sans bourse délier, du reste. J'avais pigé la combine. J'échangeais chaque microsillon contre trois pièces de ma discothèque, c'était le tarif. Des Duke, des Basie, des Django… Même des Armstrong, et sans regrets. Ce n'était plus que de l'histoire ancienne : du vinyle un peu terni dans du carton un peu râpé. Je n'avais plus envie de perdre mon temps avec ça.

J'inspectais le stock de Philippe, le marchand dont j'étais devenu l'un des habitués, de A comme Abdul-Malik (Ahmed) à Z comme Zwerin (Mike). En fouinant ainsi, je suis tombé par hasard sur un microsillon dont j'ignorais l'existence (et je me demande encore comment il se faisait que personne, dans la confrérie, ne m'avait aiguillé sur ce coup-là) : une séance Riverside où un quintette dirigé par Chet accompagnait, en 1958, un illustre inconnu, un chanteur appelé Johnny Pace. Le commentaire précisait que Chet l'avait entendu dans un petit club de Pittsburgh et qu'il s'était démené pour le faire enregistrer à New York par sa propre compagnie.

Cette espèce de crooner ne me faisait ni chaud ni froid, mais le trompettiste avait pris l'heureuse initiative d'improviser dans neuf des dix plages. Une aubaine. Un cadeau dont je n'aurais même pas rêvé. Bien entendu, j'ai rangé l'album à Baker, comme celui d'Annie Ross où il renouait avec Gerry Mulligan.

Quand j'ai appris, en juin 75, que Chet allait venir à la Grande Parade du Jazz de Nice, je venais de boucler mon second divorce. Boucler-bâcler, vite fait bien fait. D'abord, Elisabeth était moins retorse que Myriam, et puis j'avais appris ma leçon. Étant déjà passé par là, je connaissais les raccourcis. Je lui avais laissé la bagnole, afin de couper court aux discussions de marchand de tapis. Je crois que je lui aurais laissé les gosses si nous en avions eu. Je crois aussi que j'aurais rompu avec elle rien que pour aller entendre Chet tout seul, libre de mon temps, de mon argent, de mes mouvements, et surtout sans personne pour me distraire pendant les concerts. Chet ressuscité, pensez donc ! C'était comme si je ressuscitais moi-même. Après ces dix années à croupir dans mon trou, dans ma vie de con et mon boulot de triple con, j'en avais autant besoin que lui.

J'ai pris le train. Avec, dans ma valise, ceux de ses disques dont je possédais au moins trois copies, au cas où une racaille quelconque me soulagerait de mon bagage. En fait, personne ne m'a cherché de noises. À partir de Lyon, j'ai même eu la moitié du compartiment pour moi seul. Les gens qui n'avaient rien de plus urgent à faire au mois de juillet étaient déjà sur les plages. C'est bien l'endroit le plus mortel que je connaisse, mais, apparemment, ils sont trop beulous pour s'en apercevoir.

L'éloignement de notre idole, le pesant silence qui, peu à peu, s'était solidifié autour d'elle, avait distendu les relations entre les membres de la secte. Plus que jamais attachés à leur foi, mais déçus dans leur amour, les bakéristes, plutôt que de remâcher ensemble leur amertume, se fuyaient les uns les autres. Ce n'était d'ailleurs pas trop difficile, car, tout comme moi, la majorité d'entre eux ne fréquentait plus ni les concerts ni les boîtes (sauf si un ancien partenaire du Chet de la grande époque, je veux dire Russ Freeman, Bud Shank, Phil Urso ou Richie Kamuca, s'y produisait, ce qui, à Paris, n'était *jamais* le cas). Pour des raisons qui n'avaient rien à voir avec la musique, j'avais gardé des liens, cependant, avec un type beaucoup plus âgé que moi qui, lui, sans doute pour ne pas bouleverser d'anciennes habitudes et devoir s'avouer qu'il n'était plus dans le coup, continuait de sortir, de faire le tour des Fnac pour y acheter des nouveautés et de lire les revues de jazz (je crois même qu'il était abonné et à *Jazz Hot* et à *Jazzmag*). C'est par lui que j'en appris un peu plus sur la Grande Parade.

J'étais déjà descendu au festival d'Antibes-Juan-les-Pins, l'année de Sarah Vaughan et de Miles Davis (63 ? 64 ?). Nice, apparemment, ça n'avait rien à voir. Il y avait là-bas plusieurs podiums en plein air, sur lesquels les musiciens se produisaient en plein jour. La jam y était reine. Certains solistes venaient seuls et s'associaient au petit bonheur la chance à des groupes souvent faits de bric et de broc et dont la géométrie variait au cours d'un set, voire au cours d'un même morceau.

Quand je vivais encore à Strasbourg, ce genre de bordel organisé, évoquant ce que j'imaginais des nuits torrides de Storyville au début du siècle, m'aurait mis dans tous mes états. Quinze ans avaient passé (et quelques milliers d'heures à écouter des morceaux dans lesquels Chet intervenait sur des arrangements signés Gerry Mulligan, Johnny Mandel, Marty Paich, Shorty Rogers, Jack Montrose, Bill Holman ou Paul Mœr) : j'avais subi, au niveau du goût et de la sensibilité, l'équivalent d'un lavage de cerveau. À présent, dès qu'il y avait plus de deux souffleurs dans un groupe, j'avais le plus grand mal à supporter l'impréparation, les bavures, les cuivres qui se marchent sur les pieds et la foire d'empoigne censée couronner tout cela. Le côté jardin à la française qui était ce que j'avais le plus détesté jadis dans la west coast était devenu ma référence en matière de jeu collectif.

Il y a des musiciens qui sont chez eux partout, comme Armstrong ou Parker. La plupart, toutefois, ont besoin de conditions spéciales pour s'épanouir. Certains ont le plus grand mal à trouver leur place dans un contexte où tout ce qu'on leur demande est de se laisser aller et d'en faire à leur tête. Chet est de ceux-là. La jam ne lui a jamais particulièrement réussi. Pas plus qu'à Miles. Du moins ne les a-t-elle jamais aidés à se surpasser. J'ai l'air de répéter là ce qu'Alain Tercinet a écrit dans *Jazz Hot*, à propos des prestations de Chet aux arènes de Cimiez, mais c'était déjà ce que je pensais avant de mettre le nez dans son article. Voilà un musicien qui n'aime pas trop la concertation, la préparation, les répétitions, les réglages de moteur et les trajectoires millimétrées, mais qui, d'un autre côté, a toujours un projet en tête. Comment dire ? Un projet d'atmosphère, un projet d'univers. Dans une jam, c'est clair, ou bien il le met dans sa poche, ou bien il gêne les autres avec, ou encore ce sont eux qui, pour se défendre, fichent tout son édifice par terre. Dans tous les cas de figure, il ne peut être que perdant. Pourquoi irait-il donc se fourrer dans des histoires pareilles ?

J'espérais, ayant consulté le programme, qu'il ferait équipe avec Zoot Sims. J'avais découvert Zoot grâce à *Chet Baker & Strings, Chet Baker Plays The Best Of Lerner & Lœwe* et à certains disques de Bob Brookmeyer. Avec lui, la situation serait différente. Un : parce qu'ils se connaissaient déjà. Deux : parce que Chet, je l'avais lu, appréciait énormément ce saxophoniste. Moi aussi. Je les voyais bien se liguer pour imposer leur loi aux autres.

Arrivé sur les lieux, j'ai vite compris que le commun dénominateur entre ces jazzmen venus des horizons stylistiques les plus divers, c'était le petit rosé de Provence. Ça ne les aidait pas forcément à jouer mieux, mais cet inconvénient était le cadet de leurs soucis. On aurait dit qu'ils étaient d'abord venus là pour faire la fête. Que le public s'amuse avec eux, ils n'avaient rien contre, mais ça n'était pas une de leurs priorités. Zoot, en particulier, était tellement bourré que, le plus souvent, il devait se tenir aux branches pour terminer ses chorus. Au moins jouait-il divinement, ce qui n'était pas le cas de la plupart de ses confrères. Sur les estrades, c'était à qui tiendrait le moins debout. Là au milieu, Chet ressemblait à un moine bénédictin lâché dans un rassemblement d'échangistes. J'ignorais s'il prenait quelque chose de son côté, mais en tout cas, selon sa bonne habitude, il était plus sobre qu'un chameau. Ça ne le faisait même pas sourire, les turpitudes de ses petits camarades. Au contraire, il tirait la gueule en permanence. Et les autres, je dois dire, avaient tendance à lui tourner le dos aussitôt qu'il débarquait parmi eux. Zoot le premier, d'ailleurs, et ça me consternait. On prétendait qu'il était l'ami de tout le monde : Chet et lui, cependant, donnaient l'impression d'être à couteaux tirés. Clark Terry faisait la grimace, Kenny Drew faisait la grimace, Joe Newman regardait Chet comme une flaque de bière…

Chet se pointait, venant de nulle part. Il soufflait deux ou trois chorus et s'évanouissait dans la nature comme s'il était poursuivi. Il a passé son temps à se volatiliser. Il ne se présentait même pas toujours aux rendez-vous qu'il avait donnés à ses musiciens afin de mettre au point leurs apparitions sur scène. Les organisateurs, le gros des critiques, les badauds qui étaient là comme à la kermesse, avaient pris parti contre lui. Dans mon coin, je me sentais encore plus seul que le pauvre Chet Baker, parce que moi, je n'avais même pas de trompette pour me consoler.

Son vœu de tempérance, était-ce cela qui suffisait à dresser entre Chet et les autres une barrière infranchissable ? Qui snobait qui, dans cette affaire ? Je n'arrivais pas à savoir si c'était le groupe qui l'avait mis en quarantaine (et alors, pourquoi ?) ou si c'était lui qui refusait la promiscuité. Un après-midi, près d'un podium, on a entendu des éclats de voix venant de ce qui servait de coulisse. C'étaient Chet et Zoot qui s'engueulaient comme du poisson pourri. Il n'y avait pas besoin de parler anglais pour comprendre que les injures qu'ils s'envoyaient à la tête n'étaient pas de celles qui se pardonnent aisément. Ils semblaient à deux doigts de se voler dans les plumes. J'étais anéanti.

J'avais repéré quelques critiques dans les allées. Je me mêlai à eux, espérant en apprendre davantage sur ce qui s'était passé. Une rumeur courait parmi les initiés, selon laquelle Chet aurait reproché à Zoot, assez vertement, de se commettre dans de spectaculaires duels avec Eddie « Lockjaw » Davis, l'ancien soliste du Count Basie Orchestra. Les deux ténors, il faut dire, étaient orfèvres en la matière : Zoot affrontait régulièrement Al Cohn, son complice depuis la fin des années 40, et Lockjaw avait formé jadis un quintette avec Johnny Griffin, où l'on s'étripait dans la bonne humeur mais sans la moindre retenue. Zoot était, comme Chet, un formidable charmeur. Son adversaire appartenait plutôt à la race des tueurs patentés. La passion du swing les rassemblait. Aux yeux de Chet, je suppose qu'il s'agissait d'une union contre nature. Il aurait qualifié, murmurait-on, Eddie Davis de « grosse brute de nègre ».

C'était grave. Quelqu'un a expliqué que, même après Martin Luther King, le Viêtnam et tout ça, l'Amérique restait l'Amérique. De par sa naissance, Chet était un « petit Blanc » du Middle West : il fallait bien que ça transparaisse de temps à autre, surtout lorsqu'il se mettait en boule et ne se contrôlait plus. Je voulais bien l'admettre, mais tout de même... Je ne pouvais pas m'empêcher d'avoir honte pour lui.

Tout à coup, je m'avisai que, dans les disques qu'il avait réalisés jusqu'alors, les Noirs ne se bousculaient pas. Au vrai, sauf dans *Chet Baker In New York* et dans les séances Prestige de 65, ils avaient toujours été minoritaires à ses côtés (et plus d'une fois complètement absents). Or, moi aussi, j'avais un passé : un passé d'amateur qui, au début de son parcours, n'était pas loin de considérer que, sauf exception, le fait d'avoir la peau blanche et l'aptitude à jouer du bon jazz étaient inconciliables. À la limite : une contradiction dans les termes. Je ne m'étais jamais posé la question de savoir si j'étais ou non raciste. Ce dont j'étais certain, c'est qu'en jazz, et en dépit de ma fascination devenue presque exclusive pour Chet Baker et les membres de son clan, les Noirs avaient tendance à représenter une race supérieure à mes yeux. Aujourd'hui que j'y vois un peu plus clair, j'incline à penser que ne pas tolérer la plus petite velléité de discrimination chez les autres, c'était une façon – prudente – de ne pas mettre mes propres préjugés sur le tapis.

À Nice, je n'avais pas de telles pensées, mais j'étais très remonté contre Chet, parce qu'il ne me laissait pas le vénérer en toute bonne conscience. Je ne demandais qu'à rester le fan béat que j'avais été à Paris pendant plus de quinze ans. Or, il semblait s'ingénier à me compliquer la tâche, voire à me placer, vis-à-vis de moi-même, dans une position intenable. Justement parce que j'étais un inconditionnel de sa musique, que je connaissais des dizaines de ses solos par cœur, je ne pouvais pas ne pas remarquer, même si j'essayais désespérément de me convaincre du contraire, qu'il lui arrivait de ne pas être à la hauteur de l'idée que j'avais de lui. À cela s'ajoutait son attitude. Qu'il soit fichu comme l'as de pique, avec son T-shirt avachi, ses jeans effrangés, cette veste de laine qu'il semblait avoir ramassée dans une poubelle et le chapeau de cuir merdique qu'il avait emprunté à Bob Mover, après tout c'étaient ses oignons. Qu'il joue assis dans la position de l'œuf quand tous ses partenaires de jam se tenaient d'autant plus droits sur leurs jambes que c'était leur seule façon de ne pas s'emmêler les chevilles, j'y voyais le prolongement d'incident du *Blue Note* avec les Benjamin, auquel je ne songeais pas sans attendrissement. Et qu'il fît de la poésie pendant la criée aux poissons, à part les blaireaux de l'assistance, qui le lui aurait reproché ? Mais pourquoi prenait-il – sans même s'en amuser, en plus ! – un malin plaisir à casser l'ambiance et à se mettre tout le monde à dos ? Il s'obstinait à se rendre imbuvable. On l'annonçait : il ne se montrait pas. On ne l'avait pas invité : il s'imposait et, de surcroît, gâchait la fête en soufflant de travers. Exprès ? Je voulais le croire à toute force. Restait à justifier un tel sabotage…

Le 20 juillet, il est monté sur l'estrade avec Ridley et Ray Mosca. Lee et Mover, soit il avait oublié de les convoquer, soit, excédés, ils l'avaient, eux, envoyé aux pelotes. Il a joué *Stella By Starlight* et j'en ai eu les larmes aux yeux. Il a joué sa solitude et c'était soudain comme si le monde entier n'avait été qu'un somptueux chagrin d'amour.

On a toujours l'impression que les critiques ne veulent pas – ou ne savent pas – aimer jusqu'au bout. Comme s'ils ne pratiquaient que le coït interrompu. Pourtant, j'ai savouré chaque mot du papier de Tercinet dans *Jazz Hot*. Je l'ai même découpé et placardé dans le coin de studio qui me sert de bureau. À force de le relire, je le connais par cœur : « Avec Chet Baker, l'Ange du Bizarre survola le festival…Une musique introvertie et nuancée comme la sienne doit s'appuyer sur un orchestre cohérent ne pouvant que difficilement s'exprimer au hasard de rencontres parfois incongrues. Baker n'est pas un homme de *jam session* (…). Il ne peut donner le meilleur de lui-même que sur des compositions qu'il aime et qu'il sent. Les conditions optima réunies, on lui doit le plus beau *set* du festival (…). Chet fit passer un souffle unique de poésie pure sur les arènes de Cimiez. Que ce fût sur *Funk In A Deep Breeze* ou lors du vocal de *There Will Never Be Another You*, quelque chose d'inhabituel, de hors du commun, survint. »

À Cimiez, le premier jour, j'avais emporté mes disques dans un grand sac de plastique, mais je m'étais vite rendu compte qu'ils risquaient de souffrir de la canicule. Sans compter que ma précieuse charge limitait mon champ d'action : j'étais obligé de naviguer de flaque d'ombre en flaque d'ombre. Je ne vivais plus. Alors que j'étais arrivé en avance, j'ai dû quitter le site au bout de deux heures, payant même à mes albums un taxi climatisé pour rentrer à l'hôtel.

Le lendemain, je n'ai pas regretté de les y avoir laissés. Peut-être Chet aurait-il accepté de me les dédicacer si j'avais eu la chance de tomber sur lui, mais pareille éventualité, de toute évidence, était exclue. Comme je l'ai dit, il n'était pas plus tôt descendu de scène qu'il disparaissait de la circulation. Aucun journaliste n'avait pu obtenir le plus petit commencement d'interview. Une fois, j'ai juste eu le temps de le voir sauter une barrière, avec d'ailleurs une agilité surprenante, et se fondre dans la verdure. Où courait-il ? Qui fuyait-il ? Qui l'attendait ? Une fille ? Un dealer ? Une Ferrari dernier modèle ? Par quelle passion dévorante était-il aspiré ? J'ai imaginé toutes sortes de scénarios, y compris les plus ridicules. Le moins abracadabrant était qu'il louait une voiture pour rendre visite à de vieux amis, du côté de Milan ou de Lucques. Les kilomètres ne lui faisaient pas peur. Il adorait conduire, c'était bien connu. Si ça se trouve, me disais-je, il se contente de foncer comme ça sans but sur l'autoroute, pour se passer les nerfs.

Faut-il l'expliquer par l'impression que j'avais d'être regardé de haut par les journalistes ? Toujours est-il qu'un beau jour l'idée folle m'est venue de leur servir, pour les épater, un scoop sur un plateau. J'allais prendre la planque près du podium et filer Chet dès qu'il mettrait les voiles.

Je vous épargne les détails de la traque. Au demeurant, elle ne m'a pas donné tant de mal : il était beaucoup trop absorbé dans ses pensées pour faire attention à moi. Il a sauté dans un taxi. J'ai arrêté le suivant. On s'est retrouvés dans un village de l'arrière-pays, au milieu des collines.

Imaginez une espèce de verger pentu, offert à tous les regards. Se détachant contre le ciel, sur la ligne de crête comme qui dirait, un vieil escogriffe en short, torse nu, coiffé d'un casque de cuir à oreillettes, battait des ailes…

Comme dans ces courts-métrages du début du siècle, il était harnaché de tout un système complexe de sangles, de courroies, de bouts de ficelles qui retenait sur son dos, à l'horizontale, deux immenses panneaux articulés en forme d'ailes.

Le type a poussé un grand cri et il a dévalé la pente, pour autant que le lui permettaient ses jambes de coq. Il tanguait sous la charge, laquelle émettait des crissements de girouette mal graissée. Il voulait à la fois courir le plus vite possible et sauter en l'air de temps en temps pour aider au décollage, tout ça en slalomant entre les plantations. Bien sûr, il n'arrivait à rien, et pourtant on voyait bien qu'il n'en était pas à son coup d'essai.

Moins de cinq minutes après un échec qui ne devait pas être le premier de la journée, il remontait déjà sa piste d'envol, l'aile basse, mais en trimballant bravement son quintal de ferblanterie et de contreplaqué.

Assis sous un olivier, le dos contre le tronc, les jambes allongées devant lui, Chet assistait au spectacle en roi fainéant. Il avait tiré son instrument de l'étui et, pendant que l'aviateur à pied effectuait sa descente, s'était mis à jouer. J'avais reconnu le morceau, l'un de ceux qu'il avait depuis longtemps éliminés de son répertoire (à tort selon moi) : *Le Vent* (« The Wind »), de Russ Freeman. J'imagine que c'était sa façon d'aider à la manœuvre.

À présent, il encourageait le vieux dans sa pénible ascension :

« *Come on, Al ! Come on, Birdie !* », lui lançait-il d'une voix paresseuse, toujours alangui sous son arbre.

J'ai cru tout d'abord qu'il se moquait du malheureux ; qu'il avait trouvé dans le calvaire de ce vieil homme un sujet de divertissement. Mais c'était impossible : je ne pouvais pas imaginer Chet Baker cynique. Peu préoccupé d'autrui, sans doute, mais pas cynique. Jamais de la vie. D'ailleurs cette interprétation n'aurait pas collé avec le sérieux, ou plutôt la parfaite sérénité de son visage. Certes, le contraste entre la nonchalance de sa pose, la décontraction de ses traits et le corps au supplice de l'homme-oiseau était de nature à choquer par sa violence. Je constatais cependant que l'acrobate ne paraissait affecté ni par les propos, ni par les manières du trompettiste. Il donnait même le sentiment d'y puiser du réconfort. De la tête, il acquiesçait à ce qu'il entendait. Un sourire détendait une fraction de seconde sa face crispée par l'effort, tirée en arrière par les muscles et les rides, enduite d'une couche huileuse de transpiration sur laquelle s'étaient collées des plaques de poussière, couleur de safran. D'évidence, les mots de Chet lui donnaient du cœur au ventre. Il évitait de se retourner, pour ne pas perdre de vue son but, pour ne pas perdre sa concentration, mais il agitait une aile en signe de gratitude et repartait de plus belle vers les hauteurs.

Chet suivait l'opération sans en perdre une miette. Et soudain, j'eus la révélation que non seulement il était en parfaite sympathie avec ce bonhomme au cerveau dérangé, mais comprenait en outre son entreprise. Pas une seconde, en fait, il n'avait été tenté d'en sourire. Seul au monde avec le vieux, il saisissait le sens profond – pour tout autre inaccessible – d'une telle insanité. Après tant de miles et tant de détours, il était entré, ne me demandez pas comment, de plain-pied au cœur de ce mystère provençal que sa route n'aurait seulement jamais dû croiser. J'en restais bouche bée.

Là-bas, le vieux, haletant, chancelant, s'était immobilisé à mi-côte, penché en avant, les paumes sur les cuisses. Chet se redressa sur les coudes, l'air inquiet tout à coup.

« *You're right, man ?* Ça va bien, Alphonse ? »

Pas de réaction. Mais l'homme était toujours en vie : son torse se balançait au rythme de sa respiration. Il avait seulement besoin de retrouver son souffle.

Les ombres commençaient à s'allonger, la lumière devenait poudreuse. Chet se leva sans hâte, mais avec détermination. Il porta l'embouchure à ses lèvres et, faisant preuve d'une force et d'un mordant qui ne lui étaient pas habituels, attaqua un thème be-bop qui n'appartenait pas à son répertoire et que je fus tout d'abord incapable d'identifier. Jusqu'à ce que je me souvienne du disque de Charlie Parker, publié par la Guilde du jazz – un 25 cm vert et blanc, si ma mémoire est fidèle –, que possédait le copain qui m'avait fait découvrir le *Chet Baker Ensemble*, c'est-à-dire la rondelle de vinyle à laquelle je devais de vivre maintenant un rêve éveillé dans un grésillement de cigales, transporté au milieu d'un tableau de Cézanne où ni moi, ni un trompette de jazz d'Oklahoma, ni un homme volant pour gala des frères Lumière, nous n'avions rien à faire. Le morceau en question était au programme de ce disque. Mais comment s'appelait-il, déjà ? Soudain le titre s'est imposé à moi : *Bird Feathers*. « Plumes d'oiseau » ! J'aurais dû y penser tout de suite.

Cette histoire n'a ni queue ni tête, j'en suis bien d'accord. Mais elle a une suite. Avant de reprendre le train pour Paris, je suis retourné là-bas. Je veux dire dans les collines, dans l'ocre et le bleu de Cézanne. J'y suis retourné un matin à l'aube. La nuit commençait tout juste à pâlir. Je sortais d'un endroit où Clark Terry et Zoot avaient fait le bœuf. À cent mètres de mon hôtel, j'avise Chet qui saute dans un taxi. Je me dis sans réfléchir : « Il y va ! » Je le prends en chasse cette fois encore. Qu'irait-il faire chez Alphonse à une heure pareille ? Pourtant, c'est bien de ce côté qu'il se dirige, ça ne fait pas un pli.

Il descend de voiture à hauteur de son olivier et pique un sprint dans l'herbe. Je me fais conduire jusqu'au prochain tournant et je reviens sur mes pas. Chet n'a pas sa trompette avec lui. Il commence de gravir la pente, toujours au pas de course. Pas d'Alphonse à l'horizon, bien entendu. Pas âme qui vive. Il n'y a que nous deux, environnés d'une sorte de buée sèche et transparente. Ici elle tire sur le bleu, plus loin sur le doré. Le ciel est dégagé. Il s'éclaircit peu à peu. Il s'illumine de l'intérieur. On dirait une immense lampe d'opaline. Dans les creux du paysage, néanmoins, des nappes de brouillard s'attardent et dissimulent des choses.

Parvenu sur la ligne de crête, au départ de la piste, Chet joint les talons et, non sans grâce, élève les bras de chaque côté de son corps, comme s'il s'apprêtait à danser le sirtaki avec Anthony Quinn dans *Zorba*. Gardant les bras dans le prolongement de ses épaules, il s'élance, prenant le chemin que le vieux a emprunté je ne sais combien de fois avec son bazar, l'autre jour. Soudain, j'entends une voix usée qui gémit dans mon dos : « Il n'y arrivera pas ! » Pieds nus, dépenaillé, c'est le vieux. Des deux mains, il s'accroche à la balustrade de sa véranda.

« Il n'a pas pris assez de vitesse ! continue-t-il à se lamenter. Et le vent, t'as vu ? Il n'y a pas un poil de vent, ce matin ! »

Le discours s'adresse à moi, mais Alphonse ne m'a pas accordé un regard. Il observe Chet avec un mélange d'angoisse et de ferveur. Absolument fasciné. Les types qui assistent au décollage des navettes spatiales à Cap Canaveral ne sont pas plus hypnotisés par leurs écrans de contrôle. Il n'y a pourtant rien de bien méchant à contempler. Rien de plus qu'un petit homme à silhouette de gamin qui fait l'avion et déboule dans le petit matin en chantant quelque chose comme *My Buddy* ou *Imagination*, je ne me souviens plus très bien.

Et puis Chet a plongé dans une poche de brouillard. Il a disparu à nos yeux.

Derrière moi, l'homme s'est mis à trépigner, à pousser des hourras, à hurler : « Il est dans les nuages ! Il a réussi ! Le voici dans les nuages, à présent ! »

Il s'est élancé à l'intérieur de sa maison et a reparu presque aussitôt, coiffé de son casque de cuir à oreillettes. Dans sa précipitation, il l'avait enfilé de travers. Les boutons de sa veste de pyjama s'étaient tous fait la malle. Un pan de cette loque était fourré dans son pantalon, l'autre lui pendait sur la cuisse. Napoléon le jour de son sacre, cependant, avait paru moins grandiose, je vous promets !

Chet

Pendant plus d'un an et demi, j'ai fait la navette entre l'Europe et les États-Unis. Tout d'abord, il a fallu boucler la tournée organisée par George Wein. Nous devions nous rendre en Italie : c'était une des raisons qui m'avaient fait accepter sa proposition. Au premier concert que j'ai donné là-bas, quinze mille personnes m'attendaient. Ce que j'ignorais, c'était qu'elles m'attendaient pour me faire la peau. Les fils et les filles de mes fans des années 59-62 réglaient leur Œdipe en semant un peu partout un bordel noir qu'ils appelaient « agitation révolutionnaire », lorsqu'ils restaient modestes, et « action révolutionnaire » s'ils ne se contenaient plus. Mon âge, ma nationalité, la couleur de ma peau et mes antécédents (le fait que je savais interpréter correctement une mélodie digne de ce nom et soufflais dans l'embouchure de ma trompette plutôt qu'à travers le pavillon jouait contre moi, à peine tempéré par la défonce, qui, elle, pouvait être portée à mon crédit, comme preuve de ma révolte et de la violence bourgeoise qui s'était exercée contre moi), tout cela m'avait valu de figurer sur la liste des suppôts de la réaction. Wein me demanda de traduire un tract qui circulait, sur lequel mon nom s'inscrivait en grosses lettres. Cela racontait que j'étais un nervi de la répression, une sorte de négrier, et que ma présence constituait une provocation à laquelle tous les camarades étaient invités à répondre de la manière la plus cinglante.

On m'avait ménagé, cependant. Dans un autre tract, Count Basie, bien que noir, était carrément dénoncé comme une taupe de la C.I.A. dans les milieux du jazz. Pour un peu, ils en auraient fait une huile du Ku Klux Klan, simplement parce que ses gars jouaient en mesure, gardaient le tempo et swinguaient comme des malades. Lui, ils ne le laissèrent même pas grimper sur scène. Autrement, je pense qu'ils auraient dû le crucifier pour se sentir en paix avec leur conscience (politique) ; or, même à quinze mille, ils n'avaient pas assez de tripes pour ça.

Quant à moi, on m'a reçu avec des cris de haine et des sifflets. Il a fallu qu'Elvin Jones me prenne sous sa protection. Il a refermé sa grande patte sur mon épaule et m'a serré contre lui en racontant au micro que j'étais un brave type, un copain formidable, pas raciste pour deux ronds, et un musicien du tonnerre pour couronner le tout. Je ne pense pas qu'ils l'aient cru, parce qu'ils ne croyaient que ce qui confortait leurs illusions ; au moins son intervention, en semant le doute quelques instants, m'a-t-elle évité d'être lapidé à coups de canettes de bière.

Après cela, quand j'ai fait observer à George que son management laissait à désirer, il s'est fâché tout rouge. J'ai cru comprendre que, d'après lui, j'étais le principal responsable de ce qui m'était arrivé. Que je ne faisais que payer à Umbria Jazz la note de la Grande Parade. George n'a que quelques années de plus que moi, mais, à mes yeux, peut-être parce qu'il apprécie surtout des gars comme Ruby Braff ou Bobby Hackett, il appartient à une autre génération. C'est pourquoi je ne lui ai pas déboîté la mâchoire d'un solide crochet du droit, comme j'en avais d'abord eu l'intention. Je me suis contenté de lui balancer ma trompette à la figure.

Il l'a esquivée. J'avais oublié que, si au piano il resterait toute sa vie un amateur, en matière d'engueulade avec ses artistes il n'était plus un novice depuis des lustres.

Sauf exception, George n'est pas rancunier. Il dit qu'il ne peut pas se le permettre. Il avait des projets pour moi au pays, mais j'ai préféré poursuivre ma route tout seul. Puisque New York, où j'aurais aimé jeter l'ancre, ne voulait pas de moi et n'en voudrait jamais, il n'était que temps de suivre ma vocation de Bohémien. Toutefois, avant de m'éparpiller dans la nature sans espoir de retour, je suis allé me rassembler dans l'unique endroit au monde, avec la maison de ma mère (j'y avais laissé Carol et les enfants), que je considérais comme un refuge : la pharmacie du Thier, à Liège. Jacques Pelzer ne m'a jamais demandé que d'être moi-même. Et en pleine connaissance de cause. Il savait par exemple que nous vivrions côte à côte et que je ne lui adresserais pas la parole des heures durant. Mais il ne s'en formalisait pas, il ne s'en inquiétait pas, il ne s'en attristait pas. L'idée ne lui serait même pas venue qu'être son hôte impliquait certaines obligations de ma part, ou du moins quelques concessions aux usages de la vie en communauté. Et le plus drôle là-dedans est que Jacques aura été le seul type au monde à déclarer que j'étais une personne attentionnée ! Le peu qu'il recevait, c'était un privilège à ses yeux.

Sa fille Micheline s'était mise à la batterie, j'y reviendrai. Je ne suis pas très loquace, c'est vrai. Même à moi, je ne trouve pas grand-chose à dire. Ça me permet d'être à l'écoute. J'ai toujours aimé la sonorité de mon pharmacien. Une sonorité, c'est une sorte de contrat avec l'air que vous respirez, avec l'air que vous faites respirer aux autres. Votre sonorité vous trahit, dit-on. Pour ça oui ! Elle peut vous trahir jusqu'à vous planter un couteau dans le dos... Songez à Paul Desmond : avec la sonorité qu'il avait, il était obligé d'imaginer des phrases bouleversantes, ou alors il n'aurait plus trouvé d'engagement que dans les ouvroirs pour dames patronnesses, les salons de thé des stations balnéaires et les bals chez le gouverneur ! Une sonorité, c'est une promesse qu'il va falloir tenir. Celle de Jacques promettait du lyrisme.

Je l'ai emmené en tournée aux États-Unis : la Californie (où j'ai rendu visite aux miens), Chicago, Detroit, Pittsburgh, New York. Ça n'était pas le grand luxe, il s'en fichait pas mal. Jamais il ne m'a demandé ce qu'il serait payé. Il venait me trouver quand il n'avait plus un sou en poche et je lui donnais ce que j'avais sur moi. Quitte à lui emprunter un ou deux billets sur cette somme le lendemain. En février 77, il est reparti sans moi. J'effectuais alors une ultime tentative pour me faire adopter par New York. J'ai enregistré *You Can't Go Home Again* avec Paul, qui allait bientôt nous quitter. Plusieurs formations ont participé à cette séance. Ron Carter et Tony Williams furent les seuls à jouer dans tous les morceaux. L'un de ces groupes était très électrique, dans le goût de l'époque (Miles était passé par là). C'était ma première expérience en ce domaine et j'avais affaire à des spécialistes : Michael Brecker, Richard Beirach, John Scofield, Alphonse Johnson. Don Sebesky dirigeait les opérations, à la fois comme chef d'orchestre et comme producteur.

Don désirait me mettre à l'aise, aussi avait-il inscrit plusieurs standards au programme, dont certains n'étaient pas de la rosée du matin (il avait même retenu le *If You Could See Me Know* de Tadd, qui ne figurerait pas dans l'album original). En même temps, il avait envie de me mettre en difficulté. Plus exactement, de voir comment j'allais m'y prendre soit pour franchir l'obstacle, soit pour le contourner. Il avait commandé des compositions à Richie et en avait écrit deux lui-même. Surtout, il avait imaginé des arrangements très inattendus sur le *Love For Sale* de Cole Porter et sur un vieux thème de Bud Powell que je connaissais mal, *Un Poco Loco*, tous deux traités dans le style *funk*.

Don m'a fait une cassette du premier *Poco Loco*, l'interprétation enregistrée par Bud en trio au début des années 50, avec Max Roach à la batterie. Le titre signifie « un peu fou » en espagnol, mais ce qu'il y a de plus dingue dans ce truc, c'est le naturel avec lequel il fait communiquer deux univers qui n'obéissent pas aux mêmes lois et dont chacun se suffit à soi-même : celui de Powell, bien sûr, mais aussi celui de Monk. Même si elle n'était que ponctuelle et provisoire, la confusion entre des musiques qui s'excluaient mutuellement, dans la mesure où chacune avait atteint sa perfection, avait tout d'une provocation, d'une invitation à tenter l'impossible. J'avais toujours recherché l'harmonie dans mes chorus : affronter la contradiction m'apparaissait tout à coup comme un risque qu'il valait la peine de courir.

Ce qu'avait fait Bud me laissait espérer qu'il y avait une solution au problème auquel j'étais confronté depuis maintenant une vingtaine d'années : emprunter la voie ouverte par Miles sans cesser de défricher ma propre piste. Je découvrais grâce à *Un Poco Loco* qu'une plus grande liberté ne passe pas forcément par une plus grande indépendance. Je découvrais que mon instinct ne m'avait pas trompé : j'avais eu raison de croire, contre la quasi-totalité des critiques, que ma libération à moi passait par un rapprochement avec Miles. À deux conditions. Premièrement, ne pas me contenter de le filer à distance, mais aller vraiment au contact du bonhomme. Deuxièmement, ne pas rester accroché à lui, à la manière des boxeurs qui cherchent à gagner du temps, mais *traverser* Miles, la musique de Miles, les traverser tel un filtre qui me délivrerait de mes impuretés.

Quand Don, le jour de l'enregistrement, a révélé qu'il avait transformé *Un Poco Loco* en une pièce modale, formule dont Miles avait tiré le meilleur au temps où, avec l'aide de musiciens à lui comme Bill Evans, Paul Chambers ou Philly Joe Jones, j'essayais encore de sauter dans le train qu'il venait, lui, d'abandonner, quand j'ai entendu ça, je me suis dit que c'était le moment ou jamais. Le moment d'en finir avec cette partie de cache-cache.

Le hasard (était-ce vraiment le hasard ?) voulait que, ce coup-ci, j'aie à ma disposition sa rythmique des années 60. Mais les temps avaient changé ; le film n'avait cessé de s'accélérer. En 58, j'avais manqué Miles d'un cheveu ; là, j'avais au moins une génération de retard sur lui ! Ses derniers disques, *Pangea*, *Agharta*, se situaient à des années-lumière de ce qu'il jouait en compagnie de Ron et Tony dix ans plus tôt. Il ne fallait plus que je m'épuise à lui courir après. Je devais profiter de la situation pour non plus suivre, mais couper sa route. Je veux dire prendre ses traces par le travers, puis prendre la clé des champs. Mêler un instant mes empreintes aux siennes, poursuivre mon chemin en diagonale et me retrouver dans la nature. Dans *ma* nature. Dans ma forêt redevenue vierge.

C'est ce que je me suis attaché à faire dans mon solo. Beaucoup considèrent que c'est un des meilleurs que j'aie jamais gravés. Le plus musclé, le plus hargneux de tous.

Don en a pris le relevé sur partition et a fait imprimer ça sur la pochette du microsillon. Les notes se bousculaient sur la portée. Moi-même, ça m'impressionnait. Je n'aurais pas voulu avoir à rejouer un truc pareil ! Du reste, je n'en avais aucunement l'intention. Dans son texte de présentation, Doug Ramsey racontait, entre autres choses, que j'avais atteint un nouveau palier dans mon évolution. Il voyait *Un Poco Loco* comme un commencement. À mes yeux, c'était un aboutissement, donc la fin de quelque chose. Nous étions d'accord sur l'idée d'une renaissance, mais, pour moi, elle ne venait pas de se produire : elle se mijotait seulement. Ce solo ne m'embarquait pas vers de nouvelles aventures ; il traçait un trait sur mes expéditions passées. *Après* ce geste ostentatoire, je pouvais aller voir ailleurs. Je pouvais aller me faire voir ailleurs. Dans un endroit où me reconnaître ne suffirait plus à me percer à jour, du fait que la vérité de Chet Baker se trouverait désormais à l'intérieur, au plus profond de Chet Baker, et là uniquement.

Parmi les mélodies écrites par Richie Beirach pour les séances de février-mai 1977, il en est une dont le titre m'a tout de suite fait tendre l'oreille, *Broken Wing* (« Aile brisée »). Nombre de chansons, je ne les aurais pas gardées aussi longtemps à mon répertoire si les paroles, ou même simplement le titre, n'avaient revêtu une signification spéciale à mes yeux. Je pense à *But Not For Me*, tout le monde l'aura deviné. Mais la remarque concerne aussi des œuvres telles que *In Your Own Sweet Way, Conception, Look For The Silver Lining, Sad Walk, My Foolish Heart, If You Could See Me Now, If I Should Lose You* et peut-être (c'est ce que je me dis parfois) *I Fall In Love Too Easily,* voire *Just Friends.* Je ne me serais pas

443

attardé avec elles, inutile de le préciser, s'il s'était agi de compositions médiocres, mais toutes sont formidables. Assez formidables pour vous donner encore envie de vous étendre contre elles et de leur faire de beaux enfants, quarante ans après le premier flirt en certains cas.

Broken Wing possède toutes les qualités que j'attends d'un thème, y compris cette intimité entre l'idée contenue dans le titre et l'atmosphère de la musique. Je ne suis pas de ces champions du calembour qui s'amusent à rebaptiser les morceaux en jouant avec les mots. Il ne faut pas compter sur moi pour ridiculiser ce que j'interprète. J'ai toujours aimé rire, même si je n'ai pas cette réputation. D'après moi, cependant, l'humour n'a pas grand-chose à voir avec la musique. Je préfère en tout cas qu'il se tienne à l'écart de la mienne. Avec la gueule que j'ai maintenant, du reste, il n'a pas trop envie de tenter sa chance. Je n'ai rien contre lui, mais je n'ai rien à faire de lui non plus. L'humour est comme toutes les autres choses de la vie : ça vous va ou ça ne vous va pas. Ma musique, ça ne lui va pas. Mon pharmacien a une expression française pour en parler : « comme un tablier à une vache ». Le rire éclabousse. S'il éclate dans une atmosphère fragile, il la dissipe, de la même façon que le soleil avale la brume. Ce que j'aime encore moins, avec lui, c'est que, une fois qu'il a tout cassé, il recolle les morceaux. À part la brume, escamotée une fois pour toutes, il remet chaque chose à sa place. Le rire est un personnage turbulent sur lequel on ne peut même pas compter pour entretenir le désordre. À cause de sa manie du rangement, je ne nie pas qu'il puisse être utile, voire bénéfique à certains. Ça dépend de ce que vous cherchez.

Briser les atmosphères et les clarifier sont deux écueils que je veux éviter. Ce qui m'intéresse, moi, c'est de semer le trouble et, une fois qu'il a germé, d'empêcher le plus longtemps possible qu'on passe la faucille. Je me représente une ligne mélodique comme un sillon. Un sillon d'incertitude, de mystère. Une ride qui se dessine en secret sur un très beau visage. Une craquelure qui zigzague au cœur de la porcelaine et n'apparaît à la surface qu'en filigrane, dans le contre-jour.

Les paroles des chansons ont tellement compté pour moi, des années durant, que je ne me suis pas souvent risqué à les remplacer par ces passages en scat qui, selon certains amateurs, je le sais bien, sont l'unique façon pour un vocaliste de jazz de se distinguer d'un chanteur de variété. Ils oublient que Billie Holiday, qui était sans discussion possible la plus grande, ne scatait jamais. Que, beaucoup d'autres, c'est plutôt quand ils s'y risquent qu'ils perdent les pédales, démontrant de la manière la plus irréfutable qu'ils ne se hissent même pas à la hauteur d'un instrumentiste moyen.

Ça ne signifie pas que j'aie été réfractaire à cette technique. Il y a tant de choses qui vont se refuser à vous jusqu'à votre mort : pourquoi *vous* refuser quoi que ce soit ? Dans mon album Riverside *It Could Happen To You*, en 1958, je scate dans un tiers des morceaux. À l'époque, cependant, ce n'était guère qu'une façon de varier le programme d'un disque où je chantais d'un bout à l'autre. Pendant près de vingt ans, après cela, je m'en suis presque toujours abstenu, sur scène comme en studio. Mais en reprenant, après ma résurrection du milieu des années 70, certaines chansons que j'avais apprises en écoutant la radio en Oklahoma puis à Glendale, je me suis soudain rendu compte que leurs textes n'avaient plus rien à me dire. Plus rien non plus à dire *de* moi, eux qui avaient si longtemps parlé à ma place. Désormais, ils jacassaient en pure perte. J'avais l'impression qu'ils n'étaient préoccupés que de la rime. Je les avais usés à force de les traîner partout derrière moi. Ou bien ils avaient vieilli au point de ne plus pouvoir transmettre de vrais désirs, de vraies peurs, de vraies passions. Ils suivaient le mouvement, au lieu de commander la manœuvre. Si je voulais encore exprimer ce que j'avais sur le cœur, ou simplement le découvrir, je devais inventer mes propres paroles, ou du moins mon propre langage.

C'est à ça que sert le scat, quand on veut qu'il serve à quelque chose. Il ne s'agit pas d'aligner des *choo-be-doo-be-doo*. Le problème est de donner à ces syllabes, qui n'en ont aucun, davantage de sens qu'aux mots du dictionnaire. « Si tu n'arrives pas à le dire, chante-le. » Voilà ce que j'ai tenté de faire. On prétend que, dans le scat, la voix n'est plus qu'un instrument de musique. Les instruments de musique ne pourraient-ils pas dire la vérité ? Diane me répétait sans cesse : « On ne sait jamais quand tu es sincère. » Elle écoutait mes mots. Peut-être cherchait-elle une réponse dans des paroles que je n'avais même pas écrites. La vérité est dans mon jeu ; elle se trouve dans mes chansons sans paroles. C'est ce que j'ai moi-même fini par comprendre. On fait semblant de se taire, et on en profite pour vider son sac, mais en préservant sa pudeur.

Un Poco Loco, il est possible que ça surclasse la plupart des choses que j'ai faites. Il est possible que ça me dépasse, moi qui en suis l'auteur, d'une certaine façon, et j'ai tout lieu d'être fier d'avoir accroché cette pièce à mon tableau de chasse. Cependant, ce solo dans lequel, selon certains critiques, je me serais « accompli », ce n'est pas moi. Que cette musique d'un jour soit supérieure ou inférieure à ma musique de toujours, au fond cela n'a guère d'importance. Ce sont deux musiques différentes et, quand on a dit cela, on a tout dit. Il y en a une qui vient d'ailleurs et qui m'est tombée dessus comme un cadeau du ciel ; il y en a une autre qui m'appartient et à laquelle j'appartiens, et sur quoi pas un trompettiste au monde ne pourra mettre la main.

Que j'aie eu envie d'en finir une bonne fois avec *Valentine*, vingt-cinq ans après notre premier rendez-vous, quoi de plus naturel pour un type comme moi ? Mais là était le piège. Car avec *My Funny Valentine*, en fait, les choses avaient à peine commencé. Ce morceau, d'un certain point de vue, je l'avais labouré et labouré : je lui avais sculpté malgré moi tout un réseau de rides qui ne le défigurait pas à proprement parler, mais qui lui plaquait un masque impossible à enlever, sauf peut-être si un parfait étranger, à condition de s'appeler Miles Davis, lui donnait un coup de main. Il y avait cependant une autre façon de voir les choses : ce morceau, j'en avais à peine égratigné la surface. Les gens qui ne m'aimaient pas pouvaient m'accuser d'avoir exploité le filon. Moi, quand j'essayais d'être lucide, je me reprochais surtout de ne pas avoir exploré le gisement. *My Funny Valentine*, bien sûr, ce n'est qu'un exemple. Je parle de ma musique dans son ensemble. Et je parle de moi. Je parle de tout ce qui m'a dissuadé, détourné pendant si longtemps de l'exploration de moi-même.

Avec *Un Poco Loco*, j'ai décroché le jackpot. Après quoi, j'ai tout claqué le plus vite possible, selon ma bonne habitude. Redevenu pauvre et vagabond, je me suis interdit les jeux de hasard. Je n'ai pas convoqué la presse, je n'ai pas publié d'annonce dans les journaux. Je me suis retiré dans ma coquille, ne souhaitant plus que de pouvoir la remplir. La remplir de Chet Baker. Je devais me focaliser sur ma petite personne et la faire grandir jusqu'à ce qu'il n'y ait plus la place pour la moindre molécule étrangère à l'intérieur de cette coquille. Et si j'en avais la force, dans le même mouvement, je pulvériserais cette enveloppe. Je la mettrais dans un tel état qu'elle ne parviendrait jamais plus à se reconstituer.

Vint alors pour moi le temps du repli, le temps du recueillement.

Je l'avoue, j'ai préféré être surnommé « Face d'ange » que « Face de rat » : ça m'a simplifié la vie et fait gagner du temps. Mon apparence, j'ai pu en jouer. J'en ai même abusé, quand cela pouvait m'aider à obtenir ce que je désirais. Je me suis servi de mon physique pour séduire les femmes, de mes talents de comédien pour attendrir les hommes et leur extorquer les quelques billets dont j'avais un urgent besoin. J'en ai tiré parti, je n'en ai jamais été dupe. Une belle bagnole, voilà quelque chose de concret. Une belle gueule, une belle allure, ce sont des illusions que les gens se font sur vous. Qu'ils assument leurs responsabilités.

Toutes les femmes avec qui j'ai vécu, à commencer par ma mère, m'ont toujours dit que je m'habillais comme un chiffonnier, un épouvantail ou un perroquet. Elles prétendent que je n'ai pas la plus petite notion du mariage des couleurs, des matières, des textures, des coupes, que sais-je ? De leur point de vue, elles ont sûrement raison. Elles n'arrivent pas à concevoir que, du mien, ce que je porte, ce qui se trouve *sur* moi est aussi distinct de moi, aussi étranger à l'image que j'ai de moi que les décors au milieu desquels j'évolue. Pourquoi me préoccuperais-je de ce que, moi, je ne vois pas, même lorsque je l'ai sous les yeux ?

« Tu pourrais au moins te débarbouiller un peu et te donner un coup de peigne avant de sortir ! », me lance Ruth. Et elle s'étonne que je lui réponde : « Je vais jouer de la musique. Je ne me suis pas inscrit dans un concours de beauté ! » Elle pense que je pourrais faire un effort. Moi aussi. Mais, en ce qui me concerne, je réserve toute mon application, l'essentiel de mon énergie à la musique. Pas à des simagrées. Elle me trouve exagérément désinvolte : j'essaie seulement de ne pas être trop frivole. Peut-être est-ce que je donne l'impression de dire aux gens : « Prenez-moi comme je suis et démerdez-vous avec ça ! », mais ce n'est pas du tout ce que j'ai en tête. Je voudrais plutôt qu'ils entendent : « Me voilà tel que je suis. Il n'y a pas de truc, il n'y a pas d'arnaque. Pas de vice caché : rien que des vices étalés au grand jour. Je suis flagrant dans tout ce que je fais, dans tout ce que je chante et dans tout ce que raconte ma trompette. Je vous offre Chet Baker en bloc. »

Je ne considère pas être *marqué* par mes rides, pas plus que je n'accuserais mon dentier de manger mes hamburgers. Votre nez rougit quand il gèle et pourtant vous n'avez pas le nez rouge comme les cerises ou les fraises sont rouges. Tout ce qui arrive à votre visage, pour moi, c'est pareil : ce sont les conséquences d'événements qui ne sont pas de votre ressort. Ça vous change peut-être, vu de l'extérieur, mais, intérieurement, ça ne vous transforme pas. Ou alors vous n'êtes qu'une toile vierge sur laquelle n'importe quel barbouilleur peut peindre ce qui lui passe par la tête.

Certains fans étaient si soucieux de mon image – c'est-à-dire de celle qu'*ils* se faisaient de moi – qu'ils sont venus en délégation me demander pourquoi je gardais mes lunettes sur les photos. Ils trouvaient que cela me vieillissait, me donnait la touche d'un petit bonhomme sur lequel personne n'aurait l'idée de se retourner dans la rue. J'ai failli leur dire : quelles lunettes ? J'en porte, oui, parce qu'à partir d'un certain âge j'en ai eu besoin. Mais, bon Dieu, encore une fois : j'en *porte* ! J'en porte, voilà tout. Ça n'a strictement rien à voir avec ce que je suis. C'est posé sur mon nez comme une mouche ou un coup de soleil. Si moi je ne me sens pas concerné, comment peuvent-ils, eux, imaginer un seul instant que ça les regarde ? Même à mes débuts, je n'ai jamais été obnubilé par ce qu'on pouvait écrire sur mon compte. Après le dentier, les rides et les lunettes, j'ai cessé de lire les articles qui faisaient allusion à ma dégaine. Dans la mesure où neuf sur dix étaient incapables de se priver de ce plaisir, ça m'a laissé pas mal de temps libre, que je pouvais employer à des tâches plus urgentes. Comme de s'asseoir, ou plutôt de s'allonger dans une voiture basse, au ras du bitume et d'éprouver la sensation, si on la pousse un peu, qu'on va décoller pour de bon. Comme de mêler la coke et l'héro pour fabriquer du *speedball* (le dosage est délicat, il faut prendre le tour de main) et d'éprouver la sensation qu'on va passer dans un autre monde, voyager dans la quatrième, dans la cinquième dimension et, si ça se trouve, rester coincé là-bas, sans que rien ni personne ne puisse jamais plus vous ramener dans votre corps, et sur terre encore moins. Cette idée vous fiche une telle trouille et vous donne de si folles espérances que d'être écartelé entre cette panique insensée et cette aspiration enivrante vous dévaste de fond en comble, tout le temps que dure l'effet du mélange. Je n'ai jamais rien expérimenté de plus destructeur. Quand vous ramassez les morceaux de votre moi, vous ne les reconnaissez pas tous. Du coup, vous pouvez rebâtir à partir de ces débris quelque chose d'assez neuf. Neuf, entendons-nous : la dope n'invente rien. Ce qu'elle révèle, ça existait au fond de vous depuis toujours. Le problème, c'est que vous n'en saviez rien.

Les rares articles qui, à la fin des années 70, restaient discrets sur mon apparence ne valaient en général pas mieux que les autres. Pour compenser, ils s'étalaient à perte de vue sur les apparences de ma musique : ce qu'ils appelaient ma « souffrance », mon « angoisse », ma « détresse », mon « désespoir », ma « tragédie », mon « drame », mon « enfer », j'en passe. Ils faisaient semblant d'écouter un chorus en sol sur *Stella by Starlight* et, comme dans une boule de cristal, ils y voyaient des scènes dignes de Shakespeare et Dostoïevski !

S'ils voulaient rappeler que mon existence n'avait pas été qu'un lit de roses, je le leur confirmais bien volontiers. Entre deux défonces, cet aspect du problème ne m'avait pas complètement échappé. Mais s'il y avait une chose que je souhaitais tenir à l'écart de toute cette merde, c'était bien ma musique. Qu'elle soit ou non d'une gaieté folle, chacun est en droit de se poser la question. J'aime beaucoup ce paysage. Pour moi, la beauté n'est jamais ni gaie ni triste, et c'est justement pour ça qu'elle est belle. Ce dont on n'a pas le droit de douter, c'est de la décence de ma musique. Elle ne pleure dans le gilet de personne. Je ne l'ai pas chargée de me faire plaindre. Si elle « traduit » (comme ils disent) quoi que ce soit, c'est ma volonté farouche d'imposer ma sensibilité à ce monde plutôt que le sentiment d'être écrasé par lui. À titre privé, des défaites, c'est sûr, j'en ai connu beaucoup. Il est naturel que ma musique s'en fasse l'écho, comme de tout le reste – mais quelle importance si ça lui permet au bout du compte d'enlever le morceau ? Pour ma part, avec ou sans lunettes, je ne vois rien de désespéré là-dedans. Tout au contraire. Le rôle de victime, d'après moi, n'a jamais été le beau rôle. Alors, qu'on n'essaie pas de me le refiler.

Il y a de la nostalgie dans mon jeu. Il y en a toujours eu. Enfant, déjà, je ressentais très fort le deuil de toutes les choses qui ne reviendraient jamais plus, y compris les plus insaisissables : la lumière orange d'un soir de juin, par exemple. Je ne les regrettais pas à cause de la valeur qu'elles avaient à mes yeux : je leur attribuais de la valeur en raison même de leur précarité. C'était leur disparition que je chérissais, plus que je n'avais savouré leur présence.

Après *Un Poco Loco*, je l'ai dit, il a fallu que je me reprenne en main. Que j'apprenne enfin qui était exactement ce musicien que j'avais quelquefois croisé sur ma route, et à d'autres moments perdu de vue, ce type qu'on appelait Chet Baker – exemplaire unique, inaltérable, alors que je m'étais, moi, laissé aller à pas mal d'altérations et d'assemblages, quand je ne les avais pas appelés de mes vœux. Produire pareil effort en étant affublé d'un dentier et d'une paire de lunettes ne vous donne pas l'air de Louis Armstrong dans *Hello, Dolly !*, c'est certain. Même le Tony Perkins de *Psychose* devait paraître moins tendu que moi. Le recueillement – disons l'écoute du silence, pour rester simple -, ça ne vous laisse pas beaucoup le choix de vos expressions ni de vos attitudes. Le spectacle que j'offrais n'était peut-être alors pas folichon, et il ne le serait guère davantage par la suite, mais, après tout, je n'ai jamais prétendu être ni une attraction de music-hall ni un amuseur public.

Quand j'ai commencé à enregistrer sous mon nom, mon répertoire ne comprenait pas plus de pièces en tempo lent que celui des autres trompettistes. Après *Un Poco Loco*, j'ai surtout travaillé avec des petits labels européens indépendants qui, soit parce que c'était leur politique, soit pour compenser le fait qu'ils n'étaient pas en mesure de me consentir des avances mirobolantes, m'ont laissé la bride sur le cou. Aucun producteur ne m'avait jamais dissuadé de fréquenter les ballades, bien au contraire, mais, à partir de là, elles sont devenues mon terrain de prédilection et sans doute l'une des raisons qui ont fait que je me suis de plus en plus souvent passé du concours d'un batteur. Ce n'est pas que je n'en avais plus besoin : c'est qu'il est encore plus difficile, à la batterie, de jouer très lentement que de jouer très vite. Faire *vivre* une pulsation, avec ce que cela comporte de nuances et de variations, exige, à ce régime, des qualités hors du commun : capacité d'écoute, sensibilité, intelligence, imagination, contrôle du geste. Il faut être d'une subtilité, d'une patience extrêmes et avoir en même temps une poigne de fer, ainsi que des nerfs solides. Je me permettrais de dire qu'il faut un peu faire ce que je fais à la trompette. Un certain nombre de types y parviennent, célèbres ou obscurs. J'ai eu affaire à plusieurs d'entre eux au cours de ma carrière. Mais avoir l'un d'eux sous la main en permanence, surtout lorsqu'on ne cesse de se déplacer, et à travers l'Europe par-dessus le marché (où, qu'on le veuille ou non, le choix reste plus limité qu'aux États-Unis), c'est une autre histoire. Pour finir, j'ai choisi le trio comme figure de base, avec un contrebassiste sur lequel je puisse compter en toutes circonstances, comme Riccardo Del Fra, ou bien un guitariste (Doug Raney,

453

Philip Catherine, notamment), ou bien un pianiste (Michel Graillier, dans ce rôle, m'offrit ce que j'attendais). J'avais tenté quelque chose de ce genre pour Dick Bock dès 1957, mais il n'a pas sorti le disque. La véritable inauguration de cette formule a donc eu lieu à Copenhague en juin 79, lorsque j'ai gravé *The Touch Of Your Lips* en compagnie de Doug (le fils du grand Jimmy) et de ce sorcier de la contrebasse qu'est Niels-Henning Orsted Pedersen.

Dans une ballade – c'est le premier paradoxe –, un batteur n'a pas du tout le temps de s'écouter lui-même. Et pourtant – voilà le deuxième – il doit exercer un contrôle absolu, au micron près, non seulement sur le tempo, mais sur le son : la couleur du son, le dosage de l'ombre et de la lumière, la texture, la densité, le poids – oui, le *poids* du son ! – et tout le reste. Une ballade mobilise un bon *drummer* bien davantage qu'un solo de vingt minutes sur les chapeaux de roues, et les risques sont bien plus grands, pour lui, pour le soliste, pour l'orchestre en général. Je ne sais plus quel membre de la corporation me disait : « Ça se joue parfois à un poil de balai. » Si un batteur s'écoute, dans ce genre de situation, tantôt il se laisse engourdir, et le tempo ralentit, tantôt, pour éviter cet écueil, il multiplie les petites fantaisies, les enjolivures et, neuf fois sur dix, une chose en entraînant une autre, le tempo s'accélère (ou perd alors, faute d'être cohérent, toute consistance).

La dynamique de la batterie, c'est une chose que je sens d'instinct. Il paraît que chaque trompettiste d'une certaine envergure a un batteur en lui, et pas un batteur qui sommeille ! Peut-être bien. En tout cas, je possède cette sensibilité depuis toujours, alors qu'elle fait défaut à pas mal de soi-disant spécialistes des tambours que j'ai croisés sur ma route. Avec les moyens du bord, je leur indique ce qu'il faut faire. Je manque complètement de technique, mais, en jazz, la technique est moins importante que la perspective, la *vision*. Si l'on sait précisément où l'on doit se rendre, on y arrive quels que soient les moyens dont on dispose. Si un batteur ne pige pas ce que j'attends de lui – ce que *la musique* attend de lui –, je me passe de ses services. À cause de mes exigences, j'ai la réputation de détester les membres de la corporation. Quand il entend ça, Riccardo fronce le sourcil. « Vous n'y êtes pas du tout, intervient-il sans élever la voix, comme le gentleman qu'il est. Le seul problème de Chet avec la batterie, c'est qu'il l'aime trop. Il l'aime beaucoup trop pour accepter qu'on en joue sans amour. » Personne ne comprend mieux ça qu'un contrebassiste. La prof de lettres, au El Camino College, répétait sans cesse que la poésie ne supporte pas la médiocrité. La batterie non plus, à mon sens. Sans doute parce que, si un batteur n'est pas un peu poète, ce n'est jamais qu'un bûcheron. Écoutez Tony Williams dans *You Can't Go Home Again* : fabriquer le tonnerre exige énormément de tact et de doigté. En fait, il n'est guère de travail plus délicat.

Lorsque, de retour en Europe après avoir gravé cet album, je me suis lancé dans l'introspection, en m'appuyant sur les ballades, j'ai entraîné mon pharmacien dans l'aventure. Micheline jouait souvent avec nous. S'il avait pu être là, je crois que Paul Desmond aurait révisé son jugement sur les filles qui s'installent derrière des tambours. Jacques, Micheline et moi, nous avons une longue histoire en commun. Je n'ai pas besoin de m'assurer de leur collaboration : ce sont eux qui me rendent sûr de moi. J'avais toujours compté sur mes propres forces. À cette époque, ce n'était plus tout à fait suffisant. Je devais aller au-delà de ce que je savais de Chet Baker. Ils m'ont aidé à descendre un peu plus profond en moi-même. Sur scène, à part le bassiste (et encore, pas toujours), nous étions tous assis. Jouer une ballade assis, du point de vue du public, c'est la rendre encore plus statique. Les lunettes (Jacques en portait aussi) n'arrangeaient rien. On nous a accusés d'être sinistres. De présenter une musique funèbre en offrant un spectacle lugubre. Je n'ai rien à répondre à cela. Je demanderai seulement : « Mais qui était le plus mort, de vous ou de nous ? »

Après *Un Poco Loco*, et pour le reste de mon existence, je me suis appliqué à pousser ma nature dans ses retranchements. J'ai commencé à entrevoir que la fidélité à soi-même n'est pas le maintien du statu quo, mais une conquête permanente, un effort dont on ne voit jamais le bout, et qui suscite moins d'autosatisfaction qu'il ne suscite de sacrifices. Si j'ai tenu, si je tiens encore le choc, c'est que, tout compte fait, et à mon grand étonnement, la fidélité est sans doute ce qui me définit le mieux, ce pour quoi je suis prêt à payer le plus cher.

Je n'ai pas plus renoncé à mon amour pour Carol, par exemple, qu'à ce qui filtrait à travers mon premier *Funny Valentine*. Je n'ai pas entretenu cet amour comme j'aurais dû, c'est vrai aussi. Du point de vue de Carol, j'ai même tout fait pour le détruire. Je l'ai peut-être détruit pour de bon. Mais je n'y ai quand même pas renoncé. Pas plus renoncé qu'à toutes les autres choses qui ne seront plus.

Ça fait ricaner quand je le dis, mais j'ai eu avec les femmes des fidélités successives. Et même lorsque ces fidélités ont été simultanées, ce qui s'est produit une ou deux fois, chacune d'elles restait exclusive. Je n'espère pas faire avaler une chose pareille à qui que ce soit. C'est pourtant ce que j'ai vécu. Jamais je ne suis allé voir à droite et à gauche. Ce ne sont pourtant pas les occasions qui m'ont manqué. Il y eut même des périodes où, si j'avais eu les moyens de me le payer, un garde du corps n'aurait pas été du luxe pour contenir les prétendantes. Dans mes préoccupations, de toute manière, la défonce a tenu la première place, à partir d'un certain moment. Je ne le nie pas. La dope est une ceinture de chasteté comme une autre. Néanmoins, je le jure, je n'ai même pas péché *par intention*. Y compris quand je baisais à tire-larigot. Je n'ai quasiment baisé que de manière légitime : je veux dire dans le cadre des contrats que j'avais signés ; pas forcément sur papier, avec Cisella, Sherry, Charlaine, Lily, Halema, Carol, Diane et Ruth. Et à partir du moment où j'ai rencontré Carol, quoi qu'il ait pu se passer, je suis resté loyal envers elle. Je le serai toujours – je l'ai dit à Jacques je ne sais combien de fois. Et j'exige qu'elle me soit fidèle en retour. Comme d'ailleurs toutes celles que j'aime encore. C'est même pire que ça. Tant d'années après, je ressens une frustration, un préjudice, chaque fois que je songe à l'officier russe de Cisella.

En plus d'être un amant insatiable, je suis un amoureux abusif. Micheline, qui me regardait faire, installée aux premières loges, s'en amusait. « Chet veut bien prêter ses voitures, disait-elle en souriant, mais pas ses femmes. » Elle avait raison. Je me serais senti trop seul. La fidélité à soi-même, ça ne présente pas que des avantages.

Je suis imprévisible, lunatique, c'est ce qu'on dit. C'est ce qu'elles disent toutes. C'est ce que ma mère elle-même a fini par raconter. On ne peut pas compter sur moi. Je ne suis jamais là quand on a besoin de moi (par peur, je suppose, de ne pas me trouver quand je suis indispensable à ma musique). Mais on peut compter sur mon amour. Je regrette que ça ne suffise pas. Je n'ai rien de mieux à offrir. Je suis musicien, je n'en ai pas le droit. Égoïste ? Égocentrique ? Je veux bien. Pourtant, je ne m'appartiens pas, à moi non plus. L'individualisme est un devoir. L'isolement paie la note – la solitude du dedans. Il y a comme une vitre entre la musique et le reste. On ne la voit pas, mais on ne peut pas passer à travers. Il faut que je sois d'un côté ou de l'autre. Je suis du côté de la musique. Je ne l'ai pas choisi. Il ne sert à rien de me jeter la pierre. Sur la vitre, rien ne laisse de trace. La buée des mots doux, des baisers, s'efface comme tout le reste. Ça ne signifie pas que j'y sois aveugle. Je la regarde et, ce qu'en retiennent mes yeux, c'est une image dont ma musique ne cesse plus de rêver.

Vera

Quand ce Bruce… – comment, déjà plus ? –, quand ce Bruce Quelque Chose est venu de New York à Stillwater, en Oklahoma, qu'il m'a brandi un micro sous le nez, qu'il m'a braqué ses projecteurs et sa caméra en pleine figure, et qu'il m'a demandé comme ça : « Et en tant que fils, alors, Chet, est-ce qu'il vous a déçue ? », je n'aurais pas dû répondre (il m'avait avertie que je n'y étais pas obligée). Je ne voulais rien dire, je m'en souviens très bien, mais je n'ai quand même pas pu dire non. Et ce « oui » qui n'était pas un oui, mais seulement le non d'un non, si je me fais bien comprendre, bien sûr il l'a gardé dans son film. Il a laissé de côté des tas de choses, tout un flot de paroles, mais, ce « oui », il l'a gardé. Quand j'ai vu le résultat, ce petit mot, cette simple syllabe, j'ai eu l'impression qu'on n'entendait plus rien d'autre. Que tous les dialogues, que tout ce qui se racontait et même ne se racontait pas dans ce maudit film, le déballage de linge sale et deux ou trois silences plus puants que des bêtes crevées, que toute cette honte, tout ce malheur, tous ces remords auxquels tout le monde se préparait tournaient autour de ce mot que j'avais prononcé sans y être forcée, sans en avoir eu l'intention, uniquement parce qu'à ce moment-là « non » ne pouvait plus sortir.

Cela se passait fin 86 ou début 87. Jusque-là, mon garçon n'était pas mort. Je ne sais pas comment il avait fait son compte, mais il était passé à travers ce que ses propres enfants – qui n'avaient pas l'air de lui en vouloir, qui n'ont pas du tout l'air de lui en vouloir, sur l'écran – appelaient « ses conneries ». Dad s'est éteint comme une bougie qu'on souffle. Chet, depuis qu'il nous avait quittés, n'arrêtait plus de se mettre en mille morceaux, mais il restait quand même entier. Il restait encore debout. Du moins avions-nous tout lieu de le croire. Il faisait des disques. Il nous en envoyait quelques-uns. On avait fini par le croire éternel. Usé jusqu'à la corde, mais indestructible. Malheureux comme les pierres, mais plus solide qu'elles.

Non, je ne me doutais pas qu'il allait bientôt partir. Évidemment que non. Et si vous vous posez la question, vous comprendrez pourquoi je hais le film. À l'époque, je ne savais qu'une chose : en même temps que lui, quelque chose s'en était allé de moi. Mon sixième sens, si l'on peut dire ça. Depuis quelques années, quand je croyais l'entendre venir, il n'apparaissait plus au coin de la rue, il ne marchait pas dans l'allée. Ou alors il débarquait et, pour moi aussi, c'était à l'improviste. Il me tombait dessus sans crier gare. Mon propre fils, mon seul. Et dans quel état ! Il m'arrivait d'avoir honte de le regarder. Honte de lui, honte de moi ? Je préfère ne pas y réfléchir. Honte, en tout cas, qu'il y eût désormais de la honte entre nous. Il y avait la honte que j'éprouvais pour *lui*, alors qu'il essayait désespérément de se croire innocent de tout le mal qu'il se faisait et de tout le bien qu'il refusait de faire à ceux qui l'aimaient. Il y avait la honte qui me rongeait de l'intérieur, insoupçonnable sous mon tablier, du fait que je ne parvenais pas, lors de certaines visites de mon enfant, à me cacher les mauvaises idées qui me traversaient l'esprit, qui me transperçaient le cœur. À me cacher qu'après l'avoir vu de mes yeux dans l'encadrement de la porte, j'avais hâte qu'il s'en aille. Parfois même à me cacher que j'aurais préféré qu'il reste une bonne fois dans cette horrible Europe où il avait tant cherché à se perdre.

Le nom du cinéaste m'est revenu, tiens ! Bruce Weber. Je ne lui fais pas mon compliment, à cet oiseau-là. « Si vous voulez, vous ne me répondez pas… Si vous voulez, on n'aborde pas le sujet… » Mais vous n'avez qu'à voir : chaque fois que Carol lui a dit « Coupez ça ! », il a conservé non seulement ce qu'elle lui confiait sous le sceau du secret, mais sa prière que ça ne figure pas à l'image. Si bien qu'au lieu de passer comme une lettre à la poste, c'était souligné d'un trait rouge. Il paraît que son premier film s'intitulait *Nez cassés*. J'aimerais qu'en sortant de chez nous il ne nous ait laissé que le nez en mauvais état…

Pour moi, cet homme détestait mon garçon. Il avait pour lui un mépris extraordinaire, une aversion si grande qu'il voulait le tuer, l'assassiner devant tout le monde sur un écran de cinéma, l'enterrer tout vif dans ses bobines. Et le pire dans l'histoire, c'est qu'il n'en avait pas conscience. Il était persuadé qu'il allait rendre à mon garçon un hommage si bouleversant que le monde s'en souviendrait autant que des funérailles de John Kennedy. Comme titre, pour son jeu de massacre, il a pris celui d'une des premières chansons que Chet ait enregistrées, il y a cela des siècles et des siècles (c'est ainsi que je ressens les choses) : *Let's Get Lost* ; « Allons nous perdre ». Ça, je suis obligée de reconnaître que c'était plutôt bien trouvé.

Les paroles font comme ça :

« Allons nous perdre
Allons nous perdre dans les bras l'un de l'autre. »

Dommage que mon fils, à force de chanter le début de la phrase, en ait oublié la fin.

On me voit jouer au tennis, dans ce film. Je me demande bien à quoi ça sert. À quoi ça sert de voir Chet sur les autos tamponneuses ? À quoi ça sert de le voir dans une décapotable, cheveux au vent, entre des créatures, avec une moustache, un regard épuisé, un regard de noyé et un air béat ? À quoi ça sert qu'il marche tout seul sur un balcon, dans un endroit qu'on ne connaît pas ? À quoi ça sert de le voir jouer, chanter et d'entendre des gens qui parlent, à la place de la musique ? À quoi ça sert d'entendre parler de choses que les gens n'ont pas à savoir ? À quoi ça sert d'entendre parler des gens qui feraient mieux de se taire ?

Cette Ruth, par exemple, que je n'avais jamais tant vue et qui s'impose dans presque la moitié du film, qu'avait-elle besoin de raconter toutes ces histoires, et qui a besoin de connaître des histoires pareilles sur mon garçon, alors que si l'on veut toute la vérité, la vérité de A jusqu'à Z, il suffit d'écouter ses disques ? Les choses que cette femme dit sur lui, je ne sais pas si elles sont vraies, mais elles ne sont pas belles et n'avaient donc rien à faire là. J'ai répondu « oui » à la question de Bruce Weber, et puis encore un autre petit « oui », avant de déclarer à la caméra que je n'avais pas envie de m'étendre sur la question. J'ai renié mon fils à deux reprises, mais, en dépit de cette faiblesse que je ne me pardonnerai jamais, je me suis mieux comportée à son égard, et avec plus de dignité, que Mlle Ruth Young.

Diane, déjà, ne s'était pas montrée très charitable. D'après Carol, la même corde peut servir à les pendre toutes les deux, elle et Ruth. Ce n'est pas la pudeur qui les étouffe, je dois l'admettre (et ne parlons même pas des obscénités que la seconde débite devant tout le monde, avec sa grande bouche et ses grandes boucles d'oreille, et que ces messieurs de New York, naturellement, ont été bien trop contents d'enregistrer). En ce qui me concerne, toutefois, je fais une distinction, dans les règlements de comptes auxquels elles ont cru bon de se livrer, entre d'une part le manque de compréhension, l'absence de générosité et de miséricorde (ça, c'est Diane) et d'autre part la méchanceté, la volonté de nuire, la cruauté pure et simple (ça, c'est Ruth).

Diane se laisse aller à des indiscrétions regrettables. Comme quoi Chet la battait, par exemple (peut-être, mais on aimerait quand même savoir pourquoi). Elle raconte qu'un moment, à cause de lui, elle a été obligée de se réfugier dans un foyer pour femmes. Elle voulait renouer avec lui malgré tout, alors qu'il s'était mis avec Ruth. Elle lui demandait, paraît-il : « Chet, comment fait-on pour ne pas aimer quelqu'un ? » Elle a fini par lui arracher un rendez-vous où elle l'a attendu des heures en vain – ça, je suis toute prête à le croire.

Ruth, elle, n'est jamais qu'une moucharde de la pire espèce, à qui de surcroît, j'imagine, la calomnie ne fait pas peur. On comprend vite que ce qui l'intéresse, ce n'est pas de parler de Chet mais d'elle-même. À part Ruth Young, tout le monde est bon à jeter aux chiens. Regardez-moi : je suis la reine du bal et je sais comment il faut vivre ! Je me demande encore comment elle a réussi à se retenir de se promener toute nue devant la caméra.

Elle explique qu'étant allée l'écouter dans ce club de New York, le *Half Note*, sous prétexte qu'il était l'idole de sa mère, laquelle possédait tous ses disques ou quelque chose comme ça, il ne lui a fallu que vingt secondes pour tomber amoureuse de mon garçon. Je ne vais pas le lui reprocher. Mais, en même temps, elle ne peut pas s'empêcher de critiquer sa tenue, ses chaussures, la couleur de ses vêtements, comme si, avec sa robe et son maquillage de péripatéticienne, elle était l'arbitre des élégances ! Et non contente de cela, elle juge opportun de préciser que sa musique, ce soir-là, était encore pire que le reste. « Il sonnait comme de la merde », dit-elle (sous-entendu : « Et je m'y connais ! », puisque ses parents sont dans le spectacle et qu'elle-même est chanteuse, soi-disant). Néanmoins, touchée par ses efforts désespérés pour être à la hauteur, elle lui a fait croire qu'elle l'avait trouvé merveilleux. Bref : son coup de foudre pour Chet, c'était une façon d'avoir pitié de lui ! Là, j'ai eu envie de vomir.

Pour Diane, mon fils est un arnaqueur. Pour Ruth, un authentique escroc, un voleur doublé d'un cœur de pierre. Elle disposait, je cite, d'un « joli paquet de fric » en le rencontrant : il l'aurait « complètement plumée ». Sans hésitation, sans retenue, sans remords, du fait qu'« avec lui, c'est chacun pour soi ». Ah oui ? Et avec elle, alors, ce ne serait pas plutôt tout le monde pour Ruth Young ? Franchement, des deux attitudes, je ne sais quelle est la plus condamnable. J'espère sans y croire que cette mauvaise fille se sera posé la question en découvrant *Let's Get Lost* (je suis sûre qu'elle l'a vu plus de vingt fois, qu'elle le reverra encore, qu'elle n'arrêtera plus de le regarder quand elle aura mon âge). J'espère que le fait qu'elle n'y figure pas ne lui aura pas fait oublier la séquence où mon garçon récite les paroles de *Deep In A Dream*, qu'il a toujours trouvées si belles. (Je peux en témoigner. Il les chantait dans les concours, au temps où nous étions si heureux tous les trois à Glendale. Il ne pouvait pas comprendre ce qu'il disait. En tout cas pas tout. Pas les allusions, pas le principal – du moins je préfère le croire. Mais, peut-être parce qu'il avait entendu son père me la chanter, ça lui donnait la chair de poule. Ces imbéciles, dans la salle, croyaient que c'était à cause du trac !)

Moi non plus, je ne sais pas de qui elles sont, mais j'ai ces paroles gravées dans la mémoire :

« ...*La fumée de ma cigarette s'élève dans l'atmosphère*
Les murs de ma chambre s'effacent dans le bleu
Et je m'enfonce dans un rêve de toi...
La fumée forme un escalier
Pour que tu le descendes et te retrouves dans
mes bras
Puisse ce suprême bonheur n'avoir jamais de fin...
Je ressens la brûlure de ma cigarette
Je m'éveille : les étoiles sont là
Ma main n'est pas blessée, c'est mon cœur qui souffre
Éveillé ou endormi
Aucun souvenir ne m'échappera
Quand je m'enfoncerai dans le rêve de toi... »

J'espère que ça ne lui passera pas au-dessus de la tête, à cette garce. Non pas les mots d'amour eux-mêmes – on en rencontre qui leur ressemblent dans des milliers, des millions d'autres chansons -, mais ce que ça signifie chez quelqu'un, de les aimer comme mon garçon les aimait, avec ce sourire-là, cette tendresse et ces regrets qui vous obligent, comment dire ?... à détourner les yeux de votre propre regard.

On peut dire qu'elle brasse de l'air, cette Ruth Young ! Elle ne dit rien sur moi. Elle s'imagine que je n'en vaux pas la peine. Peut-être ne lui avait-il jamais parlé de moi.

Je considérerais ça comme un privilège : il y a des gens aux yeux de qui on est mieux d'être mort. Passons. Elle commence par Charlaine. Qu'elle traite de folingue, je me demande bien au nom de quoi. De sa grande sagesse à elle ? De son équilibre exemplaire ? Ensuite vient le tour de Halema : Chet lui aurait confié qu'elle était frigide (une façon pour Ruth de suggérer que, contrairement à elle-même, Halema était incapable de le satisfaire). Carol est accusée d'avoir été vierge avant qu'il ne fasse sa connaissance, comme si c'était une maladie honteuse. En prime, Ruth se moque d'elle parce qu'elle lui est restée fidèle et l'a laissé vivre sa vie alors qu'il l'avait abandonnée. Et de conclure : « C'est tout lui ! Un : une dingue. Deux : une frigide. Trois : une Madone. » Elle s'avise alors que Diane n'a pas encore eu son paquet. Seulement, elle ne sait pas trop comment la torpiller. « Je n'arrive pas à la situer », avoue-t-elle. Elle essaie déjà de s'attirer les bonnes grâces du cinéaste : « Diane, poursuit-elle, trouverait plus génial que tu arrêtes tes trucs sérieux et que tu les filmes au lit, Chet et elle. » Et comme il ne lui vient rien de plus subtil, comme personne ne semble hurler de rire, elle prend les devants et se vote des félicitations : « Ça, au moins, crâne-t-elle, c'est bien envoyé ! »

Ce qu'il nous a fait, Mr Weber, il ne l'emportera pas au paradis. Mais il y a quand même deux ou trois choses dans son documentaire que j'ai bien aimées. Et d'abord le passage où on voit Ruth en gros plan, avec ses grandes dents et sa tête de mère maquerelle, qui lance à l'objectif : « Chet m'a signé un papier. J'ai les droits sur les films, les livres, sur tout ce qui est inspiré par lui. » À ce moment-là, on entend la voix de Bruce qui fait observer, comme s'il s'agissait de la chose la plus naturelle du monde : « Il m'a signé le même papier. » La gueule qu'elle tire avant de se reprendre, la surprise, le dépit, la panique qui se lisent dans ses yeux l'espace d'une ou deux secondes, je vous jure, ça vaut dix ! Cette séquence n'a absolument rien à faire dans un film consacré à un artiste célèbre. Bruce ne l'a conservée que parce que ça mettait quelqu'un dans de sales draps. Ce n'est pas très joli, comme procédé. Cette fois, cependant, dans la mesure où c'est tombé sur Ruth Young, je peux lui trouver des circonstances atténuantes. Carol, elle, a même dû applaudir des deux mains.

En assistant à la projection, Ruth a sans doute regretté de l'avoir qualifiée de Sainte Vierge. Dans le film, Carol ne mâche pas ses mots à son propos. Tranquillement, avec un bon sourire, même, et seulement parce que l'interviewer insiste, elle répète sur l'écran ce qu'elle a toujours dit à la maison : que c'est Ruth qui a fait replonger mon garçon dans la drogue ; que, par son influence désastreuse, cette fille aura été, ce sont ses propres termes, « l'artisan de sa chute ». Et comme, par la grâce du montage, c'est elle qui tire la première, quand l'autre débarque ensuite avec l'intention de se parer des plumes du paon, prétendant avoir ramassé Chet entre l'hôpital et le caniveau, l'avoir rattrapé alors qu'il vacillait au bord de la tombe et lui avoir rendu ses forces, lui avoir permis par ses bons conseils et son ascendant de retrouver sa place dans le jazz, personne d'un peu sensé n'a plus envie de la croire. Là-dessus Melissa vient déclarer que Ruth Young lui en a fait voir de toutes les couleurs, au point qu'au cours d'un séjour en Europe, elle, ma petite-fille, lui a volé des bijoux et des sous-vêtements auxquels celle-ci tenait, non parce qu'elle en aurait eu elle-même envie, mais uniquement pour se venger de tout ce qu'elle avait enduré par sa faute.

En septembre 1982 (c'est aussi par *Let's Get Lost* que je l'ai appris), Chet est retourné auprès de Diane, qui le relançait depuis un certain temps déjà. Il ne me semble pas que Diane serait le genre de fille après qui je courrais si j'étais un homme, mais sait-on jamais ? En tout cas, même si je ne peux pas approuver la façon dont elle s'est comportée vis-à-vis de Carol, qui lui avait tout de même offert du travail et confié ses enfants, j'ai toujours estimé qu'en comparaison de Ruth, Diane n'était que demi-mal. Néanmoins, on voit tout de suite, dans le film, que ni l'une ni l'autre n'aurait pu faire ce que j'appelle une femme, c'est-à-dire une bonne épouse, pour mon garçon. Chacune de son côté, chacune à sa manière, elles sont toujours en train de calculer *sa* dette à *leur* égard. Carol, elle, se borne à raconter une petite histoire qui en dit long.

Dean, un jour, fut victime d'un chauffard et balança entre la vie et la mort, sur un lit d'hôpital à Tulsa. La mère, comme il se doit, se précipita sur le téléphone pour alerter le père, c'est-à-dire Chet. Comme par hasard, il se trouvait une fois de plus de l'autre côté de l'océan. Carol était folle d'inquiétude. Elle avait besoin d'être rassurée, de se sentir épaulée en un moment pareil, n'importe qui peut le comprendre. Elle a laissé je ne sais combien de messages. Il ne l'a jamais rappelée. Il n'a même pas adressé à leur fils, qui en aurait été si content, un petit mot sur un coin de carte postale. Eh bien, quel est le commentaire de Carol, quand Bruce, avec ses gros sabots, ramène cette vieille histoire à la surface ? Simplement ceci : « Il n'a peut-être pas pu affronter la situation, voilà tout. » Ça, pour moi, c'est la réaction d'une *femme*. Vous comprenez ce que je veux dire ?

Pendant plus de dix ans, après que son mariage avec Carol se fut « détérioré », comme elle dit, Chet a été celui qui n'arrive pas quand on l'espère et qui ne s'annonce jamais quand il arrive. Ils n'ont guère vécu ensemble, mais c'est une manie qu'il a passée à son premier enfant, Chet Aftab Baker, le fils de la Pakistanaise. En grandissant, Chetie est devenu à son tour une espèce de nomade. Il a une jolie voix, il ramasse les chiens perdus, il n'arrête pas de changer d'auto, d'aller d'un endroit à un autre et personne ne saurait dire de quoi il vit. Il a tout le temps des tas de projets dont il ne souhaite pas parler, mais jamais aucune idée bien arrêtée sur rien. Il téléphone sans raison. Une fois l'an, il nous tombe dessus, à Stillwater, dans l'espoir qu'il croisera son père chez nous. Il l'a toujours raté. Systématiquement. Ça le rendait fou furieux, mais ses colères n'arrangeaient rien. La preuve : il a même fini par rater Chet à son enterrement ! Tout le monde ne serait pas capable d'un pareil exploit. J'ai l'air de rire, pardonnez-moi – mais que me resterait-il, autrement ?

Dans le film, mon garçon prétend qu'il a voulu inculquer à ses gosses au moins un grand principe : « Il faut trouver quelque chose qu'on aime vraiment, et faire cette chose-là mieux que personne. » C'est une des deux séquences qui m'ont bouleversée. D'abord parce que ça voulait peut-être signifier qu'en dépit des apparences il n'avait pas gâché sa vie ; qu'en dépit des apparences il avait mieux réussi que l'immense majorité des êtres humains ; et surtout *qu'il en avait conscience*, qu'il s'en irait réconcilié avec le monde, quand il lui faudrait partir, réconcilié avec le bon Dieu et pourquoi pas, in extremis, avec lui-même. Qui sait ? Qui peut savoir ? Et puis, l'entendre prononcer cette phrase m'a tiré des larmes, parce qu'il s'agissait, mot pour mot, d'une maxime que

Dad avait inventée, qu'il lui a sortie – je l'entends comme si c'était hier – le jour où Chet a voulu quitter l'école pour l'armée, et qu'il lui a souvent répétée par la suite, jusqu'à ce que paraissent les premiers articles sur le quartette de Gerry Mulligan.

Mon garçon s'en était donc souvenu toute son existence… Et si – j'y songe brusquement – la plus grande partie de ses problèmes venait de là ? Si ses pires misères résultaient d'un acharnement qu'il aurait mis à suivre ce principe à la lettre, contre vents et marées ? Dad n'avait jamais dit, j'en suis certaine, « faire mieux que personne *à n'importe quel prix* » – mais si c'était ce que le petit avait cru entendre ?

Ce qui m'a le plus émue de tout, dans *Let's Get Lost*, c'est une chose qui tombe de la bouche de mon garçon, vers la fin.

Il y a eu toutes ces interviews, tous ces aveux atroces, toute cette indécence, cette indignité, toutes ces vengeances, toutes ces bassesses, tous ces racontars qui n'ont même pas besoin d'être faux pour être moches, il y a eu cette grosse patate ridée en short de tennis (je parle de moi), cette Ruth et sa bouche qui promet des choses, d'anciennes photos, de vieux bouts de films, d'émissions de télé, des coupures de journaux, le bonheur exténué de Chet sur une banquette d'automobile filant entre les palmiers, des scènes dans une sorte d'hôtel ou de motel où l'on n'aperçoit pas d'autres clients, des scènes dans la nuit, des scènes de fête, des scènes où des gens parlent de manger des plats mexicains et puis les autos tamponneuses. Il y a eu, pour commencer, le moment où Chet, affublé d'un chapeau de touriste, titube et danse sur le sable de Santa Monica, chante cet air qu'il sifflotait sans cesse à son retour d'Allemagne : *Night in Tunisia*, qu'il avait appris à son père. Il dit du bien de son fameux Gillespie, dont il nous rebattait déjà les oreilles en ce temps-là, je me souviens. Il y a eu aussi le moment où il se trouve au Festival de Cannes, où il a peur des gens devant qui il doit jouer, où il leur demande de faire un peu attention, s'il vous plaît, parce qu'il va leur interpréter quelque chose qui se joue avec le cœur – et il se met à chanter *Almost Blue*, une ballade qui ne date pas de quand il était gosse : la dernière, en fait, qu'il ait mise à son répertoire avant de disparaître. Et puis – et là, je ne sais pas, il est possible que lui-même ait oublié que la caméra continuait de tourner – Bruce veut savoir si, lorsque mon garçon repensera au tournage du film, à l'après-midi sur la plage et la suite, il se dira que c'était le bon temps. C'est alors que vient ce que je préfère. Ce qui n'a pas de prix à mes yeux. Ce qui m'a brisé le cœur à jamais et que je me repasse pourtant en boucle dans ma tête, avec... avec gratitude, est-ce qu'on peut dire ça ? Est-ce que ça peut avoir le moindre sens à vos yeux : avec gratitude ? Chet répond que, bien entendu, il va se dire ça ; que c'est forcé. J'aurais pu répondre à sa place. Je connais son point de vue sur la question. C'est le mien. Et Dad pensait la même chose que nous, surtout après qu'il a dû renoncer à la musique. Tout ce qui n'est plus, c'est ce qu'on a de plus précieux. Si on ne le chérissait pas, ça serait déjà mort. Ça ne tient plus qu'à notre amour, lequel en a besoin pour avoir de la mémoire, pour avoir de la pesanteur, pour n'être pas seulement un amour de cour d'école et de banquette arrière de Chevrolet, que le moindre souffle emporte. Sans la nostalgie, nous ne serions que des espèces de feux follets, de cerfs-volants.

Tous les Baker savent cela. Mais ce n'est pas ce que mon garçon a expliqué. Il a dit autre chose à ce Bruce.

Une chose à laquelle je ne me serais jamais attendue. Il lui a dit (et il parlait, je le rappelle, d'une promenade au bord de l'eau, d'un tour de manège, d'un tour en auto, de marcher quelque part sur un balcon) : « C'était si beau, tout ça ! C'était un rêve. Des choses pareilles, ça n'arrive pas… » Puis il a ajouté, comme pris d'un remords : « Ou alors, à très peu de gens. »

Témoignages divers (VI)

Micheline Pelzer : « J'ai refusé de figurer dans *Let's Get Lost*, tout comme Halema et Lili Rovère. En revanche, le film que je trouve très beau, c'est *Chet's Romance* de Bertrand Fèvre, que Chet a vu et qu'il aimait… »

(Propos recueillis par Gérard Rouy et reproduits dans son *Chet Baker*, op. cit.)

Carol Baker : « Je suis extrêmement triste pour Chet du portrait que Bruce Weber a tracé de lui dans *Let's Get Lost*… Ce monsieur n'avait pas la moindre idée de sa véritable personnalité. Il a braqué le projecteur sur les aspects négatifs et parfaitement ignoré le côté positif des choses, qui n'était pourtant pas négligeable… »

(Déclaration publiée dans le premier numéro de *Chet's Choice*, « newsletter dedicated to Chet Baker and his music ».)

« *(Ruth Young)* l'a ramené à l'héroïne. À partir de là, tout est allé de travers. (…) Il n'y avait rien que je pouvais faire. Je l'ai laissé partir. Officiellement, nous n'avons jamais divorcé. Et nous ne nous sommes jamais dit adieu. Chet s'en est allé en 1975 et, depuis lors, nous avons vécu une séparation de fait. Ce ne devait être qu'une tournée comme une autre, mais *(cette fois)* il est parti et n'est pas revenu. On ne l'a revu que dix-sept mois plus tard. J'ai su alors qu'il se droguait de nouveau. Il y a une chose que vous devez savoir aussi : quand Chet est sous l'emprise de l'héroïne, c'est quelqu'un que l'on peut manipuler sans peine. Il n'a plus de volonté propre. Il a été la victime du milieu du jazz et de ses amis. »

(Propos cités par Jeroen de Valk dans son livre *Chet Baker : his life and music*, traduction anglaise publiée en 2000 par Berkeley Hills Books d'un ouvrage édité à l'origine en néerlandais.)

Micheline Pelzer : « On dit souvent que si on prend de la méthadone, on ne peut plus prendre d'héroïne, on n'en sent plus l'effet, mais Chet a toujours fait les deux. Sauf en 1977, quand il a voulu arrêter la méthadone, il a tenu un mois. J'ai assisté à la première fois où il a repris de l'héroïne à Paris, en janvier 1978. C'était reparti de plus belle. »

(Cité par Gérard Rouy dans *Chet Baker*, op. cit.)

Chet Baker : « J'ai près de cinquante ans, je me suis adonné à la drogue sur une bonne partie de ma trajectoire. Je me suis résolu à décrocher, et j'y suis parvenu tout seul. J'imagine que j'ai pris conscience qu'il n'était que temps de prendre cette décision. J'ai tracé un trait sur cette partie de mon existence… À présent (…), je ne suis plus un camé, je n'ai plus ce poids qui m'écrase… »

(Entretien avec Bob Rush, publié en mars 1978 dans le n°4 de la revue *Cadence.*)

Carol Baker : « Plus tard, Ruth a disparu et Diane a fait son entrée. C'était une autre Ruth, taillée dans le même bois. »

(In *Chet Baker : his life and music*, op. cit.)

Chet Baker : « Diane et Carol se connaissaient parce qu'en 1970 Diane faisait du baby-sitting pour nous. (...) Depuis ce temps-là, nous avons toujours été proches... Ruth était une femme pleine de vivacité, à l'esprit ouvert, qui se faisait facilement des amis, ne rechignait pas à sourire et ne manquait pas d'intelligence. Elle adorait danser et chanter. Nous nous sommes mis ensemble et cette situation a duré plusieurs années, six ou sept. Pendant tout ce temps, je l'ai poussée à chanter avec mon orchestre... »

(Propos tenus dans *Let's Get Lost.*)

Gerry Teekens (fondateur de la compagnie phonographique néerlandaise Criss Cross) : « Ruth Young a oublié d'être bête. Et ce n'est certainement pas le genre de femme à avoir la langue dans sa poche. Lorsque je me trouvais en 1982 à New York, où je devais faire un disque avec Warne Marsh, Chet vivait *(encore)* avec elle. Peu de temps après, j'ai entendu dire qu'il avait vendu son piano – disant que, de toute façon, elle n'était plus capable d'en jouer –, ainsi que son manteau de fourrure. Ce fut la goutte d'eau qui fit déborder le vase. Ruth a mis fin à leur relation à ce moment-là. Diane n'était pas exactement "une autre Ruth" *(comme l'a prétendu Carol)*. Ruth avait du mordant et pouvait se montrer une vraie peste si elle le voulait. Diane était beaucoup plus gentille. Beaucoup plus douce. C'était une fille adorable. Elle prenait bien soin de lui. Je l'admire d'être restée avec lui – avec quelqu'un d'une humeur si peu prévisible. »

(In *Chet Baker : his life and music*, op. cit.)

Diane Vavra : « Il est à ce point obsédé par la défonce qu'il lui est impossible de mener ce qu'on appelle "une vie normale". Il en est tout simplement incapable. Planer, c'est la première de toutes ses priorités. Si vous voulez une famille, un foyer, vous ne pouvez pas vous défoncer chaque jour que Dieu fait. Pour commencer, cela reviendrait trop cher. Il est conscient de cela et, de temps en temps, il me dit... qu'il va arrêter. "Tu ne vois donc pas ? Je n'en prends plus autant qu'avant. Écoute, laisse-moi me retourner. J'arrêterai." Mais nous savons tous les deux que ça n'arrivera pas. Faire semblant d'y croire est un jeu entre nous... »

(Confidences au cinéaste Bruce Weber.)

Peter Huijts (manager des tournées de Chet en Europe et au Japon, dans la dernière partie de sa carrière) : « Je n'ai jamais entièrement compris Diane. Comment quelqu'un peut-il rester si longtemps avec un homme qui cause tant de problèmes ? Qui est à peu de chose près un asocial ? Et si jaloux, par-dessus le marché. Sans doute éprouvons-nous tous la crainte d'être trahis, mais chez les junkies, ce genre de sentiment se trouve renforcé. Une chose est certaine, il a pris conscience du fait qu'il était impossible de vivre éternellement avec un type comme lui. Il y eut alors des hauts et des bas *(dans leur relation)* : elle allait régulièrement rendre visite à sa famille en Amérique... Je pense qu'ils avaient besoin l'un de l'autre. Diane avait des difficultés à prendre des décisions en toute indépendance… Bon. Pourquoi aimons-nous Chet, tous autant que nous sommes ? Vouloir analyser la chose, c'est se confronter à un casse-tête. Personnellement, je n'ai jamais rien reçu en retour de ce que je pouvais lui donner. Rien que sa musique, le soir, lorsqu'il était en scène. Une fois je lui ai dit : "Il n'y a que là-haut que tu parviens à communiquer avec les autres." Il m'a regardé à travers les petites lunettes qu'il mettait pour lire, m'a adressé un sourire acidulé et a marmonné quelque chose comme : "T'as compris ça tout seul, hein ?" Avoir un entretien approfondi avec Chet relevait de l'exploit. En général, la conversation restait superficielle… Il était sujet aux changements d'humeur, passant d'un extrême à l'autre. Vous étiez assis avec lui au restaurant et, tout à coup, il pensait à quelque chose qui le perturbait. Un événement qui venait de se produire ou un événement du passé. Et c'étaient les insultes, c'était la rage. Souvent, les questions d'argent le mettaient dans ce genre d'état. Ou le fait d'avoir attendu trop longtemps le verre d'eau minérale qu'il avait commandé. Ça pouvait le déstabiliser complètement. Exhiber sa fureur lui était plus facile que de se montrer amical. Son corps et son esprit n'étaient pas synchrones. Il n'était plus capable de considérer les choses de manière rationnelle. »

(In *Chet Baker : his life and music*, op. cit.)

Carol Baker : « Il s'en va comme il s'en vient, j'accepte cette situation. Vous êtes toujours assez surprise, cela dit, quand vous avez prévu un dîner, par exemple, que vous rentrez des courses avec pour quelques dollars d'épicerie et qu'il est parti. Vous vous dites : "Que vais-je bien pouvoir faire de toutes ces provisions, à présent ?" »

(In *Let's Get Lost*, op. cit.)

« Peut-être était-il nécessaire que ça se passe ainsi. S'il était resté à la maison, peut-être n'aurait-il pas offert autant de musique à notre monde. C'est justement dans les dernières années de son existence qu'il a plus souvent joué, plus souvent enregistré qu'il ne l'avait jamais fait jusque-là. À croire qu'en Europe tout un chacun était avide de l'écouter. Il a rendu énormément de gens heureux avec sa musique. Sans doute n'aurait-il jamais atteint ce but s'il s'était installé ici en Oklahoma. »

(Déclaration citée dans *Chet Baker : his life and music*, op. cit.)

Melissa Baker (à une question posée par Bruce Weber) : « *(Le genre de vacances que j'aimerais prendre avec mon père ?)* Euh, une croisière, je pense. Parce qu'il ne pourrait pas quitter le navire ! Il ne pourrait pas s'évaporer. Pendant quelques jours, on serait capable de suivre sa trace. Vers une île, vous voyez ?, une toute petite île. Ce serait probablement ça, les meilleures vacances *(que je pourrais passer en sa compagnie).* »

(In *Let's Get Lost*, op. cit.)

Peter Huijts : « J'ai rencontré les trois enfants qu'il a eus de son troisième mariage. Tous avaient alors passé vingt ans. Son fils Paul a quelque chose de son arrogance. Sa fille tient un peu de lui par le caractère. Quant à Dean, l'aîné, c'est le portrait du cher et doux garçon que son père fut aussi. »

(In *Chet Baker : his life and music*, op. cit.)

Gérard Rouy : « En 1987, Chet Baker pense s'installer avec Diane. Il hésite entre Amsterdam, l'Italie et la

France, où le pianiste Joachim Kühn connaît une maison à louer près de la sienne... À la mi-février *(1988)*, au terme de nombreuses disputes, Diane est provisoirement repartie aux États-Unis. »

(*Chet Baker*, op. cit.)

Jeroen de Valk : « ...durant cette période, Chet avait de nouveau perdu le contrôle de lui-même. Sa consommation de drogue ne connaissait plus de limite. Pire : Diane le quitta et s'en retourna aux États-Unis. On ne sait pas précisément ce qui provoqua son départ – une simple chamaillerie aurait *(alors)* suffit pour mettre en péril la relation houleuse qu'ils entretenaient. Chet ne la reverrait jamais. »

(*Chet Baker : his life and music*, op. cit.)

Micheline Pelzer : « *(Après leurs retrouvailles en 1982)* il aimait follement Diane : il avait même voulu l'épouser et sa femme Carol, qui n'avait jamais voulu divorcer quand il était avec Ruth, était prête à le faire pour qu'il puisse épouser Diane. Tout ça malgré un incident aux States, en 86, où Chet s'est retrouvé chez Carol et ses enfants après une scène avec Diane. Il avait une moto, il a pris sa trompette, il a traversé tout le désert sans dormir, a foncé de San Diego jusqu'en Oklahoma chez sa mère et sa femme, il est arrivé avec les mains brûlées. Je l'ai vu après à Chicago, les mains dans un bel état ! Il était furieux contre Diane... *(Dans les derniers mois de sa vie)* il a gardé pas mal de temps *(une somme d'environ 35 000 francs français)*, car il voulait louer une très belle maison dans la vallée de Chevreuse. Il a conservé l'argent pour le loyer et la caution. Il avait l'intention d'y habiter avec Diane. Il était sûr qu'elle allait revenir, mais son absence le désemparait : il sentait que Diane ne l'aimait plus. Au téléphone, elle lui disait toujours qu'elle allait revenir "dans un mois". Il avait de l'argent. Il avait fait tout ce qu'il fallait pour qu'elle revienne. Au bout de trois ou quatre coups de fil et trois mois d'attente, il me dit un soir après un concert, la voix très fatiguée : *"You Know, love is blind"*... C'est à ce moment-là que la grande dépression s'est enclenchée : après *(un ultime échange avec Diane au téléphone)*, tout s'est déroulé très vite en l'espace d'une semaine. »

(Propos rapportés par Gérard Rouy dans *Chet Baker*, op. cit.)

Ce furent dix années crépusculaires. La lumière qui s'attardait sur la ligne d'horizon était un filet d'or pur versé d'un creuset caché aux regards : un creuset sans fond, sans fin, une marmite de géant pour un type haut comme trois pommes, plus léger qu'une plume. Un très vieux petit garçon. Un cow-boy sans cheval.

À pleines mains ou du bout d'une longue, longue cuillère, il touillait là-dedans – lui qui avait eu le visage d'un ange – le brouet du démon. Il malaxait une souffrance féconde. Une souffrance féconde et féerique. Cette marmite était le tonneau des Danaïdes, employé au supplice de Tantale en raison d'intérêts supérieurs.

Vous n'êtes jamais en manque. Vous n'êtes jamais rassasié. Ni de la poudre d'ange, ni de la beauté d'ange, ni de l'amour de vous. Vous avez les mains pleines, mais ne parvenez pas à les refermer sur la plus petite des choses qui vous mangent dans la main.

Il y eut dix années de clarté sourde. Dix années de lueur acharnée, crevant les ombres, épuisant les ombres, rejetant les ténèbres comme le sable repousse la mer qui revient. Dix années pour que fondent les ailes d'Icare.

Pour qu'un héros très ancien, malgré tout plus vieux que son âge, et plus jeune que sa propre jeunesse, s'écrase parmi les aiguilles mortes des *Christmas trees*, lesquelles n'ont jamais amorti la chute de rien ni de personne, bien qu'elles aient été spécialement conçues pour cela. Dix années pour tomber, dix années pour s'arracher enfin du sol, en dernière extrémité. Telle une Alfa Romeo 164 de couleur crème, lancée à la pointe du jour sur une autostrade italienne : l'un de ces chemins qui mènent à Rome, qui mènent à l'éternité en lui tournant le dos. En fuyant à sa rencontre par des chemins de traverse – déviations insolites, promises comme des menaces, *Detour Ahead*, détours incertains. Les chemins des écoliers de la passion buissonnière et de l'urgence vagabonde. La voie royale et la piste sanglante d'un criminel revenant sans cesse sur les lieux du crime qui l'éclabousse de la tête aux pieds et qu'il se reproche pourtant de ne pas avoir commis, – revenant là-bas et trouvant au bord de sa route mille témoins pour jurer de son innocence. Pour dire qu'il ne ferait pas de mal à une mouche et croire à ce qu'ils disent, mordicus.

Il y eut des péripéties, des circonstances. Ce furent des années de musiques, de mirages, de couleurs, de bouquets, de matins, d'étoffes, de reflets, de paupières, de regards fripés, fumés, fanés. Avec des jours d'obsèques. Et d'épiphanie. Les années de l'exil et de l'apothéose. Sur la pente d'un déclin triomphal, mais qui s'en avisait ? Qui le pensait vraiment ? Qui s'en souciait, au fond ?

On l'avait tant aimé quand il y fallait une espèce de courage (un certain acharnement à se donner du plaisir interdit). On l'aimait tant d'être revenu d'entre les morts, chantant *She Was To Good To Me*. De nous avoir été fidèle, quand nous regrettions publiquement notre amour pour lui. On l'aimait tant de nous avoir jadis inspiré cet amour à présent resurgi de ses cendres… On l'aimait tant, tant et plus. Plus les années passaient, plus nous l'aimions, et pareils à Vera, Carol, Melissa, à toutes les femmes et les filles restées en arrière –, plus nous l'aimions, moins nous avions besoin de sa présence.

Avec notre tendresse farouche, mais qui ne nous coûtait rien, parce que rien ne pouvait plus l'effaroucher, nous pensions, je le crains, lui faire une fleur, lui accorder des indulgences (une entrée à l'œil dans l'empire des nuages, à condition de passer par la porte de derrière). On trouvait qu'il ne s'en tirait pas si mal après tout, pour un sursitaire de longue date, ce vieillard précoce, suçotant, remuant son dentier, mais à la puérilité incurable. Cet homme à qui l'on portait des toasts sans le recevoir à la table du banquet. Cet enfant cadavérique qui avait depuis longtemps son billet de passage, son ticket de transfert au fond de sa poche, avec son linceul par-dessus : les seules choses qu'il n'avait pas cherché à revendre ; les seules que personne n'avait essayé de lui prendre.

Nous – car c'est de nous, malheureusement, que je parle – nous, on ne voyait pas, aveuglés par cette dévotion dont nous restions si fiers, bien qu'elle fût devenue fort commune (et pour un peu obligatoire), on n'entendait même pas qu'il ne jouait plus ce qu'on attendait de sa part, en bien des circonstances. Il jouait autre chose, autre chose et davantage. Tellement plus que ce qu'il espérait, en vérité, que lui-même avait cessé depuis longtemps de s'y attendre, ou simplement d'en rêver. Il n'osait plus désirer ce privilège, alors qu'il le possédait déjà. Une fois de plus, il négligeait de refermer les mains.

Il négligeait tant de choses… Nous l'avions tant négligé sous prétexte que, ressuscité d'entre les morts, il était devenu immortel. Immortel comme l'amour un peu distant, un peu frivole, que nous lui portions désormais, sans voir à quel point nous, nous avions changé.

Cette chose inespérée qui, parfois, se jetait à sa tête, souvent lui échappait. Souvent elle filait à l'anglaise, du plus loin qu'elle l'apercevait dans son T-shirt élavé, dans ses jeans élimés. Volage, traîtresse, indocile, capricieuse, éphémère au-delà de toute expression, elle n'en ressemblait pas moins à la grâce. Pas seulement à la grâce de Fred Astaire : à la grâce infinie, surnaturelle, qui vous vient de plus haut. À la grâce des Élus. Celle que vous pouvez égarer, si vous êtes comme Chesney Henri Baker Junior sujet à de graves négligences, mais qui sait toujours, elle, qui sait toujours où vous retrouver.

Ce furent des années où l'on penche, irrésistiblement. Où quelque chose en vous, cependant, s'éveille et se dresse. Tu sombres et tu ne t'abîmes pas. Tu fais naufrage, mais trouves quand même la route des épices, l'adresse des Indes galantes sur le compas englouti. Tu fermes les yeux. Des parfums inconnus s'échappent du couvert des lataniers, s'élancent jusqu'à toi du labyrinthe des mangroves. Ils se bousculent dans le vent afin de palper, de sculpter ton visage famélique, tandis que tu t'enfonces, irrésistiblement, dans les eaux troubles de l'oubli, et qu'il n'y a plus que l'eau, le sel, les profondeurs, la mort, pour recevoir le baiser de tes lèvres gercées par le froid de l'embouchure.

Ce furent des années où l'impuissance et la fertilité vécurent à la colle. Se firent en ribambelle des enfants dans le dos, abusant l'une de l'autre sans scrupule. Ces années ne passèrent pas comme un songe, sauf pour nous qui ne jouons pas de la trompette, qui ne chantons pas *Daybreak* au fond de la mer. Elles ne passèrent pas non plus par pertes et profits, bien au contraire. Ce furent des années où tout restait toujours possible : le printemps au détour du carnage, la détresse au milieu des bravos ; les soirs qui s'allongent en plein soleil, un retour d'enfance au soir de la vie. Ce furent des années frêles et invulnérables. Les fils rentraient à la maison, un jour ou l'autre. On vit la neige d'Oklahoma tomber dans les rues d'Amsterdam. Les flocons défleurir sur l'huile noire des canaux. Un hamster pédalait dans le bocal de poissons chinois. L'écho du silence chassait devant nous le bruit de nos souliers...

Jacques Pelzer était toujours là. Chet ne faisait rien pour les retenir, mais il ne se défaisait pas de ses amis. Le 28 décembre 1978, à Paris, Gilles Gautherin obtint de lui ce *Broken Wing* où prennent naissance ces dix années de clair-obscur, ce long crépuscule qui gardait en ses plis la fraîcheur d'une très ancienne aurore, toujours inviolée. Il jugeait ce disque « valable ». Il trouvait que Jean-François Jenny-Clark était « un bon bassiste ». Il disait : « Lorsque le soleil se levait, toutes ces maisons se teintaient d'orangé, d'or, de mauve – d'une centaine de fantastiques nuances – ; Paris, mon vieux, est vraiment beau. » Il savait, ou ne savait pas, qu'Ernest Hemingway avait écrit : « Paris valait toujours la peine et vous receviez toujours quelque chose en retour de ce que vous lui donniez. » Puis qu'il avait ajouté : « Mais (*Hem écrivait « mais » ; cela signifiait bien autre chose*) mais tel était le Paris de notre jeunesse, au temps où nous étions très pauvres et très heureux. » La musique de Chet rêvait qu'ils avaient été très heureux dans le temps.

La musique a poursuivi ce bonheur avec une insistance extrême, une application considérable. Il enregistra un autre disque le lendemain. L'année suivante, il en enregistra onze, dont trois dans la nuit du 4 octobre, au *Jazzhus Montmartre*, avec Doug Raney, fils de Jimmy, et Niels-Henning Orsted Pedersen. Il enregistra plus de disques que le Ciel ne pouvait en bénir, mais le Ciel bénit plus de disques de Chet qu'il n'était concevable. Chet forçait sa chance et sa chance finissait par se laisser forcer, dans la plupart des cas. Même quand elle était rétive, elle ne parvenait pas à lui résister.

Il enregistra partout et tout le temps. Il retrouva sur des estrades, dans des studios, des deux côtés de l'océan, Ron Carter, Tony Williams, Kenny Barron, Stan Getz, Bud Shank, Hal Galper, Bob Mover, René Urtreger, Pierre Michelot, Jim Hall, Steve Gadd, Kirk Lightsey, Maurice Vander, Herman Wright, Herb Geller, Giani Basso. Il ne retrouva pas Zoot Sims, c'est dommage. Bruce Weber raconte dans son film qu'il est tombé sur Chet à New York, un jour par hasard, en 1985, au coin de la Ve avenue et de la 57e rue. Le trompettiste était assis au volant d'une Chevrolet décapotable garée le long du trottoir. La couverture de toile n'était pas rabattue. Il neigeait sur Chet Baker. « Ses cheveux, rapporte le cinéaste, étaient gominés à la perfection, comme au temps où il était jeune et beau et se produisait en Italie. » Et il se foutait bien de la neige, comme il se foutait bien du froid et du vent, et de tout le reste, et sans doute de lui-même, à cet instant précis. Chet écoutait la radio de la voiture : elle diffusait un disque de Zoot Sims. Cette année-là, au tout début du printemps, lorsque la neige se ferait plus rare, Zoot s'en irait loin d'ici, loin de nous, sans nous demander la permission. Aux dernières nouvelles, il n'est toujours pas rentré.

En 1981, Chet Baker confiait à Maggie Hawthorn, journaliste du mensuel *Down Beat* : « J'imagine que je pourrais m'établir quelque part et repousser toutes les propositions qu'on me ferait, si elles me rapportaient moins de cinq mille dollars par semaine. Mais, dans ce cas-là, je ne travaillerais guère. Or, j'aime jouer. Je travaille pour des cachets beaucoup plus modestes que certains confrères, mais on fait appel à moi beaucoup plus souvent. »

Ce furent d'étranges années, vraiment. Son train de vie pendant cette ultime décennie fut celui d'un vagabond doré sur tranche, c'est-à-dire une énigme insondable pour les sédentaires qui ne sont pas musiciens de jazz et ne consomment pas de substances stupéfiantes. Sa prothèse dentaire ne sortait pas d'un atelier prestigieux et, en conséquence, ne bénéficiait pas de toutes les avancées de la technologie (Micheline Pelzer rapporte que lors d'un concert au Zaïre, en 1977, l'appareil se détacha de sa bouche et tomba sur le sol, retenant la trompette entre ses mâchoires). On pouvait lire à travers certains de ses T-shirts. Jamais il ne posséda beaucoup plus de choses que celles qu'il portait sur le dos. Encore ne surveillait-il pas ces maigres biens très jalousement, comme sont habitués à le faire les errants, qui, c'est un comble, doivent les protéger sans cesse des convoitises. Nombre de personnes indélicates mirent sa distraction à profit. Voler la trompette de Chet Baker devint un sport international. Dans l'urgence, il joua sur des trompettes d'étude, des trompettes d'occasion, des trompettes du dimanche aussi, telle la *Vincent Bach Stradivarius*, que lui prêtaient des facteurs téméraires. Certaines lui convenaient mieux que d'autres, surtout celles qui parlaient d'une voix basse et profonde, mais, pour l'essentiel, sa musique ne se ressentait pas plus des instruments utilisés que lui-même des variations du climat, à New York ou ailleurs.

Le lundi, il descendait dans un hôtel catastrophique, perdait sans savoir où ni comment les mille dollars grattés lors d'une séance improvisée à la hâte par un lumpen-producteur dans un studio en désuétude (on règle les machines ; on joue une heure en relevant à peine le nez entre les morceaux pour demander si tout est en ordre ; on s'en va sans se retourner) et laissait à chacun le sentiment qu'il faudrait bientôt le ramasser dans le ruisseau. Le lendemain, il achetait une voiture de sport et songeait à s'installer dans un endroit plutôt chic des environs de Paris, où la noblesse plantait autrefois ses châteaux…

S'il n'y avait eu la drogue et les femmes, on pourrait dire qu'il ne vivait que pour la musique. La vérité est plutôt, je crois, que la musique le délivrait de deux soucis majeurs : vivre, justement, et mourir (mourir qui, au quotidien, se révèle une tâche assez fastidieuse, comme il en faisait l'expérience depuis des lustres). Dans la musique, par la musique, il était à l'abri de l'existence. N'ayant plus rien à craindre d'elle, il pouvait même se payer le luxe de porter sur elle un regard nostalgique et improviser, du fond de ce sanctuaire, des phrases plus bouleversantes, parce que plus lucides, que ceux qui luttent au corps à corps avec leur destinée.

Stanislas (dit Stanley) « Stan » Getz

En 1952, j'ignorais jusqu'à l'existence de Chet. Le *Moonlight in Vermont* que j'avais enregistré en mars sous la direction du guitariste Johnny Smith m'avait fait renouer avec le succès *commercial* que m'avait valu mon solo sur *Early Autumn*, gravé en décembre 48 avec Woody Herman. À partir de là, aucun agent ne m'a proposé une seule affaire en dessous de mille dollars la semaine. C'était une jolie somme : elle suffisait à peine, cependant, pour subvenir à mes besoins. Le « cheval » – entendez l'héroïne – est une bête coûteuse et, cette année-là, j'en entretenais toute une écurie. Beverly et moi, nous nous défoncions à mort. Littéralement. J'ai failli y passer plusieurs fois. Je m'accrochais moins à la vie qu'à l'espoir de planer si haut qu'enfin je ne pourrais plus redescendre. Je me disais que, si je parvenais à ce stade, ma musique serait la première à en profiter, mais c'était pour me cacher que la musique n'était plus la première de mes passions.

Je me trouvais en Californie entre la mi-août et la mi-octobre 52. Si la tempête provoquée au *Haig's* par le combo de Gerry Mulligan ne m'a pas laissé indifférent, c'est parce que j'ai toujours considéré que Gerry appartenait avec Bill Evans, Jack Teagarden et moi à la poignée de Blancs qui ont créé autre chose, et quelque chose d'aussi original, que les grands solistes noirs. Et puis, cette histoire de quartette sans piano m'intriguait. Je me suis rendu au club.

Chet avait le regard fixé sur ses pistons et je suis convaincu qu'il ne les voyait pas. Il était perdu quelque part, très loin, enfoncé dans son trip plus qu'aucun junkie de ma connaissance − et le pire, c'était qu'à l'époque, contrairement à Jeru, il ne s'envoyait rien de plus corsé qu'une bonne fumette chaque fois qu'il pouvait le faire sans attirer l'attention. Il n'y allait pas de main morte, je l'admets, mais le résultat n'était quand même jamais que du nirvana de patronage. Ça n'empêchait pas ses chorus de décoller. Lui, ne savait pas encore ce que c'était que de planer pour de bon. Sa musique, en revanche, n'avait plus rien à apprendre sur le sujet. Elle ne ressemblait en rien aux fusées de Dizzy. Pourtant elle grimpait si haut et se mettait à flotter dans le soleil au-dessus des nuages qu'elle avait traversés et dont elle gardait une trace sur elle, une mince pellicule d'ouate, elle oubliait si vite le monde d'en dessous que vous n'aviez qu'une envie : vous accrocher à ses basques au moment où elle quittait le sol. J'étais jaloux de Gerry. Pas de ce qu'il jouait, mais de la place qu'il occupait sur l'estrade, au coude à coude avec ce phénomène.

Il s'y passait, cela dit, quelque chose de bizarre. Chet entendait tout ce que faisait Gerry, et même tout ce qu'il n'avait encore que l'intention de faire. Il lisait en lui à livre ouvert. En revanche − j'imagine que c'est une nuance difficile à saisir −, à proprement parler il ne l'écoutait pas. Sa trompette enregistrait les répliques de saxophone, mais ne jouait que pour son propre compte. Elle était capable de suivre le baryton partout où il se rendait, de ne pas le lâcher d'une semelle, sans jamais pour autant s'écarter si peu que ce fût de son but à elle, ni même de la trajectoire qu'elle s'était fixée pour y parvenir.

Gerry, à juste titre, s'émerveillait de la communication télépathique qui s'était établie entre eux. Chet ne faisait aucun commentaire à ce sujet. Ni d'ailleurs sur quoi que ce fût. Probablement ne s'étonnait-il de rien. Avec le recul, je ne suis pas loin de penser qu'il se foutait pas mal de représenter l'interlocuteur idéal pour un musicien des plus respectés dans le milieu, du moment que lui, Chet Baker, pouvait tranquillement poursuivre son dialogue avec Chet Baker.

Pour ceux qui jouaient avec lui, Chet demeurait inaccessible. Il ne leur permettait pas de violer sa solitude, et lui-même se gardait bien d'en sortir. En échange, il respectait celle des autres, mais ceux-ci ne devaient pas compter sur lui non plus pour y échapper s'ils en éprouvaient le désir. Je n'en avais pas encore pris conscience lorsque j'ai sauté sur l'occasion de remplacer Gerry pendant une semaine.

Au *Haig's*, je voyais bien qu'avec Chet, au lieu de me libérer, j'étais plutôt moins à l'aise qu'avec Miles ou Dizzy, mais je me faisais encore des illusions. Je me rassurais en me disant que la gêne s'effacerait avec le temps. J'ai voulu forcer le destin. En février 53, *Down Beat* a publié une interview de moi où je rêvais à voix haute : j'envisageais de créer un ensemble qui nous associerait, Bob Brookmeyer (mon tromboniste en ce temps-là), le Mulligan Quartet et moi, un ensemble qui serait − ce sont les mots que j'ai employés − « le fin du fin ». Gerry l'a très mal pris. Il a répliqué, dans la même revue : « Je ne sais pas ce que Stan a en tête lorsqu'il parle *(de cette fusion)*, mais je ne suis pas preneur... Des années durant, je suis resté dans l'ombre à écrire des arrangements pour toutes sortes de formations. À présent, avec le quartette, j'ai quelque chose qui n'est qu'à moi. Je ne vois aucune raison de partager ce qui m'appartient avec qui que ce soit. »

Là-dessus, ce vieux Jeru, camé honteux et donc mal organisé, est allé faire un petit tour derrière les barreaux. Dans la mesure où j'avais l'air de lui rendre service, je ne me suis pas gêné pour prendre une fois de plus la relève au *Haig's*, en juin. Selon sa bonne habitude, Chet n'a pas bronché. Ce gars-là commençait à me taper sur le système. Quant à lui, il ne voyait pas en moi, de toute évidence, le genre d'homme avec lequel il serait allé camper un samedi au bord d'une rivière à truites. Tant que nous étions sur le podium, en vérité, ça ne me dérangeait pas. J'avais appris depuis bien longtemps déjà que vous pouvez aimer d'amour une musique qui est le pur reflet d'une âme, alors que le propriétaire de cette âme vous donne des envies de meurtre. Nous n'en étions pas encore là. Disons que nous nous détestions cordialement. Ni plus ni moins que lui et Gerry, après quelques semaines idylliques au cours desquelles ils avaient habité ensemble avec leurs femmes. Dans mon dos, d'ailleurs, Chet n'a jamais dit que du bien de mon jeu. Il le trouve « joli » et, même si ça n'en a pas l'air, de sa part c'est un grand compliment. Cela signifie que pour lui, comme pour Lester, je sais chanter avec mon instrument. Il ne place rien au-dessus de cette qualité-là. De mon côté, je m'obstinais à croire que j'allais avoir grâce à lui la Révélation ; que j'allais connaître enfin le secret du secret de Stan Getz, le petit-fils de Harris Gayetski, ancien soldat du tsar de toutes les Russies, qui avait fui les pogroms d'Ukraine pour devenir tailleur à Londres, dans le quartier de Whitechapel, et qui avait été à deux doigts de prendre le Titanic pour émigrer aux États-Unis avec sa femme et ses enfants.

Nous avons plutôt bien joué au *Haig's* (j'allais dire « évidemment »), mais nous n'avons pas fait d'étincelles, compte tenu de nos possibilités à tous deux. Néanmoins, j'avais toujours la foi. Preuve en est qu'à l'automne, à l'issue d'une tournée avec le big band de Stan Kenton, je retravaillai avec Chet quelque temps. En décembre, nous nous retrouvâmes au *Zardi's* de L.A. puis à Detroit pendant les fêtes, accompagnés par Jimmy Rowles au piano. Nous avons fait salle comble tous les soirs, mais je n'ai toujours pas décroché la lune. Après quoi, j'ai perdu les pédales et commis de grosses bêtises, couronnées par le hold-up foireux d'une pharmacie, qui me valut d'être incarcéré à mon tour. Six mois à la prison du comté de Los Angeles, puis dans la ferme pénitentiaire de Saugus, assortis d'une période de probation de même durée. Moins de quarante-huit heures après ma libération, je me précipitais au *Tiffany Club*, afin d'y faire le bœuf avec le quartette que Chet, ayant rompu avec Gerry, avait mis sur pied.

J'ai conservé l'exemplaire que Monica m'avait offert dans les années 60 du *Lonesome Traveler*[1] de Jack Kerouac. Elle savait ce qu'elle faisait. Sous le titre de *Scènes new-yorkaises*, l'un des textes du recueil évoquait des musiciens (Lester, Trane, Miles, Jay Jay, Don Joseph, entre autres) ou des lieux (le *Half Note*, le *Village Gate* et

---

1. *Le Vagabond solitaire* dans la traduction française de Jean Autret, publiée aux éditions Gallimard en 1971.

le *Village Vanguard*, le *Café Bohemia*) qui m'étaient chers et qui pour la plupart le sont restés, bien que la plupart ne soient plus. Ce bouquin doit encore se trouver quelque part ici, à Malibu, mais je n'ai pas besoin de l'ouvrir pour en citer cette moitié de phrase gravée dans ma mémoire : « Et ce gars, Tony Fruscella, qui est assis en tailleur sur le tapis et qui joue du Bach avec sa trompette… »

Je n'ai jamais vu Tony s'asseoir en tailleur, même pas au bord du trottoir, à six heures du matin, dans un de ces endroits perdus qu'il affectionnait : un de ces endroits où l'ombre, le froid, le silence, tout et n'importe quoi fait vibrer, bourdonner la structure des escaliers d'incendie. Je n'ai jamais entendu Tony jouer Bach (qu'il adorait en effet, cela dit, ainsi que Brahms). Pourtant, je dois reconnaître qu'en deux traits de crayon, un double *paradiddle* de machine à écrire, Kerouac a tracé de l'énigmatique Mr Fruscella le portrait le plus juste et le plus fouillé qui soit.

Si vous connaissez la fameuse photo de Bill Claxton qu'un petit malin a cru bon d'intituler *Birdland. 4 heures du matin* (alors qu'il fait plein jour et que les gens se pressent sur le trottoir), la photo qui représente un personnage anonyme, un paumé squelettique, hébété, halluciné, pas forcément malheureux, peut-être même en extase, dressé entre deux parcmètres, la tête penchée sur le côté, les chevilles croisées, appuyé d'un bras sur un saxophone ténor et accroché de l'autre à l'un des montants du dais protégeant des intempéries l'entrée de la boîte, si vous êtes déjà tombé sur cette image qui a fait le tour du monde (on s'en est même servi pour des cartes postales, récemment), alors vous pouvez avoir un petit aperçu du spectacle qu'offrait Tony lorsqu'il était encore capable de tenir debout. Imaginez, cependant, le même type assis en tailleur, en train de jouer du bout des lèvres une toccata, une passacaille, une cantate à la trompette : le simple croquis, tout à coup, se transformera en allégorie.

Dans les années 47-48, à Manhattan, Fru avait vingt ans. Il gardait sur lui l'odeur de l'orphelinat où il avait passé son enfance, se défonçait plus que Bird et Dexter réunis, buvait comme la bande d'Eddie Condon au grand complet, Pee Wee Russell compris, et faisait peur à tout le monde. C'était le mort vivant du be-bop. Le plus cool que cool des jazzmen américains, en un temps où ne l'être qu'un tout petit peu vous faisait déjà regarder de travers, j'en sais quelque chose. Ce que Miles était à Dizzy, Tony l'était à Miles. Lester adorait Tony. Écoutez ce qui distingue le Lester de la fin du Lester des enregistrements avec Basie et vous mesurerez le fossé qui séparait le jeu de Tony de celui des trompettistes en vogue à l'époque (et auparavant, et même par la suite, dans une certaine mesure). En 1950, Prez a fini par engager ce trompettiste comme lui-même « venu de nulle part » (d'un ailleurs différent mais, par certains côtés, plus proche du sien qu'aucun autre). Hélas, au sein de son propre orchestre, il était le seul à vraiment l'apprécier. John Lewis protestait tout le temps contre la présence de ce junkie dans le groupe (et contre des absences que l'autre ne se donnait même pas la peine de justifier). Bref, Lester a dû se séparer de lui au bout de deux semaines et, comme par hasard, c'est auprès de gens comme Gerry Mulligan et Brew Moore, lestériens invétérés (surtout Brew), qu'on l'a retrouvé un peu plus tard, jamais pour très longtemps.

Fru, ç'a toujours été le chat qui s'en va tout seul. Il se désertait lui-même. Son propre corps ne l'intéressait guère, sauf que c'était le bon endroit pour faire circuler la dope. Son propre destin le laissait de marbre. On m'a raconté qu'il ne s'est pas présenté à des séances que de braves bougres avaient organisées exprès pour lui en se saignant aux quatre veines, parce qu'ils croyaient en son génie. S'agissant de Tony, c'est le genre de bouteillon que je suis prêt à gober avec l'étiquette, l'emballage et la ficelle ! Si ce n'est pas la pure vérité, c'est plus vrai que la vérité elle-même. Comme l'histoire selon laquelle il se rendait aux jams avec son instrument enveloppé dans un sac d'épicerie ou dans une feuille de journal. On disait déjà cela de Bix Beiderbecke. Mais Bix était un passionné : sur Tony Fruscella, tout coulait. Rien ne comptait plus pour lui que la musique, et cependant on avait parfois le sentiment que même la musique ne réussissait pas tout à fait à le convaincre de la nécessité de son existence (de son existence à elle, de son existence à lui).

Je l'ai engagé en novembre 1954. Ce fut la seule fois que je pris un trompettiste dans ma formation régulière. Comme nous n'avons enregistré officiellement que deux morceaux, les gens imaginent que nous n'avons fait que nous frôler. En réalité, notre association a duré huit mois. Le public pense aussi que mon choix s'est porté sur lui parce que son style et celui de Chet présentaient certaines analogies. L'affaire est un peu plus compliquée que cela.

Lorsque l'unique enregistrement publié sous son nom de son vivant est sorti chez Atlantic, l'année suivante, les amateurs, ignorant qu'il était en piste depuis près de dix ans, ont cru, de bonne foi, entendre un disciple de Chet. Pour autant, si étrange que cela paraisse, celui-ci ne s'était pas davantage inspiré de celui-là. Tous deux mettaient Charlie Parker au-dessus de tout, mais ils n'étaient pas les seuls ! Cette vénération commune ne les rapprochait en rien. Chet appréciait-il Tony ? Je serais incapable de vous le dire. En revanche, je peux témoigner du peu d'estime que Tony avait pour Chet. Il lui avait trouvé un surnom, « Chatty », ce qui signifie clairement que, pour lui, la musique de Chet parlait pour ne rien dire. Ça ne tenait pas debout, mais c'était un jugement qui, par son iniquité même, m'intriguait. D'une certaine façon, j'ai souhaité avoir Fru près de moi pour tenter de comprendre son point de vue. Pour saisir – peut-être – ce qui m'avait empêché jusque-là de recevoir de Chet cette lumière sur moi-même que je l'avais cru en mesure de m'apporter.

Je me suis senti vengé de mon échec avec Chet Baker par le mépris que Tony Fruscella lui vouait. En revanche, je n'ai pas percé le mystère. Ni le mystère de cette condamnation, ni celui de cet échec. Et pas davantage le mystère ambulant que Fru incarnait à mes yeux. Un soir, au *Birdland*, nous avons joué *Dear Old Stockholm* et sa trompette s'est mise à chanter quelque chose de si désespéré que je me suis dit : « Ce putain de Rital est en train de réciter le kaddish ! Il est en train de réciter le kaddish sur le cadavre de la musique ! » Mais pourquoi il tenait tant à porter le deuil de la seule chose qu'il eût jamais possédée sur cette terre, ça, je ne suis jamais parvenu à le concevoir.

Tony est mort en 1969. Il s'était retiré de ce monde visible auquel il croyait si peu qu'il n'avait fait que le tâter de la pointe du pied. Il ne s'est même pas suicidé. J'imagine que, depuis longtemps, il avait son suicide derrière lui. C'était une chose acquise, sur quoi il n'y avait plus à revenir. Mourir pour de bon n'était plus qu'une formalité : il n'en avait jamais rempli aucune.

À la demande que je lui présentais, Chet avait opposé une fin de non-recevoir. Par hostilité à mon égard ? Même pas : il ne me détestait pas assez pour vouloir du mal à ma musique. Par indifférence. Parce qu'il ne s'intéressait vraiment qu'à la sienne, qu'à ce qu'il pouvait faire de la sienne. Quand Verve m'a proposé, en 1958, d'aller le retrouver à Chicago et d'y participer à une séance avec lui, j'ai donné mon accord, mais je me suis interdit de me faire la moindre illusion sur les résultats de cette nouvelle confrontation.

Avec le recul, je crois même pouvoir dire que, d'une certaine manière, j'étais décidé à saboter la rencontre. Sans avoir l'air d'y toucher. Sans me déshonorer non plus, il va de soi (d'ailleurs, quand il faut relever les défis de l'improvisation, on n'a pas souvent le loisir d'être machiavélique). Non : je me contenterais d'ignorer mon partenaire, comme celui-ci, ça ne faisait pas un pli, allait continuer de m'ignorer. Chacun de notre côté, nous aurions de bons, voire de grands moments, mais la mayonnaise ne pourrait pas prendre. Or, elle avait pris superbement avec des gens qui n'avaient rien ou pas grand-chose à envier à Mr Chesney Baker : Dizzy, Brook, Oscar, Lou Levy, Al Haig, Horace Silver, Jimmy Raney et encore, six mois plus tôt, Jay Jay Johnson à l'*Opera House* de Chicago et au *Shrine* de Los Angeles. Tout le monde verrait ainsi que ce type-là – dont le prestige, du reste, battait de l'aile depuis son séjour en Europe – était décidément infréquentable.

J'ai fait exprès d'arriver au studio sans avoir rien préparé, même pas une liste de morceaux dans ma tête, sachant que lui-même se pointerait comme à son habitude les mains dans les poches. Je n'espérais pas le prendre au dépourvu (il avait une beaucoup trop bonne oreille pour ça), mais je tenais à lui faire goûter sa propre cuisine. À fumiste, fumiste et demi. Naturellement, il était en retard. J'ai commencé tout seul avec la section rythmique, un trio local qui, lui, était plutôt excité de participer à l'aventure. Nous avons mis en boîte un *Jordu* convenable, me semble-t-il. Chet a fait son entrée. Il a accepté sans broncher qu'on se lance dans un pot-pourri de ballades. Chacun la sienne, bonne excuse pour s'éviter. Je lui ai proposé de jouer lui aussi quelque chose en quartette, sous prétexte de respecter la symétrie, mais la production, pas dupe, est intervenue. On s'est donc mis d'accord sur un *I'll Remember April* qu'on exposerait à deux voix. Le thème expédié, alors que je m'adjugeais le premier chorus, il m'a montré toute sa sollicitude en allant s'allonger sur un sofa installé dans un coin du studio. Il s'était mis aux drogues dures l'année précédente et devait être chargé à bloc : il a fallu le réveiller pour qu'il prenne son tour. Même pas le souci de sauver les apparences !

À défaut d'être captivantes, les trois interprétations déjà imprimées sur la bande magnétique représentaient à elles seules une face et demie d'un microsillon standard. La corvée serait bientôt expédiée. Chet ne se décidait toujours pas à suggérer des morceaux. En fait, il ne m'adressait plus la parole. J'ai tiré de mon chapeau un truc dont j'avais eu l'idée l'avant-veille, dans l'avion : un démarquage de *Cherokee* comme il en existait déjà beaucoup d'autres. De l'autre côté de la vitre, ils m'ont demandé le titre de cette « composition originale ». J'ai répondu sans trop réfléchir *Half-Breed Apache* (« Apache métissé »). Ils ont noté ça bien consciencieusement, pour la pochette et pour la déclaration aux droits d'auteur. J'ai montré à Chet l'introduction et la conclusion sur un rythme de valse que j'avais imaginées, j'ai indiqué aux autres le tempo sur lequel je comptais improviser ensuite (il était suicidaire, mais personne n'a élevé d'objection) et nous avons démarré.

J'avais gravé en 55, avec Lionel Hampton, un *Cherokee* qui négociait les virages sur les chapeaux de roues, mais là, nous étions sur le point de franchir le mur du son ! Le mur, j'espérais en secret que mon camarade allait se le prendre en pleine figure. Ça n'allait pas se produire, mais, tout de même, j'avais obligé ce salopard à sortir de son cocon et à se mouiller. À s'exposer en milieu hostile. Tout sourire, je le regardais s'échiner à sauver les meubles, le mieux qu'il pût faire en l'occurrence. Du coup, il s'était mis à jouer bop. À *vouloir* jouer bop, mais on était loin du compte et il le savait. Le malheureux ne trouvait plus l'issue de secours. Après le solo de piano, je l'ai achevé par quelques *stop-choruses* à ma façon et je l'ai planté là. Ensuite, j'ai attendu la sortie de l'album pour raconter partout que c'était le plus mauvais disque auquel j'avais jamais associé mon nom.

Il m'arrivait encore de le répéter il y a quelques années, par habitude. Je ne sais plus si c'est Victor Lewis ou Kenny Barron qui, entendant cela, m'a ri au nez.

« Tu penses réellement que *Half-Breed Apache* est ce que tu as enregistré de pire, Stan ? Si c'est le cas, alors je pense qu'au jour du Jugement Dieu va hésiter à s'asseoir à ta droite ! »

On a enterré Chet Baker. Moi-même, je ne me sentais plus dans mon assiette. Pour la première fois depuis 58, j'ai réécouté ce morceau. Et je me suis avisé tout à coup que, si je m'étais bel et bien fourvoyé en pensant que Chet pourrait jamais m'aider à devenir meilleur, là n'était pas le problème. Le problème, c'était que, moi, quand je me fourrais dans ses jambes, je l'empêchais d'être aussi bon qu'il en était capable. Qui tenait le mauvais rôle, dans l'histoire, à votre avis ?

En 1964, Gary Burton, qui était entré dans mon groupe à la fin de l'hiver, m'a mis sous les yeux une interview de Chet qu'il venait de lire dans *Down Beat*. Il y était notamment question de John Coltrane : « Souffler pendant cinquante-cinq minutes d'horloge, expliquait Chet, cela fait long. La plupart des gens, vous leur cassez les pieds. En ce qui me concerne, j'aimerais mieux écouter Stan Getz ou Al Cohn... Toutefois, il m'est arrivé d'entendre Trane jouer des choses qui étaient vraiment magnifiques... »

Oui, moi aussi. Et je sais que John disait volontiers que ce qu'il y avait de plus joli dans sa musique venait de moi. Pourtant, c'était avec d'autres aspects de son travail qu'il m'impressionnait. Avec ce que je n'aurais seulement jamais *rêvé* de jouer, même en étant deux fois plus défoncé qu'il m'arrivait de l'être dans ma jeunesse : avec ce qui apparaissait à beaucoup comme une agression (déplorable pour les uns, salutaire pour les autres) contre ma propre musique, un attentat contre tout ce que je représentais dans le jazz. Il y avait là, en effet, comme un désir irrépressible de me liquider, de me massacrer, de me réduire en bouillie. Sauf que moi, devant cette menace, je restais bouche bée, fasciné, persuadé de n'avoir jamais approché le génie d'aussi près. Cette forme de génie, en tout cas : le génie du mal, la beauté du diable. Je pouvais tendre vers Prez, vers Bird ; je m'y efforçais chaque jour. En me dirigeant du côté de Trane, j'avais l'impression de pénétrer dans une atmosphère qu'une tempête, un cyclone agitait en permanence, mais où cependant l'air se raréfiait, devenait plus sec que l'amadou. Un type comme moi ne pouvait que s'y brûler les ailes. La musique de John Coltrane, c'était un univers dans lequel je n'avais jamais mis les pieds et que je regardais quand même comme un paradis perdu. Le compliment de Chet n'avait pas le pouvoir de me consoler de cette perte. Néanmoins, ainsi que Gary l'avait prévu, il m'a mis du baume au cœur.

Chet, néanmoins, avait tort de me préférer à John. J'étais constitutionnellement inapte à suivre ce dernier là où il allait, et plus encore de m'y rendre tout seul. Accueillir ce genre d'éloge, par conséquent, c'était comme, pour un grand fumeur, recevoir une boîte de havanes quand on vient de diagnostiquer chez lui un cancer du poumon. Et puis, je n'avais toujours pas pardonné à mon ancien partenaire l'échec de *Stan Meets Chet*. Ce que je n'arrivais pas à avaler dans cette affaire, ce dont je le jugeais pleinement responsable – ne serait-ce qu'à cause de son chorus fastidieux sur *Half-Breed Apache*, qui semblait fait pour donner raison à Tony Fruscella –, c'était le fait que, lorsque je débinais cette séance, personne ne m'apportait la contradiction. Les gens me laissaient dire que j'avais fait un disque médiocre, comme s'ils n'estimaient pas qu'il y eût un fossé infranchissable entre la médiocrité et moi. Pendant près de trente ans, personne ne m'objecta ni que mon interlocuteur était le principal responsable de ce fiasco, ni que j'avais tiré mon épingle du jeu dans *Apache*. Du coup, je me suis soupçonné moi-même des pires faiblesses. J'avais beaucoup fait semblant, mais, en réalité, je n'avais jamais été très sûr de moi. Surtout après les triomphes d'*Early Autumn* et de *Moonlight in Vermont*, que je jugeais excessifs dans mon for intérieur. La tête rentrée dans les épaules, j'attendais les retours de bâton. L'affaire de Chicago m'a rendu encore plus craintif, encore plus honteux de mes réussites (de celle que j'ai connue plus tard avec la bossa-nova, en particulier). Toute cette merde où j'ai pataugé, je la dois à Chet Baker : à la façon qu'il a eu de s'éclipser, de se coucher et de fermer les yeux, ce jour-là dans le studio, alors que je m'apprêtais à lui en mettre plein la vue.

Ce n'était peut-être pas volontaire, mais, chaque fois que j'ai eu affaire à lui, Chet a tout fait pour que je me sente coupable d'être ce que j'étais. J'espérais m'accomplir grâce à lui, et il remettait en cause ma raison d'exister. Il « aurait mieux aimé » écouter ma musique que celle de Trane ? En attendant, il ne l'écoutait pas. Il consentait à manifester une certaine bienveillance à son égard, mais il n'avait aucun besoin d'elle. Qu'elle existât ou non lui était parfaitement indifférent. Il ne cherchait pas à me détruire. En revanche, il me rejetait dans le néant. Et de constater que nous étions une foule de musiciens à partager le même sort ne me rassurait en rien. Au contraire, c'était comme une manière qu'il avait de me dire : « Stan, j'aime bien ce que tu fais, mais, au fond, tu ne vaux pas mieux que les autres. Il y a eu Prez, il y a eu Bird : à quoi sers-tu, finalement ? »

Lorsqu'il a refait surface en 74 et que quelqu'un a eu la brillante idée de nous réunir et de nous enregistrer à Carnegie Hall, lui, Mulligan et moi, je n'ai accepté que parce que le cachet était substantiel et que, protégé par un contrat d'exclusivité avec une autre compagnie, il n'était pas question que je figure sur le disque. Ils ont pris une paire de ciseaux et ils ont bien proprement coupé la bande magnétique avant et après mes interventions, qui sont allées à la poubelle. Mon nom n'apparaît même pas dans le texte de pochette. Rien ne pouvait me faire plus plaisir. Je voulais bien approcher quelques heures Chet Baker, à condition que ce fût avec des pincettes.

Après cette soirée, il a remonté lentement la pente. Parfois, comme dans le disque où il joue *Un Poco Loco*, il s'élevait jusqu'au sommet d'un seul coup de reins. Mais on pouvait toujours compter sur lui pour redégringoler le lendemain. On me racontait ses malheurs. Je hochais la tête d'un air entendu. En mon for intérieur, je jubilais. En décembre 82, nous avons joué pour Nancy Reagan (elle m'adorait) et le couple Bush à la Maison Blanche, Diz et moi, présentés par le violoniste classique Itzhak Perlman. J'avais fini par prendre à bras-le-corps mon problème de boisson. Je m'étais inscrit aux Alcooliques Anonymes. Deux ans plus tôt, le Mercy College m'avait attribué le grade de docteur honoraire. Maintenant, il était question que j'enseigne à la Stanford University. En fait, j'y avais déjà donné quelques cours. J'avais alors pour agent Jack Whittemore, lequel était devenu mon confident. Le meilleur ami que j'aie jamais eu, en fait. Je pouvais me reposer sur lui des soucis de ma carrière.

Le 19 janvier 83, le pauvre Jack mourut d'une hémorragie cérébrale. C'est alors que j'ai appris qu'il avait arrangé une tournée en Europe et en Arabie Saoudite avec un de ses confrères, un Hollandais du nom de Wim Wigt, fondateur d'un label indépendant baptisé Timeless Records. Trente-deux concerts étaient prévus. À mon insu, ils avaient même été d'ores et déjà annoncés. Au programme, mon groupe du moment : Gil Goldstein au piano (intérimaire de Jim McNeely, qui reprendrait sa place le dixième jour), George Mraz à la contrebasse, Victor Lewis à la batterie – et un invité surprise. Je vous le donne en mille… Eh oui ! Chet Baker.

Mes proches ont tenté le maximum pour m'épargner cette épreuve. J'ai personnellement rencontré ce Wim Wigt. C'était lui qui avait eu l'idée de nos retrouvailles.

Je lui ai raconté que, quelques semaines auparavant, Chet s'était pointé au *Fat Tuesday*, où je me produisais : un clodo du Bowery n'aurait pas voulu de lui pour gratter ses morpions et les seules paroles qui étaient tombées de ses lèvres avaient été : « Hé, vieux, ça boume ? T'aurais pas un billet à me filer ? » Ça l'a fait sourire, le Hollandais. Je l'aurais volontiers étranglé. Faute de quoi, je lui ai balancé dans les gencives : « Écoutez, monsieur. Vous connaissez mon histoire, elle a traîné dans tous les magazines ; on en fera bientôt des livres et des films. Ce n'est un secret pour personne, même pas pour vous qui arrivez de loin, que j'ai passé une bonne partie de mon existence à m'affranchir de la dope. Je ne tiens pas à remettre ne serait-ce que l'ongle du petit orteil dans ce bain-là. Mr Baker y patauge : grand bien lui fasse ! – mais ne me demandez pas d'aller le rejoindre. Je ne sais plus nager dans les fosses à purin. Voulez-vous un conseil, mon vieux ? Organisez une tournée avec lui seul, s'il y a des amateurs. Ou avec moi seul, si vous êtes prêt à vous ruiner pour vous faire un nom grâce au mien. Ou bien – ce serait le plus simple et le plus raisonnable – annulez tout et quittons-nous bons amis. »

Mon petit discours n'a pas eu l'air de le désarçonner. Il m'a fait observer, preuves à l'appui, que Jack Whittemore avait perçu de lui, en mon nom, une avance confortable et que Chet, lui aussi, avait encaissé cinq cents malheureux dollars qui l'avaient rendus, paraît-il, « heureux comme un gosse ». À la rigueur, j'aurais pu me permettre de rompre le contrat que mon agent avait signé sans me consulter. Légalement, avec un bon avocat, ce devait être jouable. Il faudrait à tout le moins rembourser l'avance, mais je n'étais pas sur la paille : un tel luxe restait à ma portée. Dans ces conditions, pourquoi ai-je laissé courir ? Il faut croire qu'on ne peut pas vaincre tous ses démons à la fois. L'un d'eux, toujours vaillant, me poussait à chercher les ennuis en affrontant une fois encore ce que je redoutais le plus et qui pouvait en effet me tuer : la souveraine indifférence de Chesney Baker à toute la beauté que j'étais et serais jamais susceptible de m'arracher des tripes. J'ignorais du reste que l'épreuve serait à ce point pénible. Aurais-je soupçonné les périls que j'allais devoir affronter, il n'est pourtant pas dit que je ne me serais pas jeté à l'eau malgré tout. Avec le même vieil espoir idiot d'un nouveau baptême.

Quand j'ai confirmé mon accord à Wim Wigt, j'ai tout de même posé mes conditions. « Je veux bien vous faire plaisir, lui ai-je dit, mais n'espérez pas me voir fréquenter ce zonard en dehors des estrades. Pas question de le croiser dans les hôtels où vous m'aurez réservé une chambre. Pas question de voyager en sa compagnie : ni à cheval ni en voiture, ni en train ni en avion. Je n'accepterais même pas de passer la douane avec lui ! Ce type a la peste, tenez-le à distance respectable de ma femme et de moi. Ce sera votre responsabilité, mon vieux. Mettez-lui une laisse et, s'il la casse, je vous préviens tout de suite que ce sera pour vos pieds : ne venez pas vous plaindre à ce moment-là ! »

On s'est tous retrouvés à Amsterdam le 7 février, le lendemain d'une messe célébrée à la mémoire de Jack. Il portait ses lunettes. Apparemment, ni cela ni les vexations auxquelles il était en butte par ma faute ne l'aidaient à mieux voir que j'existais. Il planait en permanence. Personne, je crois, n'avait envie de le plaindre. C'était encore un de ses tours : il pouvait se montrer lamentable, mais jamais pathétique. Il vous ignorait, mais il gardait le contrôle de vos sentiments à son égard. Plus j'intervenais dans sa vie, plus j'avais l'impression d'être son jouet.

De tous côtés, on n'arrêtait pas de me murmurer à l'oreille : « Stan ! Ça ne peut pas durer. Qu'est-ce que tu fiches avec une loque pareille ? » Toujours la même chanson. C'était celle que je souhaitais entendre, mais, moi, rien à faire, je percevais tout autre chose. Je percevais ce qu'il jouait et ça me nouait l'estomac. Ça me paralysait les doigts, les lèvres. Au bout d'une semaine, je n'étais plus en mesure de résister à une telle pression. L'alcool et les drogues circulaient en coulisse. La tournée prenait l'allure d'un libre-service de la défonce en tout genre. J'ai replongé. Je me suis remis à boire. J'ai renoué avec la coke. Ça m'a permis de tenir le coup, rien de plus. Chet était à côté de ses pompes, mais, moi, je jouais à côté de ma bouche. Et le public s'en rendait compte. On aurait dit qu'il s'attendait à ce que les choses se passent de cette manière et qu'il s'en léchait les babines par avance. Qu'avais-je donc fait pour mériter ça ?

Je gardais bien sûr mes inconditionnels, qui m'assuraient qu'à côté de moi la *guest star* faisait piètre figure. Certains soirs, de temps en temps, je reprenais en effet l'avantage, alors que Chet s'emmêlait les crayons dans son coin. Ça ne faisait aucune différence : c'était lui que les gens dévoraient des yeux, c'était pour lui qu'ils retenaient leur souffle, et quand ils nous applaudissaient à la fin des morceaux, je voyais bien que c'était à lui d'abord que les bravos s'adressaient. Ils le contemplaient avec amour, abandonné sur sa chaise comme un vieux sac, dans ses fringues pourries, pendant que je jouais de toute mon âme *Blood Count, Dear Old Stockholm*, ou l'un des morceaux qui m'étaient réservés. Pour ma part, je ne pouvais plus le regarder sans dégoût, les vidéos en témoignent. Sans dégoût de moi, c'est ce que les images ne précisent pas...

Je sais ce qu'il est allé prétendre par la suite. Que je lui refaisais le coup de Gerry Mulligan. Que j'étais jaloux. Que je ne supportais pas que l'attention se détourne de moi un seul instant. Que je ne comprenais même pas qu'il ne pouvait pas y avoir de compétition entre nous, puisqu'il n'était pas saxophoniste et ne représentait donc pas – ce furent ses propres termes – « une menace pour moi ».

Comme j'aurais aimé qu'il ne fût qu'une menace ! Il était en train de m'assassiner, c'était ça, la vérité. Et j'assistais à la scène les bras ballants... Il chantait *My Ideal*, par exemple, de sa voix fripée – cette voix d'outre-tombe et de premier matin du monde – et chaque note était un clou qui s'enfonçait dans ma chair. Qui s'enfonçait dans mon cœur, mais le vampire de l'histoire, c'était lui, lui, lui, lui !

Je ne pouvais même pas crier aux personnes de l'assistance les mots qui, du début à la fin de ces concerts maudits, me brûlaient les lèvres : « Mais qu'est-ce que vous croyez ? Il ne vous aime pas ! Il ne vous voit même pas ! Ces phrases qui vous bouleversent ne vous ont jamais été destinées ! » Je ne le pouvais pas parce que je ne les aimais pas non plus. En revanche, je ne jouais que pour eux, anxieux de leur plaire en dépit du mépris qu'ils m'ont toujours inspiré par leur propre mépris de la musique (je parle de leur prétentieuse ignardise en la matière, de leur goût affreux, de leurs partis pris imbéciles). Je mendiais leurs soupirs de volupté et leurs larmes au coin de l'œil et cette lâcheté me donnait, par rapport à Chet, le plus mauvais rôle. Je devais reprendre ma liberté coûte que coûte. Rompre ce charme maléfique.

Mieux valait en finir au plus tôt avec ce qui n'aurait jamais dû commencer et – par ma faute, je ne le nie pas – n'avait déjà que trop duré.

Un accord avait été pris avec les disques Sonet pour enregistrer les deux concerts que nous devions donner le 18 février au *Södra Teatern* de Stockholm. En tant que leader du groupe, je devais percevoir les 17 000 dollars affectés par les producteurs aux cachets des musiciens, à charge pour moi de les répartir entre nous cinq. Mon « invité » aurait dû toucher une part un peu inférieure à la mienne, mais je me suis offert le luxe de ne lui laisser que le double de ce qu'étaient payés les membres de la rythmique, soit 2 000 dollars, le sixième de ce qui allait dans ma poche. J'espère qu'il l'a su : dans ce coup tordu, l'argent que je récupérais m'intéressait moins que l'affront que j'espérais lui faire et le dépit que je comptais lire sur sa figure. Il m'a exaspéré en recevant son enveloppe comme s'il s'agissait d'un don du Ciel. J'avais oublié que la dévotion de tous ces enfoirés en pâmoison sur leurs sièges s'adressait à un traîne-patins qui n'avait pas un sou vaillant.

À l'issue du dix-septième concert, j'ai dit à Wim Wigt : « Bon. Ça suffit. C'est lui ou moi. Ou tu le vires séance tenante, ou je prends le prochain vol pour les États-Unis. » Je jouais sur le velours. Wim était à genoux devant Chet, lui aussi, mais, dans son métier, on ne peut guère se permettre d'être héroïque. Il se serait grillé s'il n'avait pas amené Stan Getz aux gens auxquels il l'avait promis, sans parler de la catastrophe financière. Le lendemain, quand Chet s'est pointé comme une fleur au concert, la sécurité l'a empêché de monter sur scène et l'a escorté jusqu'à la porte de sortie du théâtre. Si je lâchais Wim, mes gars le lâchaient aussi : il se retrouvait avec, en tout et pour tout, un toxico habillé par l'Armée du Salut, qui arrivait en retard aux concerts, quand il n'oubliait pas de s'y présenter. Exit Chesney Baker. Un moment, j'ai pensé à saluer sa retraite en reprenant le *Bye Bye Blues* que j'avais gravé en 57, mais je n'étais pas certain que mes musiciens connaissaient ce morceau.

Témoignages divers (VII)

Wim Wigt : « J'étais très en colère. J'ai pensé que Getz n'avait aucune classe… J'ai tranché en faveur de Getz, toutefois j'ai payé Chet pour les concerts auxquels il aurait dû participer. Il m'a été très reconnaissant de ce geste. (…) À sa demande, j'ai dû ouvrir un compte pour y placer cet argent – la première fois de son existence qu'il avait quelque chose en banque ! En deux mois, il a tout claqué. Il n'était pas encore habitué à disposer d'une telle somme. Ça viendrait plus tard. Auparavant, on ne lui offrait que des jobs minables dans des clubs pas très reluisants : peu de temps après, sa valeur marchande aurait doublé, voire triplé en certains cas. (…) En Europe, par la suite, je me suis occupé de lui trouver des engagements. On lui a proposé de plus en plus d'affaires. Au départ, c'était cinq cents dollars pour une soirée. Au moment de sa mort : mille au minimum. Payés cash en coulisse. Il projetait d'atteindre les mille cinq cents dollars, ce qui lui aurait permis de donner moins de concerts. Dans les derniers temps, il recevait cinq mille dollars par séance d'enregistrement. La première année *(de notre association)*, on ne pouvait absolument pas compter sur lui. Une fois sur deux, il manquait à l'appel. En termes commerciaux, cela signifie un taux d'annulation de 50 pour

100. Peu à peu les choses se sont arrangées. Pour la raison que j'ai fini par savoir le prendre... »

(Propos rapportés par Jeroen de Valk dans *Chet Baker : his life and music*, op. cit.)

Steve Getz : « *(On est saisi par)* l'aisance avec laquelle ces deux vétérans tissent leur magie lyrique en "racontant" des standards sans âge. De temps en temps, j'ai le sentiment qu'il y a là quelque chose d'un art perdu – le romantisme, l'enjouement, le bonheur de jouer. Chet et mon père furent ce que l'école du jazz cool pouvait offrir de mieux à l'époque des *swingers* et des *bobby-soxers*. »

(Extrait du texte de présentation aux CD Concord Jazz *Quintessence volume 1* et *volume 2*, signés The Stan Getz quartet with Chet Baker.)

Alain Tercinet : « L'échec de son premier enregistrement avec Chet Baker avait sans doute laissé un goût d'insatisfaction à Getz. Une série de concerts est mise sur pied. Avec les aléas inhérents aux caractères peu dociles des deux hommes. S'appuyant sur leurs intuitions respectives, ils se lancent dans des entreprises à hauts risques comme l'improvisation collective de *Airegin* ou l'exécution a cappella de *Line for Lyons*. Avec succès. *Stan Meets Chet Baker* est vengé. »

(In *Stan Getz*, bio-discographie publiée en 1989 aux éditions du Limon.)

Donald M. Maggin : « Le jeu de Stan tout au long *(de l'enregistrement effectué à Stockholm)* eut plus de force et se révéla plus expressif *(que celui de son interlocuteur)*, mais Chet montra qu'il était encore capable de toucher le cœur des gens en ciselant des chorus de pure mélancolie sur *My Funny Valentine* et *Stella By Starlight*... »

(In *Stan Getz : a life in jazz*, biographie non traduite en français, éditée en 1996 chez William Morrow and Company, à New York.)

Gérard Rouy et **Gianni Basso :** « L'association de ces deux princes de l'élégance et du raffinement, si elle n'avait été dictée par les desseins mercantiles du manager batave, aurait pu produire sur scène des moments de pure magie musicale. C'est hélas sans compter avec ces éternels et désolants problèmes d'ego entre les deux leaders... En plein milieu de la tournée, après dix-sept concerts, Getz menace Wigt d'annuler la tournée : "Il part ou je laisse tout tomber !" Le trompettiste les quittera sans trop de remords... À l'automne *(1986)*, Gianni Basso a joué avec lui (...) au festival de Maccerata, avec Stan Getz en deuxième partie : "Comme Stan est resté toute la première partie à nous écouter, Chet a essayé de jouer des morceaux originaux. (...) J'ai eu des problèmes toute la soirée, pas tellement parce qu'il y avait Stan Getz qui m'écoutait, mais surtout parce que Chet *(à cause de la présence de Stan)* avait changé tout son programme..." »

(In *Chet Baker*, op. cit.)

Sur scène, c'est une tradition chez les jazzmen. Même en studio, cependant, Chet Baker ne reculait devant aucun face-à-face.

Il y en eut d'assez logiques, comme avec le saxophoniste Warne Marsh, ancien partenaire de Lee Konitz, en 1984. On se garda bien de crier sur les toits que celui-là, dont nous nous promettions tant, nous avait un peu déçus, si fructueux fût-il au fond.

Il y en eut d'assez intrigants, comme ce pas de deux avec le pianiste Paul Bley, l'année suivante. On ne savait au juste ce qu'il fallait en attendre, mais nous fûmes comblés au-delà de toute espérance.

Il y en eut de tout à fait bizarres – et l'on pense bien sûr à l'association avec Archie Shepp, pionnier et conscience du free jazz, en 1988. Bizarre, celui-ci l'est resté, tel un rendez-vous entre deux personnes dont chacune n'aurait pas remarqué la présence de l'autre. (Au moins entend-on, sur le disque, avant leur interprétation de *My Foolish Heart*, Chet déclarer à haute et intelligible voix qu'il ne bougera pas de sa chaise.)

Les rassemblements extraordinaires, cependant, excitaient moins le trompettiste que ses fréquentations

515

quotidiennes. Dans les années 80, on vit et on revit à ses côtés, notamment, le flûtiste Nicola Stilo, le pianiste Harold Danko, les contrebassistes Jean-Louis Rassinfosse et Hein van de Geyn, le batteur John Engels. Le précieux Enrico Pieranunzi, qui fait honneur au « piano-jazz » européen, disait de lui qu'il considérait les standards auxquels il revenait sans cesse comme des êtres humains « en qui l'on peut toujours découvrir quelque chose de nouveau ». Il lui donna la réplique dans plusieurs enregistrements, dont *The Heart Of The Ballad*, un duo sans accompagnement. Chet, dont ce n'était pas l'habitude, laissa un jour à Enrico un petit mot de louange et de remerciement, avant de filer du studio à l'anglaise. Philip Catherine, pour sa part, rejoignit la caravane en 1983, mais il avait déjà épaulé Baker en 81, lorsque lui-même se considérait encore comme un guitariste de jazz-rock et s'imaginait comme beaucoup avoir affaire à un homme remuant les cendres d'une gloire obsolète. (Il tomba de son haut et s'en félicite aujourd'hui.)

Toutefois, s'il ne fallait que deux noms pour évoquer les opérations alchimiques auxquelles Baker se prêta durant cette période, ce seraient sans doute ceux de Michel « Mickey » Graillier et de Riccardo Del Fra. « J'aime travailler avec eux… Michel Graillier est à mes yeux un pianiste de grand talent… Lorsqu'on envisage de jouer sans batteur, Riccardo, par la précision de son tempo, se révèle l'homme de la situation… Je suis perpétuellement en quête de bassistes qui jouent en plein sur le temps, avec une belle attaque et un son qui se prolonge jusqu'à l'attaque suivante… »

Riccardo Del Fra

*(Le samedi 13 juin 2002, j'ai reçu de Riccardo Del Fra
— dont j'avais sollicité le témoignage, à condition qu'il fût
informel — une cassette sur laquelle le contrebassiste avait
enregistré la déclaration qui suit.)*

Bonjour, Alain,

Me voici donc au pied du mur. Cette fois, plus question de reculer : je vais me lancer et tenter de laisser sur
cette bande quelques traces d'une aventure dont je garde
des souvenirs très vifs, mais parmi lesquels règne hélas,
tu voudras bien me pardonner, une certaine confusion.
J'aurais été bien inspiré de prendre des notes quand ils
étaient un peu plus frais. Pour certains d'entre eux, en
effet, plus de vingt ans ont passé...

Je garde une image très précise, en tout cas, du
premier contact que j'ai eu avec Chet Baker. La date ?
1979. C'est en Italie, à Macerata, dans un club baptisé
La Tartaruga, que notre relation s'est nouée. Jamais je
n'avais eu l'occasion de l'accompagner jusque-là. Au
premier abord, j'ai déjà été assez impressionné. Par
l'attitude générale, les postures du personnage, par une
certaine distance qu'il marquait vis-à-vis de nous, ses

sidemen. Bref : par tout ce qui faisait de lui une star *pour l'œil.*

En guise d'ouverture, il a choisi *Stella by Starlight*. Tout le monde joue ce standard en si bémol. Lui a lancé à notre intention : "*In G*" ('en sol'). C'est la tonalité originale, certes, mais quand tu n'as que vingt-trois ans et, du coup, une expérience assez limitée de ce genre de situations, ce n'est pas sans appréhension que tu te livres à la gymnastique mentale qu'exige pareille transposition, accomplie de surcroît "dans le mouvement", en gardant le tempo il va de soi, et tout cela sous le contrôle étroit d'une légende vivante ! De toute évidence, l'homme à qui j'avais été présenté n'était pas de ceux auxquels un contrebassiste peut se permettre de servir une ligne de notes approximatives. Des notes, pour tout te dire, je crains d'en avoir mis pas mal à côté ! Et cependant, la principale impression qui m'est restée de cette expérience éprouvante est une sensation de bien-être. D'assurance, paradoxalement, comme si, avec cet homme-là, tout était facile. C'était au tempo *naturel* qu'il adoptait et qu'il nous faisait adopter naturellement, je veux dire sans contrainte, sans nous imposer de directives.

En compagnie d'autres musiciens, il m'était arrivé de devoir batailler, à la fois pour maintenir une pulsation régulière et pour accorder mon tempo à celui de mes partenaires. Avec Chet, et grâce à lui, les tempos de tous se fondaient d'emblée en un seul. Le métronome fonctionnait parfaitement, condition sine qua non pour que le swing se manifeste. En l'occurrence, il s'agissait d'un swing plutôt décontracté ; pas du tout d'un swing en gros sabots. Cette sensation de confort et de souplesse était des plus plaisantes. Je l'ai retrouvée à peu près chaque fois que nous avons joué ensemble, y compris lorsqu'il n'y

avait pas de batterie dans la formation et qu'il m'appartenait de pallier cette absence par mon jeu (ce qui, bien sûr,
ne favorisait pas ma relaxation, tu t'en doutes). En
résumé, cette collaboration initiale eut déjà pour moi
quelque chose d'une *master class*…

À Macerata, le groupe associé à Chet se composait du
saxophoniste Maurizio Gianmarco, du pianiste Enrico
Pieranunzi, du batteur Roberto Gatto et de moi-même.
Après nous avoir fait enregistrer un disque sous sa direction à Rome, il a demandé à toute l'équipe de le suivre en
Allemagne. Sauf à Pieranunzi, qui en fut blessé (mais
Chet avait alors son propre pianiste, Dennis Luxion, un
musicien de Chicago). Nous avons accepté, mais, au
bout d'un certain temps, mes deux compatriotes ont dû
renoncer l'un après l'autre, en raison d'engagements
qu'ils avaient déjà pris. Pour ma part, je l'ai suivi : en
Allemagne, mais aussi en France et en Scandinavie. Ce
fut le début de mes vadrouilles avec Chet Baker.

Je me rappelle un voyage en Belgique. Nous avons
posé nos valises chez Jacques Pelzer, dans le logement
qu'il occupait à Liège, au-dessus de sa pharmacie. J'avais
mal à une jambe et notre hôte se proposa de me donner
un calmant… Il était orfèvre en la matière : j'ai dû
dormir près de vingt heures d'affilée !

Je me souviens aussi d'un incident qui s'est déroulé à
Gênes. Notre patron devait de l'argent à tous les
membres de l'équipe. Et moi, en bon Italien (*testa
dura* !), je l'ai menacé de rentrer à Rome, en dépit de
toute l'estime et de toute l'affection que je lui portais, s'il
s'obstinait à ne pas me verser mon dû. Comme l'ultima-
tum restait sans effet, nous avons effectivement bouclé
nos valises, Dennis Luxion et moi. Lorsque Chet a
appris notre défection – m'a raconté le flûtiste Nicola

Stilo qui, lui, était resté –, il a lancé une poignée de dollars à travers la pièce en s'écriant : "Ce Riccardo, il ne pense qu'au fric !" Il savait bien que ce n'était pas vrai et que la question n'était pas là. Quelque temps après, d'ailleurs, il m'a rappelé comme si de rien n'était : "OK, je te dois un peu d'argent. Il t'attend, mais je te signale que nous avons une série de concerts devant nous..." Bien entendu, je l'ai rejoint.

Plus tard, en 1986, je l'ai accompagné jusqu'au Japon. Sa réputation de toxicomane lui avait interdit longtemps de s'y produire, mais la loi venait de changer et rendait de nouveau possible une visite dans un pays où il avait de très nombreux admirateurs. Wim Wigt – le manager qui avait aussi fondé Timeless Records, compagnie pour laquelle Chet grava plusieurs disques –, Wim Wigt poussa donc pour nous la porte qui venait de s'entrouvrir. Je ne sais plus qui, Art Blakey ou Woody Shaw, me disait : "*We are all Wim's* wig*times* !" Nous étions tous des victimes de Wim, en effet, dans la mesure où, lorsqu'il s'occupait d'un artiste, celui-ci était sûr d'avoir des journées bien remplies, au moins tout le temps que durait la tournée. Avec lui, il ne fallait pas s'étonner de se produire un jour à Stockholm, le lendemain à Palerme et le surlendemain dans le nord de l'Europe une fois de plus, par exemple à Copenhague. On s'épuisait vite à ce régime.

Tu dois imaginer ce qu'était un concert donné dans une ville japonaise par un artiste qu'on y avait attendu si longtemps, et presque sans espoir de le voir débarquer un jour. Le théâtre était bondé. Un silence religieux nous accueillit à notre entrée sur scène : un silence qui avait quelque chose de magique. La ferveur de ce public était extraordinaire. Ce furent des cris et des larmes qui saluèrent les premières mesures de *My Funny Valentine*. Ces souvenirs-là n'ont pas de prix. L'année suivante, nous aurions dû retourner là-bas, mais je me suis fâché avec Wim Wigt et, du coup, me suis mis en congé de l'orchestre. Pour Chet, par la suite, cela s'est gâté. À cause du départ de Diane et du poids de la solitude. À cause des mélanges à base de barbituriques qu'il faisait désormais et qui ne lui réussissaient pas du tout. Une fois, sur une scène en plein air, quelque part en Sicile, je l'ai vu s'enrouler dans une bâche sous un piano, alors que les gens commençaient à s'installer. Je me revois le houspiller pour qu'il se décide à sortir de là. Ah ! les histoires avec Chet...

Diane, comme tu sais, aura été sa dernière compagne. En Hollande, un jour, dans un hôtel où nous étions tous descendus (un établissement d'un certain renom : les clients pouvaient se rendre directement de leur bateau à leur chambre, et qui, proche d'un studio d'enregistrement, hébergeait des célébrités du rock, y compris quelques personnages assez *destroy*), un jour donc, Diane est venue me trouver en grande détresse. Chet menaçait de lui cogner dessus, à la suite d'une sombre affaire de portefeuille égaré : il l'accusait d'avoir fait main basse sur ce qu'il contenait. Elle souhaitait que je la cache dans ma chambre. À quoi j'ai répondu que, dans ce cas, nous serions deux à avoir des ennuis ! À la faveur de l'obscurité, avec une discrétion dont je ne suis pas peu fier, tel Arsène Lupin je suis parvenu à me glisser derrière le comptoir de la réception et à subtiliser la clé d'une chambre libre, de manière que Diane pût s'y réfugier. Quelques minutes plus tard, Chet débarquait chez moi, fumant de colère, en me demandant si je l'avais aperçue. Nous avions frôlé la catastrophe... Le lendemain matin, un peu calmé, il a retrouvé son portefeuille sous un meuble.

À cette époque, oui, il pouvait se montrer très agressif. Je dirais même qu'au fil des jours cette fâcheuse disposition avait tendance à se faire envahissante. Repensant à cela, j'ai compris plus tard pourquoi Diane, une fois repartie pour les États-Unis, n'eut aucune envie de revenir de ce côté de l'Atlantique, en dépit de l'amour qu'elle lui portait encore... Je l'ai croisée un ou deux ans plus tard à Santa Cruz, en Californie, où je m'étais rendu avec Toots Thielemans et Michel Herr. Nous nous trouvions dans nos loges. Quelqu'un a frappé. C'était Diane. Nous nous sommes regardés sans rien dire, pendant deux minutes qui m'en ont paru vingt. Puis nous avons passé la soirée à échanger nos souvenirs. Elle avait une petite voiture bleue, dans laquelle s'empilaient des couvertures, une grande pendule, des éléments de batterie et un chien. Elle m'a paru encore plus paumée qu'avant... Plutôt mélancoliques, ces retrouvailles, tu ne crois pas ? Je ne suis pas près de les oublier... Il aura fait quelques orphelins, Mister B., en nous faussant compagnie...

Je me rends compte tout à coup que j'ai confié à ce magnétophone un certain nombre d'anecdotes en prise directe sur la vie, mais qui ont peu de choses à voir avec la musique. Je te l'ai déjà dit, et tu auras pu le constater par toi-même : fréquenter un tel poète a bouleversé mes conceptions esthétiques sur un point précis : ma conception du travail de la *matière* sonore. Avant de lui donner la réplique, je pensais en priorité à la précision, à la justesse, à la dextérité, à tout ce qui relève de la maîtrise instrumentale. Je ne rêvais certes pas de devenir un contrebassiste démonstratif, mais, tout de même, il me semblait que j'avais certaines garanties à fournir en ce domaine et que, par conséquent, j'étais dans l'obligation de pouvoir exécuter certains traits exigeant une technique élaborée. Une fois à son école, j'ai quelque peu corrigé le tir.

La technique a son importance. Il faut en avoir, sans aucun doute, mais il faut en avoir pour ne pas s'en servir. Tu connais la bonne vieille formule des Anglo-Saxons : *less is more*. "Moins, c'est plus." Jouer de façon plus dépouillée, c'est produire davantage de musique. "En faire" davantage, ce n'est pas forcément enrichir sa création. Le minimalisme, à l'inverse, peut constituer un enrichissement. Je me suis concentré sur la question de la matière, en pensant beaucoup à cette économie dont le jeu de Chet me donnait l'exemple morceau après morceau. Désormais, je voulais être efficace, autant que possible, mais j'avais aussi pour idéal de jouer avec retenue, de jouer avec *la* retenue. En définitive, de jouer avec le silence. Il faut apprendre à occuper l'espace sans l'investir, sans en devenir l'occupant au sens militaire du terme.

En filigrane (encore qu'il nous soit arrivé d'aborder ces questions – mais jamais nous ne les avons traitées en profondeur), il m'a fait passer un message dont je m'aperçois aujourd'hui qu'il m'influence dans d'autres domaines de mon activité. J'écrirais mes compositions d'une manière différente, par exemple, si cette philosophie de la musique n'était pas sans cesse présente à mon esprit.

Pour en revenir à l'improvisation, aller dans le même sens que lui impliquait un contrôle du silence et en même temps une rapidité… un peu féline, je crois. Dans son cas, il s'agissait de jongler avec une technique nécessairement limitée, à cause de son handicap (je parle de ses problèmes de bouche). Sa meilleure arme était une rapidité d'esprit qui lui permettait de savoir où s'arrêter dans le débit rythmique de la phrase, à quel moment la faire – éventuellement – changer de direction (plutôt vers le haut, plutôt vers le bas), en quel endroit précis placer un accent, etc., etc. Pour un musicien, pour *tout* musicien, quel bonheur que de voir un soliste composer et combiner des propositions cohérentes. Dans la plus grande liberté qui plus est, en chevauchant les barres de mesure, en survolant les modulations en un mouvement toujours très horizontal, ce qui ne l'empêchait pas de garder une conscience aiguë de la verticalité (de l'épaisseur harmonique). Michel Graillier, tout comme moi, a tiré parti de cette observation quotidienne. Voilà, *ça nous est arrivé* (et c'est bien pourquoi j'ai donné ce titre – en anglais : *It Happened To Us* – à l'une des pièces que nous avons enregistrées dans notre disque en duo pour la compagnie Sketch, en 2002).

Michel est quelqu'un d'admirable. Ce qu'il a assimilé de la fertilité de Chet dans le domaine de la mélodie, il suffit pour en mesurer l'importance de considérer ce que j'appelle ses envolées lyriques (ces fulgurances, sorties je ne sais d'où, qui, au détour d'une phrase, nous épatent) : à mon sens, elles ont ce pouvoir-là. Et si c'est une chose qu'il doit à Chet, il faut se dire qu'il a largement payé sa dette. Bien peu de ses partenaires, peut-être même aucun, lui auront consacré autant d'années, lui auront voué un tel amour. J'irais jusqu'à dire : lui auront donné autant, non seulement de leur existence, mais – si l'on veut bien accepter la nuance : en l'occurrence, elle est lourde de signification – sacrifié autant de leur propre vie.

Lorsque j'ai suivi Chet, je commençais à être un peu connu en Italie (en tout cas plus que je ne le suis depuis que je me suis installé à Paris, sans prendre la précaution d'entretenir mes anciennes relations professionnelles). J'avais figuré dans des émissions de jazz à la télé. Elles avaient été bien reçues. Bref, "j'avais la cote". Des organisateurs m'appelaient pour que je leur fasse des propositions. Cela tombait bien : cette situation me permettait d'obtenir des affaires pour Chet, qui en avait grand besoin. C'est ainsi que nous nous sommes retrouvés à l'affiche du *Hard-Rock Café* de Naples, où nous devions être filmés et enregistrés par l'antenne régionale de la RAI. Chet était content de moi. De mon côté, je n'étais pas mécontent de mon coup, d'autant que j'avais veillé personnellement à ce qu'il n'y eût aucune fausse note dans l'organisation de cette soirée et dans le déroulement de notre séjour en général. J'étais allé jusqu'à choisir des chambres d'hôtel avec vue sur le golfe. À l'époque, c'était Ruth qui voyageait avec nous (elle chantait de temps à autre). Le concert attira beaucoup de monde et fut un succès. Le lendemain, dans une chaude ambiance, Chet a procédé à la paie. Il avait réparti l'argent (des dollars : c'était ce qu'il réclamait toujours) en plusieurs gros paquets, spectaculairement et minutieusement alignés sur le lit *king size* de sa chambre. Soit dit en passant, ma mère n'aurait pas apprécié son geste : il paraît que cela porte malheur. Ruth, en revanche, on avait l'impression de voir ses yeux briller à la vue de tous ces billets. Ce que je voulais souligner, c'était que Chet, qui n'en faisait jamais trop dans sa musique ni dans ses attitudes en présence du public, possédait néanmoins un sens aigu de la mise en scène.

On ne peut pas éviter le sujet de la drogue. Il m'est arrivé de le voir se piquer, et cela m'a fait une assez forte impression. Voyager avec lui, et surtout passer des frontières, se présenter devant les policiers et les douaniers des aéroports, cela signifiait parfois courir des risques. En certaines circonstances, cependant, il ne prenait aucune substance ou se trouvait sous méthadone (ce fut, je pense, le cas lors de la tournée japonaise à laquelle j'ai fait allusion plus haut). Il avait en somme ses périodes avec et ses périodes sans, et il savait très bien jongler avec cela. On n'insistera jamais assez sur ce qui était, humainement, l'une de ses principales qualités : le "mental", comme disent les sportifs. Le sien était d'une force peu commune. C'est ce qui explique par exemple l'extraordinaire degré, à la fois de concentration et de relaxation, auquel il pouvait atteindre au volant d'une voiture. C'est ce qui explique encore sa capacité à avoir la réaction adéquate dans les situations de la vie quotidienne qui auraient pris tout autre que lui au dépourvu. Cette énergie-là lui permettait de remonter la pente – souvent en un temps record alors qu'il partait de vraiment très bas… On le voyait anéanti, incapable de souffler. Cela s'est produit, surtout dans les dernières années ; sans doute en as-tu été témoin toi-même, comme beaucoup de gens : à quoi bon le nier ? Tu assistais à ce spectacle poignant et tu te disais : "Mamma mia ! Jamais il ne pourra remonter en scène demain !" Et le lendemain, dans l'hôtel, tu le croisais dans le couloir et, miraculeusement, il était comme retapé. On aurait même juré que certaines rides s'étaient effacées de son visage. Ses yeux étaient bien ouverts ; il avait le regard clair et vif… Peu avant de mourir dans les conditions que l'on sait, le grand Jean-François Jenny-Clark me disait : "Tout est dans la tête." Eh bien, Chet en fut la preuve vivante. Il fallait que sa tête fût très forte, pour que son corps résistât de manière aussi éclatante à ce qu'il lui faisait subir.

À propos de drogue, il y a encore une chose que je tiens à déclarer, et de la manière la plus nette : il ne pratiquait pas le prosélytisme. Je savais pertinemment que ces produits-là n'étaient pas faits pour moi. Ni pour ma constitution physique, ni pour ma constitution mentale. Il devait partager ce point de vue, car, si une bonne âme m'en proposait en sa présence, il intervenait sans ambiguïté. *"Aw, come on... Leave him alone !"* disait-il ('Allez, laisse-le tranquille !'). Je lui ai toujours été très reconnaissant de cette attitude. Plus encore à présent, car je suis toujours là, mon cher Alain, alors que j'ai bien des copains qui, pour avoir mis un jour le doigt dans l'engrenage, s'en sont allés...

Chet était un être volontiers taciturne, en tout cas pas très loquace. Mais quand il ouvrait la bouche, c'était comme dans sa musique : il ne proférait que des jugements pleins de bon sens, et cela, parmi d'autres traits de sa personnalité, faisait le charme de sa compagnie. Contrairement à ce qu'on imagine peut-être, il était possible d'élaborer avec lui des projets d'avenir. Au tout début des années 80, alors que le pianiste du groupe était encore Dennis Luxion, nous avions envisagé de redonner vie aux compositions de Russ Freeman (*No Ties, Batter Up, Band Aid...*, tous ces morceaux-là), un répertoire sur lequel il s'était beaucoup appuyé un quart de siècle plus tôt. Il se promettait un tel plaisir de repiocher là-dedans qu'il a organisé des répétitions, ce qui, avec lui, n'était pas monnaie courante. Nous avons mis au point sept ou huit morceaux. Et puis les concerts sont arrivés... et nous n'en avons joué aucun ! Ça, c'était Chet. Il laissait délibérément de côté des choses qui nous avaient demandé à tous de l'application et des efforts. Cela dit, un mois après, voire *six* mois après, il pouvait décider sans crier gare de les interpréter, ce qui, on s'en doute, mettait notre mémoire à rude épreuve...

À la télévision italienne, j'avais vu un jour Lee Konitz, accompagné par Peter Ind à la contrebasse et Al Levitt à la batterie, et cela m'avait beaucoup plu, notamment la grande finesse, la grande souplesse dont ce dernier faisait preuve. Quand Chet m'a demandé avec qui j'aimerais faire équipe, pour un passage au *Dreher* où il ne souhaitait pas se produire sans batteur, j'ai cité le nom d'Al Levitt, sachant en outre qu'il vivait à Paris. J'ai cru bon de préciser qu'il avait joué avec Lennie Tristano et d'autres célébrités, mais Chet n'avait pas besoin de ces précisions : il le connaissait. Il m'a simplement dit : "Appelons-le." Grâce à quoi, peu après, Al ayant appris que j'étais disposé moi-même à résider à Paris où j'avais une fiancée, nous avons formé, Alain Jean-Marie, lui et moi, ce trio qui a tenu un bon moment et a eu l'occasion d'accompagner bien des solistes prestigieux : Teddy Edwards, Sonny Stitt, – j'abrège la liste. Cela a beaucoup contribué à ma formation professionnelle, et c'est encore un avantage qu'indirectement je dois à Chet Baker. Tu vois : il n'était pas du tout exclu d'avoir avec lui de véritables échanges.

En définitive, quelle empreinte aura-t-il laissée sur moi, sur ma façon de jouer, sur ma façon d'improviser, sur ma façon d'écrire de la musique ? Je répondrais : le souci de toujours être en quête, avant toute autre chose, d'une certaine *qualité de son*. Elle réside dans la rondeur, dans un très très léger vibrato qui prolonge la résonance et qui, à travers cela, définit quelquefois le tempo, dans un souci de parfaite lisibilité pour les autres membres de la section rythmique.

Cette influence de Chet, elle se manifeste aussi dans une relation permanente, et en permanence renouvelée, du geste instrumental avec la "vocalité". Il s'agit de viser à construire de longues phrases qui traversent les harmonies, tout en s'appliquant à les faire respirer avec naturel et à les mettre en perspective par rapport à une référence absolue, qui est le silence...

Je m'aperçois que ce n'est pas facile d'être exhaustif à propos d'un créateur de cette envergure, mais ce n'est pas non plus ce que tu attendais de moi. Il y a toutefois certaines petites choses sur lesquelles je n'aimerais pas faire l'impasse. Ainsi, je me souviens tout particulièrement des regards qu'il adressait au public lorsqu'il se trouvait sur l'estrade. Sa concentration était telle qu'en règle générale, ou bien il fermait les yeux, ou bien il les portait ailleurs que vers l'assistance. Mais lorsqu'il rouvrait les paupières, relevait la tête et fixait le public, son regard n'avait plus rien d'absent. Il était au contraire appuyé et d'une grande profondeur. Ce regard reconnaissait certaines personnes ou enregistrait la ferveur de celles qui lui étaient étrangères. Les gens, du coup, avaient envie de le lui rendre avec la même intensité.

À propos de regards, connais-tu l'enregistrement vidéo du concert de Stockholm avec Stan Getz ? Je n'étais pas sur scène avec eux, mais je n'ignorais pas qu'ils avaient engagé un bras de fer (problèmes d'ego, d'argent, etc.). Du début à la fin de cette prestation, pas un seul instant Baker ne va glisser un œil du côté de Getz (quand on le connaît un peu, on comprend que c'était une promesse qu'il s'était faite), alors que Getz, lui, ira tout le temps chercher son regard – en vain. Voilà une image fugitive, mais qui restera gravée en moi pour toujours.

Je vais m'arrêter là. J'espère en avoir dit, ou en avoir laissé entendre suffisamment. J'espère, sans en être certain, que tu y trouveras ton compte. En ce qui me concerne, je m'estimerais heureux si, par le biais de ces quelques souvenirs, j'avais pu communiquer quelque chose de ce qui fut, au niveau le plus intime, le plus lourd de conséquences, l'une des révélations de mon existence.

Jean-Philippe Coudrille

Chaque fois qu'il se produisait à Paris ou dans les environs, je me déplaçais pour l'entendre. Quand je me sentais très seul, il m'arrivait même de le suivre en province, en Belgique, aux Pays-Bas. Toujours en voiture. Au pire, ça me coûtait une nuit blanche. Une fois, j'ai fait Paris-Milan aller et retour en moins de vingt-quatre heures, dîner là-bas et concert compris ; j'ai repris le volant juste après le bis. Jamais je ne jouerais de trompette, jamais je ne chanterais *But Not For Me*, jamais je n'aurais le cran de me camer (même si, désormais, j'en crevais d'envie). En revanche, je pouvais apprendre à conduire comme Chet Baker. Peut-être pas aussi bien, si ce qu'on racontait à ce propos était vrai, mais, à défaut, aussi vite et aussi longtemps.

Dix ans s'étaient écoulés depuis Cimiez. Dix ans que j'avais tirés comme on tire sa peine en prison. Dix années de grisaille au cours desquelles Chet m'avait assuré des moments de pure extase. Puis mes rapports avec sa musique s'étaient modifiés. S'il jouait mieux ou moins bien dans tel disque que dans tel autre, si je l'écoutais par plaisir ou simplement par habitude, c'étaient là des questions que je ne me posais plus. Je n'en étais plus au stade de l'amour ; ni même de la passion. Cette musique était devenue pour moi un besoin vital. Grâce à elle, non seulement je survivais, mais je n'éprouvais plus aucune frustration, plus aucune sensation de vide ni dans mon existence, ni même au fond de moi. Mon ennui chronique se dissipait à la seconde où j'entrais en contact avec elle. L'espèce de trac sans motif que j'éprouvais au creux de l'estomac et qui, parfois, ne me quittait pas de la journée, s'envolait sur-le-champ. Peut-être traduisait-elle tout le désespoir et toute l'angoisse du monde, comme les journalistes continuaient de l'écrire à longueur de colonnes. À moi, elle n'apportait qu'harmonie, apaisement, sérénité. Je l'entendais et, aussi longtemps que persistait l'écho du dernier point d'orgue, je n'avais plus d'autres choses à désirer. En apparence, rien n'avait changé dans ma vie, dans mon cœur, dans ma tête. Cette expérience me laisserait dans l'état où elle m'avait trouvé en entrant. À ceci près que, pendant son déroulement, pendant ces instants privilégiés, enfin je ne me serais plus demandé ce que je fichais sur cette terre.

J'avais pris de plus en plus de distance avec la confrérie des bakeriens, à mesure qu'elle sortait de la clandestinité. Néanmoins, je n'allais pas jusqu'à repousser mes vieux compagnons lorsqu'ils se jetaient dans mes bras, au détour d'une allée des puces ou sur le trottoir du *New Morning*. L'un d'eux s'est entiché de moi au point de me prendre sous son aile et de me faire changer de métier à plus de quarante ans, en pleine ascension de la courbe du chômage ! Pistonné par lui, je me suis retrouvé cadre dans une boîte de pub. Cela fait maintenant plus de quatre ans que j'occupe cette fonction et je n'ai toujours pas compris ce que mes employeurs attendent de moi et, par suite, à quoi je leur sers exactement. Si vous voulez mon avis, je suis la parfaite incarnation du parasite. Dans la mesure où l'on me paie grassement pour ça, je n'ai pas l'intention de crapahuter entre Nation et République en brandissant une pancarte.

Le fric ? Bon…. Il ne faut pas attendre de lui qu'il fasse des miracles. J'admets néanmoins qu'il présente certains avantages. J'ai pu louer un petit appart plutôt chouette, du côté du Marais, et je me suis payé – d'occasion, mais ça ne se voyait pas à l'époque – le coupé Mercedes avec lequel j'ai avalé le bitume les soirs de blues, sur les traces de mon idole. Si Chet (qui se déplaçait beaucoup et quelquefois très loin) n'était pas à ma portée, ou si j'avais décidé de rester chez moi pour une raison ou une autre, ses disques parvenaient à combler le manque. De ce côté-là, j'avais de la chance. À partir de 79, il en sortait presque un chaque mois. J'exagère, mais – à part peut-être Oscar Peterson, et encore ! – je ne vois pas qui aurait enregistré autant que lui à l'époque. On murmurait que c'était pour payer sa poudre ; qu'il faisait des prix de gros aux maisons de disques et que, du coup, elles n'hésitaient pas à le solliciter (ou à se laisser faire s'il était demandeur). Je veux bien. Mais qu'on m'explique alors pourquoi tous les grands camés du jazz ne publiaient pas eux aussi à tour de bras… Et si Chet avait été, tout bonnement, l'un de ces rares, très rares improvisateurs qui, en n'importe quelle compagnie, dans n'importe quelles circonstances, trouvent toujours à offrir une musique d'une telle qualité que vous n'auriez même pas osé la leur réclamer si toutes les conditions d'une performance exceptionnelle avaient été réunies ?

Vivant seul, j'avais toute la place que je voulais pour collectionner les microsillons. Malgré cela, à la faveur de mon déménagement, je m'étais débarrassé de tous les albums, sans exception, qui n'avaient pas été réalisés sous le nom de Chet ou avec sa collaboration. J'avais long-temps hésité sur ceux de Stan Getz, mais une vidéo-cassette d'un concert qu'ils avaient donné ensemble à Stockholm m'avait fait prendre le saxophoniste en grippe. Les regards excédés, pour ne pas dire haineux, qu'il lançait à son interlocuteur avaient été plus blessants pour moi que pour leur destinataire, immergé comme toujours dans son aquarium. Si Getz pouvait être à ce point différent de sa musique, alors celle-ci n'était qu'un mensonge et j'avais eu tort de l'aimer si fort durant toutes ces années. Je réécoutai *Stan Meets Chet* et décou-vris soudain un aspect des choses qui ne m'avait pas frappé jusque-là : dans le pot-pourri de ballades, c'est le ténor qui fait du charme, mais c'est la trompette qui en a. Je parle du charme au sens magique du terme. C'est elle qui trouble, c'est elle qui envoûte. Stan, lui, se borne au fond à nous draguer : c'est à la portée de n'importe quel séducteur de bal-musette. J'avais assez perdu de temps avec ce mec-là.

Chez un antiquaire, j'ai déniché le meuble idéal pour accueillir les œuvres complètes du maître : une sorte de penderie asiatique laquée, incrustée de nacre et ornée de dorures un peu floues qui avaient dû représenter jadis des dragons ou des bestioles du même genre. Ce truc coûtait la peau des fesses, mais, dans le cas contraire, je n'en aurais pas voulu. Ce qui en faisait tout le prix à mes yeux, c'était... son prix, justement ! Pas question, en effet, de traiter Chet par-dessous la jambe. Je n'aurais renoncé à ma trouvaille que si l'on m'avait présenté quelque chose d'encore plus ruineux.

Il était trop tard pour que j'apprenne à vivre sur un grand pied. Malgré mes deux mariages, j'avais gardé l'essentiel des habitudes qui avaient été les miennes à la cité U. Les belles fringues et les grands restaurants ne m'attiraient pas plus que cela. Et comme je n'étais pas non plus du style à jouer en Bourse, j'empêchais mon or de rouiller en me faisant de temps à autre de très grosses fleurs, à l'image de la Mercedes ou de cette chinoiserie dispendieuse.

Menant une existence de vieux garçon, j'en prenais peu à peu la mentalité. Plutôt content de cette évolution, du reste. Si une fille du bureau est tombée amoureuse de moi, je jure que je n'ai rien fait pour. Comme je ne lui adressais que des « bonjour, bonsoir », elle a dû se fourrer dans la tête que je l'adorais en silence. En se rebaptisant Christophine, elle ignorait sûrement qu'elle s'était choisi le nom d'un légume dont j'avais goûté à la Martinique, sur les pentes de la Montagne Pelée. Elle avait la moitié de mon âge. Le rock, d'après elle, avait donné un coup de vieux à toutes les autres musiques. Elle s'est jetée à mon cou en croyant que je rêvais de la prendre dans mes bras. Sur aucun de ces points, du reste, je n'ai tenté de la dissuader. Le seul mal que je me sois donné avec elle aura été d'inventer toute une série d'excuses pour qu'elle ne vînt pas s'installer chez moi, menace qu'elle faisait périodiquement planer sur ma tête.

Bien entendu, je ne lui ai pas touché un mot de Chet Baker. Elle ne savait pas qui c'était, de toute façon, et cela me convenait à la perfection. Il a quand même bien fallu que je la reçoive. Elle a découvert mes disques toute seule, pendant que je préparais des margaritas ou quelque chose du genre à la cuisine. Comme il se doit, elle n'en est pas revenue. Une seule signature pour tant d'albums ! Elle a pensé que j'étais plus dingue que la normale des types de l'agence. Ça l'a impressionnée. Elle a tenu à écouter un bout de *You Can't Go Home Again*, à cause de la pochette sur laquelle Chet a l'air si désemparé. Elle s'est mise à me regarder avec un respect un peu craintif, comme si j'étais un mystère. Moi, ça m'évitait de lui faire la conversation.

En juin 86, nous avons traversé la Manche. Chet était annoncé au *Ronnie's Scott* de Londres avec son trio de l'époque, dont j'étais fou (je veux dire encore un peu plus fou que de ses autres formations, depuis que j'avais acheté le disque intitulé *Mister B*). Michel Graillier l'accompagnait au piano, Riccardo Del Fra à la contrebasse. Normalement, j'y serais allé seul, mais le bruit courait que le groupe devait faire le bœuf avec deux inconnus qui étaient des gens illustres aux yeux de ma copine : un dénommé Van Morrison et un certain Elvis Costello. Le fait que le trompettiste avait pris un chorus dans un album de ce dernier, quelques années plus tôt, avait échappé à ma vigilance. Le tunnel sous-marin n'existait encore qu'à l'état de projet. Pour nous faciliter les choses, nous avons laissé la voiture à Calais.

Je ne sais pas, et je me fiche bien de savoir, ce dont Morrison est capable lorsqu'il se cantonne dans son répertoire. Sur *Send In The Clowns*, en tout cas, il n'a même pas réussi à me convaincre que j'avais en face de moi, à défaut d'un grand chanteur, ne fût-ce qu'un chanteur professionnel. J'ai vu un type entre deux âges, habillé comme n'importe qui, un peu bedonnant, un peu dégarni bien qu'il portât les cheveux longs ; il ne détachait pas les yeux de la feuille de papier où il avait recopié les paroles. Il chantait comme à la communion de sa petite sœur, avec des gestes qui n'auraient pas franchi les éliminatoires d'un radio-crochet des années 50. Mireille l'eût-elle auditionné à son Petit Conservatoire, ce commis de magasin endimanché en aurait entendu des vertes et des pas mûres !

Mais voilà, il appartenait au gratin des « rebelles », ainsi que les appelait Christophine (rebelle à l'élégance et à la justesse, ça, je le confirme !). Ma compagne était pâmée, comme d'ailleurs les quatre cinquièmes de l'assistance, dont l'émotion embuait le regard.

Costello, lui aussi, avait apporté sur scène ses anti-sèches, mais je n'ai pas détesté sa voix. Élimée sur les bords, effrangée, elle se mariait plutôt bien à la musique du trio. Et puis, tout de noir vêtu, ce type avait plus d'allure que Morrison, malgré ses lunettes à grosse monture et bien que sa façon de bouger manquât de grâce elle aussi.

Le trio, ce soir-là, jouait avec une extrême pénétra-tion, une gravité absolue. Ni « Mickey », ni Riccardo, ni Chet ne relevaient la tête au cours de leurs interpréta-tions. On aurait dit qu'ils se refusaient à lever le regard devant une musique aussi divine que celle qui les traver-sait comme une vapeur et se matérialisait peu à peu, d'abord fragile, précaire, puis de plus en plus résistante, jusqu'à devenir indestructible, plus inaltérable et plus dense que le bronze.

Chet était pâle, mais, rasé de près, son visage avait, dans la lumière des projecteurs, quelque chose d'imma-culé. Cette fraîcheur qu'un filet serré de rides ne parve-nait pas à contenir était comme une image, une enseigne, un logo de sa musique. Il était vêtu d'un pull gris à gros-ses mailles et manches courtes, sur lequel des palmiers bleus m'évoquaient des oiseaux déployant leurs ailes. Ses pantalons étaient enfilés dans des bottes de cuir fauve. Chacune de ses attitudes aurait pu inspirer un sculpteur, et pourtant il n'en calculait aucune. Il ne semblait pas pétri de la même substance que ses deux invités. Là, sur le podium de ce club, il m'est apparu que cet homme qui n'avait nulle part sa place sur cette terre, sinon au bout de sa trompette, était le centre du monde, le roi du monde – et que les personnes déplacées, en fait, c'étaient nous, tous autant que nous étions.

Sur le ferry, Christophine, qui m'avait dit à Londres avoir « plutôt apprécié » sa soirée, est revenue sur le sujet sans crier gare.

« Quand même, a-t-elle déclaré tout à trac, s'il prenait un batteur, ça swinguerait peut-être un peu… »

Je n'avais pas envie d'être indulgent. Il faut bien qu'il y ait quelque chose de sacré pour un homme, je suppose. Il faut bien qu'il lui reste un peu de foi quand il ne croit plus depuis longtemps ni aux autres hommes ni à lui-même. Dès notre retour à Paris, j'ai largué Christophine. Je lui ai raconté que j'étais un pédé refoulé, ce qui ne l'a qu'à moitié surprise, et que je comptais désormais assumer mon destin. Je n'ai pas pu m'empêcher d'ajouter que je comptais épouser Chet Baker dans un proche avenir, mais ne souhaitais pas de grosse caisse comme cadeau de mariage. Elle a compris que je me payais sa tête et, par chance, ne me l'a jamais pardonné.

Ainsi étais-je parfaitement libre de mes mouvements, en débarquant à Mirabel une vingtaine de jours plus tard. Chet devait se produire au théâtre Saint-Denis, dans le cadre du festival international de jazz de Montréal, en duo avec Paul Bley. Ils avaient gravé à Copenhague, en février 1985, un disque portant le titre de *Diane*, que je considérais à cause de son dépouillement, de son côté ascétique, comme l'un des fleurons de ma collection : du Baker décanté, quintessencié, passé et repassé dans l'alambic.

Je me doutais bien que ça ne se ferait jamais (à ma connaissance, ça n'était jamais arrivé à aucun trompettiste), mais j'espérais qu'un de ces quatre matins il enregistrerait vraiment tout seul. Avec le sens du tempo qui était le sien, ça ne lui poserait aucun problème, et il était de notoriété publique qu'il acceptait tout ce qu'on lui proposait, du moment que le cachet lui paraissait correct. Il suffisait que l'idée traversât le crâne de la bonne personne. J'avoue qu'un temps j'ai envisagé de tenter le coup moi-même. J'avais aperçu dans les boîtes de jazz quelques producteurs indépendants : aucun ne donnait l'impression de rouler sur l'or. Financer une séance et l'édition de quelques milliers d'albums devait être dans mes moyens : un luxe guère plus coûteux qu'un coupé Mercedes vieux d'un an. Ce qui m'a fait renoncer, ç'a été l'angoisse de pénétrer un milieu dont j'ignorais tout et de parler argent avec un homme qui incarnait le Pur Créateur à mes yeux. Plutôt que de le voir sous un jour qui n'était pas celui des icônes où il figurait coiffé de son auréole, j'aurais préféré qu'il se plante sur l'autoroute avec sa chignole et que je puisse, quand mon tour serait venu, emporter cette image dans la tombe, sans que personne, pas même lui, me l'ait abîmée.

Je n'étais jamais venu au Québec. J'avais décidé de rester une dizaine de jours à Montréal, logé à l'hôtel du Parc qui accueillait les musiciens. Avant d'assister à celui de Chet, j'avais pris des billets pour les concerts de Woody Herman et de Gerry Mulligan. Dans le cas de ce dernier, il est inutile que je précise pourquoi. Néanmoins, je dois dire qu'il m'a pris à contre-pied. « Jeru » officiait dans un endroit inhabituel (du moins pour moi), une sorte de cabaret rock'n'roll baptisé *Spectrum*, où l'on consommait à des tables entre lesquelles serveuses et serveurs avaient tout juste la place d'effectuer, avec leurs plateaux à bout de bras, des passes de matadors. La coutume était de s'asseoir où l'on pouvait, au besoin en partageant un tabouret avec quelqu'un, et d'applaudir à tout rompre quiconque se hasardait sur scène et quoi qu'il pût y faire. Mulligan fut accueilli comme le Messie, mais sa concierge l'aurait été de la même façon. Il arborait un tuxedo, une fleur à la boutonnière, une barbe et de longs cheveux blancs. L'ovation du public ne lui arracha pas même un semblant de sourire. Il était rouge comme un coq ; ses yeux lançaient des éclairs. La rumeur courait qu'il venait d'apprendre que Chet se produirait après dîner au prestigieux Saint-Denis, l'endroit qui accueillait les stars de première grandeur, alors qu'on le reléguait, lui, en fin d'après-midi, dans la salle réservée soit aux valeurs montantes, soit aux valeurs à la baisse. Or, il n'était plus depuis belle lurette le chouchou des médias. Il ne pouvait pas ignorer ce fait. Pour autant, en bon descendant d'Irlandais, il n'était pas homme à digérer le camouflet sans réagir. Il me semble qu'il a prononcé à ce sujet quelques paroles acidulées au micro – je n'en jurerais pas. Puis il s'est résigné à jouer quand même et, je peux me tromper, mais je serais prêt à parier qu'il ne s'exprimait pas avec une telle autorité, un tel sang-froid, un tel lyrisme, une sonorité aussi pleine et aussi sensuelle, à l'époque où le Saint-Denis n'aurait pas été assez grand pour recevoir ne fût-ce que l'avant-garde de son fan-club. Trente-cinq ans après, il était enfin devenu ce que les gens s'étaient imaginé qu'il était à ses débuts.

Le reste du temps, je me suis baladé dans la ville. Je n'avais pas acheté de plan. Je n'avais rien lu sur Montréal. Je n'y connaissais personne. J'ai marché au hasard...

Quand j'étais jeune, je ne me contentais pas d'écouter de la musique américaine. Je lisais américain, en particulier Dos Passos, Nelson Algren, Steinbeck et les grands auteurs de polars, tels que Chandler ou Hammett. Je fumais américain (si possible des Camel, des Chesterfield ou des Lucky Strike, parce qu'il en était question dans cette littérature). Je rêvais à l'enseigne de Cadillac et Chrysler. J'allais contempler les H.L.M. en chantier à la périphérie de Strasbourg, essayant de me convaincre qu'on bâtissait là un petit Manhattan. Je mangeais aussi américain que possible, recopiant dans les romans – afin de les confier à ma mère qui s'efforçait d'en tirer une adaptation plausible – des recettes de *fried chicken* et de *mint julep*. Pour m'habiller, je fréquentais « les surplus » (ou ce qu'il en restait une quinzaine d'années après la Libération). Parler d'un cinéma qui n'aurait pas été américain me semblait, à de rares exceptions près, une contradiction dans les termes. Fort de quoi je n'ambitionnais pas – je n'avais même jamais *envisagé* ! – de mettre un jour les pieds là-bas. Il me suffisait que l'Amérique, elle, ait établi une tête de pont sous mon crâne. Et puis, je ne voulais pas courir le risque de constater que le pays réel ne coïncidait pas en tout point avec celui que j'avais imaginé.

Je me suis promené dans Montréal et j'ai vu, au bord des larmes, que tout – non seulement les édifices, les objets, mais les couleurs, les lumières, les parfums, les bruits – était *en vrai*, tel que dans mes songes. Sauf que ça ne se trouvait plus en moi : c'était moi qui me trouvais dedans. C'était moi, l'hallucination, le mirage, l'élément improbable de cet univers.

Je me suis promené dans Montréal non comme dans les ruines de mon passé, mais comme parmi les fondations d'un idéal dont j'avais ignoré qu'il n'était pas une simple utopie. Je renaissais. Et la musique de Chet Baker renaissait en moi. Pas un détail de cette ville qui ne fût à sa ressemblance. La crasse, la rouille, la patine, le ciment frais, les tours de verre bleu, les pans de brique noircie, les terrains vagues, les dalles disjointes, les escaliers de fer, les fils électriques, les commerces de misère, les tavernes aveugles, les néons déglingués, les maisons calcinées, les calandres décaties, les enseignes polyglottes, les bouteilles de bière dans le caniveau, les vieux donjons et les constructions futuristes, une Chinatown de poche exhibant des gibets de canards laqués et d'antiques poussières dans de la porcelaine désenchantée, les sirènes de police au fond d'un silence bourdonnant, les pétillements du fleuve au loin, peut-être, et la souveraine indifférence de la montagne, les vitrines obscures et les bars impitoyablement éclairés, les solitudes posées là, côte à côte, les humbles promesses, les vantardises de la dernière chance placardées sur des boutiques à l'agonie, *Plusieurs tombent en amour* en lettres blanches hautes comme un homme sur une palissade, une immense lassitude planant sur tout cela avec une sorte de désinvolture, un air de lendemain – lendemain de fête, lendemain d'amour, lendemain de neige ou de printemps, lendemain de peur et d'illusion –, tant et tant de choses dérisoires, tant et tant de choses merveilleuses, tant de défaites et de prodiges qui me racontaient à leur façon l'histoire que Chet m'avait toujours racontée, sans que je puisse décider si ceci était l'écho de cela ou bien le contraire. Contrairement aux histoires européennes, elle n'avait pas de début, elle n'avait pas de fin, et le milieu n'était qu'une imposture. Elle n'était pas faite pour être vécue : seulement pour être racontée. Et si d'aventure vous y étiez impliqué, il ne vous restait qu'à prétendre que vous l'aviez inventée.

En sillonnant Montréal, et en particulier les quartiers de l'est (les plus « déshérités » à ce qu'on dit, mais, d'après moi, ceux qui étaient en fait trop pauvres pour dilapider l'héritage du passé, si minable fût-il), j'ai eu la révélation qu'en aucun autre endroit de la terre, Chet ne pouvait être davantage dans son élément. J'ignorais s'il connaissait déjà cette ville. J'espérais que, si ce n'était pas le cas, une bonne âme, ou à défaut son propre instinct, lui soufflerait de mettre le nez hors de l'hôtel du Parc et de traîner au hasard des rues comme je l'avais fait. Ma raison avait beau me rappeler que nombre de cités nord-américaines devaient se rapprocher de celle-là, que si Montréal correspondait à mes fantasmes d'adolescent, c'était justement parce qu'elle était l'archétype des métropoles du Nouveau Monde décrites dans les livres et représentées dans les films, je ne m'en obstinais pas moins à penser qu'elle se distinguait de toutes les autres par une caractéristique qui était sa... comment dire ? sa consanguinité avec la musique de Chet Baker.

Paul Bley était né ici, comme Oscar Peterson, mais *je ne les entendais ni l'un ni l'autre* quand je descendais la rue Ontario ou m'attablais devant un sandwich à la viande fumée au *Ben's Delicatessen*, qu'un chauffeur de taxi plein de sollicitude m'avait recommandé. Et j'étais sûr que, si j'écoutais leurs disques à mon retour en France, je ne verrais pas ces endroits dans ma tête. En revanche, il m'était impossible d'arpenter la ville sans que me parvînt à travers la rumeur de la foule, à travers le bruit du trafic, à travers le souffle du vent, l'écho des enregistrements de Chet. Ceux que je préférais. Les plus bouleversants, ceux qui paraissaient en danger, donnant l'impression que les notes vacillaient sur le fil du rasoir. Dès qu'il entamerait son premier chorus sur la scène du Saint-Denis, mon esprit s'en irait vagabonder du côté de la *Main* (le boulevard Saint-Laurent, carrefour de toutes les immigrations), de la rue Crescent, si exquise et si triste, ou du marché Bonsecours.

Quelques heures avant le concert, cependant, les festivaliers se passaient le message que Chet ne se trouvait pas dans l'avion qui devait l'amener de Charles-de-Gaulle à Mirabel. Ça lui ressemblait bien, mais c'était quand même une tuile, et pas seulement pour moi.

J'avais un mauvais pressentiment en arrivant rue Saint-Denis, le Quartier latin de Montréal. Émotionnellement, j'avais misé trop gros sur cette soirée. Mes vadrouilles entre le pont Jacques-Cartier et la station de métro Guy, le port fluvial et le belvédère du Mont-Royal m'avaient convaincu que j'allais assister à un événement exceptionnel. Que j'allais entendre de la part du musicien que je situais au-dessus de tous les autres, hors de portée de ses rivaux, et dont je connaissais tous les disques, quelque chose d'inouï, quelque chose qui le surprendrait lui-même et serait pourtant plus révélateur de sa personnalité, de son intimité, que tout ce qu'il avait pu jouer jusqu'ici. C'était un trop beau rêve pour qu'il se réalise. Arrivé en vue du théâtre, je n'entretenais plus le moindre espoir.

J'avais tort. Dans la rue, où il fallait naviguer entre les cercles formés autour des mimes, clowns, jongleurs, équilibristes et autres cracheurs de feu, on ne parlait que de ça : Chet s'était trompé et avait atterri à Toronto ; on était allé le chercher là-bas en voiture. Cela dit, s'il était arrivé à bon port, et en un seul morceau, juste à temps pour que les techniciens puissent régler la balance sonore, on murmurait qu'il ne se sentait pas dans son assiette. À cause des douaniers (ceux de Montréal avaient la réputation d'être presque aussi méfiants que ceux de New York ; le nom d'Astor Piazzola, par exemple, vaudrait à son propriétaire l'humiliation d'une fouille intégrale dans les locaux de l'Immigration), le trompettiste s'était présenté à Roissy sans rien de compromettant ni sur lui ni dans son bagage, comme d'habitude des plus réduits. Il avait été malade dans l'avion, paraît-il. À une demi-heure du lever de rideau, on le surveillait de près pour l'empêcher de fausser compagnie à son partenaire et de filer dans le quartier chaud en quête d'une dose (si toutefois il avait sur lui de quoi la payer).

En pénétrant dans la salle dès l'ouverture des portes (je désirais sans doute conjurer ma crainte d'une annulation de dernière minute), j'ai eu la surprise de les trouver déjà sur scène, Paul Bley et lui. Le pianiste s'activait. Conversait avec différentes personnes qui arpentaient les planches ou officiaient en coulisse. Chet, lui, était perché sur un haut tabouret qu'on avait dû emprunter en catastrophe à un bar des environs. L'homme semblait accroché à sa trompette, posée à la verticale sur son genou, comme un travailleur ivre de fatigue à une barre d'appui d'une voiture de métro lancée à toute allure dans une courbe. Il dodelinait, penchant dangereusement sur ce siège qui ne donnait pas lui-même une impression de grande stabilité. Ni Bley ni personne d'autre ne paraissait s'en inquiéter.

La salle se remplissait. Beaucoup de gens riaient en découvrant le spectacle. Sans aucune méchanceté d'ailleurs. Ils pensaient que, pour amuser la galerie, Chet leur jouait la comédie du génial créateur en pleine concentration. Quand le piano se lança dans l'introduction du premier morceau, du côté du tabouret rien ne changea. Rien ne vint. Bley releva les yeux, joua plus fort. Son compagnon finit par comprendre qu'on attendait quelque chose de lui. D'un geste de somnambule (il n'avait pas ouvert les paupières depuis mon arrivée), il porta son instrument à ses lèvres. Ce qu'il en tira n'avait pas de nom. Au mieux, c'était comme un morceau de peau morte arraché au corps pantelant de sa musique. Il refit un essai. Sans plus de résultat. Le gros de l'assistance croyait encore à un gag : la suite des événements allait vite la détromper.

À deux reprises, Chet s'endormit, tandis que son partenaire s'évertuait à sauver les apparences, quitte à manifester par toute son attitude qu'il se désolidarisait de ce qui était en train de se passer à quelques mètres de lui. Il voulait bien récupérer tout ce qu'il pouvait de la cargaison, afin de consoler l'armateur, mais pas couler avec le navire. Quand il refit surface, le trompettiste le ramena aux réalités du naufrage. Chet tanguait, titubait à la recherche de la note perdue. Il lâchait son souffle sur ses traces, mais son souffle s'épuisait en chemin. Ni la note dont il avait besoin à cet instant précis, ni aucune autre, ne se trouvait plus dans les méandres de sa trompette. Je songeais soudain à l'une de ses déclarations, reproduite dans le texte de présentation de *Diane* : « L'instrument de mes rêves serait fait de telle manière que je n'aurais pas à souffler dedans. Rien qu'à pousser les pistons pour que la musique sorte… »

L'amplification sonore, au Saint-Denis, ne lésinait pas sur les décibels. De ce fait, on entendait les expirations de Chet fouiller en vain les replis du tuyau. Pas un des degrés de la gamme n'était décidé à se laisser prendre. Et maintenant, le public s'impatientait, s'indignait, protestait, avant les huées qui ne tarderaient plus à se gonfler telle une voile, entre les murs et le plafond du théâtre.

Du fond de son demi-coma, Chet a perçu l'onde de ressentiment qui déferlait dans sa direction. Pour la première fois, il a ouvert les yeux. Il s'est tourné vers Paul Bley. Il lui a jeté quelques mots que le micro, dans la houle ambiante, n'a pas captés. Je suppose que c'était le titre du morceau qu'il désirait interpréter. Et il s'est mis à chanter *But Not For Me.*

À force de les entendre dans ses enregistrements, j'en connaissais par cœur les paroles. J'avais même assimilé assez d'anglais, dans la boîte de pub où je faisais acte de présence, pour saisir le sens du texte écrit par Ira Gershwin, le frère de George :

« On a écrit des chansons d'amour, mais pas pour moi
Il y a une bonne étoile là-haut, mais pas pour moi... »

Il a regardé en face cette foule hostile, qui déroulait déjà dans une noire allégresse la corde pour le pendre et, comme l'écrivit Alain Gerber, l'envoyé de *Jazz Magazine*, il lui a « confié d'une voix meurtrie, exsangue, affolée, que le soleil brillait pour tout le monde, mais pas pour lui... »

Ce reportage s'achève au moment où l'auteur sort « complètement sonné, hagard et solitaire » du spectacle donné le dimanche après-midi par James Brown au même endroit. « Dehors, écrit-il, il pleut très doucement. On renifle dans l'air du soir des odeurs de *pot*, de chien chaud, d'arbre mouillé, de banquise... Le ciel est bas et l'on a la tête qui bourdonne, les semelles qui bougent. Sous le bitume de Montréal craquent encore les racines du vieil Hochelaga. »

J'étais dans le même état après le concert de Chet. Sauf qu'en plus je me sentais triste et humilié. On avait craché, avec bonne conscience qui plus est, sur un homme dont, pour moi, les lacunes, les dérapages, les faillites, les débâcles même n'étaient pas moins sacrés que tous les coups de génie. Je n'aurais pas pu nier que je venais d'être témoin d'un désastre, d'assister à la bérézina de mon idole. Et cependant, je savais déjà que cette entreprise de dévastation demeurerait pour des raisons mystérieuses ce que j'avais entendu de plus constructif à Montréal : de la poésie catastrophique, certes, mais de la poésie pure.

Je suis allé manger un morceau au *Ben's Delicatessen*. Je suis rentré à l'hôtel à pied (jamais je n'aurai marché autant qu'au Québec cette année-là). Dans ma chambre, j'ai vidé ce qui me restait de la bouteille de Cardhu achetée au duty free de Charles-de-Gaulle. Je me suis aperçu que je n'en avais pas envie, mais j'ai tout bu d'un trait (« pour ne plus le voir », comme disait mon père). Je n'avais pas non plus la moindre envie de dormir, pas la moindre envie de quoi que ce fût. J'ai allumé la télé et j'ai tourné en rond sans jeter un seul coup d'œil à l'écran. Au bout d'un moment je suis ressorti. Précipitamment, – sauf que je ne savais pas où j'allais.

Il pouvait être deux heures du matin. J'étais seul dans l'ascenseur. La cabine s'est arrêtée à l'étage du dessous. Chet Baker est entré, sa trompette sous le bras. Il avait le teint aussi... – j'hésite à dire rose, mais il y avait quand même de cela – qu'au *Ronnie Scott's*. Il m'a salué de la tête et souri comme si nous étions de vieilles connaissances. Il m'a dit en français, sans préambule : « Tu viens avec moi ? Je vais faire le bœuf en bas. *I feel like...* J'ai vraiment envie de jouer, *man, you know ?* »

J'étais collé au miroir installé au fond de l'habitacle. Plus mort que vif, comme on dit. J'ai bredouillé :

« *Mr Baker, I love you since a long time...* »

J'espérais que ça signifiait : « Je vous admire depuis longtemps », ou du moins qu'il comprendrait que c'était ce que j'avais voulu dire. Il m'a souri encore. Avec une certaine espièglerie, cette fois, m'a-t-il semblé. Il m'a répondu :

« *Love* me ?... *You're a lucky guy, my friend !* »

Il trouvait que j'avais de la veine de l'aimer. Au bar de l'hôtel du Parc, il a joué comme un dieu, avec une puissance incroyable, jusqu'à l'aube.

Chet

Avec son plus bel accent british, Bird m'avait dit une nuit, après avoir décroché la lune et les étoiles sur *Donna Lee* : « L'accomplissement est une agonie, Sir Chesney. Et ressusciter d'entre les morts n'est pas aussi facile que l'on croit... » Nous rentrions à l'hôtel en voiture, je crois que c'était à Vancouver ; il s'était installé sur la banquette arrière comme à son habitude. Charlaine avait éclaté de rire. J'avais ri moi aussi, sans chercher à comprendre. Comme je conduisais, je pouvais faire semblant de ne pas voir la tristesse du sourire qu'il m'avait adressé dans le rétroviseur, en baissant la tête et en me regardant par en dessous à la façon d'un gosse pris en faute. Il m'aura fallu toutes ces années – plus de trente-cinq ! – pour saisir le sens de sa réplique.

Que cherche-t-on au juste ? À tout dire dans un chorus (voire dans une phrase, dans une mesure, dans une seule note !), ou à n'avoir jamais vidé son sac, quoi qu'on ait pu dire ? Peut-on aspirer à la plénitude sans deviner qu'on se condamne au silence ou, pis, à maquiller le silence avec une matière qui n'est que le souvenir ou le simulacre de la musique ? L'éternité sépare une musique de sa perfection, mais la perfection n'a pas de lendemain.

Les Français disent d'une œuvre parfaitement aboutie qu'elle est *achevée*, mais ils emploient le même mot pour signifier qu'un homme ou une bête a reçu le coup de grâce. Bird aurait approuvé cette équivoque. Cela dit, je comprends qu'elle puisse faire courber la tête à tout homme qui a réussi quelque chose dont il ne s'était pas cru capable. Je le comprends aujourd'hui. C'est une évidence qui vient seulement de me sauter aux yeux.

28 avril 1988. Je retiendrai cette date, même si je demande à un exorciste de me l'ôter de la tête. J'étais arrivé à Hanovre sans méfiance. Je m'absorbe dans ma musique, mais elle ne m'angoisse pas. Elle ne me fait pas peur et je n'ai pas peur pour elle. J'écoute avec patience ce qu'elle a à me dire et si, tel ou tel soir, elle ne me dit pas grand-chose, je ne lui en veux pas pour ça, et je ne m'en veux pas non plus. Je prends ma musique de la même façon que le temps qu'il fait dehors quand j'ouvre les yeux. Hiver comme été, je m'habille pareil. Le temps change, ça le regarde. Moi, je n'ai aucune raison de changer avec lui. Je ne mets pas de gants beurre-frais pour me rendre aux rendez-vous que ma musique m'a fixés. Qu'elle souffle le chaud ou le froid, je suis toujours en T-shirt et en jeans. Parfois je sens, parfois même je sais, que la rencontre va mal tourner. Par sa faute en certains cas ; le plus souvent par la mienne. La soirée est fichue. J'en suis désolé pour les gens qui se sont déplacés pour nous entendre (quand ils me disent : « J'aime tellement ce que vous faites », j'ai l'habitude de leur répondre : « Merci d'être venus »). En revanche, ça ne me donne ni senti-ment de frustration ni sentiment de culpabilité. Pas plus que la pluie et le beau temps. Il y a les jours avec et il y a les jours sans. Je n'ai jamais eu l'illusion qu'il pourrait n'y

avoir que de ceux-là ni la crainte qu'il n'y ait plus que de ceux-ci. J'essaie simplement de faire de mon mieux, soit pour profiter de la situation si elle m'est favorable, soit pour en tirer le maximum dans le cas contraire, de sorte que le public ne se sente pas trop floué.

À Hanovre, toutes les conditions étaient réunies pour que ça se déroule mal. Je devais jouer avec des cordes, ce qui n'était pas pour me déplaire, mais aussi en compagnie d'un big band, ce qui n'a jamais été mon truc (je ne suis pas assez *trompettiste* pour ça ; j'aime trop le registre grave et puis, je n'en ai pas fait mystère, après *Un Poco Loco* j'avais surtout besoin d'intimité avec la musique). Il est peu envisageable de se produire avec une grande formation sans quelques séances de mise au point préalables, surtout si vous n'avez eu auparavant qu'une seule et unique expérience en sa compagnie (cinq mois plus tôt, à Hambourg). Une série de répétitions avait donc été prévue, mais j'ai débarqué deux jours trop tard pour participer à la plupart d'entre elles. Les autres furent presque toutes annulées parce que je me sentais patraque et que mes fausses dents me faisaient des misères. Elles ne voulaient plus tenir en place, on aurait dit qu'elles avaient hâte de me quitter. À cause du départ de Diane, je traversais une passe difficile. Je voyais tout en noir. Je ne m'émerveillais plus d'être encore debout à cinquante-huit ans, après tout ce qui m'était dégringolé sur le dos et après avoir tant tiré sur la ficelle. Désormais je confiais aux amis que la comédie n'allait pas durer très longtemps, et c'était *ça* qui m'étonnait : d'apercevoir le bout de la route et, en plus, de le crier sur les toits comme si je cherchais du réconfort. À propos de ce dentier qui se faisait la malle, je me suis dit en regardant ma tête de momie dans le miroir de la salle de bains, à l'hôtel :

« Hé ! mec, les rats quittent le navire ? », mais ça m'a moins amusé que je n'aurais cru. Les rires sans dents n'ont pas d'allure. Je me suis presque fait peur. Pourquoi Diane retraverserait-elle l'Atlantique pour un type qui ressemblait à ce que j'avais devant moi ? Bref, ce « concert spécial » organisé par la Norddeutsche Rundfunk était mal parti. Spécial, il risquait de l'être au-delà de toute espérance, mais pas dans le sens espéré ! Par chance, j'aurais à côté de moi sur le plateau deux excellents musiciens installés en Allemagne, mais que j'avais connus en Californie dans les années 50. Le pianiste Walter Norris a joué dans le premier disque gravé par Ornette Coleman, à Los Angeles. Quant à Herb Geller, qui a enregistré avec Clifford Brown, il fut l'altiste du « Chet Baker Ensemble », en 53 ; il ne cachait pas alors son admiration pour Bird, et il n'en a jamais démordu.

On avait fait appel à des arrangeurs locaux de grande classe. Je ne pouvais que m'en réjouir. Le mauvais côté de la chose, c'est que tout ça vous aurait, bon gré mal gré, un petit côté Miles Davis-Gil Evans qui pouvait facilement se retourner contre nous. D'autant que le programme puisait dans le répertoire de Miles (même si j'avais déjà interprété moi-même tous ces morceaux). Quand, après avoir voulu le rejoindre (au milieu des années 50), j'avais bifurqué pour tenter de trouver mon propre chemin dans un espace encore vierge, je n'avais pas cessé de l'écouter. Quand, à la fin des années 60, lui-même avait changé de cap, j'étais resté attentif à sa démarche. Et je ne l'avais pas perdu de vue, alors même qu'il s'éloignait toujours davantage de l'endroit où je m'étais séparé de lui, toujours davantage de l'endroit où il avait dit adieu à son ombre afin d'aller affronter des ténèbres moins hospitalières. Il s'est retiré de la scène du jazz pour six ans, au moment précis où j'y retrouvais ma place : moi, j'ai gardé le contact avec ses vieux disques. Il est revenu en 81. Je me suis payé un walkman. Pendant les tournées, au restaurant, dans les loges, dans les avions, en voiture si ce n'était pas moi qui conduisais, chaque fois que j'en avais le loisir, je me branchais dessus et je me passais les K7 de ses derniers enregistrements. Par curiosité, plus que par goût personnel. Dans l'espoir d'apprendre un de ses secrets, ou au moins de récupérer un bon tuyau. Pour le reste, je dois avouer que ce qu'il faisait m'ennuyait un peu. À mon sens, il s'accordait trop de libertés pour mettre en valeur ses audaces. Si tout est permis, tout est possible et par conséquent rien n'étonne : ç'a toujours été ma façon de voir. À force de vouloir déconcerter (*se* déconcerter, je suppose), Miles était devenu monotone. Aujourd'hui, je ne suis pas loin de penser qu'il a été le premier à s'en rendre compte et qu'il ne savait plus du tout comme s'extraire de ce guêpier. Lorsque vous voulez évoluer à tout prix et que les bouleversements les plus radicaux ne vous sauvent plus des redites, vers quel saint allez-vous vous tourner ? Mon idée est qu'au lieu d'aller voir ailleurs, dans ces cas-là, il faut creuser plus profond. Le problème avec Miles, c'est qu'il voulait être toujours *ahead*, ainsi qu'il l'avait proclamé dans un de ses titres : en avant de tout le monde et, a fortiori, loin devant le Miles qui avait été à la pointe du progrès dans un âge d'or que lui-même s'obligeait à considérer comme une époque révolue.

Néanmoins, l'idée ne me serait pas venue de rompre avec sa musique. Si elle ne m'ouvrait plus d'horizons nouveaux comme autrefois, elle ne pouvait pas davantage me boucher le mien, contrairement à ce qui avait bien failli se passer à mon retour d'Europe en 56. En improvisant sur *All Blues*, je ne craignais pas une rechute : plutôt de lancer le public, les critiques, les producteurs, sur une fausse piste, et qu'ils essaient ensuite de m'y entraîner, comme ils avaient entraîné Stan Getz dans le sillage de la bossa-nova. J'avais déjà participé à un *Concierto de Aranjuez* au côté de Jim Hall : je me voyais mal signer un remake de *Sketches of Spain* ! Pour tout dire, cette idée me faisait flipper autant qu'un manque de soixante-douze heures. Et c'est sans doute cela – cette espèce de panique dont je me croyais exempté ad vitam æternam, cette espèce de rage préventive – qui m'a fourni l'énergie et le courage nécessaires pour faire oublier à tout le monde que le spectre de Miles rôdait dans la Maison de la Radio de Hanovre. En sculptant chaque note, en creusant chaque silence, j'ai pensé si fort au fils de Chesney et Vera Baker que personne dans la salle ne pouvait seulement se rappeler l'existence de Miles Davis. J'ignore comment, au juste, j'ai fait mon compte, mais j'ai arpenté le royaume du « Prince des ténèbres » sans le voir. Mieux : en le rendant invisible aux yeux de tous ceux qui étaient là. Et pourtant j'ai pris le risque, ici ou là, de faire sonner mon instrument comme un bugle, ce bugle que Miles avait utilisé dans plusieurs de ses albums avec Gil.

« Miles Davis revisité par Chet Baker » s'est métamorphosé en « Chet Baker découvert par lui-même ». *Découvert,* je ne veux pas dire que j'ai enfin su qui j'étais, ni même que je ne m'étais pas trouvé auparavant dans certains de mes solos, déjà au début de ma carrière, chez Gerry Mulligan ou à la tête de mes premiers groupes. Mais là, je me suis mis à nu. Il ne me restait absolument rien à cacher quand je suis parvenu au point d'orgue d'un ultime *Valentine* en trio, avec Walter et le contrebassiste. Herb s'est approché de moi en coulisse. S'il avait eu un chapeau, il l'aurait tenu à la main. Il m'a dit à l'oreille, pour que je sois le seul à en profiter : « Chaque note que tu as jouée, vieux, c'était un diamant. Songe aux milliards de notes qui s'envolent chaque jour sur la terre. Celles-là, même si on ne les avait pas enregistrées, elles ne nous quitteront jamais. Tu joueras peut-être mieux, je l'espère pour toi. Mais tu ne joueras jamais plus *juste* – je veux dire plus vrai. »

C'est après coup que les paroles de Bird me sont revenues soudain, pour la première fois depuis qu'il les avait prononcées : « L'accomplissement est une agonie. » J'ai su qu'il n'y avait pas trente-six solutions : ou bien j'allais mourir, le plus vite possible, ou bien j'étais déjà mort.

Creuser profond, profond en soi-même, toujours plus profond... Mais un homme a des limites. Si je creuse davantage, je me traverse, je fends le sac de peau qui retient encore tant bien que mal les débris de ce que j'ai été. Je me déchire. Je m'ouvre sur le vide. Je me vide par cette entaille et me disperse dans l'infini. Un coup de foret supplémentaire : je me désintègre...

J'ai tout dit. J'ai dit tout ce que j'avais à dire. J'ai dit tout ce que je serai capable de dire demain à Calais si la chance est avec moi comme elle l'a été aujourd'hui à Hanovre. Tout ce que je serai capable de dire après-demain, et la semaine suivante, et dans un an, dans mille ans. Tel ou tel soir, je le dirai peut-être « mieux », comme Herb me l'a souhaité. Mais il est exclu que j'en dise *plus*. Il n'y aura jamais plus de moi-même que cela dans ma musique. Et jamais plus de musique que cela à tirer de moi-même. Mes fans s'en satisferaient, bien sûr. Même les critiques ne me tomberaient pas tous dessus. Ils ont accepté cela de Dizzy, d'Art Farmer, de Freddie Hubbard, de Woody Shaw, de tous ceux qui ne sont pas morts trop tôt pour qu'on puisse dire qu'ils avaient épuisé le gisement. Les disparus précoces, tel Clifford Brown, on a fait semblant de croire qu'ils seraient sortis de leur vieille peau s'ils avaient survécu, ce que très peu de types ont tenté de faire à part Trane et Miles (et Sonny Rollins dans les années 60, avec frénésie – mais il a fini par renoncer). Monk, la presse l'a carrément glorifié de s'être immobilisé au bout de son filon. Il s'était pétrifié, mais ça ne gênait que lui. Les gens continuaient de le voir mener sa danse du scalp autour du piano. Ils l'ont béatifié tout vif, tandis qu'il s'entraînait à séjourner dans la tombe, claquemuré au fond de son puits de mine fermé au public, dix années durant. Lui seul ne supportait pas de n'apprendre sur la musique de Monk que ce qu'il en connaissait sur le bout des doigts. Et l'on s'étonne qu'il ne pouvait plus voir un piano en peinture !

J'estime que je suis verni. Le jour de mes quarante ans, j'aurais parié que je ne tiendrais pas jusqu'à quarante-cinq. Je m'accrochais, mais sans le moindre espoir. Quand j'ai connu Charlie Parker, ce que j'éprouve aujourd'hui, il l'éprouvait déjà – et il avait à peine plus de trente ans. Dans la vie comme dans le jazz, j'aurai bénéficié d'un sacré sursis.

J'ai tout dit. Mais je ne peux pas me taire. Je ne peux pas me retirer dans une maison à glycine de la vallée de Chevreuse et profiter en me taisant de quelque chose qui s'appellerait quand même la vie. J'en aurais peut-être le cran, si l'on m'aidait, mais je n'en aurai jamais les moyens, c'est aussi bête que ça. Il faut que quelque chose ou quelqu'un m'arrête. Moi, je dois continuer coûte que coûte. Même si je décrochais de la dope, je ne pourrais pas vivre de l'air du temps. En plus de ça, depuis que je traîne parmi les musiciens, j'ai pris d'autres habitudes, dont il est peut-être encore plus difficile de se débarrasser. Le genre d'habitudes qui font que travailler derrière un bureau, un guichet, un établi ou dans une station-service est au-dessus de vos forces, autant que de vouloir déplacer les pyramides d'Égypte en poussant dessus. Il y a encore vingt ans, j'aurais pu tenter ma chance comme pilote de rallye. Là, au moins, je n'aurais pas crevé d'ennui. Mais ça ne m'a pas traversé la tête. Et pourtant, il y a vingt ans, j'étais dans le creux de la vague comme jamais auparavant et jamais depuis. Je m'échinais à tirer un son, un seul son de ma trompette, et je n'arrivais à rien. Carol s'évertuait à me faire croire que je me battais pour redevenir un jour Chet Baker, celui des pochettes Riverside et des photos de Clax, l'idole des baigneuses de Malibu. Mais moi, je ne visais qu'à sortir *un* son, à en faire une vraie note, à extraire de moi, plus laborieusement encore, la note suivante et à finir, à Pâques ou à la Trinité, par monter une gamme entière. Et je ne me demandais pas une seconde, je le jure, si cet exploit en apparence inaccessible me permettrait, une fois accompli, de faire vivre de façon à peu près décente une femme et mes gosses.

Qui serait en mesure d'éloigner cette embouchure de mes lèvres ? Diane. À qui permettrais-je un tel geste ? À personne d'autre que Diane. Si je ne joue pas pour Diane, je ne joue pour personne. Mais si je ne joue pas pour elle, que me reste-t-il à lui offrir ? Un petit vieux à lunettes et à dentier, dans une paire de jeans qui pourraient tenir debout tout seuls ? Ma musique s'était couchée pour mourir, comme Monk chez la baronne de Koenigswarter.

Elle demeurait cependant, morte ou vive, ce que j'avais de meilleur, et l'exemple de Thelonious montrait qu'un musicien pouvait survivre longtemps à sa musique, même s'il n'avait aucune raison valable de le faire.

C'est ce qu'il me fallait expliquer d'urgence à Diane pour la faire revenir. Lui expliquer que je n'étais plus en situation de jouer *pour moi*, que, de ce côté-là, j'étais arrivé au bout du rouleau, mais que je restais capable de jouer pour elle, qu'elle seule pouvait me donner la force de jouer encore.

Je devais passer au *New Morning* de Paris les 5 et 6 mai, avec Alain Jean-Marie au piano. J'avais invité mon pharmacien, Nicola Stilo et Joachim Kühn à faire un saut. Du club, j'ai appelé Diane à plusieurs reprises. Plus j'essayais d'être clair dans ma démonstration, plus je m'embrouillais. Alors je la rappelais dans l'espoir que j'allais enfin trouver mes mots et réussir à ne pas perdre le fil, mais, à chaque tentative, c'était pire. Je me suis foutu en rogne. Contre moi-même, mais elle a cru que c'était après elle que j'en avais et m'a raccroché au nez. Plus tard, j'ai éclaté en sanglots. Ou plutôt : des sanglots ont éclaté en moi sans prévenir. J'ai cru l'entendre soupirer à l'autre bout de la ligne. Un soupir de lassitude, m'a-t-il semblé. Un soupir d'agacement, peut-être même d'exaspération. Elle m'a dit, en tout cas : « Pourquoi parles-tu toujours de la musique, Chet, quand il ne s'agit jamais que de toi ? Si tu y attaches tant de prix, pourquoi te sers-tu d'elle pour abuser les autres ? Pourquoi répètes-tu sur tous les tons que tu vas changer, que tu *as* changé, alors que tu continues de me faire ton même vieux cinéma ? Ne crois-tu pas que cette veine-là est épuisée, elle aussi ? » J'ai bredouillé : « Je ne sais plus quoi faire, Diane. Je suis désespéré. » Elle a répondu :

« Tu es sans doute un génie, Chet, mais la déprime n'est pas ton privilège. »

Je suis retourné sur l'estrade. Ne me demandez pas ce que j'ai joué. Ni à quoi cela ressemblait. J'avais mis le pilote automatique. Je ne prêtais à mes compagnons que ce qu'il faut d'attention pour jouer sur les mêmes accords qu'eux, dans la même tonalité. Moi, je ne m'écoutais pas du tout. J'écoutais les paroles de Diane. Je me repassais le disque en boucle dans ma tête. Pas exactement en boucle. Je corrigeais les dialogues. Je peaufinais mes répliques. Je récrivais le rôle de Diane en conséquence. Puis l'écho de ce que nous nous étions réellement dit revenait en bourrasque et soufflait le château de cartes. Mais je ramassais les morceaux et je reprenais tout du commencement. Je m'accrochais. Je devais être fin prêt pour la prochaine conversation avec les États-Unis. Je préfère ne pas savoir combien de temps a duré ce set.

À la pause, Jacques cherchait mon regard, sans doute pour me faire comprendre qu'il était toujours présent, qu'il n'avait pas l'intention de me lâcher, quoi qu'il se passe. Toutefois, comme, là où je me trouvais, il ne pouvait rien pour moi, j'ai fait celui qui n'a rien vu. Dans le regard de Joachim, qu'il a pudiquement détourné sous le premier prétexte venu, j'ai lu que, cette fois, j'avais perdu quelque chose. Que, cette fois, ça venait de s'en aller de mon jeu, ce qui en faisait « la magie », comme disent les gens. La tristesse silencieuse de Joachim ne pouvait pas avoir d'autre raison. J'avais eu beau accumuler les jours sans, jusque-là j'étais passé entre les gouttes, mais, cette-fois, le charme s'était rompu. Et cette rupture, me disaient encore ses yeux, avait quelque chose de définitif. Si jamais je parvenais à reprendre le dessus, ma musique ne parviendrait plus à dégager, au mieux, qu'un charme rafistolé.

Nicola, lui, ne m'a pas évité, je n'ai pas évité Nicola. Il me contemplait bizarrement. Jean-Marie et les autres quittaient la scène le dos rond. J'étais resté assis sur mon tabouret. Nicola s'est avancé vers moi et il m'a dit, après avoir vérifié que personne ne pouvait nous entendre : « Pardonne-moi si je ne te suis pas, vieux. J'aimerais bien, mais, là, tu vas trop loin pour moi… » De quoi parlait-il exactement ? De musique, de défonce, d'amour fou, d'amour impossible, d'amour aveugle, d'amour extralucide, d'autre chose encore ? J'ai préféré le laisser s'éloigner sans lui avoir posé la question.

En ce qui me concerne, je ne me suis jamais pris pour un sorcier. Je joue comme je joue. Je suis né en Oklahoma, pas en Nouvelle-Angleterre : le surnaturel, ce n'est pas mon truc. La prestidigitation non plus, comme chacun sait. Pour autant, ce qu'ils appellent « magie » dans ma façon de jouer, je sais ce que c'est. En gros : c'est donner le sentiment à ceux qui vous écoutent que les notes d'un solo ne se baladent pas au hasard, qu'elles vont toutes quelque part, qu'elles ont rendez-vous en un endroit qui n'est peut-être pas la fin du chorus en question, ni la fin du morceau, ni même la fin du set ou de la soirée, mais qui est néanmoins un lieu précis, un point aussi unique que la source dont, à l'autre bout du processus, elles émanent toutes. Cette fameuse magie, ce n'est rien d'autre que ce qui transforme une suite de lettres que vous tirez de votre chapeau en mots, ces mots en phrases, ces phrases en histoire, et cette histoire en intrigue, le problème résidant en ceci qu'à partir des mêmes lettres apparemment rangées de la même manière, un musicien raconte quelque chose ou pas, entretient le suspense ou pas. Pourquoi cela marche-t-il avec vous, alors que ça foire avec le voisin ? Une fois qu'on a éliminé toutes les explications d'ordre mécanique ou technique, il ne reste plus que la magie à invoquer, voilà tout.

En avril 81, j'avais fait un saut à New York, où quelqu'un m'avait décroché un engagement d'une semaine au *Fat Tuesday's*. Se défoncer n'était plus aussi à la mode qu'autrefois chez les jazzmen de la ville, mais il existait encore quelques endroits – pas forcément les plus reluisants, mais ça, je m'en foutais – où l'on pouvait se faire un fix sans être trop dérangé, tout en écoutant des musiciens auxquels on pouvait se joindre si on en avait envie. C'est ainsi que je me suis retrouvé dans une boîte pourrie dont j'ai oublié le nom : un bouge du Lower East Side, ou pis encore. Comme les serveuses qui circulaient en traînant la savate, les trois gars sur l'estrade n'étaient là que pour détourner l'attention d'éventuels touristes de la principale activité de la maison, qui était de fourguer une vaste gamme de produits illicites. Ça dealait dans tous les coins, à se demander s'il y avait place pour un ou deux clients dans mon genre au milieu de cette foule de camelots. C'était un copain de Ben Riley, mon batteur au *Tuesday's*, qui m'avait entraîné là. De toute évidence, quand il avait décidé de s'y mettre, ce garçon ne se contentait pas de planer au ras du sol : il visait carrément la stratosphère ! Néanmoins, il n'avait pas que des idées de came derrière la tête en me faisant grimper dans son tas de boue (qu'il n'était même pas digne de conduire, soit dit entre nous, tant il manquait de style au volant). « Tiens-toi bien, m'avait-il prévenu, tu ne vas pas en revenir ! » Il a éclaté de rire, ravi d'obtenir un pareil succès, quand, à peine franchi le seuil de l'assommoir, j'ai été saisi par la musique du trio au point de rester une bonne minute figé sur place.

La formule instrumentale était celle de mes premiers disques SteepleChase : trompette, piano, contrebasse. Mais la coïncidence ne m'aurait pas frappé si, en plus, le trompettiste (un Noir efflanqué qui, même à moi, donnait l'impression de sortir d'une boîte à ordures et de s'être rasé avec un tesson de bouteille) n'avait été en train d'interpréter l'un des morceaux les plus représentatifs de mon répertoire, *Look For The Silver Lining* et si, une fois exposé le thème, il ne s'était lancé dans un chorus qui était, note pour note, celui que j'avais enregistré sur cette chanson en 59, à Milan.

Je ne m'étais pas amusé à l'apprendre par cœur, on s'en doute. En fait, je n'avais réécouté qu'une ou deux fois le disque depuis qu'il était sorti. Mais chaque fois que cet escroc entamait une phrase, la suite me venait toute seule avant qu'il ait eu le temps de la jouer, et je revoyais le studio, l'ingénieur du son, Gianni Basso et les autres musiciens, aussi clairement que si je les avais de nouveau en face de moi.

Dans cette supérette de la came, la plupart des usagers ne se donnaient même pas le mal de s'enfermer dans les toilettes pour s'injecter leur dose. Ils se tournaient contre le mur ou se piquaient sous la table. Moi, je suis resté de la vieille école : ce n'est pas parce qu'on est plusieurs à pratiquer certaines choses qu'il faut les pratiquer en public. Le sachet qui se trouvait dans ma poche, je me suis retiré dans l'endroit habituel pour en faire usage. Quand j'en suis ressorti, le trio jouait toujours. En l'entendant négocier *Happy Little Sunbeam* (quand l'avais-je abandonné, ce thème-là ? dès 54 ? dès 53 ?), j'ai réalisé que, depuis que j'avais poussé la porte de la boîte, il n'avait fait qu'interpréter mes spécialités : de très anciennes comme les compositions de Russ Freeman, des toutes récentes telles que *You Can't Go Home Again* ou *Broken Wing*, et certaines autres qui ne m'ont jamais vraiment quitté, en tout cas jamais pour très longtemps : *But Not For Me, Valentine, Stella By Starlight*, le *Sad Walk*, de Dick Twardzik et *For Minors Only*, une pièce écrite par un vieux pote de Miles, Jimmy Heath, aux compositions duquel j'ai consacré tout un album dans les années 56-57.

Et ce foutu cambrioleur, sans se faire de bile, continuait d'aligner *mes* phrases, à la virgule près. De sortir avec une sonorité qui, dans le brouillard ambiant, et je ne parle pas *que* de la fumée, pouvait passer pour une des miennes (je dis « une des », car le gars poussait le vice jusqu'à en changer selon qu'il m'imitait dans mes disques Pacific, dans mes disques Riverside ou encore, par exemple, dans le CTI avec Paul Desmond, qui semblait l'avoir particulièrement inspiré), de sortir, disais-je, des solos entiers que je n'aurais pas été capable de reproduire moi-même sans me planter une fois ou deux et qu'il copiait à l'identique avec les pauses, les silences, les dérapages plus ou moins contrôlés, les canards déguisés in extremis en oiseaux des îles, comme Jimmy Rowles m'avait appris à le faire dans le temps (il était marrant, Jimmy : c'était facile avec un piano, mais, avec une trompette, j'aurais bien voulu l'y voir !).

Jamais je n'avais entendu un plagiat aussi éhonté. À part moi et le type qui avait voulu que j'en sois témoin, cependant, nul ne semblait s'aviser de ce qui se passait. Je veux bien que tout le monde ait été plus ou moins déchiré dans cette taule, mais tout de même ! J'avais rencontré des mecs capables de siffler mes anciens chorus jusqu'au Zaïre… Et puis merde ! À quoi étais-je en train de jouer, là ? Je n'allais pas faire une crise de susceptibilité, après tout ce que j'avais dû encaisser depuis que Slipper et sa bande m'avaient ravalé la façade. *Moonlight in Vermont* et *Line For Lyons*, ça ne datait pas d'hier. De l'eau avait coulé sous les ponts. Il y avait belle lurette que les juke-boxes n'avaient plus ces trucs en magasin, ni aucun de mes disques d'ailleurs. De toute façon, je n'avais aucun droit de me plaindre : j'avais disparu de la circulation des années durant, pour finir par m'exiler en Europe de mon propre chef. Je ne pouvais pas râler non plus, moi qui avais toujours affirmé que l'immense majorité des gens n'ont pas de feuille si, dans une boîte de jazz minable d'un quartier paumé, où l'orchestre se démenait dans l'indifférence générale, il ne se trouvait personne pour reconnaître des improvisations gravées parfois près de trente ans plus tôt.

Un peu calmé, j'ai vu les choses sous un autre angle. Si on n'identifiait pas les devises de la banque Baker dans le travail de ce faux-monnayeur, c'était peut-être que le travail en question n'était pas aussi soigné qu'il y paraissait à première vue. J'ai tendu l'oreille, je me suis absorbé dans la musique qui me parvenait, comme j'avais coutume de le faire dans la mienne propre. Et j'ai eu soudain la révélation qu'il y avait plus de différence entre tel chorus de mon cru sur *I Can't Get Started* et le fac-similé qu'en proposait ce type, avec tous les certificats de conformité possibles et imaginables, qu'entre ce même chorus et, disons, une intervention de Bubber Miley, de Roy Eldridge, de Diz, de Lee Morgan ou de Booker Little, non seulement sur ce thème-là, mais sur n'importe quel autre.

Ce qui était superposable sur la partition ne l'était plus dans la réalité. On comparait deux choses présentant la même fiche signalétique, mais appartenant à des univers qui n'étaient pas régis par les mêmes lois (je parle des lois de la nature). Le gars pouvait m'imiter cent fois mieux qu'il ne le faisait, cent fois mieux que je n'aurais su, moi, y parvenir : ma musique lui resterait quand même inaccessible à cent pour cent. C'est en quoi consiste, j'imagine, cette fameuse « magie » dont on parlait tantôt. Ça ne tient pas au fait que je sois meilleur que lui (à part peut-être les types comme Bird, tout le monde est meilleur que quelqu'un ET pire que quelqu'un d'autre). Non : ça tient au fait que, réussirait-il pour de bon à se mettre dans ma peau, ma peau trouverait le moyen de lui fausser compagnie. Une fois de plus, le malheureux coucherait dehors avec un billet de logement. À la belle étoile, c'était ce qu'il pouvait espérer de mieux.

Que cherchait-il, ce mec-là ? Qu'espérait-il obtenir ? La gloire, c'était exclu d'emblée. L'argent, il était clair qu'il n'en prenait pas le chemin. Alors quoi ? Il m'avait d'abord mis en colère. Puis je l'avais à moitié plaint, à moitié méprisé. Maintenant, il me fascinait. J'aurais voulu connaître le fin mot de l'histoire. J'ai interrogé mon guide, mais il ne savait rien. Il avait l'habitude de se fournir dans cette boîte et il se trouvait que, depuis quelques jours, ma copie conforme s'y produisait. Dans l'anonymat. Son nom n'était inscrit nulle part, ni à l'extérieur ni à l'intérieur de la salle, et pas un client, en apparence, n'avait encore éprouvé le besoin de s'informer à ce sujet. J'aurais pu envoyer mon compagnon aux nouvelles. Étant un habitué des lieux, il aurait sans doute bénéficié des confidences du barman, sinon de la patronne. Mais un nom ne m'aurait rien appris. Le mieux était que j'aille trouver le gars moi-même et qu'on s'explique entre hommes. S'il avait le culte de ma musique au point de lui vendre son âme, je tenais à le lui entendre dire, et qu'il m'explique pourquoi. De son côté, sans doute ne serait-il pas mécontent de me rencontrer.

Je me suis levé. Crevant l'écran de fumée, j'ai marché en direction du podium, si exigu – encore plus que celui du *Haig's* – que le guitariste jouait debout et qu'il avait dû installer son ampli au pied de l'estrade.

Progresser dans cette salle n'était pas une petite affaire. D'abord, elle était bondée. Ensuite, les gens avachis autour des tables étaient trop chargés pour vous faciliter la tâche. Vous n'arrêtiez pas de buter dans des bras ou des jambes, mais leurs propriétaires ne sentaient rien, ne vous voyaient même pas. Et si d'aventure ils s'avisaient de votre existence, ils n'en tenaient aucun compte. Il fallait les franchir comme les obstacles sur le champ de manœuvre de la caserne. Au moins, on pouvait s'épargner la peine de leur dire pardon et merci.

Le gars venait d'attaquer *This Is Always*. Je n'étais plus qu'à une dizaine de pieds de l'estrade. Soudain, il m'a repéré. Si je prétends qu'il a verdi, lui, un Noir, dans cette brume et dans cette pénombre, on va rire. C'est pourtant ce qui s'est passé. Nos regards se sont croisés. Il a vu un fantôme. Il s'est arrêté de jouer. Il a filé sans demander son reste vers le fond de la scène, qui s'est refermé sur lui. Il s'est évanoui dans le décor. Ses partenaires n'ont pas bronché. Le guitariste a repris le thème là où il l'avait abandonné. Et le plus drôle, c'est que, moi aussi, j'avais vu un fantôme. Il faut croire que je planais pas mal, mine de rien. J'ai regagné ma place tant bien que mal. Le copain de Ben Riley m'a dit : « T'en fais, une tête ! Qu'est-ce qui t'arrive ? » J'ai répondu : « Ce trompettiste, tu ne vas pas me croire, mais il ressemble à un juge à qui j'ai eu affaire autrefois. Un juge qui m'a évité pas mal d'ennuis. Comment s'appelait-il, déjà ? Walter ?... Walker, il me semble. Timothy Walker, ou quelque chose comme ça. C'est dingue, non ? » Il a ri, c'était tout ce que cet enfoiré savait faire. « Tant que tu ne vois pas Abraham Lincoln… ! »

Personne ne peut vous prendre votre magie, mais cela ne signifie nullement que vous ne puissiez pas la perdre. Et si vous la perdez, il n'existe qu'une seule façon de survivre : celle de tous les musiciens qui ont fait carrière sans cette faculté, sans cette sorte de grâce que le Ciel vous accorde ou dont il vous prive et qui ne s'obtient ni par le travail ni par le mérite. Cette solution unique, dont, au surplus, l'efficacité n'est pas garantie, c'est le brio. L'exploit technique permanent pour les plus cons-ciencieux ; le simple lancer de poudre aux yeux pour les autres. Le problème avec moi est que je n'ai jamais été un athlète de mon instrument et que je réserve la poudre à un autre usage que celui-là. Je n'ai ni le goût, ni les moyens de faire illusion. Tout mon jeu est fondé sur l'honnêteté. Si ça n'avait pas été le cas, j'aurais été le premier à ne plus avoir envie de jouer. La vie est une comédie, peut-être, un théâtre d'ombres, mais pas la musique. Et la plus grande de toutes les magies de la musique, selon moi, c'est de dire la vérité toute nue.

À Calais, Peter Huijts m'avait remis de la part de Wim Wigt, en règlement du concert que nous avions donné là-bas avec Jacques et Nicola et en guise d'avance sur les droits d'un enregistrement avec Archie Shepp, un gentil petit matelas de billets en monnaie allemande, que j'avais glissé dans une poche intérieure de mon blouson. Il devait y en avoir au moins pour 5 000 dollars. Je desti-nais cette somme à la location de la maison, la maison à glycine sur une voie sans issue, près des bois, dont Joachim m'avait fait rencontrer le propriétaire et où j'avais l'intention d'emménager avec Diane à la fin du mois. Je pensais que cette maison serait le meilleur des arguments pour l'inciter à me revenir. J'ai même cru un instant que, grâce à ce toit et ces murs, j'allais vraiment être capable de changer. Pas uniquement de redevenir ce que j'avais été avant la dope : de devenir enfin le genre de type que j'avais failli être à Berlin jadis, entre Dick-La-Débrouille, Oscar l'Idéaliste et Cisella la Réaliste. Le genre qui plante des arbres. Le genre sur lequel une femme peut toujours compter. Un gars comme l'avait été mon père lorsqu'il avait cloué sa guitare au mur et cessé de se faire des idées pour prendre l'existence à bras-le-corps. Impossible pour moi ? J'y étais parvenu au volant d'une voiture : pourquoi pas en d'autres occasions ?

Je m'enfonçais dans le rêve de toi, Diane. Preuve en est que pendant plusieurs jours, serrant les dents, je n'ai pris aucune substance, sauf des choses à fumer. Je ne voulais pas écorner notre pactole. Car c'en était un. Si j'avais déjà reçu pareille somme en une seule fois, ce qui n'était pas certain, jamais encore elle n'était restée intacte plus de quelques heures, en comptant large.

Le 7 mai, au *Thelonious* de Rotterdam, le patron n'a pas voulu me payer, sous prétexte qu'il avait promis à sa clientèle, me précisa-t-il, « Chet Baker, et non pas ses restes, pauvre cloche ! ». Quand je suis sorti de la boîte, très déprimé, après avoir arraché de haute lutte une aumône à ce salopard, plus moyen de me souvenir où j'avais garé mon Alpha. Le 9, j'étais à Amsterdam. Entre-temps, j'avais aussi paumé mon passeport. Le lendemain, je suis retourné à Rotterdam pour déclarer le vol de la bagnole. J'ai passé une partie de la soirée dans un club du nom de *Dizzy* (*Dizzy, Thelonious,* il devait sûrement y avoir un *Bud* et un *Bird* quelque part !). J'ai joué avec le groupe de jazz-rock qui s'y produisait, pour le cas où ma bonne vieille magie aurait regagné le pavillon de mon biniou : chou blanc. Puis je me suis dit que si Diane n'avait pas réussi à me supporter quand je possédais ce don, elle ne me passerait plus rien maintenant que je l'avais perdu. J'ai palpé mon blouson : la liasse de deutschemarks, elle, était toujours là.

J'ai quitté le *Dizzy* pour les bas-fonds de la ville. J'ai acheté ce dont j'avais désormais le plus urgent besoin. Le mec qui m'hébergeait (il se faisait appeler Bob Holland et organisait des concerts à la sauvette) était la providence du toxico dans cette partie de la planète. Woody Shaw m'avait précédé chez lui. Frank Wright, le saxophoniste *free*, s'y trouvait encore. Avant de consommer, je me suis livré par acquit de conscience à une ultime tentative. J'ai rappelé Diane pour lui dire, avec toute la conviction dont j'étais capable, que, sans elle, je n'existais plus. Ni en tant qu'homme, ni en tant que musicien. Elle a essayé de me rassurer. Elle avait l'air aussi émue que moi. En revanche, elle n'a pas dit qu'elle sautait dans le premier avion pour l'Europe, rendez-vous à l'aéroport.

Les dés étaient jetés. J'ai fait ce que j'avais à faire et je me suis endormi comme une souche. Je n'ai rouvert les yeux que vingt-quatre heures plus tard, le 12. Ils avaient retrouvé l'Alpha. Bob est sorti pour me la ramener, ainsi qu'un peu d'héro dont il souhaitait nous régaler, Frank et moi. Il soignait sa réputation d'homme qui sait recevoir. Mais il nous a fait poireauter si longtemps que j'ai perdu patience. Après avoir eu Peter Huijts au téléphone, j'ai décidé d'attraper un train pour Amsterdam. Là-bas, je me suis rendu tout droit de la gare au quartier chaud, le Zeedijk, pour de nouvelles emplettes. C'était le jeudi de l'Ascension. Les hôtels où j'avais mes habitudes affichaient tous complet. J'ai fini par trouver une piaule dans la soirée au *Prins Hendrik*. Il avait moins de classe que les autres, il y faisait un peu trop chaud à mon goût, mais je m'en foutais. Ce que j'ai déballé sur la table, après avoir ouvert la fenêtre, je n'aurais pas fait de difficultés pour le déguster dans un squat servant de toilettes publiques, un midi de canicule au fin fond du Bronx. La poussière d'ange s'accommode de pire que ça et ce soir, de toute façon, j'avais quelque chose à fêter.

Et voilà. Une bonne mesure de cheval, une ration de neige plus modeste : je suis prêt à décoller sur mon *speed-ball*, accroché à lui comme à un boulet rouge expulsé par le fût d'un canon et tiré contre le soleil. Surtout, Diane, ne m'attends pas ! Sur ma fiche, à la réception, sur la ligne de pointillés imprimés en regard de *Permanent address*, j'ai noté : « Yale, Oklahoma ». Tu ne connais pas ? Ça n'a aucune importance. Feu !

Oscar D. Greenspan

Depuis que j'avais fui, le cœur serré, cette jam calamiteuse au *Shelly's Manne Hole*, en 1970, nos itinéraires ne s'étaient croisés qu'une seule fois. Le 14 juin 1987, profitant d'une soirée où notre propre tournée avait quartier libre, j'avais assisté à une prestation – admirable, celle-là – de Chet Baker au *Hitomi-Kinen-Kodo* de Tokyo. On sentait de la part du public japonais plus que de l'admiration à son endroit : l'enthousiasme qu'il lui manifestait était nuancé d'une sorte de respect sacré, comme en présence d'un envoyé du Ciel. Cet accueil avait galvanisé le quartette. Son chef s'exprima avec, dirais-je, une plénitude que j'avais rencontrée dans fort peu de ses enregistrements.

Il y aurait toute une étude à faire sur *les* sonorités de Chet, qui non seulement se sont succédé au fil du temps, mais qui, à dater de son comeback en 73, se sont développées parallèlement les unes aux autres. Mon ancien camarade du 298e Army Band peut avoir, selon les circonstances, les partenaires et l'instrument qu'il utilise, un son épanoui ou un son recroquevillé sur lui-même, un son de bronze, un son d'or rouge, d'or jaune ou d'or blanc, un son d'argent patiné (à la Bix Beiderbecke), un son d'aube lunaire, un son d'ébène, un son de velours, un son de satin, un son de parchemin, un son de sable, un son de cendre, un son d'eau vive ou de fumée (plus proche alors de Lester Young que de n'importe quel autre trompettiste). Il peut avoir un son du matin et un son du soir, un son vigile et un son endormi, un son de rêveur éveillé, un son somnambule, un son de printemps et un son d'agonie. J'en oublie sûrement. Mais je sais qu'à Tokyo il les avait tous, confondus, synthétisés en une sonorité unique et plurielle. Un jeu subtil d'échanges, d'alliances, d'alliages entre ses multiples composantes la travaillait en profondeur, trahi par des moirures, des irisations, tout un chatoiement furtif et vagabond qui l'animait en surface.

Je ne recherchais pas systématiquement les nouveaux disques de Chet, mais j'achetais ceux qui me tombaient sous les yeux dans les magasins. Une boutique du Village avait tapissé sa vitrine de *You Can't Go Home Again*, comme certains libraires le font avec le dernier roman à la mode. Cet album est une de ses productions que je connais le mieux, en particulier son solo sur *Un Poco Loco*. L'éditeur avait eu l'heureuse idée d'en reproduire le relevé sur la pochette. C'était, en même temps qu'un défi lancé aux autres trompettistes, une invitation à entrer dans son jeu, au propre comme au figuré.

Ce chorus exigeait une agilité technique qui n'était pas pour me faire peur : c'était grâce à ce genre de compétence que je gagnais ma vie depuis plus d'un quart de siècle. Je lisais la musique comme on lit le journal, si bien que, du premier coup, j'ai interprété ce passage sans une faute. À ceci près que des années-lumière séparaient ce que je venais de jouer de ce que j'avais entendu dans le disque. De deux choses l'une : ou bien le relevé de Mr Bruce Thomas était inexact (ce sont des choses qui arrivent plus souvent qu'on ne croit), ou bien, la notation conventionnelle ne permettant pas de symboliser certains phénomènes sonores, la marge d'interprétation personnelle était si grande que, d'un exécutant à l'autre, des différences pouvaient s'observer, assez significatives pour affecter jusqu'à la nature de l'œuvre.

Ce qui frappait dans la version de Chet était sa cohérence, son urgence et cette allure narrative qu'il conférait à la quasi-totalité de ses interventions. La mienne, littéralement, n'avait aucun *sens*. J'entends par là qu'elle surgissait du néant et ne menait nulle part. Bien sûr, elle ne connaissait pas l'urgence puisque aucun rendez-vous ne lui avait été fixé. Cela dit, comment pareil abîme avait-il pu se creuser entre deux lectures d'un seul et même texte ? J'ai souvent réédité l'expérience : jamais je n'ai trouvé de réponse satisfaisante à cette question. J'ai mis la partition sous le nez de jeunes confrères qui, pendant leurs études classiques, s'étaient inscrits l'été dans des séminaires de jazz, à Berkeley ou ailleurs : le résultat n'a pas été plus probant.

Au *Hitomi-Kinen-Kodo*, après le concert, l'idée m'est venue de me joindre à la foule qui se dirigeait vers les loges où il distribuait des autographes. Ayant triomphé devant le public *et* réussi dans son entreprise (en art, les deux choses ne vont pas forcément de pair), peut-être serait-il si bien disposé qu'il accepterait de me confier son secret... Et puis non. Il y avait maintenant quarante ans que la vie nous avait séparés. Il ne me reconnaîtrait même pas. Non seulement j'avais au moins autant changé que lui, mais, dans mon cas, aucune photo n'avait jamais été publiée dans la presse. D'ailleurs, se souviendrait-il même des heures que nous avions passées ensemble à Berlin, dans la salle de répétition ou au mess de notre casernement ? Il m'arrivait de songer à mon séjour là-bas comme à une chose irréelle, de plus en plus improbable à mesure que le temps m'en éloignait. De cette période émergeaient tout au plus quelques noms sans visage et quelques visages sans nom. Je suppose qu'il en allait de même pour lui et je n'avais aucune raison d'espérer qu'Oscar D. Greenspan aurait laissé plus de traces dans sa mémoire que n'importe lequel des camarades dont je ne gardais pour ma part qu'une image confuse : lui, après tout, n'avait jamais été amoureux de moi... J'ai donc regagné le lobby de mon hôtel avec le vague espoir que, passé minuit, on pouvait y faire des rencontres intéressantes.

Onze mois plus tard, je suis à Amsterdam avec l'orchestre symphonique, où je fais désormais partie des meubles, pour deux soirées au *Concertgebouw*. Je me balade en quête d'aventure dans le Zeedijk et qui vois-je traverser la rue devant moi, l'air affairé, le regard fixe et absent derrière de grosses lunettes ? Chesney Henry Baker Junior ! Je ne savais même pas qu'il était en ville. J'avais feuilleté le programme des manifestations culturelles déposé dans ma chambre, mais si son nom y figurait, il m'avait échappé.

Il portait des pantalons à larges rayures (il me semblait les avoir déjà vus sur certaines photos) et une chemise dont il avait roulé les manches presque jusqu'aux coudes. Je ne l'ai pas interpellé, alors qu'il passait sous mon nez. En revanche, sans réfléchir, je lui ai emboîté le pas.

Une fête chômée, une soirée presque estivale : il y avait foule dans les rues. Manifestement, il connaissait les lieux, ce qui n'était pas mon cas. Je marchais sur ses talons, par peur de le perdre. Pas une seule fois, il n'a jeté ne fût-ce qu'un coup d'œil par-dessus son épaule.

Il s'est engouffré dans l'hôtel Prins Hendrik. Je n'avais toujours pas décidé si je l'aborderais ou non, mais je ne l'ai pas lâché. Je l'ai entendu demander la clé de la chambre C-20. Tandis qu'il s'y rendait, je suis allé au bar faire le point de la situation devant un bourbon et une bière (on se fait servir le whisky dans un petit verre qu'on lâche avec délicatesse à l'intérieur de la chope).

Il ne pouvait retraverser la réception sans que je le repère. J'ai pris mon temps, mais ça ne m'a pas aidé à prendre un parti. Au bout d'une petite heure, j'ai réglé mes consommations et laissé mes jambes choisir à ma place. Elles se sont dirigées vers l'ascenseur, plutôt que vers la sortie. J'ai trouvé la bonne porte sans la moindre difficulté. La chambre C-20 donnait sur l'arrière du bâtiment. Je me suis dit que, pour une célébrité, Chet n'avait pas des goûts de luxe. Je me suis dépêché de frapper, avant que quelque scrupule ne m'en dissuadât.

« C'est ouvert ! »

La voix était placée plus bas que dans mon souvenir, mais elle avait conservé la même douceur. En fait, elle me parut à la fois extraordinairement lasse et étonnamment juvénile. Elle chuintait un peu, à présent, sans doute à cause des dents artificielles.

J'ai poussé la porte. Il était assis, l'étui de son instrument ouvert à ses pieds (nus), près d'une table sur laquelle deux petits tas de poudre blanche attiraient le regard. Et si j'avais été le garçon d'étage, ou le flic de l'hôtel ? Cette idée ne semblait pas lui avoir traversé l'esprit. Dans le mur qui me faisait face, de l'autre côté du lit, la fenêtre était grande ouverte. La lourde atmosphère de la pièce ne s'en trouvait qu'à peine assainie.

Il n'a pas cillé en me voyant. Il ne m'a pas souri non plus. Son visage reflétait une sérénité de vieux fakir.

« Je suis… », ai-je attaqué. Mais il m'a interrompu :

« Salut, Oscar.

– Tu m'as reconnu ?

– Je t'attendais.

– Tu *m'attendais* ?

– J'attendais un ami. Tu es l'un des meilleurs que j'aie jamais eus, avec Alphonse. Et l'un de mes plus anciens après Brad Coulter. Je t'avais parlé de Brad, Oscar ? Il m'a donné la passion des voitures rapides, bien avant que je sois en âge de les conduire. »

Quelque chose me disait que ce n'était pas le moment de tourner autour du pot.

« À propos de vélocité, ai-je enchaîné, te souviens-tu de ton solo sur *Un Poco Loco* ?

– Oui, je m'en souviens. C'est bien le problème.

– Le problème ?

– Je n'en ai plus que la mémoire… Écoute, Oscar, tu tombes bien. J'ai pris une résolution en t'attendant : je vais décrocher. »

Il a surpris le regard que je lançais à la poudre.

« Non, pas de ça : de ça. »

Du menton, il désignait la trompette.

« J'ai un concert ce soir à Laren, avec Archie Shepp. Je n'irai pas. C'est fini, ce cirque. Je ne parle pas d'Archie, il n'y est pour rien. Connais-tu Archie, Oscar ? Je crois qu'il a peur du silence. Je crois qu'il crie pour effrayer le silence. Pas mal trouvé, hein ? Il faudra que je m'en souvienne quand je me remettrai à mon bouquin… Moi, je n'ai jamais su crier. Je n'ai pas peur, non plus. J'attends, j'espère…. »

Il a posé, non sans délicatesse, le bord de son pied droit sur le bord de l'étui.

« Je ne souffle plus dans ce machin, sais-tu ? Je me sers de lui pour retenir mon souffle…

– Et tu dois être à peu près le seul au monde à faire ça au moyen d'une trompette, ai-je dit. Tu es ton propre maître dans un univers où, même parmi les meilleurs, il y aura toujours une écrasante majorité de larbins (je sais de quoi je parle). En quel honneur renoncerais-tu à un tel privilège ? »

Il a pincé les lèvres, soupiré, puis secoué la tête. On aurait cru mon père lorsque je répondais de travers à une question qu'il avait jugée facile.

« Écoute, Oscar. Si tu jouais dans un club tellement bondé de connards que leurs rires et leurs bavardages couvrent la musique, que ferais-tu ?

— Eh bien... je les collerais au mur en soufflant comme Cat Anderson si le Père éternel lui avait confié la trompette du Jugement dernier...

— Tssst, tssst, ce n'est pas la bonne solution. Je vais te dire : dans une situation comme celle-là, plus le ton monte dans la salle, plus doucement tu joues. Tu baisses le niveau sonore de l'orchestre jusqu'à ce que les blaireaux réalisent qu'il se passe quelque chose d'anormal. Et alors, tu verras, leurs grandes gueules vont toutes s'éteindre l'une après l'autre comme des chandelles qu'on souffle et, au lieu de se regarder les uns les autres, ils vont se retourner vers toi tout penauds. Jusqu'à la fin du set, tu ne les entendras plus moufter. Il y en a même qui s'étrangleront plutôt que d'oser tousser. Eh bien, moi, je vais jouer si doucement désormais que, même en tendant l'oreille, on ne m'entendra plus du tout. Jamais on n'aura fait aussi attention à moi. Je n'aurai même plus besoin d'un téléphone pour qu'on m'écoute de l'autre côté de l'océan... Si cet instrument te plaît, vieux, tu peux le prendre. Il ne m'appartient pas, en fait, mais si tu l'emportes, personne ne te soupçonnera jamais. C'est un bon compagnon. Je préfère qu'un ami en prenne soin, voilà pourquoi je t'attendais. »

Il n'y avait rien à répondre. Cette histoire me dépassait. Mais je ne pouvais pas rester là sans ouvrir la bouche, alors qu'il venait non seulement de vider son sac devant moi, mais de le retourner comme un doigt de gant. Et sa propre peau par la même occasion. Par chance, je me suis souvenu de ce qui m'avait traversé l'esprit à Tokyo et m'avait amené à le pister jusque dans cette chambre, ici à Amsterdam.

« Bien qu'il s'agisse selon toute apparence d'une Vincent Bach Stradivarius, ce n'est pas ta trompette qui m'intéresse », ai-je articulé, feignant la désinvolture, comme on parle du temps qu'il fait.

J'essayais de ne pas perdre pied. De me persuader qu'en dépit de son absurdité manifeste, cette scène n'avait rien au fond que de très naturel, compte tenu des circonstances. Je voulais croire que les effets de la drogue en étaient seuls responsables. Il fallait que j'entende le son de ma voix pour garder un contact avec la réalité, ou du moins avec ce que j'avais baptisé de ce nom avant de pénétrer dans cette pièce.

« Ce qui m'intéresse – ai-je poursuivi – et depuis fort longtemps, c'est ce qui sort par ce bout-là quand tu joues et, plus encore peut-être, ce qui entre par ce bout-ci. Ce n'est pas au hasard que je te citais *Un Poco Loco…* »

Je lui ai raconté mes déboires avec le relevé de Bruce Thomas. J'ai conclu :

« Si la pièce du puzzle qui me manque ne se trouve pas dans ta musique, c'est qu'elle se trouve dans ta tête. Cet enregistrement ne date pas d'hier, mais te rappellerais-tu par hasard à quoi tu songeais à ce moment-là ? Ça pourrait m'aider, on ne sait jamais.

– Je pensais probablement à Alphonse.

– Alphonse ?

– Je pense à lui de plus en plus souvent, quand j'improvise. Enfin, j'y pensais au temps où… »

Je me suis empressé de détourner la conversation.

« Qui est Alphonse ?

– Oh ! Alphonse est mort, je suppose. Mort d'épuisement. C'était un type qui rêvait de voler comme les oiseaux. Essayer de décoller de son verger, il ne faisait que ça du matin au soir. Tu te rends compte ?

– Sans vouloir doucher ton enthousiasme, ça ne me paraît pas un rêve très original.

– Peut-être. N'empêche qu'on rencontre de moins en moins de types dans son genre. On a les avions et tout ça. Mais justement : c'est aujourd'hui que ça prend tout son sens, non ? »

Je n'avais pas l'intention de perdre le fil.

« Donc, tu songes à cet Alphonse. Et alors ?

– Je me dis que nous nous ressemblons. Je me lance dans un chorus et je me dis que nous faisons la même chose, lui et moi. Il y a tous ces avions partout au-dessus de nos têtes, tu comprends ? Les oiseaux, eux, n'ont jamais eu besoin de nous. Le ciel, le soleil, la lune et les étoiles s'en contrefichent. Les autres hommes, encore pire ! Tout ça ne sert à rien. Ça ne peut pas marcher, voilà tout, et, si jamais ça marchait quand même, ça ne déboucherait sur rien. Cependant, quelquefois... »

Il divaguait, mais j'étais suspendu à ses lèvres.

« Quelquefois ?

– J'entends le déclic et, soudain, c'est comme... »

Il se lève. Il écarte les bras. Avec une prestance dont il n'est pas conscient, il se met à tourner sur lui-même entre la table et le lit, élargissant le cercle peu à peu jusqu'à se cogner au mur qui fait face à l'entrée.

Il pourrait bien marcher sur la tête, je ne lâcherais pas le morceau.

« C'est comme quoi, Chet ? »

D'un bond félin, il se perche sur la tablette de la fenêtre, les bras toujours à l'horizontale. Il n'adhère à cette planche que par l'extrémité de ses orteils.

« Comme si j'avais des ailes, Oscar ! »

Il est magnifique, dressé contre la nuit dans cette posture infiniment gracieuse. La vérité me saute au visage : je n'ai jamais cessé de l'aimer. À travers tous les corps que j'ai enlacés dans mes voyages et dans mes rêves, autour de la terre et autour de mes nuits, c'était ce corps-là que je poursuivais. C'était ça, le secret d'*Un Poco Loco*. Le désir que j'avais de lui. Le désir qu'il avait de je ne sais qui. Peut-être le désir qu'il avait de lui-même et qu'il n'osait pas s'avouer d'une autre manière… Nous ne nous reverrons plus après cela, je sais bien. Mais il faut que tout soit dit. Je fais un pas dans sa direction.

S'est-il mépris sur mes intentions ? Ou m'a-t-il deviné, au contraire ? En tout cas, pour la première fois depuis que j'ai franchi le seuil de la pièce, il a souri. Il m'a souri. Ou à quelqu'un qu'il croyait voir à travers moi. Et il s'est envolé par la fenêtre.

Le choc de la partie postérieure du crâne contre un poteau de pierre provoqua une lésion irréparable du cerveau. On pense que la victime mourut sur le coup, mais il est impossible d'avoir une certitude absolue à ce sujet, dans la mesure où personne ne fut témoin de la chute elle-même. Les premiers passants qui, par la suite, aperçurent le corps étendu sur le pavé n'y prêtèrent aucune attention, croyant avoir affaire à un pochard en train de cuver. Plus tard encore, d'autres passants remarquèrent le sang qui, entre-temps, s'était mis à ruisseler sur le visage de l'homme. Ils tambourinèrent à la porte de l'hôtel pour appeler du secours. Tout ce rouge les effrayait et ils espéraient attirer quelqu'un qui, lui, saurait peut-être ce qu'il convenait de faire. Mais il était alors près de trois heures du matin et personne ne prit la peine de leur répondre, fût-ce par des insultes ou des quolibets. Un homme partit donc donner l'alerte dans un bar du Zeedijk ouvert toute la nuit. Les drames d'autrui n'y intéressaient pas grand monde. Le tenancier se résigna tout de même à prévenir la police.

Les premières constatations des fonctionnaires décrivent la victime (elle n'avait aucun papier sur elle) comme

« un homme d'environ trente ans ». Pour R. Bloos, inspecteur de la brigade criminelle en charge du dossier, cette erreur d'appréciation s'explique par le fait qu'il faisait sombre, que le mort était de frêle corpulence et que le flot de sang avait noyé ses traits.

M. Bloos est un homme pragmatique, plus confiant dans son expérience que dans les intuitions d'autrui. Sans étonnement, si l'on s'en tient à ses déclarations, il apprit que la victime se trouvait sous l'influence de narcotiques, dont l'héroïne. Or, cette substance, rappela-t-il, possède notoirement la propriété de plonger le sujet dans un état « proche de la semi-conscience ». D'où son hypothèse personnelle : « Peut-être (Baker) a-t-il eu soudain l'illusion qu'il avait la faculté de voler. »

Il faut convenir que nul n'en a proposé jusqu'ici de meilleure, même si d'autres éventualités – tout aussi romanesques, voire davantage – ont été envisagées, à la fois dans le cadre de l'enquête officielle et dans celui des commérages que l'affaire ne manqua pas de susciter dans les milieux du jazz, où l'on ne déteste pas que les faits divers viennent à l'appui des mythes.

Mais justement ! Dans cette optique, que Chet Baker fût tombé par la fenêtre n'arrangeait les affaires de personne. Il y a fait divers et fait divers. Si banal soit-il devenu de nos jours, l'accident de voiture, encore auréolé du prestige que fit rejaillir sur lui le sort tragique de Clifford Brown, de Scott LaFaro, d'Eddie Costa, de tant d'autres, l'accident de voiture a plus de panache qu'une stupide bûche. Dans une chute, même un vendredi 13, la Malédiction se manifeste de manière trop allusive, ou avec une ironie qui ne paraît pas forcément de bon aloi. C'est à peine si ses admirateurs osent se rappeler, par exemple, que le saxophoniste Brew Moore se brisa la nuque en dégringolant d'un tabouret à Copenhague : ils auraient le sentiment de faire injure à sa mémoire. La vie de Chet avait été comme une mise en scène de la légende par la réalité : c'était bien le moins qu'elle fût interrompue par une péripétie digne de celles qui l'avaient alimentée.

Modestement, tout d'abord, on a imaginé que la perte d'équilibre fatale à l'artiste aurait pu avoir, disons, un caractère plus épique qu'un plongeon involontaire. Le trompettiste Evert Hekkema, qui hébergea Chet Baker dans son appartement, a rappelé que l'alpinisme sur pignons, corniches et autres reliefs de maçonnerie était un exercice auquel son hôte ne dédaignait pas se livrer lorsqu'il avait égaré ses clés. Il y excellait d'ailleurs, mais nul n'est infaillible, et certainement pas un sujet porté à l'abus de stupéfiants. La réception ayant fermé ses portes à cette heure tardive de la nuit, comme il arrive assez souvent dans les établissements de deuxième catégorie, Baker aurait entrepris l'escalade du *Prins Hendrik* afin de regagner sa chambre. L'évident avantage d'un tel scénario est de neutraliser, en l'inscrivant dans un contexte ascensionnel, ce qu'il peut y avoir d'abaissant dans l'idée de chute.

Les fervents du disparu s'étaient gargarisés du mal de vivre qu'ils lui prêtaient volontiers. Inévitable, la thèse du suicide aurait rencontré un vif succès auprès d'eux si le fait que le désespéré se fût alors jeté d'un ridicule deuxième étage n'avait considérablement limité la portée de son geste à leurs yeux. La plupart préférèrent se tourner vers des spéculations plus gratifiantes. De toute façon, ses familiers – tel Peter Huijts, qui l'avait pourtant vu broyer du noir depuis le départ de Diane – ne l'imaginaient pas se donner la mort. Et surtout pas de cette manière. Comme le déclara sa dernière épouse légitime : « Se défenestrer n'était pas son genre. » À aucun moment,

Bloos n'avait retenu cette théorie, qu'il ne prendra du reste jamais la peine de réfuter. Pour en finir avec elle, Jean-Louis Chautemps l'a définitivement écartée lorsqu'il a déclaré à Gerard Rouy, en décembre 1991, avec un mélange de feint cynisme et de clairvoyance indéniable : « ...aucun drogué au monde ne se balance par la fenêtre sans avoir fini ses produits. C'est impossible, personne ne fait ça, que ce soit de la cocaïne ou de l'héroïne. Raison de plus s'il y a les deux : on ne laisse pas un truc comme ça à tout le monde ! »

Restait le meurtre. Le meurtre n'était pas mal du tout. On l'eût aimé passionnel ; crapuleux, il pouvait encore passer, à la rigueur. Pour Chet, on était prêt à toutes les indulgences. Et puis, lorsque le mode sinistre est de rigueur, la crapulerie, avec ses reflets de Série noire et de série B, vous a un petit air rock'n'roll qui n'est pas à dédaigner. Un héros tragique de la dimension de Chet Baker n'aurait-il pas mérité de connaître une fin aussi lamentable que Pier Paolo Pasolini dans un terrain vague de la banlieue de Rome, une douzaine d'années plus tôt ? Sur certaines photographies, les deux hommes affichent au reste un vague air de ressemblance.

La thèse de l'assassinat sans gloire recueillit, en particulier, le suffrage du réalisateur de *Let's Get Lost*. Dans plusieurs interviews, Bruce Weber insinua que la police néerlandaise se serait elle-même rangée à ce point de vue si elle n'avait pas traité cette affaire par-dessous la jambe. Comparable à l'« élaboration secondaire » – cette reconstruction que, d'après la psychanalyse, le rêveur opère au réveil à partir des éléments de son rêve dont il dispose encore –, une nouvelle interprétation des faits circula dans les cercles d'initiés. Au cours d'une dispute avec un ou plusieurs inconnus, le trompettiste aurait été jeté par la fenêtre. Sans dommage pour lui, cependant. Ce n'est qu'en tentant de regagner sa chambre par la face nord de l'hôtel qu'il aurait décroché de la muraille et se serait malencontreusement écrasé la tête la première.

L'inspecteur Bloos en ricane encore. Les lois de la nature, selon lui, ne permettent pas à quiconque y est assujetti d'escalader un mur privé de toute aspérité (détail qu'auraient peut-être relevé les détectives du dimanche s'ils s'étaient donné la peine de se rendre sur les lieux). Elles rendent en outre peu probable que, lors d'une chute de plusieurs mètres en arrière, le crâne du sujet touche le sol avant d'autres régions de son anatomie.

Le policier aurait pu se contenter de rappeler que la patrouille dépêchée sur place le 13 mai 1988 avait trouvé la porte de la chambre C-20 verrouillée de l'intérieur, mais, étrangement, cet indice capital resta inexploité, comme si Bloos n'était pas tout à fait certain de la fiabilité du rapport rédigé par ses hommes. (Il est vrai que ceux-ci, ignorant que leur client était une célébrité, persuadés d'emblée qu'il avait succombé à un peu banal mais très ordinaire accident, n'avaient pas dû pécher par excès de zèle.) Bien des gens restent persuadés que cette histoire de verrou tiré a été forgée de toutes pièces pour couper court aux supputations et masquer le fait que les premières constatations avaient été pour le moins bâclées. D'autres ont choisi de la tenir pour vraie, mais ils en tirent néanmoins des conclusions assez voisines. Ils soupçonnent qu'une enquête méthodique sur ce point précis aurait contraint l'inspecteur à envisager une machination en bonne et due forme, genre *Mystère de la chambre jaune*, et par conséquent à réviser une théorie qui avait déjà eu l'assentiment de ses supérieurs puisqu'elle leur permettait de clore le dossier dans les meilleurs délais.

Selon Peter Huijts, la police d'Amsterdam semblait attacher du prix à ce que le cadavre découvert derrière le *Prins Hendrick* fût celui d'un junkie très ordinaire, comme il en tombe chaque nuit des fenêtres, de par le monde, toute une cargaison. Les tentatives qu'il fit pour l'en dissuader ne lui rapportèrent que sourires en coin et regards de commisération, signifiant clairement : « Pousse-toi du col si tu y tiens, mon gars, mais ne nous prends tout de même pas pour des buses. » Son témoignage est accablant pour l'institution. Il établit en particulier que, jusqu'au samedi 14 mai, c'est-à-dire jusqu'au moment où la presse, enfin alertée, se mit à faire le siège du commissariat, la brigade de l'inspecteur Bloos limita ses investigations aux observations de routine consignées sur la main courante. Il aurait suffi, relève par exemple le *tour manager*, de jeter un coup d'œil à l'intérieur de l'étui à trompette – trouvé *ouvert* dans la chambre C-20, rappelons-le – pour mettre la main sur un bout de papier où figuraient deux numéros de téléphone et sur un télex émanant du bureau de Wim Wigt. L'identification du corps, en d'autres termes, n'aurait pas dû poser de problème. Elle n'en posa d'ailleurs aucun, mais dans le sens où, au poste de police, nul ne s'en préoccupa le moins du monde. Ajoutons que Chet Baker aurait peut-être connu un sort différent si lui-même avait daigné jeter un coup d'œil aux documents en question...

Reportons-nous aux minutes qui, le jeudi 12, à Rotterdam, précédèrent son départ pour la gare.

In extremis, il reçoit chez Bob Holland un coup de fil de Huijts, lequel rentre tout juste d'une tournée épuisante avec Dizzy Gillespie. Peter lui fixe les modalités du rendez-vous pour se rendre au concert de Laren. Un assistant de Wim Wigt passera le prendre à dix-neuf heures à l'hôtel Memphis, situé près du Concertgebouw, où son patron a réservé une chambre à son nom. Le trompettiste écoute à peine et ne retient rien du tout (preuve en est qu'arrivé à Amsterdam, il se mettra lui-même en quête d'un établissement susceptible de l'accueillir). Huijts, cependant, parvient à lui faire noter son numéro personnel et celui du Memphis, au cas où il rencontrerait une difficulté quelconque.

Que Chet ne se fût présenté ni au rendez-vous ni au concert n'était pas de nature à troubler des hommes qui travaillaient avec lui depuis plusieurs années. Il se montrait, sur le chapitre de la ponctualité, de la conscience professionnelle, du respect de la parole donnée, moins immature qu'il ne l'avait été à une certaine époque de sa vie, mais il n'avait pas tout à fait renoncé à un certain lunatisme, sur lequel, du reste, ses partenaires en affaires comme ses partenaires à la scène ne se posaient plus de questions. Un jour Chet prononçait votre nom avec tendresse ; le lendemain il vous appelait « Fuck you ! », et vous ne saviez jamais pourquoi. Alors, à quoi bon se le demander ? Un jour, il offrait au public la plus précieuse musique du monde ; le lendemain, il lui refusait jusqu'à sa présence. Après quoi il avançait, pour justifier ce manquement, des excuses dont personne ne se donnait plus la peine de relever l'évidente mauvaise foi ou la puérilité désarmante.

Bref, ce n'est qu'après le concert qu'agents et promoteurs commencèrent à s'inquiéter. À tout hasard, ils se mirent à appeler certains hôpitaux et deux ou trois postes de police. Par acquit de conscience, on doit le préciser, et non pas sous le coup d'un mauvais pressentiment. Ils restèrent d'ailleurs évasifs dans leurs démarches, de crainte que des policiers, les prenant au mot, ne se lancent à la recherche de leur client et ne finissent par le trouver quelque part, une seringue encore plantée dans le corps. Après quelques essais infructueux, ils décidèrent d'aller se coucher, en espérant que Chet finirait bien par réapparaître. Huijts, en particulier, ne tenait plus debout.

Peter habitait Eibergen. À son réveil, il partit faire quelques courses. Revenu à son appartement vers midi et n'y trouvant aucun message, aucune nouvelle d'aucune sorte concernant le trompettiste, il se dit que, cette fois, quelque chose d'inhabituel avait dû se passer. Il reprit aussitôt contact avec la police d'Amsterdam, décidé à jouer désormais cartes sur table avec elle. Il donna le nom, la profession et le signalement complet du disparu, précisant même qu'il s'agissait d'un toxicomane endurci. Au cours de la conversation, son interlocuteur se souvint tout à coup qu'une patrouille avait fait conduire à la morgue du cimetière Westgaarde, la nuit précédente, la dépouille d'un drogué tombé d'une fenêtre et dépourvu de papiers d'identité. Certes, ce citoyen-là n'accusait qu'une petite trentaine d'années, d'après le rapport, et, de ce fait, ne correspondait pas au signalement fourni. Toutefois – étrange coïncidence –, on avait trouvé une trompette dans ses affaires.

L'instrument, pensa Huijts, pourrait être celui de Chet, auquel cas il permettrait éventuellement de remonter jusqu'à lui. Là-dessus, l'agent mentionna une paire de lunettes qui, selon toute vraisemblance, avait elle aussi appartenu au défunt. Il poussa l'obligeance jusqu'à en faire la description.

« J'arrive », dit Huijts, bouleversé.

Son épouse avait tenu à l'accompagner. D'une part, elle ne le jugeait pas en état de prendre le volant ; d'autre part, si jamais une identification était nécessaire, la loi néerlandaise impliquait le témoignage de deux personnes au moins.

Au poste de la Warmœsstraat, où régnait une intense activité, le couple attendit deux heures dans un coin que quelqu'un voulût bien les conduire à la morgue. Peu à peu, Huijts s'était persuadé qu'en dépit de la considérable différence d'âge évoquée devant lui, le cadavre anonyme ne pouvait être que celui de Chet. « Sauf, se disait-il, qu'avec lui vous ne pouvez jamais être sûr de rien... »

Le corps reposait déjà au fond d'un cercueil. La plaie à l'arrière du crâne était invisible. On demanda au manager s'il souhaitait que la bière fût refermée. Peter Huijts réfléchit et pensa que, lorsqu'ils apprendraient de quelle façon le trompettiste avait trouvé la mort, les gens s'imagineraient qu'il n'avait plus figure humaine. Pour couper court à de telles rumeurs, il préféra que chacun pût se rendre compte que son visage ne présentait aucune lésion, pas même un hématome. En vérité, non seulement il était intact, mais il reflétait un sentiment de paix intérieure que nul dans son entourage ne lui avait vu afficher depuis des mois et qui, à défaut de lui donner l'âge de son fils aîné comme les policiers l'avaient cru, lui faisait paraître le sien – le sien et non plus celui de son père. Le mort, comme toujours, faisait semblant de dormir et ceux qui portaient son deuil, comme de juste, firent semblant de s'en émerveiller.

Le 18 mai, une cérémonie d'adieu fut organisée à Amsterdam. Elle connut un succès considérable. Ses amis européens auraient aimé qu'il rejoignît sa dernière demeure dans les jeans et le T-shirt qui avaient été sa seconde peau depuis qu'il vivait parmi eux. Sa famille américaine estimait qu'un tel accoutrement n'était pas à la hauteur d'une circonstance qui, après tout, reste exceptionnelle dans la vie d'un être humain. Carol, on peut le comprendre, souhaitait que le cadavre eût l'apparence de l'homme qui l'avait passionnément aimée à la Villa Gemma et qui, en cette époque lointaine, se pliait sans discuter à la tyrannie du costume sombre-chemise blanche-cravate (l'uniforme de Marcello Mastroianni dans les films de Fellini). Les amis de Chet le voyaient mal entrer dans l'éternité déguisé en croque-mort.

Peter Huijts chargea Evert Hekkema de trouver un compromis vestimentaire acceptable pour les deux parties. Le trompettiste fixa son choix sur un costume croisé gris clair à deux rangées de quatre boutons et sur une cravate mauve. Pour ajouter une note de fantaisie, une petite touche musicale, il se défit d'une épingle de cravate ornée d'une trompette qu'il portait lui-même et chargea le morticole en chef d'en parer le défunt.

« C'était important pour moi, confie en substance Peter Huijts dans un reportage diffusé par plusieurs chaînes de télévision. Je n'avais pas d'autre moyen de refermer le livre. » On notera qu'il n'a pas utilisé l'expression « tourner la page ». Il accompagna le corps en avion, et jusqu'au cimetière d'Inglewood Park où l'on devait l'inhumer, non loin de Los Angeles. Pourquoi à Inglewood, puisque Carol vivait avec ses enfants chez sa belle-mère en Oklahoma ? Vera Baker y avait acheté, des années plus tôt, un lopin de terre destiné à recevoir les restes de son fils unique. Ce n'est pas qu'elle eût du site une très haute opinion, mais Chesney Henry Senior y reposait. Peut-être songea-t-elle, lorsqu'elle fit cette acquisition, qu'allonger le garçon auprès de lui serait affirmer à la face du monde que les années passées à Glendale puis à North Redondo Beach avaient été les seules de toute son existence pendant lesquelles Junior avait connu... Quoi ? Disons quelque chose qui – une fois qu'on l'a perdu, mais à cette condition seulement – ressemble assez à l'idée qu'on se fait communément du bonheur.

Plus tard, quand on interrogeait Peter sur le déroulement des obsèques, il répondait : « Un sabotage. » Comme il avait fait son lit, Chet Baker s'était couché : on peut présenter les choses de cette manière. Au moins n'a-t-il pas eu, comme tant de trépassés, l'impression d'assister ce jour-là aux funérailles d'une autre personne.

Vera

À le voir, ce Hollandais, on aurait pu croire que mon garçon s'était éteint dans ses bras. C'était sans doute ce qu'il s'imaginait lui-même. Il aura toujours fallu que tout le monde s'imagine des choses à propos de Chet... Avec ses yeux rougis derrière ses lunettes, cet homme n'avait pas l'air méchant, je dois l'admettre. Il croyait de bonne foi nous ramener ses cendres. Il croyait que nous en avions encore besoin, encore envie, je suppose. Il ne savait pas qu'en ce qui nous concernait, cette histoire était close depuis belle lurette. Tel un brave toutou qui ne sait pas ce qu'il fait et se précipite vers vous avec, dans la gueule, une saleté qu'il a dénichée quelque part, il nous rapportait les restes d'un très vieux mort, que nous avions mis en terre loin de nous, pour ne plus le voir – ou pour ne plus voir qu'il ne nous voyait plus –, et que nous avions remplacé, dans la vie de tous les jours, dans les rêves de tous les jours, dans nos bénédictions quotidiennes, par un Chet éternel. Un Chet autrement plus réel que l'autre puisqu'il n'essayait pas, lui, de ficher tout le temps la réalité par terre, la seule qui comptait : la réalité des souvenirs que nous voulions garder de lui. Il nous encombrait, ce corps revenu parmi nous. Il était de trop.

595

Nous en avions déjà fait notre deuil. Sans trop de chagrin puisque en échange, pensions-nous, nous étions devenus usufruitiers d'une âme qui, elle, ne risquait pas de nous fausser compagnie. Bref, ce deuxième enterrement n'était à nos yeux qu'une formalité assommante. N'ayons pas peur des mots : une corvée. Que je le prononce ou pas aujourd'hui, ce mot se lisait sur nos figures, à Inglewood. Des témoins nous ont dénoncés. Ce n'est pas moi qui contesterai leurs déclarations : pourquoi – pour *qui*, surtout – nous serions-nous donné le mal de faire des simagrées ?

Là-bas, Dieu merci, tout a été vite expédié. Nous étions trois pelés et un tondu autour de cette fosse. J'aurais préféré qu'il n'y eût personne d'autre que la famille, mais je n'allais pas non plus faire la police à l'entrée du cimetière. D'ailleurs, je n'aurais pas eu le cœur de prier ce Hollandais de rester à l'écart, après tout ce chemin qu'il avait fait, et moins encore de renvoyer chez lui Russ Freeman, que j'avais un peu connu jadis. Russ n'avait pas eu de mauvaise influence sur mon garçon, je le savais. Il ne lui avait jamais fait aucun mal, contrairement à Peter Littman et à tant d'autres. Et puis, avec un autre pianiste (qu'on voit dans *Let's Get Lost*), Frank Strazzeri, avec le contrebassiste Hersh Hamel et Bernie Fleisher, qui avait fréquenté avec Chet l'école de Glendale et le collège El Camino, Russ était, parmi tous ses anciens compagnons, l'un des rares qui se soient donné la peine de se déplacer. Un étranger se tenait à leurs côtés. Pendant que le prêtre faisait sa petite affaire, Carol m'a glissé à l'oreille qu'il s'appelait Christopher Quelque Chose et que Chet avait enregistré des chansons de Noël avec lui à La Nouvelle-Orléans. Ce type espérait sans doute que les ventes du disque repartiraient si un journaliste chargé de couvrir l'événement citait son nom au détour d'un article. Le pauvre devait s'attendre à une cérémonie grandiose, avec le ban et l'arrière-ban de la presse internationale piétinant allègrement les autres tombes pour mitrailler la scène. Quand il a vu ce qui se passait, il a rentré la tête dans les épaules et s'est fait le plus petit possible. On s'est retournés lorsque Russ et les autres ont eu fini de nous tenir la jambe avec leurs oraisons funèbres : il filait déjà vers la sortie. J'admets qu'il avait l'air plus éploré que nous. Pas étonnant : il regrettait d'avoir investi le prix de son voyage en pure perte. Nous, au moins, nous étions venus aux frais de la princesse.

Bien sûr, Melissa, Dean et Paul nous avaient accompagnées en Californie, Carol et moi. Halema nous attendait au cimetière. Chetie, en revanche, ne s'était pas déplacé. Ça pouvait se comprendre. Moi, je lui donnais raison. Cet enfant-là sentait bien qu'il était le fils du vieux mort, du Chet irréel que nous avions fini par cacher tel un secret de famille encombrant. Il était, si j'ose m'exprimer ainsi, la postérité d'un fruit sec : un être solitaire et stérile recueillant les chiens perdus, vagabondant sans fin à travers l'Amérique pour fuir sa malédiction. Pour fuir son ombre, autant dire. Il aurait eu l'impression de mettre un de ses pieds à lui dans la tombe s'il avait assisté à cet enterrement.

Jack Sheldon est de la même génération que mon fils. Il joue de la trompette et il chante. Ils se connaissaient bien. Ils ont dû se rencontrer lorsque Chet est rentré d'Allemagne. Une fois, ils ont même enregistré ensemble, mais c'était beaucoup plus tard. Dans le film de Bruce Weber, Jack dit combien il était fasciné par les facilités qu'avait Chet, à l'époque où ils débutaient tous deux dans la musique. Je sais aussi qu'il raconte partout que, tout ce qu'il a jamais appris d'important pour son métier, il l'a appris en observant mon garçon. Jack nous avait demandé la permission de jouer *My Funny Valentine* à Inglewood Park, pendant qu'ils descendaient le cercueil dans le trou. À mon grand soulagement, il nous a fait faux bond au dernier moment. On lui avait proposé une affaire au *Ports O'Call*, un restaurant en terrasse de San Pedro, devant l'océan, à l'heure précise des funérailles. Il s'agissait d'animer un cocktail dansant. Ce n'est pas qu'il ne sache pas dire non, ni qu'il soit plus intéressé qu'un autre. Mais il a connu la disette et la dèche, plus que beaucoup. Lorsque les gars de la côte ouest, Russ, Bud Shank, toute la bande, se sont retrouvés quasiment à la rue, Jack a même dû lâcher son instrument pour faire le maître nageur. Après ça, on lui a offert une seconde chance, mais en tant que comique à la télévision. Il n'a pu revenir à la musique que dans les années 80. Le revoilà donc en selle, il rencontre un certain succès, mais il ne veut pas se faire trop d'illusions. Il reste sur ses gardes. Il sait que la roue peut repartir dans l'autre sens, alors il s'abstient de ce qui risquerait d'indisposer ceux qui tirent les ficelles : les dieux, les imprésarios, les promoteurs, les organisateurs de bals et de mariages, les patrons de studios, de boîtes de nuit, de restaurants et de supermarchés si d'aventure ces derniers ont recours à ses services. Ce n'est pas moi qui lui jetterai la pierre. Faute de *Funny Valentine*, nous nous sommes contentés, le moment venu, de lancer sur le cercueil des roses blanches que j'avais achetées en promotion à l'entrée du parc. On en a gardé une pour Jack, puisque nous devions le retrouver après la cérémonie. Il nous avait invités à le rejoindre sur son lieu de travail. Nous avions accepté sans hésiter. Les enfants seraient heureux de revoir la mer. Il faisait un temps magnifique sur la côte, ce samedi-là.

Le vieux mort que les Européens avaient déterré et qu'ils nous avaient renvoyé dans les gencives, je ne sais pas comment il serait arrivé à Inglewood s'il n'avait fallu compter que sur nous. Ce n'est pas le tout de louer un bout de cimetière quelque part. Il y a des tas de frais annexes, surtout si vous mourez à Amsterdam ! Or, nous n'avions pas le sou. Ma pension minuscule, ce que Carol pouvait gratter comme secrétaire à l'université d'État, là-bas en Oklahoma, ça nous permettait tout juste de joindre les deux bouts. D'autant que les enfants ne démarraient plus de la maison. Ils préféraient se tourner les pouces et se mettre les pieds sous la table sans avoir eu à gagner leur croûte. Leur mère et moi, nous n'étions pas trop pressées non plus qu'ils s'en aillent, il faut bien l'avouer. Dean, sous certains angles, à certaines heures de la journée, vous auriez vraiment cru son père à son âge. Mais ne changeons pas de sujet. Je disais qu'il n'était pas question pour nous de nous payer des extras. Alors, le rapatriement du corps, tout le tintouin, c'était très au-dessus de nos moyens. L'assurance de Chet, comme de juste, refusait de lâcher le moindre cent, sous prétexte qu'il était mort dans des conditions bizarres. Qu'est-ce qu'on pouvait répondre à ça ? On n'allait pas non plus se mettre dans un procès avec ces gens-là…

Là-dessus, ce Bruce s'est repointé chez nous. Il y aurait eu un fusil à la maison, Carol ne lui aurait pas permis de franchir le seuil en un seul morceau. Il a expliqué qu'il connaissait nos ennuis, que sa maison de production allait tout prendre à sa charge. Personne n'a dit merci. Il n'a recueilli que des sarcasmes. Par exemple, Carol l'a félicité d'avoir réduit sur notre dos le budget publicitaire de *Let's Get Lost*. Elle était persuadée qu'il allait filmer l'enterrement et rajouter une séquence de cimetière à son horreur de film qui, grâce à cela, serait regardé par encore plus de gens. (En septembre, il obtiendrait le prix des critiques italiens au festival de Venise, sans doute grâce à la mort de Chet.). J'ignore si Bruce avait eu l'intention de tourner à Inglewood Park, mais je dois reconnaître qu'il n'en a rien fait. Cette fois-là, il n'a pas profité de la situation. Mais on l'a quand même traité comme le dernier des nécrophages. Et ç'a été pire encore avec la femme qui représentait la production au cimetière. Carol et les enfants avaient-ils préparé leur coup ? On aurait pu croire qu'ils avaient répété le mouvement devant la glace pendant des heures. En quittant le cimetière, ils ont défilé raides comme la justice devant elle, sans lui accorder un seul regard. Puis, une fois qu'ils l'ont eu dépassée de cinq ou six pas, tous ensemble ils se sont retournés sur elle, la pauvre chose, et lui ont adressé un quadruple doigt d'honneur ! D'où je me trouvais, je n'ai rien manqué du spectacle. C'est bien le seul moment où je me sois un peu amusée au Park, entre nous. Aujourd'hui, bien sûr, je pense que je n'aurais pas dû. Mais je n'éprouve aucun remords.

Jack Sheldon avait envoyé quelqu'un nous prendre en voiture pour nous conduire à San Pedro. Melissa s'était chargée de la rose qu'on lui apportait. Assise sur la banquette arrière, elle la tenait à deux mains, toute droite devant elle, comme un cierge. Paul lui a dit en clignant de l'œil : « Tu reviens de la noce, Mel ? » Ce n'était pas grand-chose, mais, compte tenu des circonstances, on a bien ri.

Au restaurant, Jack nous avait fait réserver l'une des meilleures tables. Il ne jouait que des airs connus de tous, des mélodies qui avaient fait leurs preuves. Beaucoup se trouvaient déjà au répertoire de Dad, et Chet en avait interprété deux ou trois dans les concours. S'il s'y était présenté, lui, Jack, peut-être aurait-il remporté la palme. Il chante avec une voix de canard, selon moi, mais personne ne s'en plaint. Au contraire, cette voix de dessin animé a le don de mettre les gens à l'aise, autant que les blagues qu'il débite à la chaîne entre les morceaux.

Je les observais, les gens, au *Ports O'Call*. Ils avaient noué les coins de leur bouche à leurs oreilles, mais ils s'en fichaient, au fond, des efforts qu'on déployait pour les distraire. Les gens se plaignent que la vie est courte. Seigneur Dieu ! Ils ne se sont donc jamais regardés prendre du bon temps, comme ils disent ? À chacun sa corvée, ai-je pensé. Enterrement pour les uns, *cocktail party* pour les autres : le même ennui partout. Le même ennui à crever, c'est le cas de le dire. Si l'on avait obtenu l'autorisation des pouvoirs publics, c'est sur la terrasse du *Ports O'Call* qu'on aurait dû procéder à l'inhumation.

Ils ne se méfiaient pas d'une vieille bonne femme mal fagotée. Je pouvais les reluquer à loisir. Je m'apercevais que je les connaissais déjà. Depuis l'époque des concours, ils n'avaient pas du tout changé. C'était clair comme le jour, aucun d'entre eux n'avait rien à faire ni de la musique, ni des spécialités du barman avec des pailles multicolores, des rondelles de kiwi et des petits parasols en carton, ni du soleil, ni des rouleaux du Pacifique, rien à faire de rien. Simplement, ils avaient lâché quelques billets pour jouir de ces avantages : pour s'imaginer l'espace d'un instant qu'ils étaient capables d'obtenir de la vie, de leur propre vie, une faveur quelconque. Ils oublieraient ce qui s'était passé dans cet établissement (un échec succédant à d'autres échecs et précédant d'autres échecs) dès qu'ils auraient regagné leur auto, filant pied au plancher vers un établissement en tout point semblable à celui-ci, où ils recommenceraient. Mon enfant s'était écorché vif pour arracher cette humanité à une misère sans laquelle elle se serait sentie perdue…

Jack s'est lancé dans un morceau entraînant, style *After You've Gone*, où la batterie s'en donnait à cœur joie. Il a chanté en scat. Il a raconté une histoire à double entente, plutôt salée. Il a fait des grimaces. Il a fait l'imbécile pour ces gens. Puis il a ôté son masque d'amuseur professionnel. Il est venu vers nous, métamorphosé, arborant un vrai sourire. Un de ces sourires fragiles qui semblent prêts soit à s'envoler, soit à tomber des lèvres. Il a pris la rose des mains de Melissa. Il les a embrassées toutes les deux, la fleur et ma petite-fille, sous les applaudissements. Le public riait encore, mais plus aussi fort.

Jack a repris sa place. Il a posé la rose bien en évidence sur un tabouret, avec un air si grave, tout à coup, que personne ne pouvait plus croire à un gag, même de la part d'un type qui avait été comique à la télé. Il s'est mis à jouer tout seul *My Funny Valentine*. Les autres musiciens contemplaient le bout de leurs chaussures, bras ballants. Je le sentais, Jack aurait donné gros pour que ce fût un moment spécial. Un moment spécial dans sa vie. Dans la nôtre. Dans celle de toutes les personnes qui se trouvaient là, même si elles s'étaient rendues au *Ports O'Call* pour une tout autre raison. Même si elles allaient se dépêcher, une fois sorties du restaurant, d'effacer ces instants de leur mémoire, comme on vomit un souper fin pour pouvoir se remettre aux hot-dogs.

Sacré Jack ! On ne pouvait pas lui en vouloir d'essayer. Ça partait d'un bon sentiment. Seulement voilà, à part sa trompette et le silence de ses camarades, tout se liguait contre lui. Il y avait les glaçons qui tintaient dans les verres, sous les petits parasols. Il y avait les rires légers, les robes légères des femmes impatientes de danser sur des airs frivoles, et les regards que les hommes leur lançaient à travers leurs lunettes de soleil. Il y avait le soleil qui pétillait sur l'eau, les bateaux de croisière qui glissaient devant la terrasse du restaurant, pleins de fêtards et de flonflons, les acrobaties des mouettes au-dessus de nos têtes, un relent d'huile et de crème solaires, toute une insouciante atmosphère de samedi après-midi de printemps du côté de Malibu. Ni le pauvre Jack, ni sa trompette, ni sa tristesse, ni *My Funny Valentine* ne pouvaient rien contre ça.

Jack n'aurait pas pu mieux jouer à la mémoire de mon garçon qu'il ne l'a fait. Il n'aurait pas pu mieux jouer tout court. Mais les clients du *Ports O'Call*, je le voyais bien, jugeaient le moment et l'endroit mal choisis pour un requiem. Sans la grosse caisse pour marquer le rythme, ils ne pouvaient même plus danser. Ils restaient donc plantés sur la piste et rongeaient leur frein. Leurs yeux fixaient l'estrade, mais, en pensée, ils suivaient la trotteuse de leur montre. Dès qu'ils crurent, prenant leur désir pour la réalité, que Jack attaquait la dernière note de son solo, ils s'empressèrent d'applaudir. Je n'ai pas pu entendre la fin de *My Funny Valentine*, d'autant que Jack était descendu dans l'extrême grave, comme Chet le faisait souvent. Ces applaudissements avaient, en plus, quelque chose de gênant, je dirais presque de malsain. Ils étaient plutôt nourris, plutôt vifs, et pourtant il ne s'en dégageait pas la moindre chaleur. C'était une manière de dire à Jack : « Tu t'es offert une fantaisie : d'accord, pour une fois ça va, mais n'y reviens plus. À présent, tournons la page. Au boulot, mon gars, et que ça saute ! C'est grâce à nous que tu manges, au cas où tu l'aurais oublié. »

Jack avait mis dans son improvisation toute sa peine, toute sa nostalgie des années enfuies, des sourires effacés. Il était trop bouleversé pour comprendre ce qui se passait sur la terrasse. Ou alors, quitte à se faire interdire désormais dans tous les établissements de San Pedro, il ne *voulait* pas le comprendre. Son bronzage éclatant avait l'air de se faner sur son front, sa trompette pendait au bout de son bras comme une chose morte. De la main droite, tâtonnant à l'aveugle derrière son dos, il a repêché sur le piano le micro mobile dont il s'était servi pour les chansons. Il l'a approché de ses lèvres, mais il n'a pas chanté. Il a dévisagé les gens d'une étrange façon : comme s'il ne les voyait pas et en même temps comme s'il regardait chacun d'eux en particulier au fond des yeux.

« Aujourd'hui – a-t-il commencé – nous avons perdu un homme, un artiste qui, par son immense talent, était devenu un peu de notre chair et de notre sang. J'ai perdu, en ce qui me concerne, la partie la plus précieuse de moi-même… »

Jack a entrepris d'évoquer son enfance avec Chet sur la côte. Avait-il oublié qu'à cette époque lui-même vivait en Floride et n'avait encore jamais mis les pieds en Californie ? On aurait juré que c'était en réalité Brad Coulter qui s'exprimait par sa bouche. Les clients du *Ports* en avaient par-dessus la tête. Ils étaient au bord de l'exaspération. S'il ne s'était agi d'honorer un mort, ils auraient fait taire mon Jack par des huées et l'auraient obligé à quitter la scène sous une volée de projectiles. Et lui, comme si de rien n'était, leur racontait par le menu comment, avec Chet, ils ne se lassaient pas de pêcher des abalones et d'escalader les falaises de Palos Verdes !

Ce sacré Jack commençait à m'inquiéter. Le chagrin, ou je ne sais quoi, avait dû lui faire perdre la boule. Et puis, soudain, il a prononcé une certaine phrase et, là, j'ai vu où il voulait en venir. J'ai réalisé qu'il savait très bien ce qu'il faisait, en réalité. Qu'il croyait mordicus à cette histoire de falaises, mais pas comme à un épisode de son existence : comme à la morale d'une sorte de parabole qu'il lui fallait divulguer à tout prix, quand bien même personne d'autre au monde n'aurait souhaité l'entendre.

Il a dit : « Chet Baker grimpait et je le suivais. Et même si j'attaquais la paroi le premier, il finissait toujours par me distancer. Pas une seule fois je n'ai pu le rattraper. Vivrait-il encore mille ans, ou cent mille ans, que je ne le rattraperais jamais. »

Et il a ajouté (en se tournant dans ma direction, mais ce n'était peut-être pas intentionnel) : « Ni aucun d'entre nous. »

Il ne savait rien de ce que j'éprouvais pour mon petit : ni la force de mon amour, ni la profondeur de mon ressentiment. Quel instinct l'a poussé à s'adresser à moi (ou à me donner sur le moment cette impression, mais quelle différence ?). J'ai perçu ses dernières paroles et j'ai compris d'un seul coup qu'en suivant Carol et les enfants pour ne pas me retrouver toute seule, qu'en reniant le mauvais fils qui était en Chet, j'avais fait fausse route. J'avais lâché la proie pour l'ombre. Celui que j'appelais le bon Chet, le Chet réel, et qui ne mourrait plus, c'était un Jack Sheldon, ni plus ni moins, un brave garçon, le fils de son père (Dieu les bénisse tous !). Mais l'autre, le mauvais, le faux, celui que je venais de laisser partir sans une larme à Inglewood Park, ayant déjà trop pleuré pour lui, sur lui, à cause de lui, celui-là seul était le Chet dont j'avais rêvé quand je coiffais encore ses cheveux : le Chet trop spécial pour remporter les concours, mais si spécial que nul ne pouvait rivaliser avec lui. Le Chet que nul ne pourrait jamais atteindre, comme son ami venait de le rappeler après avoir joué l'un de ses airs préférés et constaté une fois de plus, en comparant leurs *Funny Valentine*, le fossé infranchissable qui les séparait.

J'avais rêvé d'un fils qui serait d'une autre espèce que les autres enfants, d'une autre espèce que tous les mâles de la terre, et Dieu m'avait accordé cette faveur. J'avais rêvé qu'il fût au milieu de tous ces hommes « comme s'il n'y avait personne autour de lui » (c'étaient mes propres paroles, je m'en souviens très bien). J'avais souhaité un garçon de lumière, éclairé du dedans. Tout cela, je l'avais obtenu. Je l'avais obtenu jadis dans les concours (ah ! il suffisait de le contempler sur le podium, dévoilant des secrets d'amour et de femmes à tous ces abrutis qui n'y voyaient que du feu !), et puis j'avais encore été comblée par la suite, tout au long de son existence, comblée à travers ses disques, à travers les photos qu'ils publiaient de lui partout.

En faisant ce vœu exorbitant, je n'avais pas posé de conditions au Ciel, il va de soi – et le Ciel ne m'en avait pas posé non plus pour m'exaucer. J'étais libre de demander autre chose. Je m'en suis gardée : à moi d'en payer les conséquences. Si je n'ai pas été assez fine mouche en ce temps-là pour deviner à quoi je m'exposais, ce n'est pas une raison pour faire aujourd'hui comme si rien ne s'était passé. Il n'y avait pas une chance sur un million que ça tourne de cette manière, mais *c'est* arrivé. Mon garçon est devenu l'être surnaturel de mon rêve, avec tout ce que cela supposait. J'avais commandé les violons du bal : qui d'autre que moi aurait dû régler l'addition ? J'avais beau être naïve en ce temps-là, pouvais-je imaginer une seule seconde qu'en devenant cet être inaccessible, il ne le serait pas aussi *pour moi* ? Du moment où il s'est engagé dans l'armée, il n'a plus cessé de l'être. Et toujours davantage au fil des années. Il l'était à Berlin, à Paris, à Milan, dans les prisons italiennes, à New York et même à Los Angeles. Il l'était quand il habitait avec moi à San José et que sa trompette ne soufflait plus que du vent. Il l'était sur les routes, fuyant la terre entière à toute allure dans ses autos. Il l'était sur le trottoir d'Amsterdam. Il l'est resté au fond de sa boîte, près de ce pauvre Dad dont on dirait pourtant qu'il n'a qu'à tendre la main pour toucher celle de son fils. Il le sera Là-Haut, quand on s'y rejoindra : Dieu lui aura donné une place à part ; nous, il nous enverra avec tout le monde. C'est triste. Ça fait mal. Mais si quelqu'un n'a pas le droit de s'en plaindre, il me semble que c'est bien moi. Alors pourquoi ai-je cru si longtemps le contraire ? Pourquoi me suis-je raconté tant de bobards ? Pourquoi a-t-il fallu que Jack Sheldon me dessille les yeux ? J'ai failli me trouver mal, en songeant que, sans m'en rendre compte, petit à petit, sous prétexte de confort – sous prétexte que le côté surhumain de Chet, mi-ange ou mi-démon, était trop difficile à supporter pour moi, pour sa femme, pour ses gosses –, je m'étais rangée du côté de ce monde qu'autrefois j'avais voulu voir s'écrouler autour de lui. J'avais inventé de toutes pièces un Chet qui, de concession en concession, aurait fini par être à sa place avec le tout-venant. Seigneur Jésus ! Encore un peu et j'allais réclamer moi-même le deuxième prix pour mon garçon...

J'aurais souhaité faire comprendre à Jack que j'avais reçu son message et que je lui étais reconnaissante de m'avoir secouée avant que je ne retourne en Oklahoma et ne me laisse de nouveau anesthésier. Anesthésier par la tendresse que m'inspiraient Carol et les enfants. Anesthésier, surtout, par ma propre lâcheté, ma propre mesquinerie :

par cette envie vulgaire de me reposer d'un amour qu'il était si exténuant de ressentir et dont le destinataire vous montrait sans détour qu'il n'avait aucun usage.

Jack, cependant, ne me regardait plus. Assis sur le tabouret, pensif, absent, il respirait la rose. Le murmure qui parcourait la foule était en train de gonfler en un grondement plein de menace. Il s'en est aperçu. Il a sauté sur ses pieds. A fait signe à ses musiciens de se tenir prêts. Leur a lancé du coin des lèvres un titre que je n'ai pas entendu. Puis il a embouché son instrument. L'orchestre a interprété un air enlevé sur lequel les gens pouvaient enfin se trémousser tout leur saoul. Cette mélodie n'était pas de la rosée du matin. Elle m'a tout de suite dit quelque chose. Billie Holiday avait dû enregistrer ça. Le titre, cependant, ne m'est revenu que lorsque Jack s'est mis à chanter : *Please Don't Talk About Me When I'm Gone*, « S'il te plaît, ne parle pas de moi quand je n'y suis plus. »

Je ne sais pas si le parolier l'a fait exprès : ça peut vouloir dire « Ne parle pas de moi dans mon dos », et ça peut signifier aussi « Ne parle pas de moi quand je serai mort ». Jack avait de l'esprit : il devait y avoir pensé. Peut-être regrettait-il d'en avoir trop dit tout à l'heure. Qu'il se rassure ! J'avais été la seule à entendre et, moi, j'étais heureuse qu'il ne se soit pas tu. Maintenant, oui, maintenant il n'y avait rien à ajouter. Plus rien du tout. Jamais. Les morts sont connus pour avoir bon dos. Mais celui-là, le mien, mon petit, ne vous y fiez pas. À votre place, je parlerais d'autre chose. J'écouterais sa musique et je la bouclerais une bonne fois.

Épilogue. *Timothy Donald Walker*

Il avait tout de même fini par lâcher le morceau ! J'ai découpé l'article et je suis allé montrer à Slipper ce que Gerry Mulligan venait de déclarer : « Je pense que Chet Baker a été le plus talentueux des trompettistes avec qui j'aie joué ou que j'aie jamais eu l'occasion d'entendre. Une ligne directe reliait ses idées à sa trompette. On aurait souhaité qu'une si remarquable aptitude à la création lui eût permis d'effectuer en ce monde un séjour plus serein. Mais le génie, si vous avez la chance d'en être pourvu, ne vous garantit pas la belle vie. » (Ni l'absence de génie, du reste. Mais c'est une autre histoire…)

Quand j'ai vu Chet marcher droit sur moi, dans cette boîte minable du Lower East Side où, trahissant une promesse que je m'étais faite, je vivais de ses restes, j'ai pensé qu'il n'y avait plus un seul endroit sur terre où je pouvais me cacher. Me cacher de lui, dont le regard me faisait honte, mais surtout me cacher du fantôme de John, mon pitoyable beau-père à peau blanche, et du fantôme de l'homme, connu sous le nom de juge Timothy Donald Walker, que j'avais été jadis.

La seule solution pour disparaître à leurs yeux, pour empêcher leurs yeux de me suivre, était de devenir méconnaissable. Je l'avais fait une fois dans un sens : pourquoi pas une autre fois dans le sens contraire ? Comme je m'étais fatigué de la respectabilité, après dix ans je n'avais plus d'appétit pour la dérive et la déglingue. Bien sûr, je n'allais pas redevenir juge, ni à Los Angeles ni où que ce fût. Quand le scandale avait éclaté, quand j'avais été pris la main dans le sac (et l'aiguille entre les orteils), ils m'avaient tiré de ma robe comme on dépiaute une anguille et jeté écorché vif sur le pavé. La destitution prononcée contre moi était irrévocable. D'ailleurs, je l'avais bien cherchée. On peut même dire sans abuser des mots que, dans les derniers temps, encombré de ma double vie, impatient de jeter le masque, j'avais couru après cette sanction. Aujourd'hui, c'était elle qui me poursuivait. Bien des fonctions auxquelles mes diplômes m'auraient permis de prétendre m'étaient interdites à cause de mon passé. Cependant, il existait d'autres manières de remonter la pente ou, du moins, il existait d'autres pentes à remonter que celle-là.

Si je n'avais jamais eu beaucoup d'amis, j'avais gardé des relations dans l'administration, dans les équipes de quelques sénateurs et d'un ou deux gouverneurs à qui j'avais rendu certains services. Ces personnages ne souhaitaient plus se montrer en ma compagnie, mais ils ne pouvaient pas jouer les dégoûtés avec moi : j'en savais un peu trop long sur leur propre conception de la morale et des lois.

Je me suis fait pistonner en sous-main pour obtenir ce que je désirais. Au demeurant, ce n'était pas grand-chose. On m'a inscrit sur une liste de prioritaires pour suivre une cure de désintoxication à Synanon. J'y succé-dais à des gens comme Art Pepper, Joe Pass, Charlie Haden, à beaucoup d'autres musiciens de jazz. Des vrais, ce qui n'aura jamais été mon cas. Mais moi, au moins – oh ! je ne m'en vante pas : les choses ont pris cette tournure, c'est tout –, je n'ai jamais retouché à la came.

Après m'en être sorti, je suis souvent retourné là-bas. Pour donner un coup de main. De fil en aiguille (le mot est malheureux, mais nous savons rire de nous-mêmes, nous aussi), c'est devenu ma spécialité. La municipalité me paie pour ça. Je contribue aux programmes d'aide sociale, dans le domaine du soutien psychologique. Je suis censé « rééquilibrer », « rééduquer », « réinsérer » : en fait, j'applique des emplâtres sur des jambes de bois. J'écume les pénitenciers, les dispensaires, les asiles de nuit, les squats, les terrains vagues, les ruines des entrepôts et les épaves des gazomètres, toutes les impasses de l'existence. Je discute le coup avec des taulards, des libérés sur parole, des types en manque, des types en plein sevrage, des types en pleine rechute, des michetons gangrénés jusqu'à l'os et des Adonis de la onzième heure, qui se font sulfater l'anus pour pas un rond, dans les coins sombres ou sous les néons, dans les douches des quartiers de haute sécurité. J'arrache des confessions sans lendemain à des types qui n'arrivent pas toujours à savoir s'ils se repentent de leurs fautes, ou plutôt du fait de s'en être repentis trop vite, vu qu'ils en regrettent plus amèrement les avantages qu'ils ne déplorent de les avoir commises.

Personne n'a le moindre commencement de réponse à leurs problèmes, qui eux-mêmes n'ont pas de fin. C'est ainsi. Dieu, le président des États-Unis d'Amérique et le secrétaire général de l'O.N.U. évitent le sujet. S'il existe une solution miracle, autant avouer tout de suite que je ne l'ai pas non plus. Je n'ai jamais pensé un seul instant que je pourrais l'avoir un jour, et le fait est que je n'ai pas levé le petit doigt pour mettre la main dessus.

Simplement, quand tous ces paumés m'adressent la parole, il se trouve que, l'expérience aidant, je ne suis pas tout à fait pris au dépourvu. Je sais quoi leur dire. Je sais aussi que, quoi que je dise, ça ne peut leur servir à rien. Et je sais qu'ils le savent encore mieux que moi. Mais ça entretient la conversation. Pendant ce temps-là, il y a au moins deux irrécupérables qui se tiennent tranquilles : mon interlocuteur et moi. Voilà pourquoi je reçois mon chèque mensuel de la mairie depuis une douzaine d'années. Nous sommes en 1996. Je n'ai rien fait de particulier pour ça, mais, dans le métier, je suis devenu une référence. Sans doute parce que ce n'est pas un métier : rien qu'une façon de dispenser l'espoir sous forme de soins palliatifs.

C'est grâce à ce job que j'ai retrouvé Slipper. Quelque trente ans après les faits, j'ignorais encore qu'il s'agissait de la petite frappe qui, sur les ordres de L'Homme, avait agressé Chet à la sortie du *Trident* de Sausalito, mettant à mal sa denture, avec les conséquences dramatiques que cela aurait pu avoir. Je suis tombé sur lui par hasard, au cours d'une de ces descentes aux enfers qui étaient devenues mon pain quotidien. Il occupait depuis cinq ans une garçonnière dans le couloir de la mort, à Saint Quentin. Sa mère aurait eu du mal à le reconnaître. Moi, j'en aurais été tout à fait incapable si, tandis que je subissais dans le bureau des gardiens ma troisième fouille depuis que j'avais franchi les grilles du pénitencier − ces tracasseries ne me faisaient plus ni chaud ni froid −, mon regard n'avait rencontré le nom de *Sonny James* sur le tableau de service à étiquettes amovibles (dispositif des plus pratiques dans un endroit où les locataires, en principe, ne s'éternisent pas). Et à cet instant précis, quelqu'un avait interpellé mon ancien dealer par son surnom. Sans cette double coïncidence, je serais passé devant sa cage sans m'arrêter. Lui, je doute que mon visage lui aurait rappelé quelque chose : j'avais perdu la plupart de mes cheveux et le reste de mon individu, ma peau, mes ongles, mes yeux, avait comme déteint au fil des années.

Quand L'Homme s'était fait liquider, Slipper, qui, si j'ai bien compris, n'était pas tout à fait étranger à cet incident, avait pris du galon dans la pègre. À partir du moment où il avait sous-traité les règlements de comptes et les expéditions punitives, il avait en outre pris du poids. Non seulement il s'était empâté, mais son cou, ses épaules, sa poitrine, ses hanches semblaient s'être élargis. Pour autant, sa silhouette était ce qui avait le moins changé en lui depuis l'époque où il était le fournisseur du dénommé « Poivre et Sel ». Slipper lisait la Bible. Il parlait d'une voix grave, mesurée, et s'efforçait de respecter la syntaxe. Son vocabulaire, pour l'essentiel, n'était plus celui du ghetto. Il passait le plus clair de son temps, soit à méditer sur l'*Ancien Testament*, soit à écouter du jazz sur son radiocassette.

Je me souviens qu'à la fin des années 60, il avait horreur de cette musique. Il reniflait avec mépris quand, s'asseyant dans ma voiture le temps d'une transaction, il surprenait ce que diffusaient les stations sur lesquelles j'avais l'habitude de me brancher. Naguère, à part Miles Davis dans *Bitches Brew*, les jazzmen de couleur étaient à ses yeux des gens qui ne pensaient qu'à trahir leur peuple en flattant l'homme blanc avec des conneries sentimentales ou des conneries d'intellectuels. Et voici maintenant qu'il se passait en boucle le Miles de *Birth of The Cool* et des disques avec Bill Evans, et même certains enregistrements de Bill sans Miles. Et de Chet. De Chet surtout. Ç'aurait été déconcertant, je suppose, pour tous ceux qui l'avaient fréquenté dans sa jeunesse : pour moi, c'était comme un vertige. Il me fallait le fin mot de cette histoire. Slipper n'a guère éclairé ma lanterne. Des troubles explications qu'il m'a fournies, j'ai seulement retenu ce qui s'était passé entre eux à Sausalito. Le reste n'était qu'un vaste délire mystique, où revenait sans cesse l'idée que si l'on reconnaît le vrai Dieu à ce qu'Il voit sans être vu, on reconnaît la vraie musique à ce que c'est elle qui écoute les gens.

Slipper avait rendu infirme ou massacré pas mal de monde. Il se fichait d'avoir été condamné pour un meurtre qu'il n'avait pas eu le loisir de commettre, étant occupé au même instant à organiser un autre assassinat deux blocs plus loin (circonstance atténuante dont un jury majoritairement composé de Blancs n'avait pas cru bon de tenir compte). Ce qui le tarabustait, c'était d'avoir écrasé les lèvres de Chet d'un coup de savate. Je ne sais plus combien de fois il m'a dit, en fixant des yeux le mur à travers moi, assis au bord de sa couchette : « Chaque fois que cet homme souffle, il me dit quelque chose. Il en sait long sur moi, tellement long, tu n'as pas idée ! Et j'ai failli être cause qu'il ne souffle jamais plus... Tu as lu le Livre, Tim ? "Œil pour œil, dent pour dent", c'est ce qui est écrit. » Mais il ne s'inquiétait pas pour ses incisives : il s'inquiétait pour son salut. Ce tabassage relativement modéré était le seul de ses crimes qu'il jugeait impardonnable. Je lui enregistrais sur cassette tout ce que je trouvais de Chet chez les soldeurs. Plus vieux c'était, plus il m'était reconnaissant. « Si j'avais connu ça plus tôt, disait-il, si j'avais su entendre ce que ça disait, si je m'étais laissé écouter par cette musique, j'aurais peut-être pris une autre route... »

Le dernier soir, après les prières, sur sa demande, on a fredonné *Line For Lyons* avec lui, l'aumônier et moi. Sa gorge s'est nouée dans le *middle part*.

« Je suis bien dans le ton ? m'a-t-il demandé. (Il transpirait à grosses gouttes.) Tu es sûr ? Je ne voudrais pas qu'il croie que je lui manque de respect ou que j'essaie de me défiler. Surtout pas maintenant, tu piges ? »

Non. Je ne souhaitais plus comprendre ce genre de choses. Et dans la situation particulière où nous nous trouvions, je tenais même expressément à pédaler dans la semoule. Moi, j'étais là pour faire l'idiot. J'étais là pour donner l'exemple de la stupidité béate, qui rend les exécutions plus charmantes pour tout le monde. Mon rôle consistait à garder la tête froide. À rester de marbre quand le gardien-chef prononcerait la formule qui fait dresser les cheveux sur la tête si on ne s'y est pas préparé : « Le mort est en marche », et qu'on se dirigerait en cortège vers la porte que, jusqu'ici, chacun d'entre nous s'était efforcé de ne pas regarder.

J'ai posé la main sur l'épaule de Slipper, qui s'est pressé contre moi. Ma bouche était près de son oreille. Tout ce que je demandais, c'était qu'il ne pleure pas. Le directeur de la prison en a profité pour consulter sa montre.

« Ça va aller, mec, ai-je chuchoté. Ça va aller. »

Remerciements

Mes remerciements vont d'abord à Jean-Louis Chautemps et à Riccardo Del Fra, musiciens hors pair qui, avant de contribuer à sa narration, furent parmi les protagonistes de l'histoire aux côtés de son héros.

Ce livre n'existerait pas sans l'accueil que lui a réservé Claude Durand et ne serait pas ce qu'il est sans l'intervention d'Élisabeth Samama. Je sais ce que je leur dois. D'ailleurs, ils sont récidivistes en la matière.

Je n'ignore pas non plus ma dette à l'égard d'auteurs dont les ouvrages documentaires m'ont donné du grain à moudre. En particulier Chet Baker lui-même avec son livre de souvenirs baptisé *Comme si j'avais des ailes*[1], l'irremplaçable William Claxton avec les photographies et les commentaires de son album *Young Chet*[2], Gérard Rouy avec *Chet*[3] (première biographie de l'artiste en

---

1. Aux éditions 10/18, dans une traduction française d'Isabelle Leymarie (2001).

2. Aux éditions Schirmer-Mosel, en partenariat avec Gitanes Jazz productions (1993).

3. Aux éditions du Limon (1992).

langue française) et Jeroen de Valk avec *Chet Baker : his life and music*[1].

Enfin, je tiens à saluer tous ceux qui, d'une manière ou d'une autre, ont apporté leur pierre à l'édifice : Agnès Cathou, Gilles Anquetil, Paul Benkimoun, Pierre Bouteiller, Philippe Carles, Claudio Fasoli, Philippe Fréchet, Georges Stanislas Paczynski, Jean Passemez, Jean-Jacques Pussiau, Daniel Richard et Alain Tercinet.

A. G.

---

1. Aux éditions Berkeley Hills Books (2000), première édition remise à jour et traduite en anglais *Chet Baker : herinneringen aan een lyrisch trompettist*, publié par Van Gennep (1989).

Fiche d'admission 669-0567 11
Sonny « Slipper » James 13
Chet.. 19
Il y avait Miles et ses garçons terribles 25
Vera Baker 29
Chet.. 37
Chesney Henry Baker Senior.......................... 45
Tante Agnes 53
Vera 61
Dick (Richard X, dit « 148 »)........................ 69
Oscar D. Greenspan 77
Chet.. 91
Vera Baker 95
James George Hunter, dit Jimmy Rowles.............. 99
Chet.. 103
Il y avait eu Miles, déjà… 109
Sherry Donahue.................................... 115
Chesney Senior.................................... 123
Lt. Daniel Bernard Levin
(Service psychiatrique de l'infanterie
des États-Unis d'Amérique) 131
Chet.. 139

Richard « Dick» Bock 147

Charles « Charlie » Parker Jr., dit « Bird » 149

Charlaine 163

Sergent Casper O'Grady 171

Jeffie 179

Gerald Joseph « Gerry » Mulligan, dit « Jeru » 183

Témoignages (I) 193

Chet aura tout fait par amour… 195

Témoignages (II) 199

Richard « Dick » Twardzik 203

Chet 221

Jean-Louis Chautemps 229

Richard « Dick » Bock 237

William 241

Richard « Dick » Bock 249

Témoignages (III) 253

Le quartette de Gerry Mulligan… 255

William « Bill » Grauer 261

Halema Baker 263

Ettore Boltrani 269

Jacques Pelzer 273

Arrigo Prezzolini 281

Chet 297

Jean-Philippe Coudrille 311

Témoignages (IV) 321

Tadley Ewing « Tadd » Dameron 323

Chet 333

Philip « Phil » Urso 335

Vera Baker 337

Témoignages divers 345

Jimmy Rowles 349

Carol Baker, née Jackson 351

Timothy Donald Walker 355

Oscar D. Greenspan 367
Steve Parmighetti 371
John Birks « Dizzy » Gillespie 379
Paul Breitenfeld, dit Paul Desmond 393
En ce temps-là, les bureaux de Jazz Magazine... 409
Jean-Philippe Coudrille 419
Chet.. 437
Vera 459
Témoignages divers (VI) 473
Ce furent dix années crépusculaires... 481
Stanislas (dit Stanley) « Stan » Getz 489
Témoignages divers (VII) 511
Sur scène, c'est une tradition chez les jazzmen... 515
Riccardo Del Fra.. 517
Jean-Philippe Coudrille 531
Chet.. 551
Oscar D. Greenspan 573
Le choc de la partie postérieure du crâne... 583
Vera 595
Épilogue. Timothy Donald Walker........................ 609
Remerciements 617

RÉCIT

Jeter l'encre, Isoète, 1993.

NOUVELLES

Les Jours de vin et de roses, Robert Laffont, 1982 (Bourse Goncourt de la nouvelle, Grand Prix de la nouvelle de la Société des gens de lettres).

Ce qu'on voit dans les yeux d'Iliyna Karopi, Le Rocher, 1996 (Prix Renaissance de la nouvelle).

Les Débuts difficiles de l'écrivain Nathan Typpesh, Le Rocher, 1996.

« L'Anniversaire de la Vieille Dame », in *Alst'homme*, photographies Marc Paygnard, Éditions du Paysage, 1997.

Le Sourire de Chaco, Le Rocher, 1998.

ESSAIS

Jazz classique, Castermann, 1971.

Jazz moderne, Castermann, 1971.

Le Cas Coltrane, Parenthèses, 1985.

Portraits en jazz, Renaudot et Cie, 1990 (Prix Robert Goffin de l'Académie du jazz).

Montréal Blues, Table rase/Manya, 1992.

Fiesta in Blue, vol. 1, Alive, 1998.

Fiesta in Blue, vol. 2, Alive, 1999 (Prix Charles-Delaunay de l'Académie du jazz).

Lester Young, Fayard, 2000 (Prix de l'Académie Charles Cros ; Prix des Muses).

Clifford Brown, Fayard, 2001.

Bill Evans, Fayard, 2001.

Miles Davis, Fayard, 2003 (Coup de cœur littérature musicale de l'Académie Charles Cros).

Jack Teagarden, pluie d'étoiles sur l'Alabama, Fayard, 2003.

LIVRES POUR ENFANTS

Mon ami Emiliano Zapatta, coll. « Je bouquine », 1985, et Livre de Poche jeunesse, 1987.

Le Roi du jazz, coll. « Je bouquine », 1991, Bayard Poche, 1994 et Bayard Jeunesse, 2002.

(Label du Prix Versele).

La Vie buissonnière, coll. « Je bouquine », 1992, et Bayard Poche, 1996.

Les Anges de Rio, coll. « Je bouquine », 1995.

Composition :
Paris-PhotoComposition
75017 Paris

Impression réalisée sur CAMERON par
BRODARD ET TAUPIN
La Flèche

pour le compte des Éditions Fayard
en juin 2003

Imprimé en France
Dépôt légal : août 2003
N° d'édition : 34913 – N° d'impression : 19334
ISBN : 2-213-61635-3
35-33-1835-4/01